QU'EST-CE QU'UNE VIE
RÉUSSIE ?

DU MÊME AUTEUR

PHILOSOPHIE POLITIQUE I : *Le droit. La nouvelle querelle des anciens et des modernes*, P.U.F., 1984.

PHILOSOPHIE POLITIQUE II : *Le système des philosophies de l'histoire*, P.U.F., 1984.

PHILOSOPHIE POLITIQUE III : *Des droits de l'homme à l'idée républicaine*, P.U.F., 1985 *(en collaboration avec Alain Renaut)*.

SYSTÈME ET CRITIQUES, *Essai sur les critiques de la raison dans la pensée contemporaine*, Ousia, 1985 *(en collaboration avec Alain Renaut)*.

LA PENSÉE 68, *Essai sur l'antihumanisme contemporain*, Gallimard, 1985 *(en collaboration avec Alain Renaut)*.

68-86. *Itinéraire de l'individu*, Gallimard, 1987 *(en collaboration avec Alain Renaut)*.

HEIDEGGER ET LES MODERNES, Grasset, 1988 *(en collaboration avec Alain Renaut)*.

HOMO AESTHETICUS : *L'invention du goût à l'âge démocratique*, Grasset, 1990 *(Collection « Le Collège de philosophie »)*.

LE NOUVEL ORDRE ÉCOLOGIQUE, Grasset, 1992 *(Prix Médicis Essai ; Prix Jean-Jacques Rousseau)*.

L'HOMME-DIEU OU LE SENS DE LA VIE, Grasset, 1996.

LA SAGESSE DES MODERNES, Robert Laffont, 1998 *(en collaboration avec André Comte-Sponville)*.

PHILOSOPHER À DIX-HUIT ANS, Grasset, 1999.

QU'EST-CE QUE L'HOMME ?, Odile Jacob, 2000 *(en collaboration avec Jean-Didier Vincent)*.

LUC FERRY

QU'EST-CE QU'UNE VIE RÉUSSIE?

BERNARD GRASSET
PARIS

Avant-propos

Nos rêves éveillés. La réussite, l'ennui et l'envie

> *Je m'présente, je m'appelle Henri,*
> *J'voudrais bien réussir ma vie, être aimé,*
> *Être beau, gagner de l'argent,*
> *Puis surtout être intelligent,*
> *Mais pour tout ça faudrait que j'bosse à plein*
> *temps...*
>
> DANIEL BALAVOINE.

Dans une brève conférence qu'il publia en 1908, *La Création littéraire et le rêve éveillé*, Freud s'est essayé à interpréter la signification d'un aspect de notre vie psychique qui peut sembler à première vue tout à fait anecdotique : il s'agit de ces « rêves diurnes », de ces « châteaux en Espagne » que notre imagination se plaît parfois à construire pour compenser les frustrations infligées par les réalités de l'existence. Ces petits scénarios de la rêverie ordinaire empruntent généralement aux trois dimensions du temps : constatant l'indigence du présent, ils plongent dans le passé en vue d'y puiser les matériaux qu'une habile reconstruction va s'efforcer d'utiliser pour tracer les contours d'un avenir plus réussi. Afin d'illustrer son propos, Freud

7

nous suggère de réfléchir à cette petite fable, à l'évidence inventée pour les besoins de la cause :

« Imaginez un jeune homme pauvre et orphelin à qui vous auriez donné l'adresse d'un patron chez lequel il pourrait trouver un emploi. Peut-être s'abandonnera-t-il en chemin à un rêve éveillé, adapté à la situation présente et engendré par elle. Ce fantasme pourra à peu près consister en ceci : le jeune homme est agréé, il plaît à son nouveau patron, on ne peut plus se passer de lui dans l'entreprise, il est reçu dans la famille du patron, il épouse la ravissante jeune fille de la maison et dirige alors lui-même l'affaire en tant qu'associé et, plus tard, successeur du patron. Le rêveur se procure par là à nouveau ce qu'il avait possédé dans son enfance heureuse : la maison protectrice, les parents aimants et les premiers objets de ses tendres penchants. Vous voyez par cet exemple comment le désir sait exploiter une occasion offerte par le présent afin d'esquisser une image de l'avenir sur le modèle du passé [1]. »

L'historiette, sans doute, est un peu mince et Freud en convient volontiers : il n'est lui-même ni écrivain ni poète et son propos ne prétend guère dépasser l'humble statut d'un portrait-robot. Au demeurant, les rêveries qu'il prête aux jeunes gens de son époque paraîtront aujourd'hui bien convenues. Il n'empêche : avec un peu de bonne volonté, nous comprenons parfaitement ce qu'il veut dire. Moyennant quelques correctifs personnels ou mieux adaptés aux conventions du jour, il est même difficile de ne pas nous y reconnaître. Si déplaisant qu'il soit de le confesser, il nous est arrivé à tous un jour ou l'autre, et parfois bien après le temps de l'adolescence, de céder à des fantasmes

---

1. *Essais de psychanalyse appliquée*, Gallimard, coll. « Idées », p. 75.

analogues sinon identiques à celui que conte Freud. Le succès de certains films, de certains romans – ils constituent même un genre littéraire à part entière – en témoigne assez pour qu'il ne soit pas nécessaire d'y insister. Et pourtant, comme le note justement Freud, un étrange et profond sentiment de honte s'attache à un tel aveu.

Nous préférerions reconnaître nos fautes les moins pardonnables plutôt que de voir dévoiler en public des fantasmes secrets dont tout porte cependant à croire qu'ils sont des plus communs, pour ne pas dire universels. Ils répondent même à des critères d'une effrayante banalité, à une typologie si élémentaire qu'on pourrait en dresser aisément les contours. Il y a d'abord les rêves de *possession,* dont l'admirable Perrette des fables de La Fontaine fournit le modèle : « on dirait qu'on aurait gagné à la loterie », que « notre oncle d'Amérique nous aurait légué tous ses biens », etc., et nous achèterions alors vaches, cochons, couvée : une voiture, un bateau, une maison à la campagne, à la mer, à la montagne... sans oublier, bien sûr, d'en donner un peu (mais quand même pas trop...) aux frères et sœurs, à tante Ninette et aux bonnes œuvres... Viennent alors les fantasmes de *réparation* : on a manqué de courage dans une altercation, de repartie dans une dispute, d'esprit dans une conversation, d'à-propos dans un comportement et le rêve éveillé nous restitue de manière impeccable ce qui nous a si cruellement fait défaut dans la réalité. Une troisième catégorie touche à l'idéal de la *séduction* : nous voici – enfin – doté de qualités sublimes, virtuose d'un instrument de musique dont nous n'avions jusqu'alors tiré que des sons angoissants, champion d'un sport qui commençait à nous décourager, témoignant à l'égard des autres de vertus insoupçonnées d'humour, d'intelligence, de beauté sans oublier, comble de l'ironie, une modestie, voire une humilité qui force, au milieu de tant de talents, l'admiration de tous. Si l'on ajoute encore les rêves *érotiques*, aux deux sens du terme, sexuel et amoureux – ce deuxième volet incluant comme il se doit le « grand amour », avec son cortège de princes charmants et de femmes fatales –, on aura fait, à peu de chose près, le tour de nos capacités imaginatives en matière de « réussite sociale ». Pourquoi, donc, tant de honte à l'avouer ?

Pour quelques « bonnes raisons » – on désigne généralement ainsi les plus mauvaises –, qui ne manquent pas d'intérêt. D'abord, nous le savons bien, parce que le rêve éveillé comporte une part évidente d'infantilisme. Les enfants, nous l'observons chaque jour, sont les premiers à utiliser leur imaginaire sur ce mode fantasmatique : ils ne cessent de s'inventer des mondes merveilleux dans lesquels, avec beaucoup d'application, ils investissent d'immenses quantités d'affects – en quoi, comme le souligne Freud, le contraire du jeu n'est pas le sérieux, mais la réalité. Encore faut-il préciser qu'ils ont, pour ce faire, une excuse que les adultes ont malheureusement perdue : ils jouent à être des « grandes personnes », docteurs, aviateurs, conducteurs de trains ou de voitures, propriétaires de nounours et de poupées face auxquels ils acquièrent le statut éminent de parents... En cela, ils se conduisent d'une façon que nous jugeons volontiers « convenable », conforme à leur statut d'enfants, puisqu'il est bien dans leur destin de « grandir ». Cette situation nous est pour une large part interdite.

A l'infantilisme du rêve éveillé chez l'adulte s'ajoute un égocentrisme, voire un « égotisme » qui paraît lui aussi malséant lorsqu'il est affiché en public : l'un des traits les plus remarquables, bien qu'évident, de nos

fantasmes, est que nous y apparaissons immanquable-
ment sous les traits du Héros, comme le centre ou le
foyer de tous les regards, comme celui que rien ne
peut arrêter, auquel tout réussit, jusque dans les plus
terribles épreuves – en quoi, à nouveau, nombre de
créations littéraires empruntent directement au
modèle du rêve diurne : à la fin du chapitre, Rouletabille est au fond de la rivière, entravé par de lourdes
chaînes solidement cadenassées. Mais nous sommes
tranquilles, nous savons que le prochain commencera
à peu près par ces mots : « Quand Rouletabille remonta
sur la berge », etc. La réalité, bien sûr, n'est pas aussi
amicale envers notre cher Moi…

Un troisième trait de cette activité psychique contribue encore, bien que de manière plus subtile, à dis-
créditer toute tentative de divulgation : avoir besoin de
fantasmer, c'est concéder, fût-ce de manière implicite,
que l'on n'est pas heureux dans un univers réel dont
la résistance à nos désirs est l'une des caractéristiques
les plus tangibles. Or chacun le sait : il n'est jamais
bienvenu de faire savoir qu'on appartient à la catégorie, peu enviée et peu enviable, des « frustrés ». Voilà
aussi pourquoi, *last but not least,* le rêve éveillé peut être
considéré dans certains cas comme le premier stade de
la folie. Si être fou du moins, c'est d'abord et avant
tout quitter le réel, perdre contact avec lui, nul doute
que la construction de châteaux en Espagne, du moins
lorsqu'elle devient exubérante et envahissante à l'âge
adulte, ne soit déjà aux limites de la névrose.

On sait comment les manuels de psychologie présentent aux étudiants la fameuse différence entre les
névroses et les psychoses : le psychotique, nous disent-
ils en substance, est celui qui a acquis la conviction
inébranlable que deux et deux font cinq. Et tous ceux
qui tentent de le persuader du contraire sont des rusés,

tout disposés à lui nuire. Le psychotique a perdu le contact avec la réalité. Comme lui sans doute, le névrosé pense que deux plus deux font cinq… *mais, à la différence du premier, ça l'ennuie terriblement !* Par où l'on voit qu'il tient encore au réel, ne serait-ce que par son angoisse. Une anecdote, inventée, je crois, par un auteur allemand, dit la même chose de façon plaisante et ce n'est pas tout à fait par hasard qu'elle emprunte au modèle du rêve éveillé : le névrosé est celui qui construit des châteaux en Espagne, le psychotique y habite (ce qui est déjà plus fâcheux)… et le psychiatre encaisse le loyer !

Sommes-nous en voie de céder à la folie ? Se pourrait-il que, pressés de penser la réussite de nos vies sur le mode fantasmatique, nous soyons au bord de la psychose ? On pourra juger la question bien futile. On dira peut-être que les interrogations sur la « vie bonne », attestées par la grandiose histoire de la philosophie depuis les Grecs, sont trop sérieuses pour être abordées sur un ton aussi badin, en partant d'une approche aussi mineure, aussi platement « psychologisante ». J'en conviens volontiers. J'y aurais du reste renoncé si ces quelques notations d'inspiration freudienne ne me paraissaient rencontrer un des traits en vérité les plus profonds et les plus philosophiques de l'époque contemporaine : la confusion entre ce que les Anciens, justement, nommaient la « vie bonne », et la simple « réussite sociale », entre la sagesse authentique et le « culte de la performance [1] » en tant que telle, le souci narcissique et illimité du pouvoir, de l'argent et de la reconnaissance d'autrui. Rousseau, qui n'aimait guère le monde moderne dont les prémices s'annonçaient déjà sous ses yeux, soutient que le malheur des indivi-

---

1. L'expression, comme on sait, est d'Alain Ehrenberg.

dus est qu'ils y sont « seuls quand ils sont avec d'autres et avec les autres quand ils sont seuls[1] » : isolés, dans le premier cas, parce que résolument engagés dans une compétition universelle, et proches, dans le second, parce que, se souvenant des inévitables frustrations engendrées par les nécessités de la concurrence, ils baignent dans les compensations du rêve éveillé... La remarque est profonde.

Encore faut-il comprendre les motifs pour lesquels la simple « réussite », la réussite réduite à la performance pure, au pouvoir pour le pouvoir, indépendamment des objectifs louables qu'il permettrait le cas échéant d'atteindre, est devenu si souvent – bien que, comme dans le cas du rêve éveillé et pour des raisons analogues, nous ayons quelque honte à l'avouer – l'horizon ultime de nos pensées et de nos aspirations. On dira, non sans raison, qu'il n'en va pas ainsi pour tout le monde, que sage est celui qui justement parvient à se contenter de ce qu'il a, qu'il est d'autres valeurs que la simple réussite sociale. Sans doute, et nous y reviendrons tout au long de ce livre. Mais, là encore, ne sous-estimons pas les méandres redoutables de nos inconscients. Faire son deuil des idéaux infantiles que dévoile la présence même des rêves éveillés, ce peut être aussi céder aux idéologies du renoncement, tout aussi douteuses et suspectes dans leur genre, que celles de la « réussite ». Le grand La Fontaine, là encore, avait tout dit : à la fable de Perrette répond celle du renard et de ces délicieux raisins qui ne deviennent « trop verts », et « bons pour les goujats », qu'à l'instant où ils paraissent désespérément inaccessibles...

---

1. J'emprunte la formule – qui n'est pas, sauf erreur, une citation exacte – à Pierre Manent, qui la commente dans ses belles leçons sur la philosophie politique moderne.

Avouons-le plutôt : le monde contemporain, pour des raisons qu'il ne faut pas éluder, incite de toutes parts au rêve éveillé. Son cortège impressionnant de stars et de paillettes, sa culture de la servilité face aux puissants et son amour immodéré de l'argent, tendent à nous le présenter littéralement comme un *modèle* de vie. In/out, en hausse/en baisse, en forme/en panne, winner/looser : tout concourt aujourd'hui à faire du succès en tant que tel, et quel que soit le domaine de référence envisagé, un idéal absolu. Sports, arts, sciences, politique, entreprise, amours, tout y passe, sans distinction de rang ni hiérarchie de valeur. Comme dans le grand show télévisé mis en scène par Fellini dans *Ginger et Fred*, pourvu que la performance soit au rendez-vous, elle *doit* susciter l'admiration et figurer comme telle au «livre des records». Peu importe, au fond, qu'elle soit celle d'un truand ou d'un médecin, d'un footballeur ou d'un musicien. Au point que l'impératif de réussite prend l'allure d'un nouveau mode de culpabilisation des individus : les «ratés» resteront anonymes.

Au demeurant, l'idée de «réussite» paraît fort contestable. N'est-elle pas inadéquate, voire fallacieuse dès lors qu'il s'agit de juger d'une existence dans son ensemble ? N'est-il pas aussi naïf qu'erroné de vouloir penser la vie sous une catégorie qui convient mieux à un examen de passage qu'à l'élaboration d'une sagesse ? Laisser croire que nous pourrions réussir notre vie comme on réussit un soufflé ou un bœuf en daube n'est-il pas l'effet d'une prétention démesurée quand on songe à tout ce qui dans notre existence ne dépend en rien de nous mais revient aux hasards de la naissance, à la pure contingence des événements, à la fortune ou aux infortunes les plus aveugles ? N'est-ce pas faire la part beaucoup trop belle à notre malheureux ego, à une volonté libre qui ne joue pourtant dans la pièce qu'un petit rôle de composition ? Reste que les illusions de la « réussite » sociale, les fantasmes entourant le mythe du self-made-man et les dorures du pouvoir sont si puissants aujourd'hui qu'ils semblent occuper tout l'espace au point d'aveugler l'horizon. Sous couvert de nous inviter librement à l'action et à l'épanouissement de soi, l'idéal de « réussite », auquel nos rêves éveillés, mais aussi le culte contemporain de la performance, donnent tant de poids et de prix, n'est-il pas en train de prendre la forme d'une nouvelle tyrannie ?

Certains penseront, avec fatalisme, qu'il s'agit là d'un des aspects fondamentaux de la condition humaine, d'une caractéristique « de toujours », essentielle et éternelle de l'histoire des sociétés. Rien n'est moins sûr, pourtant. Il faut ici savoir se méfier des anachronismes et des idées reçues : ils risquent fort de nous interdire toute compréhension de la dimension peut-être exceptionnelle de notre situation. Or c'est elle qu'il faut prendre en compte pour saisir comment la question de la vie réussie se pose aujourd'hui en des termes aussi problématiques qu'inédits.

« Vie bonne » ou « vie réussie » ? L'éclipse des transcendances ou la condition de l'homme moderne

Pendant des siècles, et à tout le moins depuis la naissance de la philosophie dans l'Antiquité, poser la question de la « vie bonne », c'était d'abord s'engager à rechercher un principe transcendant, une entité extérieure et supérieure à l'humanité, qui lui permît d'apprécier la valeur d'une existence singulière. Pour évaluer la réussite ou l'échec d'une vie humaine, pour savoir si elle avait valu la peine d'être vécue, si elle était ou non « sauvée », il fallait un critère suprahumain, une unité de mesure sublime au nom desquels un jugement plus ou moins objectif pouvait être porté sur l'ici-bas. C'est ainsi qu'au fil des temps, de grandes visions du monde ont dominé l'humanité – bien qu'elles fussent certainement forgées par elle. Des idées telles que celle d'un ordre cosmique harmonieux au sein duquel chaque être particulier devait trouver sa juste place, ou d'un Dieu bienveillant dont l'amour orienterait de part en part la vie des hommes, fondaient des convictions qui, non seulement reliaient les êtres entre eux, mais les rattachaient aussi à des valeurs et des finalités imposantes, bien supérieures à leurs yeux à la performance pure.

Plus près de nous, dans une perspective qui se voulait pourtant matérialiste, la référence à des principes transcendant l'individu, ainsi qu'à la problématique religieuse du salut, régnait encore sur le monde humain. Elle demeurait présente jusqu'au sein des idéologies révolutionnaires où l'on préservait peut-être l'essentiel de la foi : en conformant sa vie à l'idéal, en la sacrifiant le cas échéant pour lui, on pouvait garder la conviction d'être, au sens propre, « sauvé » par une dernière voie d'accès à l'éternité. Par-delà leurs rivalités, Don Camillo et Peppone pouvaient encore marcher la main dans la main. Nul hasard, bien sûr, si la trace de cette foi terrestre s'exprimait en toute naïveté chaque fois que la mort, brisant le destin d'un grand héros, venait poser la question du sens ultime de sa vie. Au lendemain de la disparition de Staline, *France Nouvelle*, l'hebdomadaire central du Parti communiste français, n'hésitait pas à rédiger sa Une en des termes qui paraissent aujourd'hui sidérants, mais qui traduisent parfaitement le caractère encore religieux, voire fondamentaliste, de la croyance politique : «Le cœur de Staline, l'illustre compagnon d'armes et le prestigieux continuateur de Lénine, le chef, l'ami et le frère des travailleurs de tous les pays a cessé de battre. Mais le stalinisme vit, il est *immortel*. Le nom sublime du maître génial du communisme mondial resplendira d'une flamboyante clarté à travers les siècles et sera toujours prononcé avec amour par l'humanité reconnaissante. A Staline, à tout jamais nous resterons fidèles. Les communistes s'efforceront de mériter, par leur dévouement inlassable à la *cause sacrée* de la classe ouvrière... le titre d'honneur de staliniens. Gloire *éternelle* au grand Staline dont les magistrales œuvres scientifiques *impérissables* nous aideront à rassembler la majorité du peuple[1]... » *Sic*[2] !

Aujourd'hui encore, dernier vestige de cette religion sans dieux, l'hymne national cubain étend cette espérance aux simples citoyens, pourvu qu'ils aient sacrifié leur destin particulier à une cause supérieure, car «mourir pour la patrie, affirme-t-il, c'est entrer dans l'éternité»...

Tout cela, qui est pourtant si proche, sonne aujourd'hui de manière étrangement archaïque. On y perçoit davantage un discours proche de l'intégrisme, voire du délire mystique, qu'une analyse politique digne de ce nom. C'est que l'Europe est décidément entrée dans une ère nouvelle, celle de la laïcité achevée, ou si l'on veut, du matérialisme radical : pour nombre de nos concitoyens, en effet, plus rien ne paraît à vrai dire « sur-humain ». L'Homme est devenu l'alpha et l'oméga de sa propre existence et les trans-

---

1. Couverture de *France Nouvelle* du 14 mars 1953.
2. On trouvera dans l'excellente *Histoire illustrée du socialisme* de Michel-Antoine Burnier (éditions Janninck), une reproduction de cette une, p. 81.

cendances de jadis, celles du Cosmos ou de Dieu, mais tout autant de la Patrie et de la Révolution, paraissent à beaucoup illusoires, voire dogmatiques et mortifères. Certains, bien sûr, conservent la foi, mais ils sont de moins en moins nombreux, et pour tous les autres, la mort est désormais sans pourquoi, sans appel ni au-delà – en quoi bien sûr, nos sociétés témoignent d'une irrésistible tendance à l'occulter.

En première approximation, on pourrait dire que ce qui caractérise au mieux l'époque contemporaine, du moins dans les démocraties occidentales[1], c'est la conviction, joyeuse ou nostalgique selon les cas, que la réussite ou l'échec d'une vie ne saurait plus désormais s'évaluer à l'aune d'une transcendance. Conséquence majeure : comme l'avait compris Nietzsche, qui fut à cet égard le premier et plus puissant penseur des temps modernes, c'est *à l'intérieur de la vie concrète*, sans sortir de la sphère de l'humanité réelle ni la fuir vers quelque principe supérieur, que nous décrétons une existence plus ou moins «réussie» et «enviable», plus ou moins riche et intense, plus ou moins digne d'être vécue ou au contraire médiocre et appauvrie. Et nul doute que, dans ces conditions, la première réponse qui s'impose à nos éventuelles interrogations sur la vie bonne, rejoigne la logique du rêve éveillé : s'il n'est plus de transcendance, alors pourquoi, en effet, ne pas cultiver la performance pour la performance, le succès pour le succès, la vie réussie plutôt que bonne, ici et

1. Il nous faut assumer cette situation : *de facto*, l'Europe est devenue, après avoir été celui des nations chrétiennes, le continent de la laïcité par excellence et, pour ainsi dire, le laboratoire d'un monde qui cherche ses repères au-delà de la religion. C'est pourquoi aussi la question de la vie bonne s'y pose en termes inédits. Cela ne doit nullement nous interdire, bien au contraire, de prendre en compte les traditions extra-européennes. On verra, en ce sens, qu'il y est souvent fait référence dans ce livre.

maintenant plutôt que dans un désormais bien hypothétique « au-delà » ?

Cette mutation, qu'on pourrait dire « historico-mon-
diale », pour parler comme Hegel, car elle n'a rien
d'anecdotique ni de passager, Heidegger nous permet
de la comprendre sous un jour nouveau, par-delà
même les discours plus ou moins convenus sur le
« désenchantement du monde », la « fin des idéologies », ou la « disparition des utopies ». Elle mérite
qu'on prenne le temps de la comprendre et de la
méditer.

Le culte de la performance, le « monde de la technique » et la liquidation de la question du sens

Dans *Dépassement de la métaphysique*, Heidegger a
tenté d'indiquer les étapes au fil desquelles le monde
contemporain est entré dans une voie nouvelle : celle
qui conduit à conférer à la volonté de puissance[1] un
primat sur toutes les autres formes de vie possibles et,
par là même, à dissocier l'amour du pouvoir des finalités supérieures qu'il était, dans les temps anciens,
plus ou moins destiné à servir. C'est ce qu'il nomme
le « monde de la technique », pour une raison qu'on
peut comprendre assez aisément : la technique, en
effet, c'est la raison « instrumentale » par excellence, la
considération des moyens en tant que tels, quels que
soient les objectifs envisagés – au sens où, par exemple,
on peut dire qu'un « bon technicien de la médecine »,
sinon un bon médecin, est celui qui peut tout aussi
bien guérir que mettre à mort. La technique, de ce
point de vue, c'est donc bien le pouvoir comme tel, le

---

1. Le terme a chez Nietzsche, comme on verra plus loin, une signification particulière, non réductible à la seule volonté d'avoir du pouvoir.

pouvoir pour le pouvoir, hors considération de la légitimité des buts. Or ce que montre Heidegger, c'est que la naissance d'un monde dans lequel la technique devient reine, suppose une rupture, non seulement avec les conceptions traditionnelles de la science proprement dite, qui n'est pas réductible à un simple instrument, mais aussi avec celles des finalités de la vie humaine, telles qu'elles apparaissaient notamment dans la politique.

Suivons, très brièvement, les étapes de ce processus. Avec l'émergence de la science moderne, que le nom de Descartes, à tort ou à raison, symbolise ici, apparaît un projet de domination du monde jusqu'alors inconcevable, un projet qui doit permettre aux hommes de devenir, selon la fameuse formule cartésienne, « comme maîtres et possesseurs de la nature ». Pour être plus précis, il faut ajouter que cette domination prend une double forme.

Elle s'opère d'abord sur un plan *théorique*, intellectuel si l'on veut : celui de la simple connaissance des choses. Avec l'avènement de la physique moderne (du « mécanisme »), pour la première fois sans doute dans l'histoire de l'humanité, la nature cesse d'être perçue par l'homme comme un être mystérieux, comme un « Grand Vivant » animé par des « qualités occultes », par des forces invisibles et surnaturelles, que seules l'alchimie, la religion ou la magie pourraient percer à jour et, dans une certaine mesure, canaliser. Descartes est bien, en ce sens et quelles que soient par ailleurs ses erreurs scientifiques, l'inventeur du rationalisme moderne, celui qui, en posant que rien ne change sans raison dans l'univers (principe d'inertie), entend liquider tout à la fois l'ancienne cosmologie issue de la physique d'Aristote et l'animisme du Moyen Age. Si la nature perd son opacité et son mystère, c'est parce qu'elle est désormais pensée par le savant comme étant, au moins en droit, sinon en fait (la science n'est jamais achevée), de part en part conforme aux lois de son esprit. La science moderne apparaît avec cette conviction que l'opacité du monde n'est pas définitive, inscrite dans le réel lui-même, mais qu'elle n'est au contraire que le revers d'une ignorance dont les limites peuvent être en principe indéfiniment reculées.

A cette maîtrise de l'univers par la théorie (mathématique, physique, biologique, etc.), répond une domination *pratique* (cette dichotomie recoupant celle des deux attributs essentiels de la subjectivité humaine : l'entendement et la volonté). Simple matériau brut, en lui-même dénué de toute valeur et de toute signification, la nature n'est plus qu'un vaste réservoir d'objets que l'homme peut utiliser comme bon lui semble en vue de réaliser son bonheur. Le monde tout entier lui appartient, tout y devient moyen pour les fins d'une subjectivité au pouvoir de consommation virtuellement illimité. Bref, si l'univers est sur le plan théorique calculable et prévisible, il est sur le plan pratique manipulable et corvéable à merci.

Cette vision «dominatrice» du monde, qui va trouver son apogée avec les «Lumières» et s'épanouir au XIXe siècle, n'est toutefois pas encore le «monde de la technique» proprement dit, c'est-à-dire un monde d'où la considération des fins va totalement disparaître au profit de celle des moyens. Car dans le rationalisme des XVIIe et XVIIIe siècles, le projet d'une maîtrise scientifique de l'univers naturel, puis social, possède encore une visée émancipatrice : il reste en son principe soumis à la réalisation de certaines finalités qui apparaissent comme infiniment supérieures à lui. S'il s'agit de «s'approprier» l'univers, ce n'est point par pure fascination envers notre propre puissance, ce n'est pas pour jouir du pouvoir en tant que tel, mais pour parvenir à certains objectifs qui ont pour noms liberté et bonheur. C'est là, comme on sait, ce que les philosophes des Lumières désignaient sous l'idée de «Progrès». Et c'est par rapport à ces fins supérieures que le développement des sciences apparaît comme le vecteur de la *civilisation*. Peu importe ici qu'une telle vision des vertus de la raison soit illusoire ou non. Ce qui compte, c'est qu'en elle la volonté de maîtrise s'articulait encore clairement à des objectifs extérieurs à elle et qu'en ce sens, elle ne pouvait se réduire à une pure raison instrumentale ou technique.

Ce qui va en revanche caractériser le monde technicien, de part en part livré à la raison instrumentale (par opposition à celle, «objective», qui fixe des fins), c'est qu'en lui seul comptent le rendement, l'efficacité, la performance. Plus exactement encore : le seul objectif, pour autant qu'il en reste un, est celui de l'intensification des moyens comme tels. Ainsi, par exemple, l'économie libérale mondialisée fonctionne-t-elle sur un principe de concurrence qui interdit qu'on s'arrête jamais pour envisager les finalités de l'augmentation incessante des forces productives. Il faut, quoi qu'il advienne, quoi qu'il puisse en coûter, développer pour développer, progresser ou périr, plus personne ne sachant à vrai dire si le développement en tant que tel, c'est-à-dire l'accroissement de la puissance instrumentale, procure au total davantage de bonheur et de liberté que par le passé. Les écologistes en doutent aujourd'hui. Les romantiques, comme on sait, l'avaient fait avant eux.

Dans cette perspective nouvelle, le monde ressemble pour ainsi dire à un gyroscope qui doit, tout simplement, tourner pour ne pas tomber, indépendamment de tout projet. Le mouvement est devenu essentiel. Poursuivons un instant l'analogie. Dans l'économie de compétition mondialisée, le progrès est assimilable à une nécessité biologique : une entreprise qui ne se comparerait pas aux autres pour tenter sans cesse de progresser serait très rapidement vouée à la disparition pure et simple. Autrement dit : comme dans le cas du gyroscope, l'évolution ne saurait plus être décrite à coup sûr comme un progrès, pour la bonne et simple raison qu'étant définalisée, pour ne pas dire décervelée, il n'est plus de critère extérieur à elle qui permettrait de la juger. Elle relève désormais des causes efficientes, non des causes finales. De là l'impression que le cours du monde nous échappe, qu'il échappe même, à dire vrai, à nos représentants politiques, voire aux leaders économiques et scientifiques eux-mêmes. De là aussi, le sentiment de *dépossession* qui saisit parfois les individus lorsqu'ils contemplent le spectacle d'une mondialisation qui paraît trahir les promesses les plus élémentaires de la démocratie : celles selon lesquelles nous allions enfin pouvoir, en mettant fin aux sociétés d'Ancien Régime, prendre part à l'élaboration de notre propre destin et faire nous-mêmes notre histoire.

On comprend en quoi cette perspective technicienne favorise, oblige même la performance comme telle à devenir l'objet d'un véritable culte : car elle fait voler en éclats l'ancienne logique du sens au profit de la seule logique de la compétition. Mécaniquement induits, échappant chaque jour davantage au contrôle des Etats-nations, les processus historiques qui affectent nos vies quotidiennes se développent à une vitesse, sans doute accélérée, mais surtout hors de toute finalité visible. Et dans cette perspective, *vivre, survivre et réussir* deviennent des termes à la limite synonymes – en quoi la « vie bonne », en effet, en quelque sens qu'on ait pu jadis l'entendre, doit céder la place à la « vie réussie »... ou ratée. En quoi aussi, en dehors de l'échec absolu, qui de façon scandaleuse équivaut tout simplement à une incapacité d'adaptation au mouvement généralisé, la principale menace qui pèse dès lors sur l'existence, hors celle de prendre fin, réside dans l'insignifiance, la banalité et l'ennui – ce dont la croissance exponentielle du phénomène de l'envie est l'un des signes les plus sûrs. Renard, ici encore, est le pendant de Perrette. Voici pourquoi.

L'ennui et l'envie

La technique, au sens fort que l'on vient de donner à ce terme, c'est le comble de l'ennui. Non que les objets ou les machines engendrés par l'intelligence technologique, parfois si féconde, voire géniale, soient ici en cause. Ce n'est nullement de l'activité technicienne qu'il s'agit, lorsqu'on parle d'ennui, ni de ses produits. Ce qui est visé, c'est la logique infinie et définalisée du monde de la technique. C'est l'inutilité radicale, essentielle, de ce qu'on nomme sans doute par antiphrase « l'utilité ». Les outils, cela va sans dire, sont utiles. C'est même le sens de leur nom. Il faut un tournevis, une pince, un marteau, pour construire, par exemple, une bibliothèque. Mais pourquoi une bibliothèque ? Pour ranger nos livres, bien sûr. Mais à quoi bon les ranger ? Pour ne pas être encombré, pour les retrouver plus aisément, etc. Mais pourquoi, à nouveau, ce souci ? Pour, pour, pour... la chaîne de l'utilité est

24

par définition sans fin[1] et c'est toujours en posant des *valeurs supérieures à elle* que nous y mettons un terme, en affirmant, par exemple, que la lecture et la connaissance qu'elle procure sont bonnes *en soi*, qu'elles ne sont plus de simples moyens pour d'autres objectifs... Comme celle du rêve éveillé, la logique de l'utilité est celle de l'enfance qui, sans cesse, demande le pourquoi des choses, et auquel on doit bien à un moment ou à un autre répondre de manière quelque peu dogmatique sans doute, mais nécessaire, qu'il en va ainsi... parce que c'est bien ainsi. Mais c'est aussi, et peut-être surtout, celle de la consommation, du shopping, qui ne connaît elle aussi d'autre limite que celle de nos moyens. Et il en va de la consommation comme du rêve éveillé de possession : une fois achetés, du moins en imagination, le veau, la vache et la couvée, il ne reste qu'à revenir sur terre : le rêve retombe, inévitablement, et Perrette avec lui. Nullement, comme on pourrait le croire à première vue, parce que sa réalisation est impossible, mais, tout au contraire, parce que nous savons bien qu'au fond elle ne nous apporterait pas tout à fait ce que nous espérons à travers elle. Rien n'est pire que l'échec, sinon la réussite quand elle ne nous comble pas. Rien de plus dangereux, l'ignore-t-on encore, que de réaliser ses fantasmes : ils ne sont pas de vrais désirs, des souhaits qui ouvriraient

---

1. Voilà pourquoi, de manière sans doute un peu énigmatique à première vue, Heidegger souligne comment l'ennui «véritable» «révèle l'étant dans son ensemble» : de proche en proche, la chaîne infinie des fausses utilités s'élève à toutes choses, cf. *Qu'est-ce que la métaphysique ?*, in *Questions I*, Gallimard, p. 56. Sur la dimension métaphysique et religieuse de l'ennui comme expérience du néant, voir aussi Pascal, *Pensées*, édition Brunschvicg, fragment 131 : «*Ennui*. Rien n'est si insupportable à l'homme que d'être dans un plein repos, sans passions, sans affaire, sans divertissement, sans application. Il sent alors son néant, son abandon, son insuffisance, sa dépendance, son impuissance, son vide.»

des possibilités réelles de vie (ceux-là, sans doute, doivent être réalisés), mais l'indice d'une frustration essentielle : celle qu'engendre inévitablement en nous la logique absurde de la consommation, la reddition insensée à l'univers fétichisé des marchandises.

Remarque bien luxueuse ? Attitude de nanti ? Pour une part, sans doute, mais moindre qu'on ne pourrait le croire. Car la domination des impératifs consuméristes pèse sur chacun de nous, quel que soit son niveau dans l'échelle des biens et des richesses. Les effets qu'elle produit sont, à peu de chose près, les mêmes ici et là, comme en témoigne l'uniformité avec laquelle les morsures si cruelles de l'envie[1] traversent, dans les sociétés modernes, toutes les couches sociales.

La jalousie et l'envie sont, il est vrai, des passions vieilles comme le monde. On les voit déjà à l'œuvre dans la Bible, par exemple dans la haine de Caïn pour son frère Abel. Pourtant, la société de compétition accroît le phénomène dans des proportions jusqu'alors inédites. Elle lui donne même une signification nouvelle, comme l'avait vu Tocqueville, par rapport au monde aristocratique. Ce dernier reposait, en effet, sur l'idée d'une *hiérarchie naturelle* des êtres, sur la conviction que, les classes sociales étant inscrites dans la nature des choses, l'ordre juste dans la cité devait mettre, pour ainsi dire, « chacun à sa place » : les meilleurs en haut, et les autres, plus ou moins en bas. Et il semble bien que, pendant des siècles, nul n'ait cherché à remettre en cause une telle conviction, d'autant qu'elle semblait garantie par la divinité. Chacun admettait plus ou moins son sort : on ne se révolte

---

1. Voir sur ce thème essentiel, bien que négligé, le beau livre de Jean-Pierre Dupuy, *Le Sacrifice et l'envie*, Calmann-Lévy, 1992. Voir aussi les passages profonds que Pascal Bruckner lui a consacrés dans *L'Euphorie perpétuelle*, Grasset, 2000.

pas contre les choses de nature, pas davantage contre la hiérarchie des êtres qu'envers la pluie ou le froid. Au contraire, dès lors qu'on affirme l'égalité fondamentale des hommes entre eux, dès lors que les privilèges sont abolis par principe et que les humains de toutes origines peuvent prétendre accéder, du moins en droit, en fonction de leur travail et de leurs mérites, à toutes les positions dans la société – ce que nous promet la Révolution française et sa Déclaration des droits de l'homme – les choses prennent une tout autre tournure. «Si je suis l'égal de mon voisin, pourquoi aurait-il plus que moi?» : ainsi s'exprime le discours de l'envie dans les sociétés démocratiques. Voici également pourquoi il porte davantage sur les proches, sur ceux qui se trouvent dans les mêmes conditions que nous, avec un profil comparable : plus les données de départ sont identiques, plus les différences à l'arrivée paraissent «injustes». On n'en finit pas de chercher les raisons, forcément immorales, qui «expliquent» les succès injustes et immérités d'un autre, afin d'en *réduire* autant que possible l'insupportable valeur...

Mais il y a plus. Au-delà de la jalousie de toujours, celle de Caïn pour Abel, par-delà même cette «envie démocratique» que l'on vient d'évoquer, il est, si l'on ose dire, encore une forme «supérieure» du ressentiment. Certes, il s'agit d'un sentiment bas, que la morale, à juste titre, réprouve. Mais ne nous y trompons pas : si la vue de la «réussite» des autres, parfois nous atteint tant – même si, envers du rêve éveillé, nous éprouvons toujours cette même honte à l'avouer – ce n'est pas tant par cette faute morale que stigmatise depuis toujours le catéchisme («on ne regarde pas dans l'assiette du voisin!») que par un sentiment métaphysique irrépressible : celui de passer à côté de son salut. Dans un univers déserté par les transcen-

dances, dans un monde désormais sans au-delà, le phénomène de l'envie dissimule quelque chose de plus
profond que ce que la morale peut en saisir : la réussite des autres nous apparaît pour ainsi dire comme la
preuve factuelle que nous sommes en train de rater
notre propre parcours sans recours ni réparation possibles. S'il n'y a plus d'ailleurs, la vraie vie ne saurait
s'y trouver : c'est ici et maintenant qu'il nous la faut,
non dans un trop hypothétique avenir. Et dans cette
perspective, la réussite d'autrui est le signe que nous
pourrions, nous aussi, avoir une vie plus riche, plus
intense, plus exaltante. La jalousie ne porte plus tant,
comme dans l'univers de croyants décrit par Max
Weber, sur les signes visibles de l'élection, qu'elle ne
nous renvoie négativement, puisque Dieu n'est plus, à
ceux de la perdition, au caractère définitif de nos
échecs purement terrestres : s'il n'y a plus de session
de rattrapage, c'est ici et maintenant qu'il faudrait être
heureux, se trouver «là où ça se passe» et nous n'y
sommes pas, comme le succès des autres suffit à le
démontrer... Si l'enfer et le paradis n'existent pas, nos
revers de fortune perdent le statut, douloureux sans
doute, mais éminent et le cas échéant fécond,
d'*épreuves* dans un itinéraire qui doit conduire vers
l'au-delà. La souffrance et le malheur voient leurs vertus *rédemptrices* tendre vers zéro. Tout au plus nous don-
nent-ils de l'«expérience», au sens de l'adage technicien selon lequel ce qui ne nous tue pas nous rend plus
fort. Ceux qui ont «réussi» dispensent ainsi aux autres
le sentiment cruel que la «vraie vie», décidément,
n'est peut-être pas ailleurs pour tout le monde. L'envie se porte alors sur les éléments les plus insignifiants
et les plus vils, au regard des anciennes éthiques religieuses ou même laïques, sur les aspects les plus bas-
sement matériels de l'existence. Et la médisance, qui

s'élève bientôt au rang d'un genre littéraire, s'emploie à dévoiler, chez les heureux élus, les stratégies déloyales et vicieuses qui forment un méchant brouet dont nous, du moins, ne mangerions pas. Il ne nous reste plus alors, l'âge venant, qu'à faire « la part des choses », et à laisser le cours naturel de l'existence biologique apaiser de lui-même le tumulte de ces passions infantiles.

Les interrogations sur le sens de la vie seraient-elles devenues définitivement désuètes dans un univers où tout concourt à faire de l'immanence la plus radicale au réel tel qu'il est la règle intangible de l'existence humaine ? L'antique question de la « vie bonne » aurait-elle ainsi disparu, victime elle aussi du monde de la technique ? Ce qui est certain, à tout le moins, c'est qu'elle se pose autrement, et c'est cet « autrement » qu'aimerait d'abord cerner ce livre. En première approximation, notre interrogation doit être située aujourd'hui selon deux axes qui seuls permettent de faire véritablement ressortir sa signification nouvelle. Dans un premier temps, il faut comprendre en quoi elle relève d'une sphère de la pensée philosophique qui se situe par-delà la morale et la religion. Dans un second temps, il faut mesurer en quel sens elle apparaît sous un jour radicalement inédit au terme d'une longue histoire : celle au cours de laquelle les êtres humains ont prétendu peu à peu s'affranchir de la tutelle des grandes transcendances cosmologiques, religieuses et même laïques.

Première partie

RÉUSSIR SA VIE :
LES MÉTAMORPHOSES DE L'IDÉAL

Je crois qu'en philosophie, il n'est pas nécessaire d'inventer sans cesse des mots nouveaux, des termes techniques... Tout au contraire : cette technicisation est le grand danger de la philosophie universitaire, et c'est ce qui l'éloigne des choses.

CIORAN, *Œuvres.*

Tout ouvrage de philosophie doit être susceptible de vulgarisation ; sinon il dissimule probablement des absurdités sous un brouillard d'apparente sophistication.

KANT, lettre à Garve
(7 août 1783).

CHAPITRE I

Au-delà de la morale, après la religion :
le nouvel âge de la question

Dans *L'Ange et le cachalot,* Simon Leys fait part à son lecteur d'une déception face aux ouvrages de philosophie contemporaine. Eminent spécialiste de la calligraphie chinoise, il se réjouissait depuis longtemps à l'annonce d'un livre consacré à son sujet favori. Il l'acheta donc dès sa parution. Mais après plusieurs tentatives, il dut renoncer à en pénétrer le sens tant la pesanteur de l'appareillage conceptuel lui parut décourageante. Leys raconte alors comment son échec lui rappela une anecdote jadis rapportée par Elie Wiesel : un rabbin devait se rendre à un mariage dans un village voisin. Il hèle un cocher pour l'y conduire et ce dernier le prend en charge sans hésitation. Mais, dès la première côte, il prie poliment le rabbin de descendre pour l'aider à pousser le fiacre : son cheval, vieux et fatigué, n'a plus la force de tirer l'attelage à lui tout seul. Le rabbin, serviable, pousse donc la diligence tant et si bien qu'il parvient à destination, mais fort en retard. Déçu mais toujours sage, il tente de conférer un sens à cette fâcheuse péripétie. Aussi interroge-t-il l'homme de peine : «Je comprends pourquoi je suis monté dans votre voiture : j'étais pressé de me rendre à cette cérémonie que j'ai maintenant ratée ; je comprends à la rigueur pourquoi vous-même m'avez fait monter : après tout, c'est votre métier, et il faut bien que vous gagniez votre vie. La seule chose que je ne parviens pas à saisir, c'est la raison pour laquelle vous teniez absolument à ce qu'on emmène le cheval ! »

Les ouvrages de philosophie en lieu et place du vieil animal ? La leçon est rude. Je ne suis pas sûr qu'elle soit toujours injuste. Elle nous invite du moins à préciser sur quel mode il sera ici question de philosophie. Trop souvent cette dernière se réduit aujourd'hui à un « discours sur », à un commentaire sans lien avec les aspirations premières que dévoilait son étymologie : « amour de la sagesse ». A l'origine, chez les Grecs, la philosophie était pourtant perçue comme une activité intellectuelle inséparable d'une attitude de vie. Sa question ultime était celle de la « vie bonne ». « Comment vivre ? », telle était son interrogation la plus pressante et même les détours les plus sophistiqués par les spéculations de la physique, des mathématiques ou de la logique n'avaient, au final, d'autre but que de lui procurer une réponse qui fût aussi « praticable », au sens fort du terme : susceptible de donner lieu à des directives réelles dans la conduite de sa vie.

C'est en renouant avec cette tradition qu'André Comte-Sponville a pu proposer cette définition de la philosophie : « penser sa vie et vivre sa pensée ». La formule est heureuse : elle dit assez la nécessaire intégration de la réflexion et de la vie. Je la reprendrai volontiers à mon compte, à condition toutefois d'y ajouter un complément à mes yeux décisif : cette vie que nous sommes appelés à penser, et cette pensée qu'il nous revient de vivre dès lors que nous adoptons une attitude philosophique, ne sont ni la vie ni la pensée de tous les jours, mais la vie et la pensée en tant qu'elles se savent *mortelles*. Comme les Grecs en avaient la conscience aiguë, c'est parce que nous allons mourir et que nous le savons, parce que nous allons perdre ceux qui nous sont proches, parce que la banalité menace sans cesse l'existence quotidienne, que la question de la « vie bonne », de ce qui vaut vraiment en cette existence-ci et non dans une autre, mérite d'être posée – et toutes les grandes philosophies s'y sont confrontées. En quoi, aussi choquant que cela puisse paraître aujourd'hui, elles ont peut-être toujours eu partie liée avec la problématique du *salut*.

On objectera qu'assigner ainsi à la philosophie une dimension salvatrice, c'est prendre le risque d'une grave confusion avec la théologie. Au demeurant, en l'associant trop étroitement au thème de la finitude et aux inconvénients qui en découlent (l'ennui, la banalité, l'ignorance, le mal, la maladie, la souffrance, la mort…) ne risque-t-on pas d'en faire l'adjuvant d'une thérapeutique, elle aussi hors de propos ? Et comment, dans cette perspective, faire justice aux philosophies du langage, des sciences, de la morale, du droit, de la politique, etc. dont l'essor nouveau a tant marqué notre XXᵉ siècle ? La sentence selon laquelle « philosopher c'est apprendre à mourir » n'est-elle pas trop datée pour s'appliquer encore à une pensée contemporaine dont rien ne doit faire oublier qu'elle s'est, comme nulle autre avant elle, attachée justement à « déconstruire » les illusions de la métaphysique et de la religion ?

Sans doute. Mais ce serait mal comprendre ce que j'entends ici par « salut », lequel ne suppose en rien l'existence d'un au-delà de la vie réelle où séjourneraient les dieux susceptibles d'offrir une instance salvatrice. Ou, pour le dire sans vain détour, la différence entre religion et philosophie pourrait, sur ce chapitre, s'établir de la façon suivante : la première nous fait promesse d'*être sauvés*, la seconde nous invite à *nous sauver nous-mêmes*. Humilité et orgueil, foi et raison, hétéronomie et autonomie, ces couples de contraires sont trop courts pour cerner dans son ampleur le gouffre qui sépare les deux attitudes, mais aussi les liens qui les unissent. Il est clair que la religion ne se réduit pas à l'hétéronomie, ni l'individualisme moderne à l'autonomie [1] : la foi peut être aussi un acte libre, une réponse voulue et assumée à un appel qui, pour émaner du Très-Haut, n'en laisse pas moins à l'être humain toute sa *responsabilité*. Quant à la liberté des Modernes, tout indique qu'elle n'exclut pas les déterminations venues de l'extérieur, à commencer par celles de l'inconscient social-historique : l'existence même de la psychanalyse et de la sociologie, pour ne rien dire de la biologie, ne cesse d'en témoigner. Il n'empêche, plus le monde est désenchanté, moins il est habité par les dieux, et plus l'impératif apparaît légitime de se sauver par soi-même plutôt qu'attendre le Sauveur. En quoi, du reste, les philosophies les plus matérialistes elles-mêmes, de Spinoza à Nietzsche, n'ont pu faire l'économie d'un certain rapport à la « béatitude », à l'« éternel retour », bref, à ce qui *transcende* en quelque façon la sphère de la vie quotidienne. De là le caractère à mes yeux crucial de la question du statut de cette transcendance dans un univers qui semble en récuser désormais jusqu'au principe. Comment répondre, en effet, à l'interrogation sur la vie bonne si rien ne vaut *absolument* d'être vécu ? Mais d'un

---

1. Je reviendrai plus longuement sur cette question difficile dans la dernière partie de ce livre.

autre côté : comment admettre un absolu sans retomber dans une problématique religieuse ? C'est toute la question.

Pour mieux la définir, imaginons un instant que Méphisto vienne nous voir et, comme au vieux Faust, nous propose tout, absolument tout, ce à quoi il est possible de prétendre dans l'ordre de la réussite terrestre. Supposons aussi qu'il le fasse, comme tout démon digne de ce nom doit le faire, en échange de notre « âme » ou de quoi que ce soit qu'à tort ou à raison nous puissions encore tenir pour telle – convictions morales ou spirituelles, engagements politiques, attachements affectifs ou autres : est-il désormais assuré qu'il puisse l'emporter sans rencontrer la moindre réserve ni la plus petite réticence ? C'est possible et l'hypothèse mérite d'être prise au sérieux. Pas tout à fait certain, cependant : j'en connais, je crois, qui diraient non, peut-être même sans hésiter. Pourquoi ? Je veux dire : au nom de quoi ? Si simple et peut-être triviale soit-elle, cette question dont on pourra à loisir trouver d'autres formulations équivalentes, me semble en vérité d'une réelle profondeur. Elle nous pousse à nous interroger sur le statut de ce qui nous apparaît comme « non négociable » et, en ce sens, absolu, à l'ère du purement terrestre, à l'âge où la volonté de puissance paraît régner en maître et le relatif être le seul horizon de nos univers. Peut-on faire l'économie d'une telle réflexion dans une méditation sur la vie bonne ? Je ne le crois pas. Je ne suis pas même certain que Nietzsche l'ait cru. Il semble plutôt qu'il ait tenu beaucoup de choses pour « non négociables » et nullement relatives ou indifférentes. Mais admettons un instant l'hypothèse inverse : que la question de la vie bonne soit envisagée sans aucun rapport à l'un des visages, quels qu'ils soient, de l'absolu. Comment éviter dès lors de céder au culte des moyens, du calculable, de la performance pure, du négociable justement, bref, au règne de ce que l'on nommait naguère encore la «marchandise» : empire du divertissement et de la consommation? Est-ce cela, vraiment, que nous voulons aujourd'hui sacraliser au nom de la désacralisation de toutes choses?

Poser la question de la vie bonne, de la vie «réussie», c'est s'inscrire dans cette perspective. Aussi les grandes philosophies n'ont-elles pu faire l'économie d'une relation à l'absolu, fût-ce en un sens agnostique, voire antireligieux. C'est bien de l'absolu qu'il s'agissait pour elles, non de demi-mesures, de compromis ou de faux-fuyants. Un proverbe arabe le dit joliment : un homme qui n'a jamais pris un jour le risque de tout perdre est un pauvre homme. C'est le signe qu'il n'a pas eu la chance de faire l'épreuve d'une relation à ce qui vaut absolument, et non relativement à l'air du temps. Nul hasard si Nietzsche, encore lui, le plus grand adversaire pourtant des illusions métaphysico-religieuses, a placé sa pensée tout entière sous le signe de l'éternité : sa doctrine de l'éternel retour n'avait pas d'autre finalité que de faire le partage, dans nos expériences les plus quotidiennes elles-mêmes, entre celles qui ne méritent pas d'être à nouveau vécues et celles dont on pourrait au contraire vouloir qu'elles se reproduisent une infinité de fois. Rapport à l'infini, donc, à l'absolu et à l'éternité chez celui qui n'hésitait pas à se dépeindre sous les traits de l'Antéchrist.

Je ne dis pas que la question soit close, loin de là, ni qu'elle soit facile à penser. Seulement qu'elle mérite de l'être pleinement. C'est elle qui servira de fil conducteur à cette enquête. En ce sens, l'opposé du philosophe n'est pas le «manuel» comme on le pense implicitement en parlant d'«intellectuels», mais le touriste : celui qui ne voit le monde que comme un terrain de jeux, une simple collection de lieux où exercer sa volonté de puissance et libérer ses aptitudes infinies à la consommation. La conviction qui anime ce livre est peut-être naïve. Elle aura du moins le mérite d'être claire : le divertissement est un des grands plaisirs sur cette terre, il n'est pas l'alpha et l'oméga de nos existences. Hors de toute considération moralisatrice, nous ne pouvons nous départir du sentiment irrépressible qu'il est impossible d'en rester là. Pour quelles raisons ? C'est toute la question, et il me semble qu'elle se pose aujourd'hui en termes inédits : par-delà la morale et la religion.

Situation contemporaine de la question : par-delà la morale et la religion

L'interrogation sur la vie bonne n'effrayait pas les Anciens. Comme par enchantement – ou par désenchantement – elle semble avoir déserté l'espace de la pensée contemporaine. Elle paraît pour ainsi dire immodeste, hors de portée de politiques désillusionnées, inaccessible par nature aux sciences positives, mais tout autant interdite à une philosophie le plus souvent réduite à une « réflexion » sur des réalités historiques, politiques ou scientifiques qui toujours lui échappent. Tout se passe comme si l'antique question de la vie bonne n'avait, dans le meilleur des cas, plus aucune pertinence hors la dimension subjective et intime de la seule sphère privée.

Malgré l'apparence peut-être, ce constat n'invite à nulle rumination pessimiste. Il ne vise pas à légitimer en sous-main la logique du « pas en arrière », la restauration des figures passées et dépassées de la pensée face à je ne sais quel déclin de l'Occident : retour aux Grecs, aux sagesses de l'Orient, à l'Ancien Régime, à la nature vierge, à l'Idée Républicaine, aux utopies messianiques, ou que sais-je encore. Quelle que soit parfois la séduction qu'elle exerce, une telle attitude finit toujours par céder à la facilité : il est plus aisé de sacrifier aux nostalgies du paradis perdu que de « penser ce qui est » pour nous, ici et maintenant. Dans *La Sagesse des Modernes*, nous avions, avec André Comte-Sponville, suggéré en quel sens la philosophie contemporaine nous semblait désormais devoir se déployer « *au-delà* de la morale, *après* la religion ». C'était là, malgré nos divergences de fond, un point d'accord à nos yeux crucial. La formule n'a pas manqué de susciter plusieurs malentendus. Elle me paraît pourtant plus que jamais d'actualité. Et comme j'aimerais situer ce livre dans l'espace de pensée qu'elle délimite, il me faut l'expliciter davantage que je ne l'ai fait jusqu'alors.

« Au-delà de la morale », donc. Certains critiques ont voulu voir dans cette assertion l'aveu d'un « renoncement à l'éthique », une conversion soudaine à l'« immoralisme », un revirement d'attitude d'autant plus surprenant, assurait-on doctement, que nous avions, l'un comme l'autre, consacré plusieurs ouvrages à l'élaboration d'une philosophie morale et politique. Fausse naïveté ou vraie bévue ? Je ne sais. Toujours est-il que cet « au-delà » n'avait d'évidence rien à voir avec un *rejet*, du reste aussi vain que malvenu. Il entendait annoncer, non un « repli stratégique », mais une nouvelle voie pour la réflexion que nous avions d'ailleurs, chacun à notre façon, esquissée dans ces livres qu'on enfermait à tort dans le carcan des œuvres de « moralistes ».

Que la morale, tout simplement, *ne suffise pas* à la conduite de la vie, qu'elle n'épuise pas les points de vue possibles sur l'existence, voilà ce qui nous semblait, en effet, aller de soi. Bien d'autres, au demeurant, l'avaient dit avant nous, à commencer par les plus grands : Spinoza, bien sûr, mais Kant lui-même, dans ses écrits sur l'art et sur la religion, pour ne rien dire de Hegel et de son souci constant de dépasser les principes d'une morale formelle dans une plus large doctrine des « mœurs ». Cette insuffisance, toutefois, nous semblait prendre aujourd'hui, au sein d'un monde résolument laïc, une dimension nouvelle : à l'évidence, s'engager « au-delà de la morale », ce ne pouvait plus être, pour nous à tout le moins, se tourner vers les consolations de l'art ou de la religion. Si la « vie bonne » se situe pourtant dans cet « au-delà » de l'éthique[1], comment faut-il le comprendre, comment mesurer les défis auxquels il nous confronte aujourd'hui ? Voilà la première chose à examiner.

On pourrait très simplement définir la sphère morale, du moins dans sa forme moderne – disons depuis l'apparition au XVIIIᵉ siècle de grandes visions laïques du monde – comme un ensemble de valeurs, exprimées par des préceptes ou des impératifs qui invitent à ce minimum de *respect d'autrui* sans lequel une vie commune pacifiée est impossible. Ce que nos sociétés marquées par l'idéal de la démocratie et des droits de l'homme imposent de considérer dans la figure de l'autre, ne fût-ce qu'à travers les cours d'instruction civique dispensés aux enfants, c'est, autant que faire se peut, sa dignité, son droit à la *liberté* et au *bonheur*. Il serait en ce sens à peine exagéré de dire que nos

---

1. Sauf précisions particulières, je ne fais pas de distinction entre éthique et morale.

valeurs formelles sont presque tout entières contenues dans la fameuse formule selon laquelle « ma liberté s'arrête là où commence celle d'autrui ». Tel est, au fond, l'axiome premier de ce « respect de l'autre » sans lequel il n'est pas de coexistence pacifique possible. De là, également, la relative simplicité des règles de l'éthique démocratique : ne pas traiter autrui comme un moyen mais toujours aussi comme une fin, ce qui veut dire, ne pas l'instrumentaliser, ne pas l'utiliser comme un objet ou comme une chose, par exemple comme bête de somme ou un réservoir d'organes que je pourrais acheter et prélever pour moi-même ou pour les miens. Mais aussi : laisser place à sa liberté de penser, d'avoir des opinions qui ne sont pas les miennes, des croyances religieuses ou philosophiques que je ne partage pas, de rechercher aussi son bien-être comme il l'entend pourvu que cela ne nuise à personne, etc.

On pourrait également montrer comment les impératifs moins formels de la solidarité, voire de la fraternité sont déjà virtuellement compris dans ces exigences minimales de l'humanisme moderne. Ce n'est pas par hasard si les premières Déclarations des droits de l'homme évoquaient déjà la question de la « charité » et des « secours publics ». Tout cela peut sembler simple ou, à tout le moins, bien connu, et il n'est guère besoin d'être un historien de la philosophie pour en avoir une intuition concrète : chacun connaît ces textes fondateurs de nos républiques qui peuvent à juste titre être considérés comme autant de chartes de la moralité commune. Ils sont pour ainsi dire l'équivalent populaire et public des grands traités philosophiques dans lesquels, dès le XVIIIe siècle, les philosophes utilitaristes en Grande-Bretagne, Kant et ses héritiers en Allemagne, ou encore les républicains en

France, ont exprimé de façon abstraite et conceptuelle les principes fondamentaux de ce souci de l'autre.

Or voici l'essentiel à mes yeux : que ces grandes visions morales orientées vers le respect de la liberté et du bien-être d'autrui soient rigoureusement indispensables, nul ne peut en douter s'il est du moins démocrate. Car en leur absence, c'est aussitôt la guerre de tous contre tous qui se profile à l'horizon. Elles apparaissent ainsi comme la *condition nécessaire* de cette vie commune apaisée que vise à engendrer le monde démocratique. Il n'en est pas moins clair qu'elles n'en constituent nullement la *condition suffisante,* loin s'en faut : le respect d'autrui ne préjuge en rien de la nature réelle, concrète, des relations qu'on va le cas échéant tisser avec lui et qui seules conféreront une signification et un prix au commerce des hommes. Et c'est en quoi, en effet, on peut légitimement estimer que la morale ne « suffit » pas et fait signe, pour ainsi dire d'elle-même, vers la nécessité de son propre dépassement.

Qu'on réfléchisse un instant, pour s'en convaincre, à la fiction suivante : imaginons que nous disposions d'une baguette magique qui permettrait de faire en sorte que tous les individus vivant aujourd'hui en ce monde se mettent à observer parfaitement dans leurs existences quotidiennes l'idéal du respect de l'autre tel qu'il s'est incarné dans les principes humanistes. Chacun prendrait dès lors pleinement en compte la dignité de tous, le droit égal de chaque individu à accéder à ces deux biens fondamentaux que sont la liberté et le bonheur. Nous pouvons à peine mesurer les bouleversements abyssaux, l'incomparable révolution qu'une telle attitude introduirait dans nos mœurs. Il n'y aurait plus désormais ni guerre, ni massacre, ni génocide, ni crime contre l'humanité, ni « choc des civilisations », ni racisme, ni xénophobie, ni viol, ni vol, ni domination, ni exclusion, et les institutions répressives ou punitives, l'armée, la police, la justice ou les prisons, pourraient disparaître. C'est dire que la morale n'est pas rien, c'est dire à quel point elle est nécessaire à la vie commune et combien nous sommes loin de sa réalisation, même approximative. Certes, cela ne signifie pas qu'au sein de l'idéal devenu réalité tout conflit disparaîtrait : les divergences d'intérêt ou de points de vue, bien entendu, subsisteraient. Entre les croyants des diverses religions, entre les partisans de politiques divergentes, entre les riches et les pauvres (s'il en reste), etc. Pour prendre un exemple plus simple encore, entre l'écologiste, qui aime la forêt pour y préserver la vie et ses beautés naturelles, le chasseur qui souhaite pouvoir y poursuivre le gibier, le motard qui la perçoit comme un terrain de jeu, et le simple citoyen qui entend pouvoir s'y promener librement, la conciliation ne serait pas nécessairement aisée. Mais à tout le moins, on peut penser qu'elle serait recherchée dans le souci de l'intérêt général, du respect égal de chacun, et par des moyens pacifiques.

Pourtant, et il faut ici peser chacun de ces mots : aucun, je dis bien aucun, de nos problèmes existentiels les plus profonds ne serait pour autant résolu. Rien, même dans la réalisation la plus parfaite de la morale elle-même la plus sublime, ne nous empêcherait de vieillir, d'assister impuissants à l'apparition des rides et des cheveux blancs, d'être malades, de mourir et de voir mourir ceux que nous aimons, d'hésiter sur les finalités de l'éducation de nos enfants et de peiner sur les moyens de les mettre en œuvre... Nous aurions beau être des saints que rien ne nous garantirait pour autant une vie affective réussie. La littérature est remplie d'exemples qui montrent combien la logique de l'éthique et celle de la vie amoureuse obéissent à des principes hétérogènes. Il est même, je crois, à peine exagéré d'affirmer qu'aucune des questions existentielles mises en scène dans les plus grandes œuvres de fiction ne relève de la morale, de sorte que si cette dernière autorise une vie commune pacifiée, elle ne donne en et par elle-même encore aucun sens ni même aucune finalité ou direction à cette vie. Et, sans même évoquer les aspects les plus tragiques de l'existence, la simple lutte contre l'ennui et la banalité qui menacent sans cesse la « quotidienneté » ne serait en rien non plus facilitée par l'incarnation d'une perfection morale. D'aucuns pensent même que ce serait l'inverse...

Allons plus loin. Cette insuffisance s'étend d'évidence aussi à la sphère du droit et de la politique. On dit volontiers aujourd'hui de cette dernière qu'elle est désormais sans saveur, que l'imagination n'habite plus un pouvoir qui, pour l'essentiel, se contente d'assurer, parfois avec compétence et probité mais toujours sans génie, la gestion des affaires courantes dans une économie mondialisée. On souligne alors, avec les accents de la nostalgie, le contraste qui oppose la grisaille actuelle aux joyeuses utopies d'un passé encore récent. C'est oublier un peu vite que ce contraste, pour avéré qu'il soit, ne justifie ni n'explique rien en lui-même. Lorsque les discours révolutionnaires déclaraient, avec le sérieux de l'enfance, que « tout est politique », ils proféraient, dans le meilleur des cas, une bêtise, et plus sûrement encore un fantasme totalitaire. Même s'il est évident que la politique ne se réduit pas à la morale, puisqu'elle doit bien prendre en compte cette divergence des intérêts individuels ou collectifs que j'évoquais précédemment, elle laisse tout autant en dehors d'elle, et pour les mêmes raisons, les considérations touchant à la condition humaine en tant que telle. S'imaginer, comme le faisaient naguère encore nos utopies, que dans une « société sans classes et sans exploitation » il n'y aurait plus ni folie ni frustration, ni drames existentiels ni passions contrariées relève encore de la logique des illusions totalitaires.

Est-ce dire pour autant que la politique n'a plus d'intérêt ? Nullement, tout au contraire même. Mais c'est en mesurer plus justement l'indispensable portée. Nul « repli individualiste sur soi », donc, dans ce constat qui n'invite en rien à baisser les bras face aux injustices, ni ne suggère d'accepter quelque indigne « retrait » dans la seule sphère privée. Désigner les limites de la politique, ce n'est pas la dire insignifiante ou inutile – pas davantage que la mise en évidence des limites de la morale n'engage à l'immoralisme. C'est en finir, tout simplement, avec l'imagerie totalitaire/révolutionnaire. C'est dire, à l'encontre de ce qui se proclamait si volontiers il y a trente ans, qu'elle n'est pas tout, qu'elle possède, elle aussi, son au-delà, que la question de la vie bonne la suppose mais ne saurait s'y réduire.

Ce qui nous conduit au second volet de la formule. Car c'est jadis à la métaphysique et à la religion qu'il revenait de remplir cet espace encore vide, de prendre en compte, au-delà de la morale, les interrogations tout à la fois ultimes et quotidiennes des individus. C'est elles qui leur parlaient des contradictions qui opposent inévitablement les attachements de l'amour aux démentis de la séparation et de la mort. C'est elles encore qui englobaient l'éducation dans des finalités plus vastes, ou prétendaient donner sur la maladie et la souffrance, le travail et le divertissement, les âges de la vie ou les liens entre générations, les aperçus les plus profonds. On dira peut-être, avec les athées militants, que la religion le faisait mal, de façon idéologique et fallacieuse, que sa visée était faussement consolatrice ou répressive. Mais du moins le faisait-elle, et même en adoptant une image réductrice de la religion, même en dénonçant son message comme « opium du peuple », « nihilisme » ou « névrose obsessionnelle » de l'humanité, on ne peut nier qu'il remplissait une fonction à nulle autre identique, ni qu'il marquât de son sceau, par sa simple présence, toute une catégorie de questions. Rien n'indique que les penseurs les plus attachés à déconstruire les figures de la métaphysique et de la religion pour proclamer le « crépuscule de leurs idoles » aient pu en faire tout à fait l'économie. Sans doute les traitent-ils autrement, comme nous le verrons tout au long de notre itinéraire, mais prétendre qu'ils en ont fini avec elles relève d'une étrange naïveté. Car déconstruire une interrogation n'est qu'une nouvelle manière de la prendre en compte.

Comment dès lors entendre cet « après » ? Les croyants ne sont-ils pas assez nombreux pour qu'une telle assertion relève davantage de l'arrogance que du constat ? On suggère ainsi qu'un « dépassement » a eu lieu. Que penser alors de la réalité pourtant bien factuelle d'événements tels que ces « Journées mondiales de la jeunesse » qui ont réuni un million de jeunes gens à Paris, et près de deux millions à Rome – pour ne rien dire de la montée de l'islam en Afrique ou dans le monde arabo-musulman ? Concéderait-on que le nombre des chrétiens, à tout le moins en Europe, a diminué depuis un demi-siècle, ce retrait quantitatif, outre qu'il semble aujourd'hui stabilisé, n'est-il pas largement compensé par une augmentation de la « qualité » des croyances ? Naguère encore, on allait à la messe le dimanche par simple habitude, pour respecter les traditions familiales plus que par conviction. Mais aujourd'hui, où plus rien n'impose ces pratiques, n'en ont-elles pas plus de valeur encore ?

Peut-être, sans doute même. Ces objections sont justes. Il reste que nous sommes à bien des égards « sortis » des figures traditionnelles de la religion, et ce, au moins à trois points de vue dont on ne saurait sous-estimer l'importance pour la question qui nous préoccupe ici.

D'abord, nul ne le contestera, nous nous sommes en Europe émancipés des diverses figures du « théologico-politique ». Chacun peut le constater : alors que, dans les civilisations du passé, la loi tirait sa légitimité de son enracinement dans un univers extérieur aux hommes, ou prétendu tel (celui de la cosmologie ou de la théologie), la loi démocratique se veut de part en part faite par et pour eux. C'est là non seulement la signification la plus profonde de notre grande Déclaration, mais aussi, sur le plan institutionnel, de la création des parlements : au lieu que, comme c'est encore le cas dans les républiques islamiques, la légitimité des autorités soit dérivée d'une source religieuse (les hommes peuvent épouser quatre femmes parce que cela est inscrit dans le Coran), la loi démocratique, laïque, se veut *construite* à partir de la volonté, des intérêts et de la raison des êtres humains. Ces derniers sont pour ainsi dire les *génies* de la loi.

De là aussi le second aspect du retrait public de la religion. Quels que soient le nombre des croyants ou l'ampleur des manifestations qu'ils peuvent librement organiser au sein d'une société laïque, la foi n'en reste pas moins une *affaire privée* au regard non seulement des sources de la loi, mais des impératifs de l'Etat. Le souligner, ce n'est nullement affirmer qu'elle est devenue « confidentielle », c'est seulement rappeler qu'en la matière, l'Etat moderne est, tout simplement, neutre, qu'il ne recommande, n'interdit ni n'impose rien. Et quand bien même 99 % des Français professeraient le catholicisme le plus fervent, cela ne changerait rigoureusement rien à l'affaire. La « privatisation » de la religion n'est pas ici question de quantité, mais de statut : elle relève des particuliers, non des autorités juridiques ou politiques, voilà tout.

Une troisième rupture contribue encore, de manière plus secrète mais plus décisive, à nous contraindre de poser la question de la vie bonne hors des cadres imposés par les religions traditionnelles. L'idéal de la pensée démocratique est consubstantiel au rejet des arguments d'autorité. Qu'on le déplore ou non, l'idée que nous devrions accepter une opinion parce qu'elle serait imposée du dehors par une institution supérieure est devenue insupportable à l'esprit contemporain. Nous sommes rebelles aux magistères comme aux lignes de parti. Et sur ce plan, que les individus soient croyants ou non importe finalement assez peu. Selon les enquêtes d'opinion, il semblerait qu'à peine 8 % des catholiques suivent à la lettre les recommandations du pape. Encore convient-il d'ajouter qu'ils le font sans doute par conviction personnelle, par un accord intime avec elles et non pour la seule raison qu'elles émaneraient du chef de l'Eglise. Pour les autres, que reste-t-il des messages de l'autorité suprême, du moins en ce monde ? Peut-être moins qu'il n'y paraît. Je ne dispose bien entendu d'aucune certitude absolue en la matière et il est toujours périlleux de prétendre sonder les cœurs et les reins. Mais enfin, pour y avoir assisté d'assez près, j'ai tout de même éprouvé le sentiment que le million de jeunes gens venus au Champ-de-Mars accueillir avec béatitude les paroles du pape n'étaient pas tous d'ardents lecteurs de saint Thomas d'Aquin. Je crains même que nombre d'entre eux aient davantage fréquenté les écrits de Paul Coelho que les encycliques de Jean-Paul II, et que la sentimentalité ou les libres élans du cœur leur parlent davantage que les arcanes trop rationnels de la « théonomie participée »... Lorsque le pape, non sans un certain courage intellectuel, publia *Foi et raison*, un ouvrage d'inspiration thomiste faisant l'apologie de la rationalité philosophique et scientifique dans sa capacité à rejoindre par elle-même les vérités de la foi, nul doute qu'il prenait en grande partie, face à l'irrationalisme ambiant, son propre public à contre-pied...

Refus des arguments d'autorité, donc. Mais après tout, diront de nombreux croyants, pourquoi pas ? Quel lien, au demeurant, avec un prétendu retrait du religieux ? La religion n'est-elle pas, elle aussi, affaire de conviction intime et de conscience personnelle ?

Le lien, pourtant, est très direct. Car l'idéal cartésien du « penser par soi-même », de la mise en doute *a priori* de tout ce que nous recevons du dehors, par l'éducation, la tradition, ou quelque autre autorité que l'on voudra, entre directement en conflit avec la conception religieuse de la Révélation. Cela ne signifie nullement que le croyant vive sa foi comme *imposée*, comme une figure de l'« hétéronomie ». Il la vit sans nul doute, au moins pour une part, comme une attitude réfléchie. Je l'accorde volontiers. Néanmoins, en un sens plus profond, il lui faut bien reconnaître *aussi* que la foi ne se réduit pas à un simple sentiment psychologique, qu'elle tire sa source d'une altérité radicale, qu'elle advient par un don gratuit de Dieu plus que par un processus intellectuel de démonstration. Si les vieux syllogismes des prétendues « preuves de l'existence de Dieu » étaient par eux-mêmes suffisants, point ne serait besoin, au sens propre, d'être *croyant*. On *sau-*

rait Dieu, voilà tout. Qui ne perçoit du reste l'abîme qui sépare en leurs principes mêmes l'attitude de l'humilité qui convient à l'acceptation d'une révélation et l'orgueil cartésien qui entend soumettre toute idée reçue à l'examen critique opéré par un moi souverain ?

Pour toutes ces raisons, il nous faut, y compris pour les croyants eux-mêmes dès lors qu'ils ne sont plus seuls au monde, reposer la question de la vie réussie hors des cadres de la morale et de la religion.

CHAPITRE II

Le sens de la question
et l'humanisation progressive
des réponses

Qu'est-ce donc qu'une vie réussie ?

L'interrogation incite à suspendre un instant ce que le cours de l'existence peut avoir de machinal et d'irréfléchi. Elle invite, exercice rarissime en temps ordinaires, à l'envisager de façon plus globale, à devenir ne fût-ce qu'un moment spectateurs de nous-mêmes. Dans le simple fait de la poser gît même comme l'espérance secrète que nous pourrions en quelque façon reprendre les choses en main pour infléchir le cours du destin. Sitôt posée, elle se heurte pourtant à une objection si évidente qu'elle semble saper par avance toute volonté de poursuivre l'aventure : la question serait peut-être fort bonne, à tout le moins amusante, mais elle n'appellerait que des réponses individuelles, si subjectives à vrai dire, qu'elles décourageraient *a priori* l'investigation. Il n'existerait aucun modèle commun, aucun critère collectif permettant d'accéder en la matière à un minimum d'objectivité. Ne va-t-il pas d'ailleurs de soi que chacun est seul juge de lui-même comme du sens ou de la valeur de sa vie ? De là l'extrême variabilité des points de vue, la diversité presque infinie des perspectives des vivants sur la vie. Pour l'un, la réussite est avant tout une affaire personnelle liée à l'esprit de conquête. Elle s'investit dans la recherche de la célébrité, de l'argent, des succès amoureux... Mais elle peut tout aussi bien pour un autre prendre la forme de l'altruisme, d'un engagement dévoué pour un projet collectif, une grande cause supposée d'intérêt général. Un choix, plus modeste en apparence, peut encore conduire à la situer dans la simple sphère privée, dans les valeurs de l'amour, de l'amitié, de la famille ou, pourquoi pas, dans l'idéal d'une émancipation accomplie, dans l'aspiration à se rendre pleinement libre face aux autres comme à l'égard de ses propres démons, voire dans le souci de progresser tout au long de son existence, de parvenir à se « perfectionner » ou à se « dépasser » au point de façonner sa vie comme une œuvre... Toutes ces réponses, et quelques autres encore, aussi diverses ou contradictoires soient-elles, sont par essence acceptables. On peut même les panacher dans des proportions variables, choisir un peu de l'une, un peu de l'autre, et ce simple constat n'est-il pas en lui-même suffisant pour disqualifier la question et faire retomber son intérêt ?

Cette objection tire sa puissance d'une atmosphère individualiste si prégnante que ses certitudes sont devenues pour nous comme une seconde nature. Il n'est pourtant pas sûr qu'il faille s'y fier sans réserve ni réflexion. Si l'on entend seulement rappeler qu'aucun modèle de réussite ne nous est aujourd'hui imposé *de manière autoritaire*, que chacun est libre de conduire sa vie comme il l'entend et de chercher son bonheur là où il veut, on a bien sûr raison... Est-ce à dire pour autant qu'aucun prêt-à-penser n'est suggéré par la société aux individus souverains, pleinement conscients et maîtres d'eux-mêmes que nous sommes désormais supposés être ? J'en doute. Est-ce supposer, surtout, qu'aucun « sens commun », aucun accord sur des grandes visions du monde ne se dessine derrière les choix prétendument « subjectifs » ? Rien n'est moins sûr. A vrai dire le sentiment individualiste est bien davantage le résultat d'une longue histoire qu'un choix philosophique conscient et assumé comme tel. Pour le mettre en perspective, pour mieux situer aussi la signification inédite que revêt aujourd'hui notre question, il faut évoquer, au moins brièvement, cette histoire. Elle est avant tout marquée par deux traits caractéristiques : l'humanisation des réponses apportées à la question de la vie bonne et le retrait progressif des transcendances. Comment en sommes-nous venus à cette étrange équation selon laquelle il nous faudrait penser désormais la vie réussie, après les cosmologies, après les religions et les utopies, hors de toute référence à des principes extérieurs et supérieurs à l'humanité ? Pour mieux comprendre les origines intellectuelles d'une telle situation, je proposerai de considérer quatre moments fondamentaux ou, si l'on veut, quatre grands types de réponses précédant l'époque contemporaine.

I. | Le moment « cosmologique »
   | ou la transcendance objectivée

C'est par rapport à l'ordre global du monde, au cosmos considéré dans sa totalité que la plupart des penseurs grecs[1] situaient la question de la vie bonne, et non seulement par rapport à la subjectivité, à l'idéal d'épanouissement personnel ou au libre arbitre de chaque individu, comme nous avons spontanément tendance à le penser aujourd'hui. Pour Platon ou Aristote, mais aussi pour les stoïciens, il allait de soi qu'une vie réussie supposait que l'on tirât les conséquences de son appartenance à un ordre de réalité *extérieur* et *supérieur* à chacun d'entre nous. Non seulement les êtres humains n'étaient pas considérés comme les auteurs et créateurs de ce *cosmos*, mais ils partageaient le sentiment de n'en être qu'une infime partie, d'appartenir à une totalité dont ils n'étaient en rien « maîtres et possesseurs » mais qui, tout au contraire, les englobait et les dépassait de toute part. Ils n'étaient donc pas appelés à *inventer* le sens de leur vie au sein de l'univers, mais, plus modestement, à le *découvrir*. C'est là du reste une attitude qui nous parle encore : on en retrouve les traces dans certains courants de l'écologie contemporaine, voire dans certains aspects de sagesses orientales telles que le bouddhisme tibétain. La vie philosophique était pour eux la condition absolument indispensable à une existence réussie et elle s'organisait selon trois grands axes ou supposait, si l'on veut, trois grandes tâches : théorique d'abord, pratique ensuite, spirituelle enfin.

---

1. A l'exception sans doute des sophistes et des épicuriens, encore que chez ces derniers, l'éthique s'enracine aussi dans une certaine conception de la nature. Nous reviendrons sur ces distinctions dans les chapitres consacrés au « cosmologico-éthique ».

THEORIA : COMMENCER PAR LA « CONTEMPLATION DES CHOSES DIVINES »

Dans un premier temps, il s'agissait en effet de comprendre l'organisation du cosmos, de parvenir à la *contempler* par l'intelligence : comment, en l'absence d'une telle connaissance, y trouver sa juste place – ou, comme disait Aristote, son « lieu naturel » ? C'est là l'une des étymologies possibles du mot *theoria*, littéralement : *theion orao*, « je vois le divin », c'est-à-dire, pour les Grecs, non tel ou tel Dieu particulier, mais le juste et bel ordonnancement du monde au sein duquel je suis appelé à me situer. De même que, dans un organisme vivant, chaque organe possède sa place et sa fonction propres, qui ne se confondent avec nulle autre, chaque être, y compris l'humain, était censé posséder au sein du Grand Tout sa situation spécifique. Extérieur et supérieur aux hommes, harmonieux, juste et beau, cet ordre avait donc bien quelque chose de divin qu'il convenait d'abord de saisir en tant que tel. De là l'importance, aux yeux des Anciens, des disciplines spéculatives telles que les mathématiques, la physique ou la logique, mais aussi des sciences de l'observation, zoologie, physiologie, anatomie : elles nous dévoilaient la merveilleuse structure d'un réel non pas neutre et indifférent, mais au contraire organisé et ordonné. Malgré son importance suprême, cette tâche théorique n'était pourtant pas en elle-même une fin en soi.

Dans un second temps, en effet, intervenaient les exigences, non plus de la seule intelligence théorique, mais bien de la sagesse pratique : une fois identifié l'ordre naturel du monde, chacun était rappelé à sa vocation ultime d'y chercher et d'y trouver si possible sa juste place. Il s'agissait maintenant d'aller au-delà de la contemplation et des discours afin d'agir et, pour ainsi dire, de *s'ajuster* à l'ordre du monde ainsi dévoilé dans sa dimension « divine », c'est-à-dire tout à la fois juste, harmonieuse, et transcendante par rapport aux hommes. Il fallait donc apprendre concrètement à vivre « selon la nature » plutôt que d'après les conventions sociales artificielles. De cette exigence pratique, les nombreuses anecdotes qu'on rapporte sur l'enseignement dispensé dans les écoles grecques portent encore la trace. On dit que les cyniques n'hésitaient pas à apostropher leurs contemporains sur les places publiques ou dans les marchés, afin de les choquer par quelque scandale, de les titiller par un sarcasme bien choisi (d'où leur nom qui les compare implicitement à ces « chiens » qui viennent fureter, mordiller, renifler de manière indiscrète...). C'est ainsi que Cratès, qui fut aussi le maître de Zénon de Cittium, le père fondateur de l'école stoïcienne, prétendait n'avoir rien à cacher puisqu'il avait décidé de vivre « selon la nature »... aussi n'hésitait-il pas à faire l'amour en public avec sa femme Hipparchia. De même, Diogène invitait volontiers ses élèves à traverser la ville d'Athènes en traînant un hareng au bout d'une laisse... ce qui ne manquait pas de leur valoir les quolibets qu'on imagine et dont ils devaient faire leur miel : pour parvenir à vivre réellement « selon la nature », le premier pas consistait à se débarrasser du poids des conventions sociales. Plus sérieusement (encore que…), les penseurs grecs élaborèrent dans cet esprit de nombreux exercices de sagesse [1] destinés non seulement à dépasser le « qu'en-dira-t-on », mais à élargir l'esprit individuel, toujours égocentrique et borné, jusqu'aux dimensions du cosmos. C'est dans cette optique qu'il faut comprendre, par exemple, la fameuse distinction stoïcienne entre les choses qui dépendent de nous et celles qui n'en dépendent point, ainsi que l'injonction *pratique* à laquelle elle conduit tous ceux qui souhaitent parvenir au bonheur et à la sagesse : ne se préoccuper que des premières et abandonner les secondes à elles-mêmes. Pour reprendre une métaphore parfois utilisée pour décrire le stoïcisme : la vérité théorique – l'idée qu'il existe un ordre du monde, une rationalité cosmique selon laquelle certaines réalités dépendraient de nous et d'autres non – est comme la poutre porteuse d'un édifice au sein duquel la pratique nous commande de nous inscrire.

Quelle que soit son importance, qui est cruciale, l'activité morale n'est pourtant pas davantage que la théorie, la fin dernière de la philosophie. Ou pour mieux dire : s'il s'agit de s'exercer à la contemplation puis de la mettre en pratique, c'est en vue d'une fin qui leur est à toutes deux supérieure. L'objectif n'est rien de moins que de parvenir par ses propres forces au salut. Il ne s'agit pas d'*être sauvé*, mais bien *se sauver* soi-même du plus grand des maux qui pèsent sur l'humanité : la crainte de la mort. Inséparable d'une pen-

---

1. Fort bien analysés par Pierre Hadot dans son beau livre *Qu'est-ce que la philosophie antique ?*, Gallimard, 1995. Nous reviendrons plus loin sur la signification profonde de ces exercices.

sée de la finitude, la philosophie culmine ainsi dans une «sotériologie», une doctrine du salut ou si l'on veut, une forme de spiritualité sans dieu qui se situe déjà au-delà, non seulement de la théorie, mais de la praxis morale elle-même.

La sotériologie ou la première sécularisation de l'idée de salut

Que les angoisses liées à la finitude humaine – à la représentation de la mort, pour parler plus simplement – soient à l'origine de *toute* activité philosophique, c'est là ce que Platon, Aristote, et plus encore peut-être les stoïciens n'ont cessé de dire de la façon la plus explicite. C'est ainsi, par exemple, que d'après les *Entretiens,* Epictète s'adressait à ses disciples : «As-tu bien dans l'esprit que le principe de *tous les maux* pour l'homme, de la bassesse, de la lâcheté, ce n'est pas la mort, mais plutôt la crainte de la mort? Exerce-toi contre elle; qu'à cela tendent *toutes* tes paroles, tes études, tes lectures, et tu sauras que c'est *le seul moyen* pour les hommes de devenir libres[1].» Nous reviendrons[2] sur la nature des «exercices de sagesse» auxquels renvoie implicitement cette injonction. Contentons-nous pour l'instant de remarquer combien est significative l'emphase mise par le philosophe sur les effets de l'angoisse existentielle : c'est bien, selon lui, de la *totalité* de nos défauts et de nos malheurs qu'elle est responsable, et c'est pourquoi la combattre doit être la finalité de *toutes* nos pensées et de *toutes* les pra-

---

1. *Les Stoïciens*, II, Gallimard, «coll. Tel», p. 1039. C'est, désormais, sauf exception, à cette édition facile d'accès que renverront les citations des auteurs stoïciens.
2. Dans la troisième partie de ce livre.

60

tiques philosophiques qui en découlent. Elle est tout simplement, si l'on en croit cette assertion – mais pourquoi ne pas le faire puisqu'elle est si souvent réitérée ? – l'alpha et l'oméga d'une philosophie qui, loin d'être un simple discours, entend nous conduire sûrement vers la sagesse et, par là même, à la vie bonne. S'il faut, pour ainsi dire, s'ajuster et s'ajointer autant qu'il est humainement possible à la poutre porteuse de l'édifice cosmique dévoilé par la theoria, c'est pour accéder, le mot n'est pas trop fort, au « salut » : car c'est bien de la solitude, de l'ennui, et même, aux yeux des stoïciens, de la souffrance et de la mort que cet « ajointement » peut nous sauver. Non que, comme dans le christianisme, il nous permette d'accéder à une immortalité personnelle, mais parce que, comme dans le bouddhisme plutôt, il nous débarrasse de toute crainte liée au sentiment de la finitude : du moment que le sage a compris que les aléas de l'existence ne dépendaient pas de lui, mais d'un ordre du monde par ailleurs harmonieux, dès lors qu'il s'est attaché à vouloir ce qui advient plutôt qu'à changer le cours de ce qui lui échappe, il sait non seulement combien il est vain de se plaindre, mais surtout, en quel sens plus subtil et plus profond il est lui-même divin, puisque partie intégrante de l'éternel cosmos avec lequel il aspire à la réconciliation parfaite. L'ordre du monde, l'homme et son salut : les trois termes du problème étant harmonieusement articulés, il est possible d'accéder à une vie enfin réussie...

II. Le moment théologique ou la transcendance personnifiée

Avec la représentation du divin, non plus immanent à l'ordre du monde, mais incarné dans la figure d'un Dieu personnel placé à l'origine de l'univers et donc situé hors de lui, c'est, semble-t-il, au nom d'une tout autre conception de la transcendance que va se décider la question de la vie bonne. Il ne s'agit plus de trouver son lieu naturel dans la structure organique du réel, mais de se placer sous le regard bienveillant d'un autre, le Très-Haut, et de se conformer aux lois dont, par pur amour gratuit, il a fait don aux hommes. Pourtant, malgré des différences radicales, la nature de la réponse demeure en son fond analogue : même si la foi prend la place de la connaissance, et la Révélation celle de la raison, il s'agit toujours, dans un premier temps, de se frayer un accès à un principe extérieur et supérieur à l'humanité, puis, en vertu de cette conversion même, de se conformer pratiquement aux vérités divines qui en découlent. La poutre maîtresse de l'édifice a changé, certes, mais c'est encore à une réalité transcendante que l'amour de la sagesse, le désir de parvenir au salut nous recommandent de nous ajuster autant qu'il est possible en ce monde. C'est à ce prix et à ce prix seulement que nous serons en mesure de vaincre le seul défi qui vaille : celui de la finitude. C'est dans cette optique d'ailleurs que se développera, dans la théologie chrétienne, une réflexion profonde sur les tentations du Diable : le démon, contrairement à l'imagerie populaire souvent véhiculée par une Eglise en mal d'autorité, n'est pas celui qui nous écarte, sur le plan moral, du droit chemin en faisant appel à la faiblesse de la chair, mais celui qui, sur le plan spirituel, fait tout son possible pour nous *séparer* (dia-bolos) de ce lien vertical qui nous relie à Dieu et qui seul nous sauve de la désolation et de la mort.

On a souvent présenté les grandes cosmologies grecques comme moins «religieuses» que le monothéisme judéo-chrétien, en faisant valoir que l'ordre divin du monde lui étant parfaitement immanent, il n'était pas nécessaire pour elles de faire référence à un «au-delà» entendu au sens religieux du terme. Dans cette perspective, on oppose volontiers la transcendance chrétienne à l'immanence grecque. Une lecture inverse est possible : on peut même soutenir à meilleur droit que la personnalisation du divin, notamment dans le christianisme qui, à la différence du judaïsme, le met en scène incarné dans l'humain, constitue déjà une première forme de sécularisation des principes transcendants. Car personnaliser le divin, voire l'humaniser, n'est-ce pas finalement le rapprocher de nous bien davantage que ne pourraient jamais le faire les principes de l'ordre cosmique? Si Dieu a créé l'homme à son image, ne sont-ils pas, au final, plus proches l'un de l'autre que ne peuvent l'être l'esprit et la nature?

Les grandes réponses cosmologiques et théologiques sont ainsi reliées par un fil invisible, souvent occulté au nom des différences, en effet considérables, qui par ailleurs les séparent : elles apportent à la question de la vie réussie des réponses qui se fondent sur la reconnaissance théorique d'un principe, cosmique ou divin, transcendant l'humanité. Pour toutes deux encore, la sagesse réside dans la tentative, qui peut occuper l'existence tout entière, de se réconcilier avec lui. De cette «réussite», en effet, dépend le salut, entendu, dans les deux cas là encore, même si très différemment, comme une réponse ultime aux défis de la finitude humaine : si je trouve ma place dans l'ordre du monde et parviens à en faire partie réellement intégrante, si je réussis à vivre dans l'obéissance et l'amour de Dieu au point de ne faire plus qu'un avec lui, alors, j'accéderai en quelque façon à l'éternité ou du moins serai-je débarrassé du souci des choses qui passent et ne dépendent pas de moi.

Ajoutons encore un élément décisif dont il faut tenir compte dans ce tableau auquel nous tenterons par la suite d'ajouter les couleurs qui lui font encore défaut : dans cette optique cosmologique ou théologique, non seulement l'aspiration à la sagesse parvient à délivrer l'être humain des tourments que lui inflige sa condition de mortel, mais ce faisant, en cette vie terrestre même, elle lui offre une place au sein de la communauté des hommes. Le sage et le saint, objectera-t-on, sont des figures plutôt solitaires, parfois même martyres. Sans doute. Mais pour le commun des mortels, ce n'est pas seulement l'existence face à la mort ou après elle, que la quête de la sagesse organise, mais bien la vie commune, ici et maintenant, avec les autres – en quoi réside au demeurant, comme chacun sait, l'une des étymologies possibles du mot religion : au sein de l'ordre harmonieux de l'univers comme dans l'amour de Dieu, les hommes sont reliés entre eux, ils forment une *ecclesia*, tout à la fois une assemblée et une communauté. Hors d'eux, commence l'empire de l'éphémère, de la désolation. On se plaint aujourd'hui des « communautarismes », notamment religieux (c'est presque une tautologie). Et si l'on a quelques bonnes raisons de le faire, n'oublions pas cependant qu'ils permirent à l'humanité de vivre pendant des millénaires. C'est d'ailleurs pourquoi la cosmologie et la religion pouvaient prétendre tenir lieu, au sens le plus fort du terme, de politique.

Si l'humanisme moderne – ou la laïcisation du monde qui n'en est que l'autre nom – consiste dans le fait que l'individu s'est émancipé de ces communautés, s'il réside dans sa propension constante à rejeter toutes les formes de transcendance qui les fondaient afin de parvenir à l'autonomie la plus complète, comment répondre encore à la question de la vie bonne ? Où trouver la poutre maîtresse à laquelle s'ajuster pour son salut si l'humanité est désormais seule face à elle-même ? Et n'est-elle pas dès lors menacée d'une irrémédiable atomisation de ces individus que plus rien ne relierait entre eux ?

**III. | Le moment utopique
    | ou la transcendance contestée**

Pour répondre à l'objection, il fallait que les utopies messianiques se transforment en véritables religions de salut terrestre. A défaut de principes cosmiques ou religieux, c'est l'humanité elle-même qui se voit sacralisée au point d'accéder à son tour au statut de principe transcendant. L'opération, du reste, n'a rien d'impensable : après tout, nul ne saurait nier que l'humanité dans sa globalité soit en un sens supérieure à chacun des individus qui la composent, de même que l'intérêt général doit bien en principe prévaloir sur ceux des particuliers. Du scientisme à la Jules Verne au communisme de Marx, en passant par le patriotisme du XIXᵉ siècle, les grandes utopies laïques ont eu le mérite de tenter l'impossible : réconcilier l'immanence et la transcendance, l'humain et le divin, sans sortir des cadres de l'humanité elle-même. Le projet, au-delà même des échecs et parfois des catastrophes auxquels il a pu donner lieu, n'a pas manqué de provoquer l'irritation des croyants, comme finalement, celle des athées les plus résolus.

Les penseurs chrétiens, Kierkegaard en tête, ont ainsi voulu marquer la limite des utopies laïques en faisant observer que le salut de l'individu, malgré tous ses efforts, ne saurait se confondre avec celui de l'humanité. Quand bien même il se dévouerait pour une cause sublime et généreuse, dans la conviction que cet idéal lui est infiniment supérieur, il reste que, hors la perspective religieuse proprement dite, il n'est point de transcendance qui tienne après la mort et, partant, point de salut véritable. L'être humain peut bien toujours ruser avec lui-même comme avec sa conscience, il lui faut un jour affronter la vérité : au final, c'est toujours lui qui souffre et meurt en tant qu'être particulier, et nul autre à sa place, et face à cette mort *personnelle,* la cause de l'humanité risque fort de n'apparaître un jour ou l'autre que comme une abstraction belle sans doute, mais désespérément vide. L'être humain ne saurait jamais *se* sauver lui-même. Il faut qu'il le soit *par un autre,* et même si le dévouement à une cause humaniste peut susciter la sympathie sur le plan moral, il n'en demeure pas moins illusoire sur le plan spirituel.

Quant aux vrais athées, à commencer par Nietzsche, ils ne pouvaient finalement percevoir cette passion pour les « grands desseins » soi-disant supérieurs à l'individu, voire à la vie même, que comme une ruse ultime du nihilisme religieux : une façon, au fond, de continuer à nier la vie au nom d'une cause prétendument supérieure à elle, une manière de sacrifier encore et toujours l'ici-bas à l'au-delà, le sensible à l'intelligible…

Ces deux critiques, opposées mais finalement convergentes, devaient produire leurs effets. Je ne suis pas certain, loin de là, qu'elles soient toujours justes, ni que toute forme d'humanisme soit incompatible avec de nouvelles représentations de la transcendance, pas certain non plus que l'on puisse faire l'économie du rapport au collectif, à la politique. La pensée de Marx, malgré son destin funeste, avait ceci de grandiose qu'elle nous invitait à situer l'accomplissement de soi dans la relation aux autres. Mais quoi qu'il en coûtât, il fallait bien que le vin une fois tiré, il fût bu jusqu'à la lie, que la logique corrosive de la sécularisation et du désenchantement du monde fût poussée jusqu'à son terme. C'est ce qui advint dans la seconde moitié du XIXe siècle, ce dont la pensée de Nietzsche a su, plus que toute autre, témoigner de façon géniale.

IV. | Le moment matérialiste ou la transcendance abolie

Si les cosmologies ne font plus recette, si « Dieu est mort », les utopies défuntes et les grands desseins désertés, où trouver encore cette « poutre maîtresse » à laquelle l'histoire des « conceptions du monde » avait toujours, d'une façon ou d'une autre, invité les humains à s'ajuster ? L'univers laïc ne semble laisser aucune chance à cette interrogation. Son mérite n'en est pas moins irremplaçable : comme nul autre avant lui, il invite à la lucidité. S'il fallait donner une définition du XXe siècle, je dirais volontiers qu'il fut celui de toutes les déconstructions, le premier à mettre en œuvre l'injonction de Nietzsche selon laquelle il convient désormais de « philosopher au marteau ». Casser les idoles de la métaphysique et de la religion, crever comme des ballons leurs boursouflures et leurs illusions consolatrices fut son œuvre propre, et quoi qu'on en dise, la nostalgie n'est pas ici de mise : à ceux qui regrettent le temps des utopies joyeuses, il faut rappeler qu'elles furent surtout meurtrières et liberticides. A ceux qui déplorent le désenchantement du monde et le reflux des religions, il faut redire combien, sous leurs formes traditionnelles au moins, elles continuent aujourd'hui encore d'être à l'origine de la quasi-totalité des guerres et des conflits qui ensanglantent la planète.

La question de la vie bonne n'en paraît pas moins plus que problématique dans un monde sans transcendance. Au point que la seule réponse plausible léguée par notre XXᵉ siècle semble être une réponse purement *formelle,* indifférente à quelque contenu que ce soit. Elle tient en un mot : *intensité.* Dans l'univers de la consommation mondialisée, tout se passe comme si la réussite de sa vie n'était plus liée à l'identification d'un principe cosmique, religieux ou utopique, mais tout simplement à la volonté de puissance, c'est-à-dire à l'intensification maximale de sa propre existence. En l'absence de tout référent extérieur ou supérieur à l'individu, la vie bonne, c'est la vie la plus pleinement vécue, celle dans laquelle on est tout à la fois «vraiment soi-même» (sur quoi d'autre s'appuyer, en effet, et quelle autre fin viser?) et pleinement investi dans les activités de son choix, *peu importe à la limite lesquelles* : que l'on soit chanteur, chercheur, patron ou footballeur, l'essentiel est de «réussir» dans son domaine, et, comme on dit, de s'y «éclater».

C'est assurément Nietzsche qui fut par excellence le penseur de cette réponse «terrestre» et désillusionnée. Non qu'il s'en soit tenu à la trivialité du propos, tout à l'inverse : il lui a donné sa profondeur, ses lettres de noblesse. Mais comme nul autre avant lui, il a tiré les conséquences ultimes du retrait des principes transcendants. Le premier, il eut l'audace de dire qu'en leur absence, seule l'intensité de la vie importait, quel que soit le contenu auquel cette forme pouvait s'appliquer : «Ma doctrine, écrit-il dans un texte crucial qu'il faut lire dans cet esprit, enseigne ceci [...] : celui dont l'effort est la joie suprême, qu'il s'efforce! Celui qui aime avant tout le repos, qu'il se repose! Celui qui aime avant tout se soumettre, obéir et fuir, qu'il se soumette, obéisse et fuie! Mais *qu'il sache bien* où va sa préférence et qu'il ne recule devant *aucun moyen*[1]! » C'est lui qui a prédit dans un éclair de lucidité incomparable, combien pour nous, Modernes, après l'ère des cosmologies et des religions, l'intensification de la volonté de puissance en tant que telle allait bientôt paraître le seul et unique but de l'existence. Et c'est encore à lui qu'il revient d'avoir ainsi forgé le concept philosophique quelque peu monstrueux, mais si pertinent pour comprendre notre temps, d'une finalité enfin totalement immanente au réel : car les «choix» qu'il évoque dans ce passage de son livre inachevé – l'effort et le repos, l'obéissance et la fuite – ne sont pas des idées transcendantes, mais des formes de vie coïncidant parfaitement avec l'état des pulsions propres à chacun d'entre nous.

L'époque présente ou les deux visages possibles de l'humanisme contemporain : humanisme matérialiste ou humanisme de l'homme-dieu?

A partir de Nietzsche et de son matérialisme philosophique radical, deux options semblent possibles qui caractérisent au mieux, à mes yeux, l'espace de la philosophie contemporaine – du moins lorsqu'elle prend

---

1. *La Volonté de puissance*, IV, trad. Bianquis, Gallimard. Sauf exception, lorsque je traduis moi-même à partir de l'édition Schlechta, c'est à cette édition que renvoient désormais ces notes.

encore le temps de s'intéresser à la question de la sagesse ou de la vie bonne.

On peut, bien sûr, pousser jusqu'à son terme et, pour ainsi dire parachever, la tâche « déconstructrice » inaugurée par la généalogie nietzschéenne. Pour en finir avec les « illusions » de la transcendance, on peut même étendre et perfectionner les instruments du « soupçon » : la psychanalyse, la sociologie et, plus encore peut-être, la biologie contemporaine peuvent puissamment y contribuer. Les religions et, plus généralement, toutes les visions du monde qui tendent à admettre des principes supérieurs et extérieurs à l'humanité, y sont dénoncées vigoureusement au nom des exigences d'un matérialisme qui entend dévoiler, derrière les valeurs réputées transcendantes, les « modes de production » bien réels qui les ont très trivialement engendrées. Des droits de l'homme aux sommets de l'art, de l'altruisme à l'amour maternel, rien ne résiste en principe à ces nouveaux réductionnismes. Leur tâche, pour ainsi dire infinie, suffit à occuper une vie, toute la question étant de savoir si la sagesse qui devrait lui correspondre, une sagesse de l'immanence radicale, donc, est réellement « tenable ».

Certains le pensent aujourd'hui, notamment dans le sillage des grandes philosophies matérialistes de Spinoza et de Nietzsche. Ils sont, en ce sens, les philosophes de leur temps. Conformes à leur époque, ils veulent en finir une bonne fois, au nom de la lucidité et de la liberté, avec les « idoles » de la métaphysique et de la religion comme avec les politiques prophétiques ou messianiques d'antan, bref, avec les illusions de la transcendance sous toutes leurs formes. Non seulement le désenchantement ne les effraie pas, mais ils s'en réjouissent : il est pour ainsi dire la condition de la liberté, le préalable à l'« innocence du devenir », à cette acceptation résolue du réel qui est la seule vérité humaine. Disons-le nettement : le sentiment qui les anime n'a rien de trivial ni de banal. Ils ne se bornent pas à constater négativement, comme on l'a déjà tant fait, que les fondamentalismes politiques ou religieux ont ensanglanté le xxe siècle. Ils affirment aussi, de manière positive et plus profonde, qu'il n'est pas de bonheur digne de ce nom hors du principe de réalité, que toute félicité enfin *réelle* doit passer par lui et que cette lucidité se paie au prix fort : elle ne requiert rien de moins que le deuil des idoles du passé. Ils cherchent ainsi à forger les conditions d'une authentique « sagesse matérialiste », d'une conception de l'existence enfin débarrassée des oripeaux de la religiosité consolatrice. Comme on le verra dans ce qui suit, je ne puis, à défaut d'en partager les conclusions, que comprendre l'origine d'une telle aspiration. Elle témoigne d'un courage intellectuel qui ne saurait jamais déplaire à ceux qui aiment la vérité. Elle possède sa grandeur, parfois même sa beauté. Il me paraît du moins tout à fait vain de lui opposer un hypothétique « besoin » de Dieu, d'idéal, d'espérance, etc. supposé immanent à la nature humaine. Car un tel « besoin », en admettant même qu'il existe, est justement la principale objection contre les convictions qu'il tend à fonder : n'est-ce pas parce que nous avons peur de mourir, d'être séparés de ceux que nous aimons, que nous avons « inventé » la croyance en une vie après la mort ? N'est-ce pas pour donner du sens à nos vies que nous avons forgé l'idée d'une société parfaite, pure, transparente, sans exploitation ni domination, qui impliquerait le moment révolutionnaire ? Le soupçon, à tout le moins, est plus que légitime. C'est donc sur le terrain même du matérialisme, au nom de la plus grande exigence de lucidité qu'il faut l'interroger lui-même. Encore une fois : une sagesse de l'immanence radicale est-elle tenable ? Qu'on me comprenne bien : je ne demande pas si une telle option philosophique est « confortable », si les humains peuvent vivre agréablement sans divinité ni utopie, sans espérance ni transcendance, mais si la chose, tout simplement, est en termes de vérité, pensable. Et je le dis posément : je crois qu'aucun matérialiste n'a jamais réussi à penser sa propre pensée, qu'aucun n'a su poursuivre jusqu'au bout les conséquences de ses propres principes sans réhabiliter de manière subreptice des transcendances inavouées et inavouables pour lui. Tous, comme je tenterai de le montrer ici, à commencer sans doute par les deux plus imposants pionniers, Spinoza et Nietzsche, ont dû un jour ou l'autre, pour des raisons de fond, se résoudre à réintroduire en catimini de l'espérance, de l'universel, du transcendant, de l'éternel pour ne pas dire du mystique. Et c'est cela qui m'interdit, à moi qui ne suis pourtant pas croyant, d'être aussi simplement matérialiste.

On peut donc aussi, il me semble, choisir une autre voie, mettre entre parenthèses cette entreprise où, à vaincre trop souvent sans péril on risque aussi de triompher sans gloire. D'autant que rien ne démontre à mes yeux la pertinence invincible du matérialisme contemporain, même lorsqu'il est pris à son meilleur niveau, ni ne prouve absolument que de nouvelles transcendances soient inconcevables hors du statut d'illusion qu'il veut toujours leur assigner. Pour être désormais entrés dans l'orbite de l'humanisme, rien ne dit que nous ne continuons pas, quoi que nous en ayons, de percevoir, fût-ce sur un mode radicalement inédit, la vérité, la justice, la beauté et même l'amour comme des valeurs que nous *découvrons davantage que nous ne les produisons ou les inventons nous-mêmes.* Il n'est pas même sûr qu'elles ne nous apparaissent pas à bien des égards aussi « sacrées » que dans les temps anciens, comme si le divin, pour être descendu du ciel sur la terre et s'être humanisé, n'en était pas moins demeuré présent en elles. Certes, nous ne sacralisons plus le cosmos, Dieu, la patrie ou la révolution, comme jadis – mais tout indique en revanche que l'humanité, ou plutôt les individus qui la composent, conservent pour nous une valeur comparable à celle des anciennes figures de la transcendance. C'est là ce que j'ai désigné comme un « humanisme de l'homme-dieu » et c'est encore cette hypothèse que j'aimerais approfondir et tester dans ce livre. Car si elle se révélait avoir une part de vérité, c'est évidemment toute la question de la vie bonne qui s'en trouverait aussi modifiée.

Et pourtant, cet essai n'est pas davantage celui d'un spiritualiste ancien que d'un matérialiste moderne. A la question qui lui sert de guide, il ne cherche de réponse ultime ni dans une cosmologie, ni dans une théologie, pas davantage dans une réactivation artificielle des utopies défuntes. Il ne cède cependant pas non plus, comme d'apparence il aurait pu sembler qu'il le doive, aux sirènes du matérialisme. La conviction qui l'anime est que nous vivons aujourd'hui en Occident, sans en avoir pris encore la mesure, une mutation à nulle autre pareille, un bouleversement si imprévu que les prêt-à-penser élaborés au XXᵉ siècle ne suffisent plus à le cerner. Ce n'est pas la fin des utopies qui est l'événement majeur de notre temps, comme l'affirment les nostalgiques de la révolution. Ce n'est pas le « désenchantement du monde » qui en est la marque spécifique, ni même la déconstruction des idoles, mais au contraire son réenchantement. Sa nouveauté tient à l'apparition de nouvelles figures de la transcendance situées non plus en amont mais en aval d'une humanité qu'elles ne surplombent plus comme d'un ailleurs radical, mais au sein de laquelle au contraire elles s'enracinent. L'étrange est que pour s'inscrire désormais dans l'horizon de l'humanité, pour n'être plus fondées sur la nature ou la divinité, les valeurs de vérité, de bonté, de beauté et d'amour n'ont rien perdu, quoi qu'on en dise, de leur caractère « sacré ». Bien que pour ainsi dire « déracinées », elles continuent, sur un mode il est vrai inédit, d'animer une grande partie de nos existences. Voilà, me semble-t-il, ce qu'il s'agit aujourd'hui de penser à nouveaux frais. Pour le percevoir, pour mesurer en quel sens cette révolution dans le statut des valeurs vitales conduit à réaménager l'antique question de la vie bonne, il faut se situer dans un post-matérialisme qui cherche encore son nom, dans un espace de pensée qui a tiré les leçons du désenchantement du monde et médité la puissance critique des idéologies déconstructrices du siècle dernier, mais ne s'en satisfait pas pour autant.

*

SUR LE PLAN DE CE LIVRE

Nous partirons, pour ne pas différer inutilement notre entrée dans le vif du sujet, et pour que les enjeux d'une réflexion sur la vie bonne aujourd'hui soient posés sans fard, du moment charnière entre le monde ancien et les défis contemporains : ce « moment nietzschéen », qui ne se confond d'ailleurs pas avec la seule pensée de Nietzsche, mais recouvre plus largement la façon dont émergent, à l'aube du XXᵉ siècle, des philosophies de l'immanence radicale, qui fondent sur un matérialisme sans concession leur rejet de toute forme de transcendance. L'intérêt d'une telle analyse est de percevoir comment, au-delà de ses aspects déconstructeurs, elle parvient encore, dans une perspective pourtant désillusionnée, à répondre malgré tout à la question de la vie bonne. C'est ici toute la problématique, si riche et intéressante, de l'« intensité » de l'existence qui sera prise en compte, mais aussi, au-delà d'elle bien que dans son prolongement, l'émergence de modes d'existence typiquement modernes tels que l'imagerie du XIXᵉ siècle nous les a légués : la vie quotidienne, la vie de bohème, opposée à celle des philistins, et la vie d'entreprise apparaîtront ici comme les premiers rejetons du désenchantement du monde.

Il s'agira ensuite, en remontant des temps modernes aux origines de la philosophie en Grèce, de comprendre à la lumière de quelques exemples cruciaux – ceux du stoïcisme et du christianisme notamment – comment s'organisaient les réponses apportées à la question de la vie bonne à partir de la considération de principes transcendant l'espèce humaine. Il me semble en effet nécessaire et utile d'examiner les messages du passé. Non par goût de l'histoire, ni même pour faire l'archéologie du temps présent, mais parce qu'elles demeurent à bien des égards des possibilités encore ouvertes. Nombreux sont ceux qui continuent de penser que, tout bien pesé, les « sagesses des Anciens » valent bien celles des Modernes, et même si je ne puis partager leurs vues, pour des raisons qui apparaîtront dans ce qui suit, j'ai en revanche la conviction que ces grandes visions du monde nous parlent encore, qu'il en existe des versions pour ainsi dire « sécularisées ». Tout se passe comme si les réponses religieuses ou cosmologiques avaient gagné, pour nous, laïcs, un second visage, différent et pourtant héritier de celui qu'elles possédaient dans leurs versions originelles. Je puis lire et aimer par exemple les grands textes stoïciens, l'Evangile de Jean, ou les messages du bouddhisme tibétain sans être chrétien, stoïcien ou bouddhiste. Sans forcer exagérément le trait, on pourrait dire dans une optique analogue que l'écologie contemporaine réactive, parfois sans s'en rendre compte, certains aspects des cosmologies anciennes, que le matérialisme moderne entretient des liens privilégiés avec le stoïcisme, voire avec certaines sagesses orientales, que la sensibilité humanitaire est pour une part un héritage du christianisme, etc. On pourrait ainsi multiplier les exemples qui suggèrent combien l'idée de table rase est, ici comme ailleurs, une idée folle et niaise, et, à vrai dire, sans doute plus niaise que folle. L'un des aspects les plus intéressants de cette étude des sagesses anciennes, en dehors même de leur intérêt intrinsèque, sera de nous montrer en quel sens profond la philosophie s'est forgé tout au long de son histoire un statut de concurrente de la religion dans la quête d'une doctrine laïque du salut, d'une « sotériologie » sans Dieu.

Mais il faudra enfin – et ce sera l'objet de la dernière partie – aborder la question de ce qui vient *après*. Malgré l'individualisme radical et le désenchantement du monde, malgré les déclarations de Nietzsche sur la mort de Dieu et l'obligation d'être à tout prix « terrestre », bien que je sois moi-même agnostique et sans illusion aucune sur les égarements de la métaphysique classique, je ne pense pas que nous en ayons fini avec la transcendance ni davantage avec la problématique de la béatitude et du salut. Ma conviction, que je tenterai d'argumenter, est qu'il nous faut au contraire apprendre à reconnaître ses nouveaux visages, post-individualistes, et commencer de les relier à l'antique interrogation sur la sagesse. Ce qui suppose que l'on parvienne enfin à articuler entre eux deux constats en apparence contradictoires. D'un côté celui qui enregistre la sécularisation/humanisation des grandes réponses : de la transcendance de l'ordre cosmique à celle d'un Dieu personnel, on s'est déjà rapproché de l'homme, mais des grandes causes humanistes à la volonté de puissance individuelle, c'est la transcendance elle-même, sous toutes ses formes, qui semble s'être évanouie. D'un autre côté pourtant, la question de la vie bonne continue, jusqu'au sein du matérialisme le plus radical, de faire signe vers de nouvelles formes de relation à l'absolu et au salut. Malgré toutes les déconstructions, en effet, malgré nos attachements à l'idéal d'autonomie individuelle, il nous faut bien concéder au terme du parcours *que ce n'est pas nous qui inventons les valeurs auxquelles nous ne cessons de nous référer dans l'ordre de la vérité, comme dans celui de l'éthique, de la politique et peut-être même, quoi qu'en disent les lieux communs relativistes, de l'esthétique et de l'amour.* Rien n'indique à coup sûr que la sentence de Nietzsche selon laquelle « il n'y a pas de faits, mais seulement des interprétations » ne soit, au final et toute révérence gardée, une facilité masquée par un projet philosophique profond, mais intenable. Il faut donc, une fois encore, tenter d'aller plus loin.

Mais il ne s'agit pas non plus de faire, au sein de cet itinéraire qui va des Grecs jusqu'aux versions les plus laïcisées de l'athéisme moderne, et si possible au-delà, comme si la dernière position était toujours la meilleure. Nous en avons fini des représentations hégéliennes de l'histoire comme d'un gigantesque jeu de l'oie : le parcours auquel j'invite mon lecteur n'aurait aucun intérêt s'il ne reposait sur la certitude qu'il y a quelque chose d'admirable et d'encore aujourd'hui vivant dans toutes ces grandes réponses, y compris bien entendu les plus anciennes. On ne fera donc pas l'économie, à la fin de ce livre, d'une réflexion sur la signification de ce nouveau rapport à la pluralité des philosophies qui devrait enfin parvenir à se situer à l'écart du scepticisme comme du dogmatisme, en s'articulant autour des deux questions suivantes.

1. La question de l'origine de la pluralité des réponses. Si l'humanité est une, comment comprendre que sur une question aussi cruciale apparaissent une telle pluralité de réponses ? Un tel étonnement paraîtra peut-être énorme ou dérisoire, selon l'humeur. Il n'en est pas moins parfaitement légitime d'un point de vue philosophique. On serait tenté, bien entendu, d'y répondre tout simplement par l'histoire et, en effet, cela va presque de soi : si les êtres humains ont donné tant de réponses à la question de la vie bonne, c'est à l'évidence parce que les contextes dans lesquels ils les ont formulées étaient, eux aussi, infiniment différents les uns des autres. Il n'est pas certain, pourtant, que cet historicisme suffise, qu'il ne soit pas trop court pour nous satisfaire encore aujourd'hui. D'abord parce que les grandes réponses identifiées comme appartenant au passé... sont encore très largement présentes parmi nous au point que les dire « archaïques » est déjà en soi contestable : à preuve l'intérêt pour les sagesses anciennes d'Orient comme d'Occident, mais aussi pour les grands messages spirituels et religieux. Ensuite parce que, même à s'en tenir à l'espace de la pensée contemporaine, la pluralité demeure tout autant que par le passé, et sans doute même davantage : jamais la philosophie n'a été aussi éclatée qu'aujourd'hui, jamais nous n'avons autant baigné dans une atmosphère «post-moderne» où, comme dans un immense menu de la pensée, toutes les attitudes et tous les syncrétismes sont disponibles pour l'individu. D'où la nécessité de la question : comment expliquer cette pluralité, ou, tout du moins, si l'on veut restreindre l'ambition du propos, comment la penser?

2. *La question du statut de la pluralité des réponses dans un monde qui se veut démocratique.* Il ne s'agit plus ici du pourquoi, ni même du comment, mais si l'on veut du «qu'en faire?». Peut-on, aujourd'hui encore, se contenter, comme l'enseignement de la philosophie y invite si souvent, de faire son marché dans l'éclectisme le plus total? Deux attitudes classiques ont acquis une certaine légitimité face à l'énigme de la pluralité. On peut tout d'abord, à la manière hégélienne, chercher une synthèse englobante, une intégration harmonieuse de tous les points de vue, quitte à déformer les positions adverses pour qu'elles entrent dans le moule des exigences de l'assimilation intellectuelle. On peut à l'inverse afficher une tolérance de bon aloi au nom de l'idéal démocratique qui prétend toujours accepter l'Autre et respecter le multiculturalisme sous toutes ses formes. Je ne crois ni à ce dogmatisme de l'uniformité, ni à ce scepticisme de la différence. Il me semble plutôt qu'une authentique compréhension de l'autre, je veux dire de l'autre véritable, celui avec lequel aucun accord de fond ne paraît possible, celui avec lequel aucune affinité intellectuelle ne se dessine réellement, ne passe ni par l'intégration/assimilation ni par une pseudo-tolérance : cette dernière confine trop souvent à l'indifférence, laquelle n'est, comme on

79

sait, qu'une des figures du mépris. L'idéal démocratique nous invite donc à penser la pluralité hors des schémas classiques et c'est là un défi qu'il nous faudra relever au terme de notre parcours dans la multiplicité des approches du sens de la vie réussie.

Deuxième partie

LE MOMENT NIETZSCHÉEN
OU LA VIE RÉUSSIE
COMME VIE LA PLUS « INTENSE »

CHAPITRE I

De la transcendance comme illusion suprême

Le « crépuscule des idoles » ou la « philosophie au marteau » : la « fin du monde », la « mort de Dieu » et la « mort de l'homme »

Avant de lire ou de relire Nietzsche, avant de méditer à nouveau son message sur les visages possibles de la vie humaine après la « mort de Dieu », j'aimerais que le lecteur suspende un instant ses préventions, qu'il s'affranchisse des images qui entourent son œuvre comme une muraille et risquent d'en interdire l'accès : Nietzsche « irrationaliste », Nietzsche politiquement suspect, Nietzsche poète génial mais fou, dont les fulgurances stylistiques dissimuleraient mal le manque de cohérence indispensable à toute philosophie authentique. Non que ces étiquettes, et les interrogations qu'elles suscitent, soient toutes illégitimes [1]. Nietzsche, c'est un fait, n'a cessé de dénoncer l'inanité des valeurs humanistes, des droits de l'homme, de l'égalité démo-

---

1. Cf. sur ce point l'ouvrage collectif, *Pourquoi nous ne sommes pas nietzschéens*, Grasset, 1991.

cratique, de pourfendre les «idoles» de la religion, mais tout autant celles de la science, d'affirmer combien, à ses yeux, «ce qui a besoin d'être démontré ne vaut pas grand-chose», manifestant ainsi son aversion pour la «volonté de vérité». A bien des égards pourtant, la perspective qu'il ouvre sur notre monde demeure l'une des plus lucides et des plus profondes qui soit. Il n'est pas même impossible qu'aujourd'hui encore, il soit *Le* penseur des temps modernes, le seul qui ait bu le vin jusqu'à la lie, qui ait osé tirer toutes les leçons d'un désenchantement sans issue ni consolation. Sur ce point, il faut le prendre au sérieux, se donner la peine de le suivre jusque dans les abysses où sa «généalogie» des valeurs transcendantes nous entraîne. On y trouvera du moins une alternative à ce qu'il tenait pour les illusions du «sens de la vie» – ces hochets auxquels s'accrochent les humains pour ne pas désespérer de leur statut de mortels. Que le lecteur non familier de son œuvre se rassure : je prends avec lui le pari que sa pensée, pour difficile qu'elle soit parfois, n'est jamais inaccessible. Elle reste même plus ferme, plus rigoureuse, pour ne pas dire plus lumineuse que bien des discours parés des prestiges de la claire rationalité.

Une alternative, donc, aux existences guidées par des valeurs «supérieures», une vision inédite, radicalement désillusionnée, de la «vie bonne» : c'est bien cela, et rien de moins, que promet le «matérialisme[1]» de Nietzsche. Avouons-le : pour ceux qui n'habitent plus les grandes cosmologies, pour ceux qui ont

---

1. Le terme, comme on verra, est ici légitime : il désigne une pensée dont l'axe principal est le refus radical de toutes les figures de la transcendance. Il ne saurait donc s'appliquer à nul penseur mieux qu'à Nietzsche. C'est d'ailleurs une des raisons pour lesquelles sa philosophie a pu séduire certains philosophes marxistes. Cf. sur ce point les livres d'Yvon Quiniou.

déserté les croyances religieuses, renoncé aux utopies d'une politique messianique, pour ceux, enfin, que les idéaux d'une morale des droits de l'homme ne parviennent à combler, le détour en vaut la peine. Ils ne seront pas déçus : si l'on fait abstraction des faiblesses liées à la culture d'une époque qui allait bientôt accoucher des pires catastrophes que l'humanité ait connues, la pensée de Nietzsche a quelque chose de grandiose : elle apparaît comme la première, sinon la seule, à relever les défis d'une existence «humaine, trop humaine», d'une vie enfin libérée des mirages de la foi en quelque «idéal» supérieur que ce soit. Une philosophie non plus du ciel, mais de la terre, comme le proclame en des termes qui lui conviennent, c'est-à-dire irréligieux, ce passage du *Zarathoustra* :

«Je vous en conjure, ô mes frères, demeurez fidèles à la terre et ne croyez pas ceux qui vous parlent d'espérances supraterrestres. Sciemment ou non, ce sont des empoisonneurs.

Ce sont des contempteurs de la vie, des moribonds, des intoxiqués dont la terre est lasse : qu'ils périssent donc !

Blasphémer Dieu était jadis le pire des blasphèmes, mais Dieu est mort, et morts avec lui ces blasphémateurs. Désormais, le crime le plus affreux, c'est de blasphémer la terre et d'accorder plus de prix aux entrailles de l'insondable qu'au sens de la terre[1].»

Notons-le d'emblée pour ne pas l'oublier : même après la mort de Dieu, la possibilité de «crimes affreux», et même sacrilèges, semble subsister, signe, nous y reviendrons, que le «crépuscule des idoles» – c'est-à-dire la mort de tous les idéaux transcendants –

---

1. *Ainsi parlait Zarathoustra*, Prologue, **3, t**rad. Bianquis, *Œuvres*, Flammarion, p. 330.

n'est pas la fin de l'histoire, que l'éclipse du religieux laisse présager, sinon une spiritualité nouvelle, du moins une autre logique du sens, fût-il de la terre et non plus du ciel. Il se pourrait bien que la ruine des représentations de la vie réussie en termes d'« au-delà » annonce une aurore nouvelle...

Reste que la déconstruction des illusions, la « philosophie au marteau », est la première et plus urgente tâche de la pensée. Et sur ce versant, Nietzsche ne fait pas dans le détail. Chacune des marches de notre escalier, qui conduisait des figures les plus hautes de la transcendance vers ses visages les plus humains, s'effondre : volatilisé le *cosmos* grec, anéanti le grand Dieu des religions monothéistes, terrassés les principes de l'humanisme laïc. Et c'est sur cette table rase, sur ce sol enfin aplani qu'il faudra désormais apprendre à poser le pied.

Qu'on en juge, avant de s'y aventurer.

Que reste-t-il des grandes cosmologies grecques ? Rien, rigoureusement rien, selon Nietzsche, sinon le vague souvenir d'une volonté acharnée à trouver coûte que coûte un « sens de la vie », à postuler, contre toute évidence, une finalité au devenir, comme si l'univers tout entier était si bien agencé que nous pourrions accéder à la béatitude par le simple fait de nous situer en son sein : « On imagine alors une manière d'unité, une forme quelconque de "monisme" et, par suite de cette croyance, l'homme est placé dans un sentiment profond de corrélation et de dépendance à l'égard d'un Tout qui le dépasse, il devient un simple mode de la divinité... Mais voici que cette globalité, tout simplement, *n'existe pas* ! », voici qu'il nous faut admettre « ces deux faits » bouleversants que « le devenir est sans but et qu'il n'est pas régi non plus par quelque grande unité dans laquelle l'individu pourrait plonger totalement comme dans un élément de valeur suprême[1] ! ». A l'image des stoïciens, nous aimerions que le monde ait une signification, qu'il soit organisé, harmonieux et bon, qu'un lieu naturel y soit prévu de toute éternité pour nous, où nous pourrions venir nous loger comme dans une niche chaleureuse et réconfortante... Mais la vérité est tout autre : « Savez-vous bien ce que c'est que le "monde" pour moi ? Voulez-vous que je vous le montre dans mon miroir ? Ce monde est un monstre de forces, sans commencement ni fin, une somme fixe de forces, dure comme l'airain [...], une mer de forces en tempête, un flux perpétuel[2]. » La science moderne, avec laquelle Nietzsche entretient un rapport complexe d'amour (quand elle « déconstruit » les idoles et désenchante le monde[3]) et de haine (quand elle les renforce par sa croyance en une rationalité du réel), est passée par là ! L'idée d'un univers unique et harmonieux est le mensonge par excellence. Non seulement le réel est marqué du sceau de l'infini, mais il y a même une « infinité de mondes », une infinie variété de points de vue. Vérité vertigineuse, selon Nietzsche, mais sur laquelle il est impossible de revenir. Aucune restauration de l'univers ancien ne saurait encore être tentée : « Le grand frisson nous saisit une nouvelle fois – mais qui donc aurait envie de recommencer d'emblée à diviniser ce monstre de monde inconnu à la manière ancienne... Ah, cette chose inconnue comprend trop de possibilité d'interpréta-

---

1. *La Volonté de puissance*, trad. Bianquis, II, livre III, § 111.
2. *Ibid.*, I, livre II, § 51.
3. « Les sciences, cultivées sans mesure et avec la plus aveugle insouciance, émiettent et dissolvent tout ce qui était l'objet d'une ferme croyance » (*Considérations inactuelles*, III, § 4).

tions *non divines,* trop de diablerie, de sottise, de bouffonnerie[1] [...] »

La cosmologie, qui tendait *désespérément* à l'harmonie, n'est donc qu'une «projection» humaine (et Nietzsche, déjà, emploie les mots qui seront bientôt ceux de Freud), une simple façon de prendre nos désirs pour des réalités, de nous procurer un semblant de pouvoir sur une matière insensée, multiforme et chaotique qui nous échappe en vérité de toute part : «Toutes les valeurs à l'aide desquelles nous avons jusqu'à présent cherché à donner de la valeur au monde [...] sont, au point de vue psychologique, le résultat de certaines perspectives d'utilité bien définies, destinées à maintenir et à fortifier certaines formes de domination humaine et *projetées* à tort dans l'essence des choses. C'est, une fois encore, cette naïveté hyperbolique de l'homme qui se prend pour le sens et la mesure de toute chose[2]. »

Exit, donc, la vie bonne à l'ancienne...

Que vaut, dans ces conditions, un éventuel recours à Dieu ? La volonté de s'en remettre, après la «fin du monde», à un Etre suprême, pourvoyeur d'amour, d'espérance et de sens n'est qu'un avatar supplémentaire du désir d'absolu, tout aussi vain et fallacieux que le précédent. Nietzsche, cela va de soi, n'est pas le premier penseur à tenter une critique radicale de la religion. Bien d'autres l'ont fait avant lui, à commencer par Epicure et Lucrèce, pour ne rien dire des matérialistes au siècle des Lumières. Contrairement à une opinion courante, il n'est pas même l'inventeur du

---

1. *Le Gai Savoir,* § 374.
2. *La Volonté de puissance,* II, livre III, § 3.

thème de la «mort de Dieu». On le rencontre déjà sous des formes diverses chez Hume, Adam Smith ou Benjamin Constant[1]. Mais il va lui donner une signification inédite en l'insérant dans une perspective tout à la fois historique (elle apparaît comme l'aboutissement, typiquement moderne, d'une longue histoire) et généalogique (elle est aussi le résultat d'une déconstruction des «projections» cachées dans le prétendu «besoin de spiritualité»).

Que signifie, en effet, la formule? Elle n'est pas, cela va de soi, à prendre au pied de la lettre. Dieu ne saurait jamais mourir : pour cela il faudrait d'abord qu'il ait existé! Mais en admettant même, par hypothèse, son existence, l'infinité, l'éternité et la toute-puissance qui sont ses attributs naturels l'auraient protégé contre toute forme de disparition. Le paradoxe, trop évident pour qu'on y insiste, n'en conserve pas moins une signification plus profonde : si ce sont bien, aux yeux d'un athée, les hommes qui ont créé Dieu, et non l'inverse, ce sont eux aussi qui défont ce qu'ils ont fait, et cette logique de la déconstruction ne vaut pas seulement pour telle ou telle divinité, pour telle ou telle religion, mais bien pour toutes les idoles quelles qu'elles soient, c'est-à-dire pour toutes les projections ou créations humaines destinées à donner du sens à la vie par référence à des valeurs transcendantes.

Nietzsche ne dénonce donc pas la «superstition religieuse» au nom d'une idéologie de substitution, il n'affronte pas Dieu sous la bannière d'une «autre vérité», enfin plus consolante parce que plus lucide, celle des Lumières, du progrès, de la science ou du socialisme, mais c'est la notion d'«idéal» en tant que

---

1. Sur les origines lointaines de ce thème, cf. Rémi Brague, *La Sagesse du monde*, *op. cit.*, p. 219 *sq.*

telle qu'il entend définitivement ruiner. De là sa conviction intime d'être le premier critique véritable *de toute religiosité en général,* son sentiment qu'une telle audace, malgré ses apparents précédents, est encore imperceptible y compris pour l'immense majorité de ceux qui, bien que se disant athées, n'en continuent pas moins de croire en d'autres idoles de substitution : « Le plus grand des événements récents – la "mort de Dieu", le fait, autrement dit, que la foi dans le Dieu chrétien ait été dépouillée de sa plausibilité – commence déjà à jeter ses premières ombres sur l'Europe. Peu de gens, il est vrai, ont la vue assez bonne, la méfiance assez avertie pour percevoir un tel spectacle ; du moins leur semble-t-il qu'un Soleil vient de se coucher... Mais d'une façon générale, on peut dire que l'événement est beaucoup trop grand, trop lointain, trop en dehors des conceptions de la foule pour qu'on ait le droit de considérer que la *nouvelle* de ce fait – je dis bien simplement la nouvelle – soit parvenue aux esprits, pour qu'on ait le droit de penser, à plus forte raison, que beaucoup de gens se rendent déjà un compte précis de ce qui a eu lieu et de tout ce qui va s'effondrer maintenant que se trouve minée cette foi qui était la base, l'appui, le sol nourricier de tant de choses : *toute la morale européenne, entre autres détails*[1]. »

Et de fait, il aura fallu plus d'un siècle encore pour que l'on commence à saisir quelques-uns des motifs pour lesquels la « mort de Dieu » était un événement propre à l'histoire du monde chrétien, donc avant tout européen, pour que l'on mesure aussi ses conséquences sur les visages apparemment les plus laïcs de la morale et de la politique. Car avec l'éclipse du divin, ce sont aussi les « religions de salut terrestre », le scientisme, le

---

1. *Le Gai Savoir,* § 343.

patriotisme, l'anarchisme, le communisme et, plus généralement, toutes les figures «nouvelles» de *l'idéal humain* qui vont être, elles aussi, soufflées par l'onde de choc. Le paradoxe n'est pas mince : à l'origine, les idéologies «progressistes» comptaient bien prospérer sur les décombres d'une religion qu'elles avaient parfois puissamment contribué à miner. C'était penser trop court et ne pas saisir qu'au-delà de telle ou telle spiritualité *particulière*, en l'occurrence chrétienne, c'était la spiritualité en général qui allait être atteinte. En quoi la «mort de Dieu», inéluctablement, annonçait, pour qui savait voir et entendre, la «mort de l'homme»...

Prétendre, après la chute des principes cosmologiques ou théologiques, redonner sens à la vie en s'appuyant sur des «idéaux» enracinés dans l'espèce humaine, c'est, en effet, malgré l'apparence, conserver encore intacte la structure religieuse. De ce point de vue, le scientisme, la foi dans le progrès, mais tout autant le nationalisme ou les idéaux révolutionnaires ne font encore que décrire les différents visages des nouvelles religions modernes. Comme l'écrit Deleuze en commentant fort justement Nietzsche : «A-t-on tué Dieu quand on a mis l'homme à sa place, et qu'on a gardé l'essentiel, c'est-à-dire la place? Le seul changement est celui-ci : au lieu d'être chargé du dehors, l'homme prend lui-même les poids pour les mettre sur son dos... Les valeurs peuvent changer, l'homme se mettre à la place de Dieu, le progrès, le bonheur, l'utilité remplacer le vrai, le bien ou le divin, l'essentiel ne change pas, c'est-à-dire les perspectives ou les évaluations dont dépendent ces valeurs, vieilles ou nouvelles[1].» Autrement dit, pour un matérialiste conséquent, qu'elles soient anciennes (cosmologiques, théologiques) ou

_____

1. Gilles Deleuze, *Nietzsche*, PUF, coll. «Sup», p. 18.

modernes (fondées sur l'homme lui-même, «humanistes»), les figures de la transcendance au nom desquelles on prétend donner du sens à la vie restent *en tant que telles religieuses*, de sorte qu'ici, la mort de Dieu ne change rien, rigoureusement rien quant au fond : c'est toujours, aux yeux du philosophe déconstructeur ou, comme dit Nietzsche, «généalogiste», le «nihilisme», la volonté d'évaluer l'existence au nom d'un au-delà, qui continue d'animer secrètement l'aspiration éperdue au sens, le désir d'absolu.

Qu'est-ce, en effet, que le nihilisme ? Il faut le comprendre pour percevoir comment s'opère une critique enfin radicale, authentiquement matérialiste, de toutes les illusions de la transcendance *en général*. Au plus profond, le nihilisme s'identifie à l'attitude religieuse elle-même, c'est-à-dire avec la volonté d'inventer à tout prix des valeurs transcendantes, supérieures à la vie, au nom desquelles, comme en retour, on pourrait enfin la juger, la déclarer plus ou moins bonne ou mauvaise, plus ou moins ratée ou réussie, plus ou moins digne de salut. Ainsi commence la culpabilité, pour ne pas dire la Chute. Alors que l'existence pourrait être, comme celle d'Adam et Eve avant la pomme, «innocente», se dérouler dans une sérénité paradisiaque, alors que la pensée, de son côté, pourrait, comme souvent celle des artistes, être affirmative et créatrice, l'invention «théorique», spiritualiste, de la transcendance vient tout gâcher. Et peu importe, à cet égard, que le principe suprême soit celui d'un cosmos, d'un dieu ou d'un idéal humain. Dans tous les cas de figure, et là encore le commentaire de Deleuze est précieux, «au lieu de l'unité d'une vie active et d'une pensée affirmative, on voit la pensée se donner pour tâche de juger la vie, de lui opposer des valeurs prétendues supérieures, de la mesurer à ces valeurs, de la limiter, de la condamner. En même temps que la pensée devient ainsi négative, on voit la vie se déprécier, cesser d'être active, se réduire à ses formes les plus faibles, à des formes maladives seules compatibles avec les valeurs dites supérieures[1]». Où l'on perçoit comment Nietzsche, loin de s'en tenir comme les matérialistes de son temps, à une critique de la religion chrétienne, ou des monothéismes institués, s'en prend bien à la spiritualité en général, sous toutes ses formes, y compris, le cas échéant, athées.

L'ennemi, c'est la transcendance comme telle, quel qu'en soit le contenu dogmatique. Pourtant, on pressent que Nietzsche ne se contente pas, comme on dit, de «critiquer», qu'il ne délaisse pas la question de la vie bonne, que sa dénonciation des valeurs traditionnelles dessine en creux d'autres valeurs : comment stigmatiser «les formes de vie les plus faibles», les existences minées par la culpabilité, sans faire appel en contrepoint, fût-ce sur un mode inédit, encore à penser, à d'autres formes de vie plus fortes, moins maladives, moins coupables? C'est évidemment dans ces interrogations que gît le secret de la réponse de Nietzsche à notre question directrice.

On se contentera, pour l'instant, de mesurer les effets de la critique. Si c'est la transcendance en général, la spiritualité en tant que telle qui s'avère, selon le raisonnement qu'on vient d'indiquer, «nihiliste», négatrice de la vie puisqu'elle n'est inventée que pour mieux la juger et la condamner, alors il va de soi, en effet, que la victoire de l'humanisme moderne, voire de l'athéisme ordinaire sur les visions anciennes, cosmologiques ou théologiques, ne présage rien de bon. C'est la notion d'idéal, pas tel ou tel de ses contenus,

---

1. *Ibid.*, p. 15.

qui fait problème, et cette notion, il ne s'agit pas de la « juger » à son tour, d'adopter face à elle, comme elle aimerait nous y inciter, l'attitude de la réprobation ou de la condamnation « morale ». Ce serait tomber soi-même dans le piège tendu par les forces de la « réaction ». Si l'attitude qui juge la vie au nom d'un critère extérieur, si la pensée qui oppose l'idéal au réel est le poison par excellence, il faut s'en garder à son tour du mieux qu'il est possible, éviter de rentrer dans cette logique funeste. De là l'étrange facture des sentences de Nietzsche contre l'idéal : « Je ne réfute pas les idéaux, je me contente de mettre des gants quand je les approche[1] », ou encore : « Je ne réfute pas l'idéal, je le congèle[2] », ce qui est la meilleure façon d'anéantir la prétendue chaleur censée animer l'espérance des croyants de tous ordres...

De là aussi, bien sûr, et jusque dans le moindre détail, l'aversion de Nietzsche envers les valeurs modernes et les nouvelles religions de salut terrestre : sa haine de la science lorsqu'elle est « roturière » (elle prétend valoir pour tous, en quoi « rien n'est plus démocratique que la logique »), « anti-esthétique » à force de dénoncer le sensible au nom d'une vérité intelligible, mais aussi sa critique constante de toutes les incarnations du « progressisme » moderne, sa dénonciation du socialisme, de l'idée républicaine, de la parité entre hommes et femmes, patrons/ouvriers, esclaves/hommes libres, de la démocratie, cet autre « poison qu'est la doctrine des droits égaux pour tous[3] ». Inutile d'insister : sur ce versant, trop bien connu, les pages de Nietzsche se comptent par centaines, et sauf à sombrer dans un nouveau

---

1. Préface d'*Ecce homo*.
2. *Ibid.*, IIIe partie.
3. *L'Antéchrist*, § 43.

révisionnisme, on ne saurait les faire disparaître. Mais là encore, la déconstruction, dont on admettra sans peine que les motifs, pour être problématiques, ne sont ni triviaux ni bestialement «fascistes», ne décrit-elle pas en creux, sinon d'autres idéaux, du moins des alternatives nouvelles? C'est là ce que suggère parfois Nietzsche lui-même, comme dans ce paragraphe 203 de *Par-delà le bien et le mal* : «*Nous qui nous réclamons d'une autre foi,* nous qui considérons la tendance démocratique non seulement comme une forme dégénérée de l'organisation politique, mais comme une forme décadente et diminuée de l'humanité qu'elle réduit à la médiocrité et dont elle amoindrit la valeur, où mettrons-nous notre espérance? Dans des *philosophes nouveaux*, nous n'avons pas le choix...» Que sous l'expression de «philosophes nouveaux», Nietzsche, malgré l'emploi du pluriel, ne pense qu'à lui-même, cela n'est guère douteux. Mais quelle foi, quelle espérance, quelle philosophie annonce-t-il ici? Voilà, derechef, la question sur laquelle il nous faudra revenir pour saisir *sa* réponse, *son* message sur la vie réussie.

Quoi qu'il en soit, on comprend peut-être mieux maintenant dans quelle mesure, comme le dit encore Deleuze, «la mort de Dieu est un grand événement bruyant, mais non suffisant. Car le "nihilisme" continue, change à peine de forme. Le nihilisme signifiait tout à l'heure : dépréciation, négation de la vie au nom de valeurs supérieures. Et maintenant : négation de ces valeurs supérieures, remplacement par des valeurs humaines (la morale remplace la religion, l'utilité, le progrès, l'histoire elle-même remplacent les valeurs divines). Rien n'est changé, car c'est la même vie réactive, le même esclavage qui triomphait à l'ombre des valeurs divines, et qui triomphe maintenant par les valeurs humaines. C'est le même porteur, le même âne, qui restait chargé du poids des reliques divines, dont il répondait devant Dieu, et qui maintenant se charge tout seul, en auto-responsabilité[1]». En quoi l'homme moderne, réputé libre et autonome, n'a peut-être rien gagné sur l'ancien. Au lieu d'être l'esclave d'une altérité radicale, il est devenu son propre esclave, voilà tout...

Il nous faudra, pour aller au fond, comprendre davantage cette équation du nihilisme, apparemment étrange mais en vérité assez limpide, selon laquelle cette passion de juger la vie, qui nous fait inventer les valeurs transcendantes, est celle d'un «âne», d'une bête de somme, qui aime à être chargée et, à défaut de l'être par un autre, à se charger elle-même. Ici se tissent les liens invisibles qui unissent la volonté de juger à l'avènement de la culpabilité, ici naissent les toiles de l'araignée qui, à force de la priver de légèreté et d'innocence, rendent l'existence si lourde, si pesante et difficile aux «moralistes», fussent-ils irréligieux en apparence.

Laissons pour l'instant de côté la question, après tout légitime, de savoir jusqu'où il est souhaitable, et même possible, de se passer de toute morale : on voit mal, cela dit, comment, même au sens de Nietzsche, l'existence humaine pourrait ne pas avoir de temps à autre affaire à quelques-unes de ces prétendues «lourdeurs» liées, non tant d'ailleurs aux valeurs elles-mêmes – comme si l'on se chargeait *seulement* par plaisir masochiste – qu'à ce minimum de souci d'autrui dont il n'est pas forcément toujours sublime de s'affranchir....

Bornons-nous, là encore, à ce qui est l'essentiel de cette première approche de la déconstruction nietz-

_____

1. *Op. cit.*, p. 26.

schéenne des idoles de la transcendance : si la « divinisation de l'homme », qui fait suite au XIXe siècle à la mort de Dieu[1], conserve l'essentiel de la structure religieuse, alors, point n'est besoin d'être devin pour lui prédire le même funeste destin. Après celle de Dieu, la « mort de l'homme » – des idéaux humanistes et « progressistes » – est inévitable. Foucault ne s'en est jamais caché, c'est à Nietzsche qu'il emprunte le thème. Mais la formulation que ce dernier en fait ne manque pas d'intérêt, car elle est liée à la conviction que la ruine des dernières illusions de la transcendance nous laisse dans un monde *enfin* tragique et absurde : « L'homme ? Une espèce animale minuscule et extravagante *qui, fort heureusement, n'a qu'un temps.* La vie sur terre ? Un instant fugitif, un incident, une exception sans conséquence qui, au regard de l'ensemble de la terre, reste dépourvue de la moindre conséquence. La terre elle-même ? Comme tous les autres astres, un hiatus entre deux néants, un événement dépourvu de finalité, de raison, de volonté, de conscience de soi, bref, la nécessité sous sa forme la plus médiocre, la plus *stupide*[2]... »

Et tout l'apport de Nietzsche par rapport aux premiers matérialistes sera de dériver de manière rigoureuse, implacable, les conséquences les plus profondes de ce crépuscule enfin accompli de *toutes* les idoles, à commencer par celles qui touchent à la question du sens de la vie. En l'absence de toute référence à quelque transcendance que ce soit, fût-elle humaine, une telle question, Nietzsche a raison, n'a elle-même plus aucun sens : « Quoi qu'il en soit de ces "sentiments moraux" invétérés, il résulte de l'histoire des senti-

---

1. Cf. Foucault, in *Le Magazine littéraire*, 1er mars 1968.
2. Fragment posthume des années 1880, édition Schlechta, IV, 428.

ments moraux que jamais aucune table des valeurs, jamais aucune fin suprême n'a subsisté. Tout est réfuté. Nous avons en nous une force immense de sentiments moraux, mais *aucune fin valable pour eux tous*[1]. » Et c'est là ce que les athées ordinaires, ceux qui croient encore en l'Homme, les « progressistes », n'ont pas voulu admettre. Certes, ils ont bien tué Dieu, mais leur audace s'est arrêtée en chemin. Ils ont reculé devant les conséquences effrayantes d'une déconstruction qui aurait été conduite jusqu'à son terme et qui aurait enfin manifesté « l'absurdité de tout ce qui arrive[2] » : « L'explication morale est devenue caduque en même temps que l'interprétation religieuse, mais ils ne le savent pas, ces esprits superficiels. Plus ils sont irréligieux, plus ils se cramponnent instinctivement, de toutes leurs dents, aux jugements moraux. Schopenhauer, qui était athée, a maudit celui qui dépouille l'univers de sa signification morale[3]. »

Peur du non-sens, bien sûr, mais aussi refus d'assumer jusqu'au bout la conviction généalogique, déconstructrice par excellence, celle selon laquelle les fameuses transcendances pourvoyeuses de sens ne sont que des projections subjectives destinées à supporter la vie : « Nos valeurs sont des *interprétations introduites par nous* dans les choses. Pourrait-il y avoir une signification dans l'en-soi ? Toute signification n'est-elle pas une signification *relative*, une perspective[4] ? » Mais pour en arriver à une telle conclusion, ne faudrait-il pas avoir le courage de concéder enfin que la valeur de la vie ne se mesure pas à l'aune d'un critère extérieur à elle, que la seule valeur qui vaille, c'est la vie

---

1. *La Volonté de puissance*, II, livre III, § 121.
2. *Ibid.*, § 403.
3. *Ibid.*
4. *Ibid.*, I, livre II, § 134.

son enjeu n'est rien de moins que le sens – ou l'absence de sens – de la vie humaine.

Mais la perspective déconstructrice une fois retracée, il faut aussi suivre Nietzsche sur son versant, si l'on ose dire, « positif », celui de la « transmutation » des valeurs, l'interroger, non plus sur l'insondable niaiserie de ses prédécesseurs en philosophie – sur ce thème il est intarissable –, mais sur la nature et, pourquoi pas, la pertinence de sa propre conception de la vie bonne, sur la signification exacte du critère de l'intensité qui semble bien être le sien et promet, tout simplement, d'ouvrir une nouvelle perspective de vie à l'humanité. Car à n'en pas douter, il y a bien une « sagesse » de Nietzsche. Simplement, pour distinguer la vie réussie de la vie « ratée », elle ne saurait désormais s'appuyer sur aucun critère extérieur à la vie. Comment, donc, différencier la vie bonne des autres formes d'existence, sortir du monde de l'ici-bas, sans quitter la « terre » ? C'est là toute la question.

même, et que sa mesure, son évaluation lui est radicalement immanente, qu'elle ne réside nulle part ailleurs que dans son degré *d'intensité* : « Rien n'a de valeur dans la vie que le degré de puissance – si on admet que la vie elle-même est volonté de puissance[1]. » Mais pour l'admettre, en effet, il eût fallu au préalable manier le marteau sans pitié ni réticence, accepter l'idée qu'après la fin du monde et la mort de Dieu, la croyance en l'Homme véhiculée par les idéaux de la morale et de la politique modernes n'avait aucune chance de survie...

Admettons-le donc, ne fût-ce que par hypothèse, pour le plaisir de suivre Nietzsche, d'accompagner jusqu'à son terme une pensée radicale du désenchantement du monde. Nous voyons bien, d'après ce qui précède, les deux questions qu'il nous faut lui poser.

Celle, d'abord, de la légitimité ou des fondements de sa déconstruction des idoles. Contrairement à une image que Nietzsche voulait peut-être donner de lui et qui, finalement, l'aura sans doute desservi davantage qu'il ne l'imaginait, sa philosophie est beaucoup plus argumentative, bien plus rationnelle qu'il n'y paraît à première vue. Ce que j'ai ici nommé son « matérialisme », c'est-à-dire sa critique tous azimuts des transcendances cosmiques, religieuses ou humaines, n'a rien d'impressionniste, ni même de fragmentaire : elle forme au contraire une manière de « système[2] », dont il faut enfin tenter de dévoiler la cohérence d'ensemble. Comme on va voir, elle en vaut la peine car

---

1. *Ibid.*, II, introduction, § 8.
2. Je n'ignore évidemment pas que ce terme, du moins en son sens moderne, est inapproprié à l'œuvre de Nietzsche. Je l'entends donc ici en son sens ancien, étymologique : ce qui est posé et tient ensemble de façon cohérente et ferme.

CHAPITRE II

Fondements et arguments
du matérialisme nietzschéen

Que le vrai matérialisme, au sens où on l'a entendu dans ce qui précède, soit d'abord et avant tout un « réductionnisme », une volonté de réduire les mirages de la transcendance aux processus qui nous poussent si naturellement à nous y laisser prendre, c'est là ce que Nietzsche, comme tout penseur intellectuelle-ment honnête, aurait certainement concédé sans la moindre difficulté. Dans la préface d'*Ecce homo*, un de ses rares livres qui ait pris la forme de confessions, il a caractérisé lui-même son attitude philosophique en des termes qui ne laissent guère de doute sur ce point : « Améliorer l'humanité ? Voilà bien la dernière chose que *moi*, j'irais promettre. N'attendez pas de moi que j'érige de nouvelles idoles ! Que les anciennes appren-nent plutôt ce qu'il en coûte d'avoir des pieds d'argile ! *Renverser* les *"idoles"*, – c'est ainsi que j'appelle tous les idéaux – voilà plutôt mon vrai métier. C'est en inven-tant le mensonge d'un monde idéal qu'on a fait perdre à la réalité sa valeur, sa signification, sa véracité... Le "monde-vérité" et le "monde-apparence" ? – traduisez en clair : le monde inventé de façon mensongère et la réalité... Le *mensonge* de l'idéal a été jusqu'à présent la malédiction pesant sur la réalité, l'humanité même en est devenue menteuse et fausse jusqu'au plus profond de ses instincts – jusqu'à l'adoration des valeurs *opposées* à celles qui auraient pu lui garantir une belle croissance, un avenir... » Et pour bien mesurer l'ampleur de cette chasse aux « idoles », pour percevoir en quoi elle dépasse en radicalité toutes les figures antérieures du matérialisme, il nous faut d'abord nous interroger sur la nature de cette « vraie réalité » que Nietzsche oppose aux fictions de l'idéal. En d'autres termes, il nous faut commencer par « l'ontologie » de Nietzsche, par sa définition de cette « matérialité » bien « terrestre » au nom de quoi va s'exercer la généalogie et à laquelle elle va finalement réduire les élans fallacieux vers le « sur-naturel ». Si les idoles désignent une fausse réalité, une réalité pour ainsi dire non réelle, où faut-il situer la réalité véritable ? A cette question, sa réponse ne fait pas l'ombre d'un doute : « l'essence la plus intime de l'être » n'est rien d'autre que la « Vie[1] ». La notion, cependant, requiert quelque explicitation.

---

1. Cf. *La Volonté de puissance, op. cit.*, II, § 41 : « La vie [...] est pour nous la forme la mieux connue de l'être. » Ou encore, § 8 : « L'être, nous n'en avons pas d'autre représentation que le fait de vivre. » Que la vie soit à son tour à penser comme volonté de puissance est une des thèses les plus constantes de Nietzsche. Cf. par exemple, *La Volonté de puissance*, II, 246 : « Ma formule la voici : la vie est volonté de puissance », ou encore, si l'on admet les équivalences ainsi posées (Être = Vie = Volonté de puissance), c'est bien la volonté de puissance qui apparaît comme « l'essence la plus intime de l'être » (*ibid.*, II, § 54). Sur cette équation, cf. Luc Ferry et Alain Renaut, *68/86. Itinéraires de l'individu*, Gallimard, 1986, p. 83 *sq.* Je reviendrai dans un prochain chapitre sur la signification exacte du concept de volonté de puissance.

Que le réel est Vie : forces « actives » et forces « réactives »

Nous avons déjà eu l'occasion de nous en rendre compte : Nietzsche considère le monde, organique autant qu'inorganique, comme un vaste champ d'énergie, un tissu de forces, d'instincts ou de pulsions dont la multiplicité infinie et chaotique est irréductible à l'unité. Au sein de ce chaos, qu'il désigne sous le nom de Vie, Nietzsche propose de distinguer deux ordres bien distincts, deux grands types de forces : d'un côté les forces « réactives », de l'autre les forces « actives ». On pourrait dire que les premières ont pour modèle, sur le plan intellectuel, la « volonté de vérité », et, sur le plan politique, l'idéal démocratique ; les secondes, au contraire, sont essentiellement en jeu dans l'art et leur univers naturel est celui de l'aristocratie. Tentons d'abord de comprendre ce qui se cache derrière ces typologies quelque peu massives, en commençant par l'analyse des forces « réactives ».

En première approximation, ce sont celles qui ne peuvent se déployer dans le monde et y produire tous leurs effets qu'en réprimant, en annihilant ou en mutilant d'autres forces. Autrement dit, elles ne parviennent à se poser qu'en s'opposant, elles relèvent de la logique du « non » plus que du « oui », du « contre » plus que du « pour ». Si nous passons d'une description abstraite, et encore peu signifiante, à ses incarnations vivantes, on dira que les forces réactives s'expriment au mieux dans les deux grandes figures de la « volonté de vérité » que sont la philosophie et la science.

Le modèle que Nietzsche a présent à l'esprit est celui de ces dialogues platoniciens où l'on assiste aux échanges d'un personnage central, la plupart du temps Socrate, avec des interlocuteurs plus ou moins bienveillants ou naïfs. Mais cet échange est inégal : Socrate n'y occupe jamais qu'une position décalée, *ironique*. Son rôle est essentiellement négatif, *réactif*. Il n'affirme jamais rien de risqué, ne s'expose pas, ne propose guère d'éléments positifs, mais il s'évertue plutôt, suivant la fameuse méthode «maïeutique», à mettre son interlocuteur en difficulté, à le placer en contradiction avec lui-même. C'est en réfutant des opinions supposées fausses que le dialogue progresse pour tenter de parvenir, au final, à une vérité. Cette dernière se pose donc *contre* des lieux communs auxquels elle s'oppose comme ce qui «tient» à ce qui ne «tient pas», elle n'apparaît jamais *directement ou immédiatement*, mais toujours indirectement, par la médiation d'une réfutation des forces de l'illusion, de l'erreur, du mensonge.

Cette description de la volonté de vérité en termes de «réaction» à ce qui est autre qu'elle, reste pour une large part d'actualité. A bien des égards, en effet, la science contemporaine continue de procéder sur le modèle des dialogues de Platon. C'est là du moins ce que nous enseignent nos meilleurs épistémologues : les découvertes scientifiques les plus importantes ne tombent jamais du ciel, comme un fruit mûr de l'arbre de la connaissance, mais elles émergent plutôt, pour parler comme Bachelard, dans la *polémique*, en rupture avec les représentations naïves de la conscience commune, en réaction contre des théories scientifiques antérieures erronées.

Ce n'est pas seulement dans un combat contre l'erreur que surgit la connaissance supposée vraie, mais plus généralement dans une distance prise à l'égard du monde sensible dans son ensemble. Car la philosophie et la science ont en commun de prétendre accéder à des vérités *idéales,* à des *entités intelligibles* qui ne se touchent ni ne se voient, à des notions qui n'appartiennent en rien à l'univers corporel. C'est donc aussi contre lui qu'elles s'efforcent de travailler, car les sens, c'est bien connu, ne cessent de nous leurrer. En voici un exemple simple : si nous nous en tenions aux seules données sensorielles, l'eau pourrait bien nous apparaître sous forme de réalités tout à fait multiples, différentes, voire *contradictoires* – l'eau bouillante, la pluie, la neige, la glace – alors qu'il s'agit toujours *en vérité* d'une seule et même essence. Voilà pourquoi il faut savoir s'élever au-dessus du sensible, et même penser *contre lui,* si l'on veut parvenir à « l'idée de l'eau » ou, dirions-nous aujourd'hui, à cette abstraction qui seule convient à une formule scientifique telle que « H_2O ». Voilà aussi pourquoi c'est vers le monde intelligible qu'il nous faut nous tourner, comme nous y invite le mythe de la caverne, si nous voulons accéder aux concepts philosophiques véritables, mais tout autant aux lois d'une science qui, toujours davantage, relève de la pure intelligence.

Du point de vue de la volonté de vérité, il convient par conséquent de rejeter toutes les forces qui relèvent du mensonge et de l'illusion, mais aussi toutes les pulsions qui dépendent trop exclusivement de la sensibilité, du corps. *Bref, il faut se méfier de tout ce qui, étrangement, est essentiel à l'art.* Et le soupçon de Nietzsche, bien sûr, c'est que derrière cette « réaction » se cache une dimension tout autre que le seul souci de la vérité. Peut-être, déjà, une option éthique, un parti pris en faveur de « l'au-delà » contre « l'ici-bas », comme le suggèrent, en incise, ces quelques mots pleins d'ironie qu'il prend lui-même le soin de souligner dans ce passage du *Crépuscule des idoles* : « Les sens, *qui d'autre part sont tellement immoraux,* les sens nous trompent sur le monde véritable. Morale : se détacher de l'illusion des sens, du devenir, de l'histoire, du mensonge... Et périsse avant tout le corps, cette pitoyable idée fixe des sens, le corps atteint de tous les défauts de la logique [puisque, comme l'eau de notre exemple, il ne cesse de se montrer sous des formes contradictoires], réfuté, impossible même, quoiqu'il soit assez impertinent pour se comporter comme s'il était réel[1] ! »

Du côté du réactif, donc, on rencontre la volonté de vérité sous toutes ses formes, une visée hostile aux pulsions en jeu dans le monde sensible, mais aussi une tentation à proprement parler *démocratique* que Nietzsche ne cessera jamais de tourner en dérision. Les vérités auxquelles la science prétend parvenir sont de celles, en effet, qui prétendent valoir pour tout un chacun, en tout temps et en tout lieu. Elles tendent, autrement dit, à *l'universalité,* en quoi – le diagnostic nietzschéen est sur ce point peu discutable – la science est bien « roturière », « plébéienne ». C'est là d'ailleurs ce que les savants, qui sont souvent des républicains, aiment tant chez elle : elle s'adresse aux puissants comme aux faibles, aux riches comme aux pauvres, au peuple comme aux princes. De là l'insistance de Nietzsche sur les origines *populaires* de Socrate, l'inventeur de la philosophie, le premier promoteur des forces réactives orientées vers l'idéal du vrai. De là aussi l'équivalence qu'il établit, dans le chapitre du *Crépuscule des idoles* consacré au « cas Socrate », entre le monde démocratique et le refus de l'art, entre la volonté de vérité socratique et la laideur, en effet légendaire, du héros des dialogues de Platon qui signe la fin d'un monde aristocratique encore pétri de « dis-

---

1. *Le Crépuscule des idoles, La « raison » dans la philosophie,* § 1.

tinction » et d'« autorité » : « Socrate appartenait de par son origine au plus bas peuple : Socrate était de la populace. On sait, on voit encore combien il était laid... En fin de compte, Socrate était-il un Grec ? La laideur est souvent l'expression d'une évolution croisée, entravée par le croisement... Avec Socrate, le goût grec s'altère en faveur de la dialectique. Que se passe-t-il exactement ? Avant tout c'est un goût *distingué* qui est vaincu. Avec la dialectique, le peuple arrive à avoir le dessus... Ce qui a besoin d'être démontré pour être cru ne vaut pas grand-chose. Partout où l'autorité est encore de bon ton, partout où l'on ne "raisonne" pas, mais où l'on commande, le dialecticien est une sorte de polichinelle. On se rit de lui, on ne le prend pas au sérieux. Socrate fut le polichinelle qui se fit prendre au sérieux... »

Il est difficile aujourd'hui de mettre entre parenthèses ce qu'un tel discours peut avoir de déplaisant. Tous les ingrédients d'une idéologie fasciste paraissent s'y nouer : culte de la beauté et de la « distinction » dont la « populace » est par nature exclue, apologie de la vie qui tourne au vitalisme, classement des individus selon leurs origines sociales, équivalence entre peuple et laideur, doutes sur l'appartenance à la nation valorisée, en l'occurrence la Grèce, soupçons pénibles sur un possible métissage censé expliquer on ne sait trop quelle décadence... Rien n'y manque. Sans nous arrêter, pourtant, à cette première impression, tentons de dégager autant qu'il est possible la signification profonde de ces propos. Pour y parvenir, il nous faut enrichir notre réflexion et prendre en compte ces fameuses forces actives que nous avons pour l'instant laissées de côté. On a déjà suggéré qu'à l'inverse des réactives, elles pouvaient se poser dans le monde et y déployer tous leurs effets sans avoir besoin de mutiler ou de réprimer d'autres forces. Si, là encore, on passe du discours abstrait aux incarnations réelles de cette typologie, c'est dans l'art que ces forces trouvent leur espace de vie naturel. De même qu'il existe une équivalence secrète entre : réaction/recherche de la vérité/démocratie/morale universaliste/rejet du monde sensible au profit du monde intelligible, de même, un fil d'Ariane relie entre eux l'art, l'aristocratie, le culte du monde sensible ou corporel, et les forces actives.

En effet, l'artiste est par excellence celui qui pose des *valeurs sans discuter*, qui ouvre pour nous des perspectives de vie sans avoir besoin de démontrer la légitimité de ce qu'il propose, encore moins de la prouver par la réfutation d'autres œuvres qui précéderaient la sienne. A l'image de l'aristocrate, auquel il s'apparente sur ce point comme sur quelques autres, le génie *commande sans argumenter contre qui ou quoi que ce soit*. A l'évidence, nous pouvons aimer Bach et Debussy, Rembrandt et Manet sans que nul songe même à nous imposer de choisir l'un d'entre eux à l'exclusion des autres. Du côté de la vérité, en revanche, un tel choix ne saurait, à un moment ou à un autre, être éludé : Copernic a raison contre Ptolémée, et la physique de Newton est assurément plus vraie que celle de Descartes. La vérité ne se pose qu'en écartant les erreurs dont l'histoire des sciences est jonchée. Celle de l'art, on contraire, est le lieu d'une possible coexistence des œuvres même les plus contrastées. Non, bien sûr, que les tensions et les querelles y soient absentes. Tout au contraire même. Seulement les conflits esthétiques ne sont jamais tranchés en termes de « tort » et de « raison », ils laissent toujours ouverte, au moins après coup, la possibilité d'une égale admiration pour leurs divers protagonistes...

Voilà pourquoi, sans doute, depuis l'aube de la philosophie en Grèce, deux types de discours, deux conceptions de l'usage des mots n'ont cessé de s'affronter. D'un côté, le modèle socratique et réactif qui, par le dialogue, cherche la vérité et, pour y parvenir, s'oppose aux divers visages de l'ignorance ou de la mauvaise foi. De l'autre, le discours sophistique, qui ne vise en rien la vérité, mais cherche tout simplement à séduire, à persuader, à produire des effets quasi physiques sur un auditoire dont il s'agit, par la seule puissance rhétorique, d'emporter l'adhésion. Le premier registre est celui de la philosophie et de la science : le langage n'y est qu'un instrument au service d'une réalité plus haute que lui, la Vérité intelligible et démocratique qui s'imposera un jour ou l'autre à tout un chacun. Le second est celui de l'art, de la poésie : les mots n'y sont plus de simples moyens, mais des fins en soi, ils valent par et en eux-mêmes du moment qu'ils produisent leurs effets esthétiques – c'est-à-dire, si l'on en croit l'étymologie, *sensibles* – sur ceux qui sont capables de les distinguer. L'une des tactiques employées par Socrate, dans ses joutes oratoires contre les sophistes, illustre parfaitement cette opposition du réactif et de l'actif : après un discours éblouissant de Gorgias ou de Protagoras, les deux plus grands rhéteurs de son temps, devant un public encore sous le charme des poèmes superbement mis en scène par ces artistes du verbe, Socrate feint l'incompréhension, ou, mieux encore, il arrive volontairement en retard, après le spectacle. Excellent prétexte pour demander au sophiste de *résumer* son propos, de formuler, *si possible brièvement,* le contenu essentiel de son discours. Autant réduire une conversation amoureuse à son «noyau rationnel», autant demander à Baudelaire ou Rimbaud de résumer un de leurs poèmes : *L'Albatros*?

Un volatile qui peine à décoller... *Le Bateau ivre*? Un bâtiment en difficulté... Socrate n'a aucune peine à marquer des points : sitôt que son adversaire commet l'erreur d'entrer dans son jeu, il est perdu, car de toute évidence, du côté de l'art, ce n'est pas le contenu de vérité qui importe, mais la magie des émotions, et cette dernière, bien entendu, ne saurait résister à l'épreuve par excellence réductrice, du résumé. Où l'on voit ce que Nietzsche veut dire quand il évoque la « laideur » de Socrate, lorsqu'il l'associe à l'idéologie démocratique et stigmatise, un peu plus loin dans le même texte, la « méchanceté du rachitique » qui se plaît à manier contre ses interlocuteurs le « coup de couteau du syllogisme » : n'y voyons pas tant l'expression de formules pré-fascistes, que celle d'une aversion à l'égard de la volonté de vérité, du moins sous ses formes rationalistes et réactives traditionnelles.

| Une pensée de l'immanence « absolue »

Le réel est donc vie, et la vie est un tissu chaotique de forces actives et réactives. Fort bien. Que faut-il en conclure quant à notre interrogation sur le sens et la légitimité de la critique nietzschéenne des divers visages de la transcendance? D'abord et avant tout ceci : les formes qui émergent parfois de ce chaos et qui paraissent, en raison de leur relative stabilité, *s'en détacher* pour acquérir une *autonomie*, une extériorité, voire une *supériorité*, *ne sont en vérité rien d'extérieur à lui, rien d'autre qu'une résultante de la multiplicité même des forces originelles.* Elles sont de part en part, sans le moindre reste, *immanentes* au réel, à la vie – où l'on commence peut-être à mieux comprendre en quoi les illusions de la transcendance constituent dans cette perspective la figure la plus achevée de l'erreur humaine.

Une métaphore permettra peut-être de le saisir plus concrètement. Nous savons aujourd'hui – c'est même un des principaux enseignements de la science moderne – qu'un monde *sans forces* serait aussi un monde *sans formes*. Considérons, par exemple, l'aspect sphérique des planètes ou, plus près de nous encore, celui d'une gouttelette de rosée déposée le matin sur une feuille d'arbre. Elles réjouissaient le cœur et l'esprit des Anciens qui vivaient encore dans un monde enchanté. Mais la physique nous apprend qu'il n'y a là nul miracle, nulle « transcendance » d'un quelconque ordre cosmique ou divin à rechercher pour rendre raison de cette apparente perfection formelle. Simplement, la forme sphérique s'obtient dès lors que les forces en présence agissent de manière identique dans toutes les directions de l'espace à la fois. C'est ainsi qu'en s'aidant d'un petit tube, les souffleurs de verre transforment la matière encore chaude et déformable en un globe harmonieux. Mais imaginons maintenant la bulle qui se met à durcir, puis se détache du tuyau dont elle est sortie. Supposons aussi qu'elle soit douée d'une parcelle de conscience, d'un soupçon d'intelligence : sans doute pensera-t-elle à son tour qu'elle s'est en quelque façon « autonomisée », qu'elle a acquis une existence indépendante de son premier support. Peut-être ira-t-elle même jusqu'à valoriser sa belle forme ronde : elle commencera alors, pourquoi pas, d'esquisser une morale sphérique, une esthétique de la rondeur, une métaphysique du cercle, dénonçant la laideur ou la perversité des pointes, des piques et des angles meurtriers. Pure et simple émanation des forces vitales, elle s'installera bientôt en position de juge, comme si elle pouvait comparer et évaluer *de l'extérieur,* comme d'un point de vue *supérieur et transcendant,* les divers aspects du vivant. Elle se croira victorieuse du chaos, et peut-être, dans cette victoire même, élue entre toutes les autres formes par un Dieu qui la protège et la guide... jusqu'à ce qu'un petit choc l'anéantisse et la ramène à plus de modestie en même temps qu'au chaos dont elle ne s'était émancipée qu'en pensée, et l'espace d'un instant...

Appliquons la métaphore, au-delà de la seule physique, à l'ensemble des formes ou des modes de vie qu'il nous est possible de rencontrer ou d'adopter nous-mêmes au cours de nos existences. On dira que le philosophe authentique, selon Nietzsche, est celui qui perçoit l'infinie variété des processus au fil desquels nous croyons illusoirement transcender la réalité de la vie pour parvenir à l'autonomie. Sa tâche de désenchantement est donc double : il lui faut d'abord manier le marteau, faire éclater les bulles, déconstruire les idoles, montrer comment les illusions de la transcendance ne sont en réalité qu'un produit rigoureusement immanent aux forces qui leur sont sous-jacentes. Il lui faut ensuite s'interroger sur le statut de son propre discours « déconstructeur », ou comme dit Nietzsche, on voit maintenant mieux pourquoi, « généalogiste », et notamment sur la question de savoir de quelle « vérité » il peut à son tour prétendre s'autoriser dès lors qu'il en rejette les figures classiques et qu'aucune transcendance ne saurait plus la fonder.

Que tout jugement sur la vie n'est qu'un symptôme de nos états vitaux

Sur le premier versant, la pensée de Nietzsche offre à nouveau le mérite de la cohérence : sa thèse la plus constante est bien qu'en l'absence d'un point de vue extérieur et supérieur à la vie, aucun jugement sur l'existence en général n'a le moindre sens, sinon à titre d'illusion, de pur symptôme n'exprimant lui-même qu'un certain état des forces vitales de celui qui le porte : «Des jugements, des appréciations de la vie, pour ou contre, ne peuvent en dernière instance jamais être vrais : ils n'ont d'autre valeur que celle d'être des symptômes – en soi, de tels jugements sont des stupidités. Il faut donc étendre les doigts pour tâcher de saisir cette finesse extraordinaire que *la valeur de la vie ne peut pas être évaluée.* Ni par un vivant, parce qu'il est partie, et même objet de litige, ni par un mort, pour une autre raison. De la part d'un philosophe, voir un problème dans la *valeur* de la vie demeure même une objection contre lui, un point d'interrogation envers sa sagesse, un manque de sagesse[1].» Pour ce grand déconstructeur qu'est le généalogiste, non seulement il ne saurait exister aucun jugement de valeur «objectif» ou, au sens propre du terme, «désintéressé», c'est-à-dire indépendant des intérêts de celui qui le porte – ce qui suppose déjà la ruine des conceptions classiques du droit et de la morale – mais, pour les mêmes raisons, il ne saurait non plus y avoir ni «sujet en soi», autonome et libre, ni «faits en soi», objectifs et absolument vrais.

Cette conséquence abyssale vaut d'être méditée :

---

1. *Ibid.*, *Le cas Socrate*, § 2.

dans la perspective d'un authentique matérialisme, en l'occurrence d'un vitalisme généralisé, de telles entités ne peuvent être, en effet, que des expressions ou, pour mieux dire, des « reflets » de cette « matière première » qu'est la vie dont nous ne sommes nous-mêmes, en tant que vivants immergés dans le monde, que des fragments aléatoires. De même que nous ne saurions jamais être des individus autonomes, transcendant le réel au sein duquel nous vivons, mais seulement des produits historiques, de part en part immanents à cette réalité, de même, contrairement à ce que pensent les positivistes ou les scientistes, il n'y a pas d'« états de fait en soi ». Le savant dit volontiers : « Les faits sont là ! », pour écarter une objection ou, tout simplement, pour exprimer le sentiment qu'il éprouve face à la contrainte de la « vérité objective ». Mais les « faits » auxquels il prétend se soumettre comme à une donnée intangible et incontestable ne sont jamais, si du moins on se place à un niveau de réflexion plus profond, que le produit, lui-même fluctuant, d'une histoire de la vie en général et des forces qui la composent à tel ou tel instant particulier.

Nietzsche s'en prendra donc tout autant aux illusions d'un sujet « libre », qui prétendrait surplomber ou transcender la nature et l'histoire afin de pouvoir les *juger* sur le plan moral, politique, voire esthétique, qu'aux « préjugés scientifiques » nourrissant l'illusion d'une pensée « objective » et « conforme aux faits ». Pour déconstruire ces premiers pas vers l'affirmation d'une transcendance, il suffit de rapporter ces illusions aux forces *inconscientes* qui les engendrent à leur insu. En ce sens, sa pensée va d'abord, avant même l'apparition de la psychanalyse, prendre la forme d'une « philosophie du soupçon » dénonçant au nom d'une psychologie des

114

profondeurs les élucubrations de cette infime part de nous-mêmes qu'est la pensée consciente.

La découverte de l'inconscient ou la fin des illusions du «sujet» libre et «supérieur» aux forces de la nature

La mise au jour d'une dimension inconsciente de la vie psychique joue donc un rôle crucial dans le dispositif nietzschéen. Voilà d'ailleurs pourquoi, dans le très intéressant § 357 du *Gai Savoir* intitulé «A propos du vieux problème : qu'est-ce qui est allemand?», Nietzsche, une fois n'est pas coutume, fait l'apologie d'un penseur rationaliste, Leibniz, crédité d'avoir montré en quoi «notre monde intérieur est un monde bien plus riche, bien plus vaste, bien plus caché» qu'on ne l'avait cru jusqu'alors. Ce que Leibniz, en effet, aurait remis *profondément* en question aux yeux de Nietzsche, ce sont les prétendues «évidences» de la philosophie cartésienne et, en particulier, ce primat de la conscience au nom duquel la vie «intérieure» devrait s'identifier à la pensée claire et distincte. De fait, Leibniz est sans doute le premier à introduire dans la philosophie moderne le concept d'inconscient, avec ces fameuses «petites perceptions» qui, en vertu du principe de continuité, doivent nécessairement précéder l'apparition de la conscience claire. Le raisonnement qui le conduit à cette découverte est relativement simple. On pourrait le résumer de la façon suivante : lorsque, par exemple, je m'éveille d'un profond sommeil, je passe bien, au sens large, «de l'inconscient au conscient». Or, si l'on applique le principe de continuité, selon lequel la nature ne fait pas de saut, il faut bien se résoudre à admettre que ce passage ne s'effectue pas «d'un seul coup», mais au contraire de manière progressive. N'oublions pas que Leibniz vient de découvrir le calcul infinitésimal qui permet d'additionner des quantités infiniment petites – ce qu'on nomme en mathématique une «intégrale». C'est donc par la sommation d'une infinité de degrés de conscience infinitésimaux que je passe de l'inconscient au conscient et non pas, comme le voulait Descartes, sans transition aucune. Affirmation toute simple en apparence, mais proprement bouleversante aux yeux de Nietzsche, puisqu'elle implique déjà la reconnaissance d'une vie psychique inconsciente qui relie un degré zéro de conscience (l'état où je suis encore plongé dans mon sommeil) à un degré N (l'état de veille). C'est ainsi que Leibniz devait découvrir, selon Nietzsche, «l'incomparable idée qui lui donnait raison, non seulement contre Descartes, mais contre tout ce qui avait philosophé jusqu'à lui, selon laquelle la conscience est un simple *accident* de la représentation, *non* son attribut nécessaire, essentiel, de sorte que ce que nous appelons conscience ne constitue qu'un état (et peut-être même un état malade) de notre monde spirituel – nullement, tant s'en faut, ce monde lui-même[1]».

Avec l'hypothèse de l'inconscient, c'est ainsi la fiction

---

1. Selon certains aphorismes de *La Volonté de puissance*, dont je donne ici ma propre traduction, le mot «sujet» renvoie seulement, en dernière instance, à une «terminologie qui est celle de notre croyance à l'unité commune aux multiples moments de notre plus haut sentiment de réalité : nous concevons cette croyance comme l'effet d'une seule cause» (cf. édition Schlechta, III, 627) et c'est par cette hypostase de l'identité que nous parvenons à la conclusion erronée selon laquelle le moi serait un substrat ultime de nos représentations. Le cogito cartésien s'avère n'être qu'un effet de ce que Nietzsche nomme le «piège des mots» ou «l'habitude grammaticale» (*ibid.*, III, 577). En vérité, «le "sujet", c'est la fiction d'après laquelle beaucoup d'états identiques en nous seraient l'effet d'un même substrat; mais c'est nous qui avons créé l'identité de ces états» (*ibid.*, III, 627).

d'un sujet transparent et maître de lui qui se trouve ébranlée car, explique encore Nietzsche, il faut enfin se résoudre à ne considérer la conscience que comme un épiphénomène de la vie, nullement comme la vie elle-même : « la conscience du moi » n'apparaît plus dès lors que comme « le dernier trait qui s'ajoute à l'organisme quand il fonctionne déjà parfaitement, elle est presque superflue » – de sorte que si l'illusion de l'unité du moi possède encore quelque vérité, ce ne saurait être à tout le moins au niveau de la conscience, comme le pensait naïvement toute la philosophie d'inspiration platonicienne/cartésienne : « Si j'ai quelque unité en moi, elle ne consiste sûrement pas dans mon moi conscient », lequel n'est jamais qu'un « phénomène terminal » dont les causes me sont tout à fait inconnues, mais dans ce que Nietzsche désigne comme « la sagesse de l'organisme », c'est-à-dire du vivant. La généalogie dissout littéralement ce « fétichisme » du sujet, elle fait éclater la bulle : le moi n'est qu'une « création », « une simplification pour désigner comme telle la force qui pose, invente, pense, par opposition à tout acte particulier de poser, inventer, penser [1] ». On croit ainsi exhiber, avec le « moi », une réelle faculté, mais en vérité, cette faculté n'est rien, ou plus exactement, elle n'est que la concrétion, la réification d'une activité qui n'existe jamais que comme activité particulière.

Le moi conscient et supposé souverain ne transcende en rien la réalité vivante. Tout au contraire, petit bouchon qui flotte sur l'océan des forces vitales, il n'en est qu'une expression infime, une émanation parmi une infinité d'autres possibles. *Il ne saurait donc ni juger la vie ni opérer des choix extérieurs à elle,* ni par conséquent être tenu pour « responsable » d'actions

---

1. *Ibid.*, 487.

qu'on prétendrait lui imputer comme s'il était une entité transcendante par rapport au monde. Nietzsche y insistera tout au long de son œuvre : la notion de libre arbitre, la prétention du sujet conscient à être l'auteur de ses pensées comme de ses actions, son aspiration à la « responsabilité », est une absurdité. Il est clair qu'un tel concept impliquerait à nouveau cette vieille idée contradictoire de la « cause de soi », qu'il renfermerait la thèse selon laquelle le moi, le « cogito », devrait être considéré comme une « substance », comme le substrat unique et ultime de décisions qui s'enracineraient en lui : « L'exigence de "libre arbitre", au sens métaphysiquement superlatif où il règne malheureusement encore dans la cervelle des demi-instruits, l'exigence d'assumer soi-même l'entière et ultime responsabilité de ses actions, et d'en décharger Dieu, le monde, l'hérédité, le hasard, la société, n'est rien moins que celle d'être *causa sui*[1]. » Or cette notion est tout simplement aberrante : « La *causa sui* est la plus belle contradiction interne qu'on ait jamais conçue, une sorte d'attentat contre la logique et de monstre » comparable, l'humour en moins, aux extravagantes histoires du baron de Münchhausen qui prétendait « s'arracher au marais du néant en se tirant par la perruque et se hisser ainsi à l'existence ».

Un aphorisme de *Par-delà le bien et le mal* (§17) nous permettra de préciser encore davantage en quoi cette critique du libre arbitre implique une dénonciation radicale des prétentions de l'homme à s'installer, face à la nature et à l'histoire, en position d'acteur et de juge transcendant. Nietzsche s'y interroge sur cette « superstition de logicien » qui consiste (toujours cette croyance en la grammaire !) à rapporter le verbe à un

---

1. *Par-delà le bien et le mal*, § 21.

sujet. Contre une telle superstition, il faut affirmer «qu'une pensée vient quand "elle" veut et non quand "je" veux; c'est donc falsifier la réalité que de dire : le sujet "je" est la condition du verbe "pense"; ça pense (*es denkt*), mais que ce "ça" soit l'antique et fameux "je", ce n'est, pour employer un euphémisme, qu'une supposition, une conjecture – certainement pas une "certitude immédiate"». La généalogie nietzschéenne prend ici, comme à l'accoutumée, la forme de ce que l'on pourrait nommer, en reprenant le vocabulaire de Marx, une «défétichisation» de cette «hypostase» qu'est l'illusion du moi. Etre «fétichiste», en effet, c'est croire en l'existence d'un produit comme s'il était tombé du ciel, en oubliant l'activité de production qui l'a engendré. C'est, par excellence, le mécanisme qui nous conduit à l'illusion des transcendances. On croit, par exemple, être l'auteur de ses idées, de ses valeurs, de ses choix, alors que la vérité est qu'ils appartiennent à une histoire, à un milieu social, une culture, une nation, au sein desquels ils ont été façonnés à mon insu. De la même façon, affirme Nietzsche à propos de l'illusion du sujet libre, «on déduit ici selon la routine grammaticale : penser est une activité, or toute activité suppose un sujet agissant, donc...». Non seulement il faut apprendre enfin à se débarrasser de raisonnements aussi simplistes et mettre un terme à cette fiction du sujet libre, mais il faut en outre en finir avec l'idée qu'il y aurait «quelque chose» qui pense : «C'est déjà trop dire que "ça pense"; déjà ce "ça" comporte une interprétation du processus et ne fait pas partie du processus lui-même... Peut-être les logiciens s'habitueront-ils eux aussi un jour à se passer de ce petit "ça" qu'a laissé en s'évaporant ce brave vieux "moi"»....

La déconstruction nietzschéenne de la subjectivité métaphysique est si radicale qu'elle semble à vrai dire à peine formulable : on serait tenté de remplacer la formule «je pense» par cette autre : «ça pense en moi[1]» – mais on risquerait sans cesse de confondre ce «ça» avec un «substrat» autonome dont Nietzsche nous invite à nous débarrasser. Ce qui importe ici, c'est de comprendre qu'en principe au moins – en admettant qu'une telle position philosophique soit tenable –, elle reviendrait au final à dire qu'aucun de ces deux termes, objectivité et subjectivité, n'existe, qu'il n'y a, à la limite, aucun jugement objectif sur cette terre, parce qu'il n'y a au fond rien d'autre que des interprétations sans *interpretans* ni *interpretandum,* sans sujet qui interprète ni objet interprété... ce en quoi la fin du «sujet en soi» signe aussi celle de l'«objet en soi», si cher aux idéologies scientistes...

La fin de l'objet en soi : «il n'y a pas de fait, seulement des interprétations»

L'éradication du sujet s'accompagne donc chez Nietzsche d'une inévitable disparition de l'objet, comme le suggère, selon une argumentation subtile, un fragment décisif de *La Volonté de puissance*[2] dont je traduis ici quelques extraits. Il est clair, tout d'abord, que la liquidation du sujet/substance (de la conscience qui se veut claire, autonome et respon-

---

1. Cette formule faisait, comme on sait, la joie et l'admiration de Barrès : il y voyait le signe, enfin, d'une déconstruction de l'idéologie individualiste issue de la Révolution française et des Lumières, la preuve qu'enfin un penseur d'envergure consacrait la suprématie des héritages traditionnels, à commencer par celui de la nation, sur la prétention moderne au «libre arbitre». Elle poursuivra plus tard son chemin chez Lacan.

2. Schlechta, III, 487.

sable) conduit à penser le monde comme un tissu d'interprétations irréductibles à une quelconque unité, puisque tout substrat stable leur fait défaut. On n'a donc, en toute rigueur, plus « le droit de demander : qui interprète ? », car « c'est l'interprétation elle-même, en tant que forme de la volonté de puissance, qui possède une existence (non celle d'un "être", mais d'un processus, d'un devenir) en tant qu'elle est un affect ». Et si l'interprétation seule constitue le fond de ce qui est, ce n'est plus seulement le sujet qui est une illusion, un effet du fétichisme, mais l'idée qu'il existerait « en soi » des « faits objectifs » indépendants de l'interprétation : « Une "chose en soi" ? – aussi absurde qu'un "sens en soi" ! Il n'y a pas d'"états de fait en soi". » De même qu'il est vain de chercher un « sujet » de l'interprétation, de même qu'il faut renoncer à la question « *qui* interprète », au sens, du moins, où ce « qui » renverrait à un être souverain, on doit aussi se résoudre à abandonner « la question "qu'est-ce que c'est ?" » – car elle n'est à son tour qu'« une façon de poser un sens » et, comme telle, elle revient toujours à cette autre question : « "qu'est-ce que c'est pour moi" (pour nous, pour tout ce qui vit, etc.) » ; la parenthèse ici insérée par Nietzsche visant à faire comprendre que le moi ne s'entend plus, dès lors, au sens d'un sujet métaphysique identique à lui-même dans la transparence de sa conscience, mais comme un sujet brisé, une force interprétative parmi d'autres, un pur point de vue : « Bref, l'essence d'une chose n'est, elle aussi, qu'une opinion sur cette "chose". Le "cela passe pour" est le résidu vrai du "c'est" ; c'est le seul "cela est". »

Ou, comme le dit encore Nietzsche, s'il « n'y a pas de faits, mais seulement des interprétations », c'est parce que, selon la formule déjà citée du *Crépuscule des idoles*, « tout jugement est un symptôme », ou comme ajoute un autre fragment de *La Volonté de puissance* : tout jugement de valeur n'a de sens que « dans une perspective définie, celle de la conservation de l'individu, d'une collectivité, d'une race, d'un Etat, d'une Eglise, d'une foi, d'une civilisation » et l'on oublie simplement « qu'il n'y a de jugements que perspectivistes[1] », c'est-à-dire, au sens propre, relatifs à celui qui les porte. Bref : « il n'y a pas de chose en soi, pas de connaissance absolue[2] » parce que la multiplicité des points de vue s'avère irréductible[3]. Conclusion : « Nos valeurs sont des interprétations introduites par nous dans les choses », tout sens est nécessairement « un sens relatif, une perspective[4] ».

La généalogie infinie ou la « philosophie au marteau »

Un lecteur non familier de l'œuvre de Nietzsche aura peut-être quelques difficultés à saisir les enjeux et la portée exacts de cette critique conjointe de la subjectivité et de l'objectivité. De même, les liens qu'elle entretient avec ce qui nous intéresse ici, à savoir la critique radicale, authentiquement matérialiste, des multiples visages de la transcendance, pourront lui sembler quelque peu ténus. Une brève comparaison avec les autres « philosophies du soupçon », celles de Marx

1. *Ibid.*, III, 441.
2. *Ibid.*, III, 503.
3. C'est là la grande différence entre le perspectivisme nietzschéen et celui de Leibniz – qu'à bien des égards, Hegel ne fera que porter à son apogée.
4. Schlechta, III, 503.

et de Freud, sera peut-être susceptible de lui fournir l'éclairage qui lui ferait encore défaut.

Dans les trois cas, chez Marx, Nietzsche et Freud, donc, on pourrait dire dans un premier temps que la fonction principale de la pensée critique est fondamentalement la même. Comme tant d'autres avant moi l'ont dit, il s'agit chaque fois de relativiser, voire de dénoncer les illusions de la conscience, soi-disant autonome et souveraine, en les rapportant aux réalités inconscientes qui les ont en vérité façonnées et engendrées. Il faut remonter du conscient à l'inconscient, du déterminé au déterminant, de l'autonomie illusoire à l'hétéronomie réelle, du « produit » réifié au « mode de production », du résultat final qui, comme la bulle de verre, se croit « indépendant », au processus dont il n'est que l'effet induit. Qu'il s'agisse des « idéologies » bourgeoises pourfendues par Marx, des « idoles » de la métaphysique tournées en dérision par Nietzsche ou des symptômes névrotiques analysés par Freud, le geste est au fond le même. Sans doute la pensée critique reçoit-elle, ici et là, des perspectives et même des noms différents. Mais que l'on parle de « critique des idéologies » avec Marx, de « généalogie des idoles » avec Nietzsche ou de « psychologie des profondeurs » avec Freud, il s'agit toujours d'en finir avec les illusions d'une humanité qui transcenderait la « réalité matérielle » (histoire, vie, pulsions) au sein de laquelle elle est en vérité de part en part immergée.

Une différence cruciale, toutefois, distingue l'attitude intellectuelle de Nietzsche et celle de Marx et de Freud – une différence qui va permettre de comprendre enfin dans quelle mesure son matérialisme (et, par là même, sa critique des illusions de la transcendance), est infiniment plus radical encore que celui de ses deux pairs en philosophie du soupçon. C'est que

Marx et Freud, quoi qu'on ait pu en dire, sont encore largement des héritiers des Lumières. Je veux dire par là que leur prétention à la vérité, à plus de vérité même que toutes les théories antérieures à la leur, s'inscrit encore dans le cadre d'une visée *scientifique*, voire rationaliste. Pour penser l'irrationnel, ils ne veulent pas abandonner la raison, mais plutôt l'appliquer à ce qui est ou semble tout autre qu'elle : il y a une logique des idéologies et de leur production, de même qu'il y a une logique à l'œuvre dans l'émergence des lapsus, des rêves, des pathologies névrotiques ou psychotiques. Même si les vérités qu'ils découvrent sont parfois, à leurs propres yeux comme aux nôtres, bouleversantes, voire révolutionnaires – ce dont on ne doutera pas ici – ils restent l'un comme l'autre convaincus de fonder une science nouvelle : science de l'histoire et de l'économie pour l'un, de l'inconscient dynamique et de la vie psychique pour l'autre. Une science non positiviste, peut-être, mais néanmoins attachée au dévoilement d'une vérité qui devra bien un jour ou l'autre l'emporter et s'imposer à tous. Pour révolutionner la sociologie ou la médecine, Marx et Freud n'en restent pas moins sociologue et médecin. Entre l'idéologie et la science demeure pour eux, comme disait à juste titre Althusser, une indiscutable « coupure épistémologique ».

Pour des raisons qu'on aura déjà perçues dans ce qui précède, la situation de la généalogie nietzschéenne est nécessairement tout autre : sa critique de la science et, plus généralement, de toutes les figures de la volonté de vérité comme émanation typique des forces réactives ne lui permet pas de réassumer, si l'on peut dire à la « puissance deux », une position – fût-elle aussi sophistiquée et inédite que l'on voudra – de « scientifique » ou comme on dit, de « savant ». La déconstruction de la vérité scientifique ne peut pas, sans contradiction flagrante, recevoir à son tour le statut d'une vérité scientifique.

Là encore, une comparaison avec les autres philosophies du soupçon, et notamment avec la psychanalyse, peut s'avérer très éclairante. Un « bon psychanalyste », en principe tout au moins, est quelqu'un qui doit lui-même être passé par une psychanalyse. Il doit – en admettant par hypothèse qu'une telle formule ait un sens – avoir suffisamment « tiré au clair » sa propre histoire et ses rapports avec son inconscient pour pouvoir entendre les autres. Il est, comme on dit, un sujet « supposé savoir » et les interprétations qu'il donne des divers symptômes aperçus chez ses patients doivent, autant qu'il est possible, posséder un certain rapport au « vrai ». Et pour dévoiler la « vérité des autres », ou tout au moins en comprendre une part, il faut, autant qu'il est possible aussi, s'être à soi-même quelque peu dévoilé. En filigrane, ce qui se cache toujours plus ou moins derrière une telle conviction, même si l'explicitation en est rarement faite, c'est à nouveau un lien entre l'idée d'une certaine autonomie de la subjectivité (celle qu'on suppose chez un psychanalyste « chevronné ») et de l'objectivité (celle qu'on attribue à ses interprétations), la conjecture que le psychanalyste est bel et bien devenu, grâce à sa propre analyse, un sujet, sinon parfaitement libre et souverain, du moins un peu plus libéré et conscient de lui que ses propres patients – de sorte que les interprétations qu'il formule, sans prétendre peut-être à la « vérité absolue », n'en témoignent pas moins d'une certaine prétention à s'en approcher quelque peu.

La perspective nietzschéenne est beaucoup plus radicale. Souvenons-nous : lorsque Nietzsche affirme qu'il « n'y a pas de faits, mais seulement des interpré-

125

tations », il ajoute, nous l'avons vu, qu'il n'y a à proprement parler ni « sujet » qui interprète, ni « objet »
interprété. La formule peut sembler une licence poé-
tique, une figure de style, elle peut même, à la limite,
paraître absurde. Disons-le clairement, elle ne l'est nullement. Voici ce qu'elle signifie : le généalogiste,
comme le psychanalyste (comme le critique des idéologies), est bien celui qui interprète les croyances, les
idoles, les illusions (de la transcendance), bref, d'une
manière générale les *symptômes*, en les rapportant,
comme on l'a déjà suggéré, aux processus inconscients
qui les ont engendrés. Mais, à la différence du psychanalyste (du moins si ce dernier n'est pas nietzschéen[1] et s'il pense que sa discipline est bien en
quelque façon une science !), le généalogiste admet
pleinement l'idée que son interprétation est elle-
même de part en part produite par son propre inconscient, qu'elle n'est qu'un reflet, sans aucune vérité
supérieure, de ses propres forces vitales et que ces dernières sont à jamais irréductibles à la conscience qu'il
peut en avoir, qu'elles lui échappent, par conséquent,
tout autant à lui-même qu'elles échappent à ceux qu'il
prétend interpréter. Dans ces conditions, qui sont
inévitablement celles de la généalogie nietzschéenne
en raison même de ses présupposés antiscientifiques,
l'interprétation du généalogiste ne saurait avoir, du
moins en première approximation[2], aucune prétention *scientifique* à la vérité. Tout au contraire, en tant
que produit des forces inconscientes qui traversent le

---

1. Ce que, bien entendu, il peut être aussi. Il existe, de fait, de nombreuses interprétations nietzschéennes de la psychanalyse, à commencer
bien sûr par celle de Lacan.
2. Nous verrons au prochain chapitre comment l'idée de vérité se
réintroduit malgré tout chez Nietzsche, mais paradoxalement par l'intermédiaire de l'art et non de la science.

généalogiste tout autant que ceux dont il pourfend les illusions, cette interprétation est à son tour interprétable par un autre généalogiste dont les interprétations sont de nouveau interprétables selon un processus qui peut se répéter à l'infini.

Il y a donc, dans la prétention métaphysique à vouloir juger le monde d'ici-bas comme si nous pouvions le surplomber et nous affranchir nous-mêmes des forces vitales qui nous font être ce que nous sommes, ou mieux, que nous sommes tout simplement, un véritable cercle vicieux : comprendre ce cercle, c'est aussi comprendre que nul énoncé philosophique, fût-il celui de Nietzsche lui-même, ne saurait échapper à l'histoire (à la vie comme historicité), qu'il n'y a pas, en quelque sens que ce soit, de « méta-langage », de vérité qui surplomberait le réel ou, comme le dit encore Nietzsche dans *Le Crépuscule des idoles*, qu'« une condamnation de la vie de la part du vivant n'est jamais que le symptôme d'une espèce de vie déterminée ». Nos évaluations, nos points de vue, nos interprétations du monde ne peuvent donc jamais être fondés par une quelconque référence à un savoir, au sens propre, *absolu* (non relatif à l'historicité de la vie). Et c'est bien sûr en ce sens qu'il faut comprendre ce passage du *Gai Savoir* intitulé « Notre nouvel infini » selon lequel « le monde, pour nous, est redevenu infini en ce sens que nous ne pouvons pas lui refuser la possibilité de prêter à une infinité d'interprétations » dont aucune ne saurait jamais se clore dans l'illusion d'une vérité ultime. Dans ces conditions, en effet, il ne saurait non plus y avoir aucune objectivité, il n'y a, pour employer un vocabulaire emprunté à un autre registre, plus de signifié, seulement du signifiant, ou encore, comme l'affirme à juste titre Foucault dans un commentaire de Nietzsche : « Si l'interprétation ne peut jamais

127

s'achever, c'est tout simplement qu'il n'y a rien à interpréter... car au fond, tout est déjà interprétation» et, ajouterai-je à nouveau, interprétation elle-même interprétable à l'infini.

Le philosophe authentique achève dès lors de se confondre avec le généalogiste, c'est-à-dire, au sens le plus radical, avec celui qui perçoit que derrière les évaluations il n'y a pas de fond mais un abîme, derrière les arrière-mondes eux-mêmes, d'autres arrière-mondes, à jamais insaisissables car n'ayant en soi aucune existence, sinon à titre d'hypostases d'une interprétation elle-même à jamais insaisissable. En ce sens encore, Foucault avait raison d'y insister[1] : «La généalogie ne s'oppose pas à l'histoire comme la vue altière et profonde du philosophe au regard de taupe du savant. Elle s'oppose au contraire au déploiement méta-historique des significations idéales...» Bien plus : «elle a besoin de l'histoire pour conjurer la chimère de l'origine», ce en quoi, bien entendu, elle conduit à la liquidation de toutes les figures anciennes de la transcendance : du cosmos, de Dieu, de l'homme, des lois scientifiques et des valeurs morales, juridiques, politiques... Seul, en marge du «troupeau», il incombe donc au généalogiste d'affronter la tâche angoissante de regarder l'abîme en face : «Le solitaire [...] doute même qu'un philosophe puisse avoir des opinions "véritables et ultimes"; il se demande s'il n'y a pas en lui, nécessairement, derrière chaque caverne une autre qui s'ouvre, plus profonde encore, et au-dessous de chaque surface un monde souterrain plus vaste, plus étranger, plus riche, et sous tous les fonds, sous toutes

---

1. Dans son article intitulé *Nietzsche, la généalogie, l'histoire.*

les fondations, un tréfonds plus profond encore. "Toute philosophie est une façade" – tel est le jugement du solitaire [...]. Toute philosophie dissimule une autre philosophie, toute opinion est une cachette, toute parole peut être un masque [1]. » La caverne du solitaire, en effet, n'est plus celle de Platon...

Dans la philosophie moderne, le relativisme sceptique, la croyance en l'impossibilité de parvenir à une vérité objective, avait toujours pris la forme d'un « subjectivisme » : s'il était impossible de parvenir à l'objectivité, c'était parce que la subjectivité de l'individu, justement, était pour ainsi dire à ce point affirmée qu'elle en venait à rendre impossible tout espoir de trouver des critères acceptables de l'objectivité (du beau, de la vérité, de la moralité, etc.). Rien de tel chez Nietzsche. Son scepticisme, si le terme convient encore, prend la forme d'un perspectivisme sans sujet ni objet, d'une herméneutique où, à la limite – mais il faut s'y tenir – seule existe l'interprétation en tant que telle, sans espoir d'une vérité scientifique, indépendamment de toute idée d'un sujet qui interpréterait autant que d'un objet interprété.

En admettant même que Nietzsche ait vu juste, en admettant que ne devions plus jamais nous penser comme les auteurs responsables de nos actions, ni jamais rien juger, sur aucun plan – qu'il soit moral, politique ou scientifique – comme si nos appréciations pouvaient prétendre à quelque objectivité, que convient-il d'en conclure quant à la conduite de nos vies ? Le mot « conduite », d'ailleurs, n'est-il pas déjà de trop ? Que pourrait-il signifier dans une perspective

---

1. *Par-delà le bien et le mal*, § 289.

nietzschéenne, sinon le retour d'une prétention fort illusoire à une nouvelle maîtrise ? La conclusion ultime du généalogiste ne doit-elle pas s'arrêter à la pure et simple lucidité, au simple désenchantement, enfin achevé ? Et n'est-il pas, dans ces conditions, tout à fait vain de vouloir chercher quelque chose comme une «sagesse de Nietzsche», une manière de réponse à la question de la vie bonne ? C'est ce qu'il nous reste encore à examiner.

La sagesse de Nietzsche ou les trois critères de la vie bonne : la vérité dans l'art, l'intensité dans le « grand style », l'éternité dans l'instant

On dit souvent de Nietzsche qu'il est mort «fou». Tant de solitude, tant de hauteur de vues et de lucidité, suppose-t-on, devait bien l'y conduire... On se complaît même dans cette mythologie de la folie, volontiers associée pour l'occasion, selon un lieu commun hérité du romantisme[1], à la génialité. Au point d'en oublier parfois de lire Nietzsche lui-même : dans *Ecce homo*, pourtant, il n'hésite pas à rédiger un premier chapitre intitulé tout simplement : «Pourquoi je suis si sage» – passage qui se clôt d'ailleurs par un éloge du bouddhisme. Que Nietzsche ait passé sa vie à dénoncer les idoles, qu'il ait opéré une critique radicale des grandes catégories héritées de la sagesse grecque – cette *theoria* qui vise à la vérité, cette *praxis* qui tend à la rectitude morale, cette *sotériologie* qui nous

---

1. Et, il faut bien l'avouer, repris à son compte par Nietzsche lui-même. Cf. *Par-delà le bien et le mal* : «Et parfois, la folie même est le masque qui cache un savoir fatal et trop sûr...»

131

promet d'être un jour sauvés –, ne doit pas nous leurrer sur le sens de sa philosophie : celui qui déconstruit est aussi celui qui se plaît à réaménager, à réinvestir, fût-ce de façon inédite et décalée, les lieux les plus anciens. Nietzsche a toujours pensé que la connaissance authentique, ce qu'il nommait le « gai savoir », ne se moquait de la fausse qu'au nom de vérités plus hautes, que la vraie morale ne se moquait de la morale que pour mieux en venir à penser *autrement* la valeur et la signification de l'existence – nullement pour faire platement l'économie de ces questions. Voilà pourquoi, malgré l'apparence, il n'est peut-être pas impossible de déceler une « sagesse de Nietzsche », d'apercevoir chez lui une réponse à la question de la vie bonne, et même, nous allons le voir, de la présenter en suivant les trois fils conducteurs de toute philosophie[1] – theoria, praxis, sotériologie –, pourvu que l'on tienne compte, justement, des déplacements et des ruptures qu'il n'a cessé d'y introduire.

I. | Theoria. Les avatars de la volonté de vérité :
l'art comme condition de la connaissance
la plus haute

C'est un fait : la généalogie nietzschéenne se distingue de celles de Marx et même de Freud, en ceci qu'elle ne prétend plus s'appuyer sur une science pour fonder sa légitimité. Cela signifie-t-il pour autant que Nietzsche soit un sceptique, qu'il abandonne toute référence à une vérité et peut-être même à un savoir

---

1. On peut être un grand penseur sans être philosophe. On ne peut pas être philosophe sans affronter à un moment ou à un autre les questions soulevées dans ces trois domaines.

plus joyeux et plus hauts ? Rien n'est moins sûr. La préface d'*Ecce homo* nous invite même de manière tout
à fait explicite à penser le contraire. Relisons-la un
instant :

« Celui qui sait respirer l'atmosphère de mes écrits
sait que c'est une atmosphère des hauteurs, que l'air y
est vif... La philosophie telle que je l'ai vécue, telle que
je l'ai entendue jusqu'à présent, c'est l'existence volon-
taire au milieu des glaces et des montagnes... Le degré
de vérité que *supporte* un esprit, la dose de vérité qu'un
esprit peut *oser*, c'est ce qui m'a toujours davantage
servi de critère de valeur. L'erreur (c'est-à-dire la foi
en l'idéal) ce n'est pas l'aveuglement ; l'erreur c'est la
lâcheté... Toute conquête, chaque pas en avant dans le
domaine de la connaissance a son origine dans le courage, dans la dureté à l'égard de soi-même, dans la propreté vis-à-vis de soi-même... car la seule chose qu'on
interdise jusqu'à présent par principe, c'est la vérité. »

Passage particulièrement intéressant : non seulement il affirme clairement que la philosophie, telle
que Nietzsche lui-même l'a conçue, conserve bien
pour finalité première la recherche de la vérité – d'une
vérité qui est même « plus haute » que celle à laquelle
se sont arrêtés jusqu'alors philosophes et savants – mais
il associe indubitablement cette quête à une exigence
éthique : celle du courage, du refus de la lâcheté, de
l'honnêteté intellectuelle ! Il en fait non seulement un
critère de valeur parmi d'autres, mais le critère ultime !
Nous sommes ici aux antipodes du scepticisme et de
l'immoralisme dont sa déconstruction des idoles aurait
pu parfois laisser croire qu'ils étaient ses conséquences
ultimes. Nietzsche aurait-il été incohérent ? N'y a-t-il
pas une contradiction, et même tout à fait flagrante,
entre la généalogie de la volonté de vérité comme
comble des forces réactives et la revalorisation, *in fine*,

de la vérité comme visée première d'une philosophie authentique ? Nietzsche croyait renverser le platonisme, l'opposition du monde sensible, faux, et du monde intelligible, vrai. Mais n'y revient-il pas au final, de manière subreptice, tout à la fois inavouée et inavouable ? L'affaire est plus compliquée qu'il n'y paraît. Car, au moins dans un premier temps, cette contradiction – dont on reconnaîtra d'emblée qu'elle est tout de même un peu grosse pour échapper à un esprit tel que Nietzsche – se dénoue pour une part, sinon totalement, si l'on distingue deux types de vérité (et, corrélativement, deux types d'erreurs) : une vérité ordinaire, traditionnelle si l'on ose dire, celle que la philosophie et la science cherchent dans le monde de l'idéal, dans un au-delà du monde sensible, et qui exprime les forces réactives du nihilisme ; une vérité cachée, secrète, encore interdite même, si l'on en croit Nietzsche, et qui se dévoilerait seulement dans une autre approche, moins réactive que celle de la philosophie et de la science : une approche artistique. Hypothèse qui doit nous suggérer deux questions. Très simplement : pourquoi la vérité « idéale » (logique, rationnelle, scientifique) est-elle « fausse » ? Pourquoi la vérité « sensible », esthétique, est-elle « plus vraie » ?

Réponse qui s'impose dès lors qu'on a saisi la logique du matérialisme nietzschéen : ce qui est faux dans la vérité « idéale », c'est justement sa prétention à la transcendance, à l'objectivité, son aspiration à se situer au-dessus des forces vitales qui l'ont de part en part produite, bref, sa volonté implicite de s'arracher à l'espace et au temps, à la nature et à l'histoire, sa prétention à valoir pour tous, à en finir avec le relativisme, avec le perspectivisme. Ce qui, en revanche, est vrai dans la « vérité esthétique » telle que la dévoile l'artiste, c'est le fait, si difficile à saisir et plus encore peut-être à admettre, qu'elle se pose *explicitement*, à la différence exacte de la première, comme un simple point de vue, comme une perspective, comme une émanation de la vie et non comme une rupture avec elle. L'art est donc vrai... parce qu'il ne prétend pas à la vérité, parce qu'il est en cela adéquat au réel, parce qu'il accepte sa relativité de produit en se gardant bien d'oublier l'activité de production qui l'a engendré. Ni hypostase ni fétichisme dans l'art, en quoi, selon un fragment de *La Volonté de puissance*, « la volonté de l'apparence, de l'illusion, de l'imposture, du devenir et du changement » qui s'exprime sans détour et comme telle dans l'activité créatrice, « est plus profonde, plus "métaphysique" que la volonté de vérité, de la réalité, de l'être ». C'est en ce sens encore que l'art, antiplatonicien par essence, possède « plus de valeur que la vérité », qu'il est l'expression la plus directe, la plus adéquate de la vie, de cette volonté de puissance qui constitue « l'essence la plus intime de l'être ».

Or c'est par cette *adéquation même*, bien entendu, qu'il acquiert lui-même un statut de vérité, pour ainsi dire par analogie avec les définitions les plus classiques du vrai comme conformité du discours à la réalité. « Seule vie possible : dans l'art. Autrement, on se détourne de la vie », affirmait déjà Nietzsche dans *La Naissance de la tragédie* – par où l'on pressent que la déconstruction généalogique de la theoria ne supprime pas toute notion de vérité, qu'il est peut-être une vérité plus profonde que celle des idées, plus réelle, si l'on peut dire, que celle qui anime le rationalisme philosophique ou scientifique, vérité à laquelle l'art seul serait capable de satisfaire, comme seuls, à ce niveau, les sens cessent de nous mentir « en tant qu'ils nous montrent le devenir, la disparition, le changement... ».

Si, comme l'affirme encore Nietzsche dans un de ses aphorismes les plus célèbres, « ma philosophie est un platonisme inversé », il faut bien mesurer ce qui résulte de cette inversion quant à la fondation (ou la refondation) d'une pensée qui rejette comme réactives les visions classiques de la vérité et qui n'en prétend pas moins parvenir, dans et par l'art, à des formes de connaissances plus hautes et plus authentiques. Une première esquisse de réponse nous est livrée dans le chapitre du *Crépuscule des idoles* intitulé « Comment le "monde vérité" devint une fable ». Nietzsche entreprend d'y montrer combien le « monde vérité », que le platonisme a opposé au « monde apparence » comme le monde intelligible au monde sensible, se révèle être lui-même, au terme d'une longue histoire qui s'achève avec Zarathoustra, l'illusion par excellence. Evoquant sa propre déconstruction du platonisme, Nietzsche signe l'arrêt de mort du « monde intelligible » platonicien : « Le monde vérité ? Une idée qui ne sert plus à rien, qui n'oblige même plus à rien, bref, une idée superflue, inutile, *par conséquent* une idée réfutée : supprimons-la ! (journée claire, premier déjeuner, retour du *bon sens* et de la gaîté. Platon rougit de honte et tous les esprits libres font un vacarme du diable). »

Mais à l'issue de ce parcours, il ne s'agit nullement de se vautrer dans le sensible, comme si la finalité de son émancipation du monde intelligible devait conduire à le sacraliser comme tel. Pas davantage ne convient-il de revaloriser le concept d'apparence, en en conservant la définition classique, car d'évidence, dans le couple qu'il forme avec celui de vérité, l'abolition d'un des deux termes modifie le sens de l'autre.

Il s'agit donc bien *de supprimer l'idée même selon laquelle il existerait quelque chose comme de l'apparence* : « Le "monde vérité", nous l'avons aboli : quel monde nous est resté ? Le monde des apparences peut-être ?… Mais non ! *avec le monde vérité nous avons aussi aboli le monde des apparences.* » Par où l'on voit encore comment l'art, jadis défini par Platon comme le lieu d'une mise en scène condamnable de l'apparence, peut désormais échapper à l'accusation de non-vérité. Non seulement, en effet, il ne relève plus de l'illusion, du moins au sens réducteur, dépréciatif que le terme reçoit dans toute la tradition philosophique depuis Platon, mais il peut même prétendre nous conduire à une vérité plus vraie, plus adéquate à la vie que la vérité idéelle, rationnelle que la métaphysique classique opposait au sensible et à l'apparence. Il s'agit donc d'assigner à l'art une fonction de connaissance, une vocation à traduire une réalité plus réelle que celle des philosophes, une réalité qui n'est plus rationnelle, harmonieuse, euclidienne, mais illogique, chaotique, difforme et non euclidienne. C'est dans cette perspective que Nietzsche développe le thème du « philosophe-artiste », du « philosophe-danseur » : pour saisir la « vérité vraie », pour être si l'on ose dire, *en phase avec la vie*, il faut que la pensée cesse de prétendre la surplomber ou la transcender pour accepter, sur le modèle esthétique, d'en devenir l'expression pour ainsi dire « amicale ».

La question des critères, c'est-à-dire, au sens le plus général, la question de la vérité se réintroduit donc dans et par l'esthétique. Le paradoxe d'un tel énoncé est évident : Nietzsche n'a cessé d'affirmer que l'art avait « plus de valeur que la vérité », que nous avions l'art « pour ne pas périr de la vérité ». Comment pour-rait-il, à l'instar des classiques, refaire à son tour de la beauté une présentation sensible du vrai ? Comme je l'ai suggéré : cela n'est possible qu'au prix, non d'un pur et simple abandon de toute exigence de connais-sance, mais par une révolution dans la définition d'une vérité plus haute, située dans cet air vif et glacé des hauteurs montagneuses. La vérité, sans doute, ne se définit plus par la « rectitude de la représentation ». Elle n'en réside pas moins dans un certain type d'ac-cord : celui de l'« évaluation » avec le réel[1]. Pour rendre le paradoxe tout à fait explicite : c'est parce que l'art est « faux » (il ne prétend pas à s'élever au-dessus du relativisme de la vie) qu'il est vrai, et ce, au moins en deux sens.

C'est d'abord parce qu'il se présente « honnête-ment » comme une interprétation, parce qu'il ne pré-tend pas être plus que ce qu'il est – donc : parce qu'il renonce à toute prétention à une vérité absolue mais se sait de part en part *relatif* aux forces qui composent le réel – qu'il se trouve être en accord avec le carac-tère perspectif de l'existence, avec cette « vérité enfin vraie » selon laquelle tous nos jugements ne sont que des symptômes, de simples évaluations. Comme l'écrit Deleuze, commentant une formule célèbre de Nietz-sche : l'« art est la plus haute puissance du faux, il magnifie le "monde en tant qu'erreur", il sanctifie le mensonge, il fait de la volonté de tromper un idéal supérieur... ». Alors vérité prend peut-être une nou-velle signification. Vérité est apparence. Vérité signifie effectuation de la puissance, élévation à la plus haute puissance. Chez Nietzsche, « nous les artistes = nous les chercheurs de connaissance ou de vérité = nous les

---

1. Cf. *Nietzsche*, I, 425, 482.

inventeurs de nouvelles possibilités de vie[1]». On ne saurait mieux dire, pourtant, que l'idéal classique d'un art expression de la vérité n'a pas tout à fait disparu chez Nietzsche. Il faut donc aller plus loin que ne le fait ici Deleuze. A y regarder de près, en effet, la définition du véridique n'a pas même totalement changé, et la « révolution » nietzschéenne du platonisme nous reconduit, en partie du moins, à son point de départ : si l'art est vrai, c'est bien malgré tout, et quels que soient les termes utilisés, parce qu'il est *en quelque façon conforme* au réel, voire *beaucoup plus adéquat* à la vie que ce mensonge désigné depuis Platon sous le nom de vérité. Deleuze a raison d'affirmer que, pour Nietzsche, l'artiste est un chercheur de vérité : il est même, par excellence, celui qui est en quête de la « vraie vérité », le seul qui, en mentant ne mente pas (comme les sens, eux non plus, ne sauraient mentir) – ce pourquoi, en dernière instance, le « vrai » philosophe doit lui aussi se faire artiste. Encore faut-il ajouter qu'en affirmant cela, on a réhabilité une grande part des définitions classiques du vrai comme adéquation.

Non seulement l'art est par conséquent «fondé» à se présenter de façon explicite comme une simple interprétation, comme une pure évaluation, mais en jouant sur les apparences, en produisant de l'illusion, en rapportant ses productions aux forces vitales de l'artiste, il se montre infiniment plus vrai que toute autre activité, à commencer par l'activité intellectuelle « ordinaire » – celle du philosophe ou du scientifique qui n'ont pas su devenir à leur tour des « artistes ». Tous les interprètes de Nietzsche ont noté le caractère non anecdotique, philosophique, de l'écriture apho-

---

1. *Nietzsche et la philosophie, op. cit.*, p. 117.

ristique : beaucoup y ont vu, suivant en cela l'évidence, une « subversion » de l'idée de vérité, une sorte de révolte contre la « systématicité » inscrite jusque dans la grammaire et la syntaxe de l'écriture traditionnelle. On peut plaider avec plus de force, je crois, qu'il s'agit tout autant, bien qu'à un niveau supérieur, d'une concession très classique à l'idée de vérité. Bien sûr, à première vue, « un aphorisme envisagé formellement se présente comme un fragment ; il est la forme de la pensée pluraliste [1] » – non pas, cela va de soi, au sens « libéral » et démocratique du terme, mais en ceci que l'écriture fragmentée est censée s'opposer par son « ouverture » à la « clôture » du « système » entendu comme aboutissement du rationalisme. L'aphorisme est ainsi par excellence la forme artistique de la philosophie. Comme dit encore Deleuze, « seul l'aphorisme est capable de dire le sens, l'aphorisme est l'interprétation et l'art d'interpréter ». Sans doute. Mais la subversion est loin d'être aussi complète qu'on ne se l'imagine et, à bien des égards, la forme aphoristique est aussi l'indice d'une conformité paradoxalement plus grande que jamais à la tradition : car dans la volonté d'être adéquat au chaos et à la multiplicité de l'être comme Vie par le chaos et la multiplicité de l'écriture, Nietzsche accomplit bien davantage qu'il ne renie le concept de vérité comme adéquation au réel.

Ainsi continue-t-il bien, tout en subvertissant *à un certain niveau* l'idée de « theoria », de lui assigner une signification primordiale : la philosophie, certes, n'a plus pour mission première de parvenir à la vision claire des « idées » suprasensibles, elle ne se borne certes plus à la contemplation d'un ordre cosmique, au demeurant, nous l'avons vu, dénoncé par Nietzsche

---

1. *Ibid.*, p. 35.

comme illusoire. Elle n'en reste pas moins secrètement animée par une formidable volonté de vérité, par
une volonté de vérité supérieure même à toutes celles
qu'elle avait connues jusqu'alors. Pourvu que cette
dernière cesse de prétendre à quelque supériorité ou
transcendance que ce soit par rapport à «l'essence la
plus intime de l'être», par rapport à la multiplicité des
forces vitales, pourvu, donc, que sur le modèle de l'art,
elle se présente elle aussi comme une perspective, une
évaluation, alors, elle peut demeurer tranquillement la
finalité ultime de la connaissance philosophique.

Subversion, donc, mais aussi continuité que nous
allons retrouver tout autant du côté de la seconde
tâche, non plus théorique mais pratique ou éthique,
de la philosophie : celle qui stigmatise, nous l'avons vu,
l'absence de courage et la «lâcheté», celle qui vise
même la «propreté envers soi-même», comme si la
dénonciation de toutes les visions morales du passé
n'avait pour but que de faire place nette à une «transmutation de toutes les valeurs», et, par là même, à ce
qu'il faut bien nommer une «nouvelle éthique».

II. Praxis. Le grand style ou la «spiritualisation» des pulsions : de l'intensité comme critère de la vie bonne

Il y a bien entendu quelque paradoxe à vouloir traquer chez Nietzsche les linéaments d'une pensée
morale. Chacun sait, même sans être très familier de
ses œuvres, qu'il s'est toujours défini comme «l'im-
moraliste» par excellence, qu'il n'a cessé de pourfendre la charité, la compassion, l'altruisme, *sous toutes
leurs formes*, chrétiennes ou non. Sur ce thème, les

déclarations de Nietzsche abondent : c'est bien *toutes* les visions morales du monde, et non telle ou telle d'entre elles, qui sont par lui dénoncées comme autant de symptômes de «décadence», comme une «idio-syncrasie de dégénérés[1]», comme une volonté de nier la vie qui ne trouve son origine que dans l'état de faiblesse pathologique de ses auteurs. Nietzsche est par exemple de ceux qui ne décolèrent pas devant les premières ébauches de l'humanitaire moderne dans lesquelles il ne voit bien sûr qu'un relent débile de chris-tianisme : «Proclamer l'amour universel de l'huma-nité, écrit-il dans ce contexte, c'est, dans la pratique, accorder la *préférence* à tout ce qui est souffrant, mal-venu, dégénéré... Pour l'espèce, il est nécessaire que le malvenu, le faible, le dégénéré périssent[2].» Et lorsque Nietzsche s'aventure à parler d'éthique pour son propre compte, lorsque, par exemple, comme dans *Le Crépuscule des idoles,* il improvise une «morale pour les médecins», voici ce qu'on peut y lire : «Le malade est un parasite de la société. Arrivé à un cer-tain état, il est indécent de vivre plus longtemps. L'obs-tination à végéter lâchement, esclave des médecins et des pratiques médicales après que l'on a perdu le sens de la vie, le *droit* à la vie [c'est Nietzsche lui-même qui souligne], devrait entraîner de la part de la société un profond mépris. Les médecins, de leur côté, seraient chargés d'être les intermédiaires de ce mépris – ils ne feraient plus d'ordonnances, mais apporteraient chaque jour à leurs malades une nouvelle dose de dégoût...» Joyeux programme, en effet, pour cette déontologie d'un genre nouveau. Parfois, la passion anticaritative de Nietzsche, ou son goût de la catas-

---

1. *De la morale comme manifestation contre nature,* §§ 5 et 6.
2. *La Volonté de puissance,* 151 (trad. Albert, Livre de poche, p. 166).

trophe, tourne franchement au délire : selon ses proches eux-mêmes, il ne peut contenir sa joie lorsqu'il apprend qu'un tremblement de terre a détruit quelques maisons à Nice, une ville où il aime pourtant séjourner, mais il déplore que le désastre soit moins grand que prévu. Heureusement, quelque temps après, il se rattrape en apprenant qu'une éruption volcanique a ravagé l'île de Java : «Deux cent mille êtres anéantis d'un coup, dit-il à son ami Lanzky, c'est magnifique! (*sic!*)... Ce qu'il faudrait, c'est une destruction radicale de Nice et des Niçois [1] »...

Nietzsche, c'est un euphémisme, n'a pas la fibre altruiste, ni dans sa philosophie, ni même sans doute, on le voit, dans sa vie. Comme a pu l'écrire André Comte-Sponville, en fournissant de nombreuses et très explicites citations à l'appui de chacun de ses griefs : «Nietzsche est un des rares philosophes, peut-être le seul (sauf si l'on tient Sade pour un philosophe!), qui ait à la fois, et presque systématiquement, prit le parti de la force contre le droit, de la violence ou de la cruauté contre la douceur, de la guerre contre la paix, qui ait fait l'apologie de l'égoïsme, qui ait mis les instincts plus haut que la raison, l'ivresse ou les passions plus haut que la sérénité, la diététique plus haut que la philosophie et l'hygiène plus haut que la morale, qui ait préféré Ponce Pilate au Christ ou à saint Jean, César Borgia ("l'homme de proie", "une espèce de surhumain"!) à Giordano Bruno et Napoléon à Rousseau, qui ait prétendu qu'il n'y avait "ni actions morales ni actions immorales" (tout en se déclarant "l'ami des méchants" et l'adversaire des "bons"), qui ait justifié les castes, l'eugénisme, le racisme et l'esclavage, qui ait

---

1. Cf. sur cet aspect de la personnalité de Nietzsche, Daniel Halévy, *Nietzsche*, Livre de poche, coll. «Pluriel», 1986, p. 489 *sq.*

ouvertement prôné ou célébré la barbarie, le mépris du grand nombre, l'oppression des faibles et l'extermination des malades – le tout, un siècle après la Révolution française, comme on sait, et en tenant sur les femmes et sur la démocratie des propos qui, pour être moins exceptionnels, n'en sont pas moins affligeants[1]... » Dans ces conditions, prétendre parler d'une « morale de Nietzsche » n'est-il pas quelque peu aventureux ? Et du reste, que pourrait-il bien proposer en la matière ? Si la vie n'est qu'un tissu de forces aveugles et déchirées, si nos jugements de valeur n'en sont jamais que des émanations, plus ou moins décadentes parfois, mais toujours privées de toute espèce de signification autre que purement symptomale, à quoi bon attendre de Nietzsche la moindre considération éthique ?

Une hypothèse, il est vrai, a pu séduire parfois certains jeunes nietzschéens, quelque peu simplistes il faut l'avouer, qui se sont arrêtés au raisonnement suivant : si, parmi toutes les forces vitales, les unes, les réactives, sont détestables et répressives, tandis que les autres, les actives, sont admirables et émancipatrices, ne faut-il pas tout simplement anéantir les premières au profit des secondes ? Ne faut-il pas même déclarer que toutes les normes en tant que telles sont répressives, qu'il est interdit d'interdire, que la morale bourgeoise n'est qu'une invention de curés, afin de libérer enfin les pulsions en jeu dans l'art, le corps, la sensibilité ? On l'a cru. Certains, paraît-il, y croient même encore... Dans la foulée des contestations soixante-huitardes, on a voulu lire Nietzsche en ce sens. Comme un révolté, un anarchiste, un apôtre de la libération sexuelle, de l'émancipation des corps...

1. *Pourquoi nous ne sommes pas nietzschéens, op. cit.*, p. 1.

A défaut de comprendre Nietzsche, il suffit simplement de le lire pour constater que cette hypothèse, non seulement n'est pas la bonne, mais qu'elle se situe aux antipodes de tout ce en quoi il a pu croire lui-même. Qu'il soit tout sauf un anarchiste, voilà ce qu'il n'a cessé d'affirmer haut et clair, comme en témoigne, parmi tant d'autres, ce passage du *Crépuscule* : « Lorsque l'anarchiste, comme porte-parole des couches sociales *en décadence*, réclame, dans une belle indignation, le "droit", la "justice", "les droits égaux", il se trouve sous la pression de sa propre inculture qui ne sait pas comprendre pourquoi, au fond, il souffre, en quoi il est pauvre en vie... Il y a en lui un instinct de causalité qui le pousse à raisonner : il faut que ce soit la faute de quelqu'un s'il se trouve mal à l'aise... cette "belle indignation" lui fait déjà du bien par elle-même, c'est un vrai plaisir pour un pauvre diable de pouvoir injurier, il y trouve une petite ivresse de puissance[1]... » On peut contester si l'on veut l'analyse – encore qu'elle ne soit pas si inadéquate qu'il y paraît. On ne saurait en tout cas faire endosser à Nietzsche la passion libertaire et les indignations juvéniles d'un Mai 68 qu'il eût sans doute considérées comme une émanation par excellence de l'idéologie du « troupeau »... On peut en discuter, sans doute et, en son absence, toutes les hypothèses sont trop faciles à émettre. On ne peut en tout cas nier son aversion explicite pour toute forme d'idéologie révolutionnaire, qu'il s'agisse du socialisme, du communisme ou de l'anarchisme lui-même.

Que, par ailleurs, la simple idée de « libération sexuelle » lui fît littéralement horreur, n'est pas douteux non plus. C'est l'évidence à ses yeux : un vrai artiste, un écrivain digne de ce nom doit chercher

---

1. *Crépuscule, Flâneries inactuelles*, § 34.

avant tout, sur ce plan, à s'économiser. Selon un thème développé à satiété dans ses fameux aphorismes sur la « physiologie de l'art », « la chasteté est l'économie de l'artiste ». Il doit la pratiquer sans faille, car « c'est une seule et même force que l'on dépense dans la création artistique et dans l'acte sexuel ». Du reste, Nietzsche n'a pas de mots assez durs contre le déferlement des passions qui caractérise à ses yeux la vie moderne depuis l'émergence funeste du romantisme.

Mais si l'on ne veut pas seulement lire, mais aussi comprendre Nietzsche, il faut ajouter ceci : il est évident que *toute attitude « éthique » qui consisterait à rejeter une partie des forces vitales, fût-ce celle qui correspondrait aux forces réactives, au profit d'un autre aspect de la vie, fût-il des plus « actifs », sombrerait elle-même* ipso facto *dans la plus patente réaction* ! Et il est clair que cet énoncé est non seulement une conséquence directe de la définition nietzschéenne des forces réactives comme forces mutilantes et castratrices, mais que c'est aussi sa thèse la plus explicite et la plus constante, comme en témoigne ce passage crucial, et pour une fois limpide, d'*Humain trop humain* : « Supposé qu'un homme vive autant dans l'amour des arts plastiques ou de la musique qu'il est entraîné par l'esprit de la science [il est donc séduit par les deux visages des forces, l'actif et le réactif], et qu'il considère qu'il est impossible de faire disparaître cette contradiction par la suppression de l'un et l'affranchissement complet de l'autre : il ne lui reste qu'à faire de lui-même un édifice de culture si vaste qu'il soit possible à ces deux puissances d'y habiter, quoique à des extrémités éloignées, tandis qu'entre elles deux les puissances conciliatrices auront leur domicile, pourvues d'une force prééminente, pour aplanir en cas de difficulté la lutte qui s'élèverait... » C'est cette conciliation qui est, aux yeux de

Nietzsche, le fait de toute *grandeur* – terme capital chez lui –, le signe de la « grande architecture », celle au sein de laquelle les forces vitales, parce qu'elles sont enfin *harmonisées et hiérarchisées*, atteignent d'un même élan la plus grande *intensité* en même temps que la plus parfaite élégance. Ainsi, toute grande civilisation, qu'on la pense à l'échelle individuelle ou à celle des cultures, « a consisté à forcer à l'entente les puissances opposées, par le moyen d'une très forte coalition des autres forces moins irréconciliables, sans pourtant les assujettir ni les charger de chaînes [1] ».

A qui s'interrogerait sur la « morale de Nietzsche », voici donc une réponse possible : la vie bonne, c'est la vie *la plus intense parce que la plus harmonieuse*, la vie la plus élégante (au sens où on le dit d'une démonstration mathématique qui ne fait pas de détours inutiles, de déperdition d'énergie pour rien), *c'est-à-dire celle dans laquelle les forces vitales, au lieu de se contrarier, de se déchirer et de se combattre et par conséquent de se bloquer ou de s'épuiser les unes les autres – où Nietzsche, comme on voit, est déjà tout proche de Freud –, se mettent à coopérer entre elles, fût-ce sous le primat des unes, les forces actives bien sûr, plutôt que des autres, les réactives.*

Sur le plan moral, donc, parallèle à l'esthétisation de la connaissance, on rencontre le « grand style ». Et sur ce point au moins, la pensée de Nietzsche est d'une parfaite limpidité, sa définition de la « grandeur », dans toute l'œuvre de la maturité, d'une univocité sans faille. Comme l'explique fort bien un fragment de *La Volonté de puissance*[2], « la grandeur d'un artiste ne se mesure pas aux "beaux sentiments" qu'il excite », mais elle réside dans le « grand style », c'est-à-dire dans la capa-

---

1. *Humain trop humain*, I, § 276.
2. Bianquis, II, p. 338.

cité à «se rendre maître du chaos intérieur, à forcer son propre chaos à prendre forme; agir de façon logique, simple, catégorique, mathématique, se faire loi, voilà la grande ambition». Il faut le dire nettement : seuls seront surpris par ces textes ceux qui commettent l'erreur, aussi niaise que fréquente, de voir dans le nietzschéisme une manière d'anarchisme, une théorie qui anticiperait nos mouvements libertaires. Rien de plus faux, et l'apologie de la rigueur «mathématique», le culte de la raison claire et rigoureuse trouvent, eux aussi, leur place au sein des forces multiples de la vie. Rappelons-en une dernière fois la raison : si l'on admet que les forces «réactives» sont celles qui ne peuvent se déployer sans nier d'autres forces, il faut bien convenir que la critique du platonisme, et plus généralement du rationalisme moral sous toutes ses formes, aussi justifiée soit-elle aux yeux de Nietzsche, ne saurait conduire à une pure et simple élimination de la rationalité. Une telle éradication, en effet, serait elle-même réactive. Il faut donc, si l'on veut parvenir à cette grandeur qui est le signe d'une expression réussie des forces vitales, hiérarchiser ces forces de telle façon qu'elles cessent de se mutiler réciproquement – et dans une telle hiérarchie, la rationalité doit aussi trouver sa place.

Ne rien exclure, donc, et, dans le conflit entre la raison et les passions, ne pas choisir les secondes au détriment de la première, sous peine de sombrer dans la pure et simple bêtise : «Toutes les passions ont un temps où elles ne sont que néfastes, où elles avilissent leurs victimes avec la lourdeur de la bêtise – et une époque tardive, beaucoup plus tardive où elles se marient à l'esprit, où elles se "spiritualisent"[1].» Aussi surprenant que cela puisse paraître aux lecteurs liber-

---

1. *La morale en tant que manifestation contre nature*, § 1.

taires de Nietzsche, c'est bien de cette «spiritualisation» qu'il fait un critère moral, c'est elle qui doit nous
permettre d'accéder au «grand style» en nous permettant de domestiquer les forces réactives au lieu de
les rejeter «bêtement», en comprenant tout ce que
nous gagnons à intégrer cet «ennemi intérieur» au
lieu de le bannir et, par là même, de s'affaiblir : voilà
pourquoi «*l'inimitié* est un autre triomphe de notre
spiritualisation. Elle consiste à comprendre profondément l'intérêt qu'il y a à avoir des ennemis : nous
autres, immoralistes et antichrétiens, nous voyons
notre intérêt à ce que l'Eglise subsiste... Il en est de
même dans la grande politique. Une nouvelle création, par exemple un nouvel empire, a plus besoin
d'ennemis que d'amis. Ce n'est que par le contraste
qu'elle commence à se sentir, à devenir nécessaire.
Nous ne nous comportons pas autrement à l'égard de
l'ennemi intérieur : là aussi nous avons spiritualisé
l'inimitié, là aussi nous avons compris sa valeur[1]». Et
dans ce contexte, Nietzsche n'hésite pas à affirmer
haut et clair que la «continuation de l'idéal chrétien
fait partie des choses les plus désirables qui soient[2]» (!)
puisqu'il nous offre, par la confrontation qu'il autorise, un moyen très sûr de devenir plus grand.

---

1. *Ibid.*, § 3.
2. Cf. *La Volonté de puissance,* trad. Albert, § 409 : «J'ai déclaré la guerre
à l'idéal anémique du christianisme (ainsi qu'à ce qui le touche de près),
non point avec l'intention de l'anéantir, mais pour mettre fin à sa tyrannie... La continuation de l'idéal chrétien fait partie des choses les plus
désirables qui soient : ne fût-ce qu'à cause de l'idéal qui veut se faire
valoir à côté de lui, et peut-être au-dessus de lui – car il faut à celui-ci des
adversaires, et des adversaires vigoureux pour devenir fort. C'est ainsi
que nous autres immoralistes, nous utilisons la puissance de la morale :
notre instinct de conservation désire que nos adversaires gardent leurs
forces – il veut seulement devenir le maître de ces adversaires.»

C'est cette « grandeur » qui constitue l'alpha et l'oméga de la « morale nietzschéenne », elle qui doit nous guider dans la recherche d'une vie bonne, et ce pour une raison qui devient peu à peu évidente : elle seule nous permet d'intégrer en nous toutes les forces, elle seule nous autorise par là même à mener une vie plus *intense,* c'est-à-dire plus riche de diversité, mais aussi plus puissante parce que plus harmonieuse : en effet, l'harmonie n'est pas seulement ici la condition de la douceur (bien qu'elle le soit aussi), mais, en nous évitant les conflits qui épuisent et les amputations qui affaiblissent, celle de la plus grande puissance.

Si l'on voulait se faire une image concrète de ce « grand style », il faudrait penser à ce que nous devons vivre, lorsque nous nous exerçons à un sport ou un art difficiles – et ils le sont presque tous –, pour parvenir à un geste parfait. Pensons par exemple au mouvement de l'archet sur les cordes d'un violon, ou, plus simplement encore, à un revers ou un service au tennis. Lorsqu'on en observe la trajectoire chez un champion, il paraît d'une simplicité, d'une facilité littéralement déconcertante. Sans le moindre effort apparent, dans la fluidité la plus limpide, il envoie la balle à une vitesse confondante : c'est qu'en lui, tout simplement, les forces en jeu dans le mouvement sont parfaitement intégrées. Toutes coopèrent dans l'harmonie la plus parfaite, sans contrariété aucune, sans déperdition d'énergie, sans « réaction » au sens que Nietzsche donne à ce terme. Conséquence : une réconciliation admirable de la beauté et de la puissance que l'on observe déjà chez les plus jeunes, pourvu qu'ils soient doués de quelques talents. A l'inverse, celui qui a commencé trop tard aura, l'âge déjà venu, un geste irréversiblement chaotique, désintégré ou, comme on dit si bien, « coincé ». Non seulement l'élégance n'y est plus, mais la puissance manque et ce pour une raison bien simple : les forces en jeu, au lieu de coopérer, se contrecarrent entre elles, se mutilent et se bloquent, de sorte que l'inélégance du geste se traduit aussi par son impuissance.

La vie bonne comme vie la plus intense ? Une vie qui prendrait pour modèle le « geste réussi », le geste qui compose en lui la plus grande diversité pour parvenir dans l'harmonie à la plus grande puissance, sans effort laborieux, sans déperdition d'énergie : telle est au fond, la vision morale de Nietzsche, celle au nom de laquelle il dénonce toutes les morales « réactives », toutes celles qui depuis Socrate, prônent la lutte contre la vie, son amoindrissement. Pour mieux comprendre cette aspiration éthique d'une nature, en effet, nouvelle, il est utile de la comparer à ce qu'elle n'est pas, de voir exactement à quoi elle entend s'opposer presque terme à terme, non seulement au christianisme, mais avant lui au platonisme, et après lui, si l'on ose dire, au romantisme.

A l'opposé du grand style, donc, se situent toutes les formes d'activité, esthétiques ou non, qui, incapables de parvenir à la maîtrise de soi requise par la hiérarchie des instincts, donnent libre cours au déferlement des passions, c'est-à-dire à la réaction, puisque ce déferlement est toujours synonyme de mutilation réciproque des forces. Une telle mutilation définit la laideur. Nietzsche ne cesse de le dire on ne peut plus clairement si l'on a compris ses postulats de départ : celle-ci réside toujours dans la « décadence d'un type ; quand il y a contradiction et coordination insuffisante des aspirations intérieures, il faut en conclure qu'il y a diminution de force organisatrice, de volonté[1]... ».

---

1. *La Volonté de puissance*, trad. Albert, II, 152.

Dans la sphère de la philosophie c'est, comme on sait, le platonisme qui fournit le prototype de la réaction. Encore faut-il comprendre exactement en quoi il s'oppose symétriquement au « grand style ». C'est en raison, comme l'indique explicitement *Le Crépuscule des idoles*, de la « cure » que Socrate, prototype de ceux que Nietzsche désigne comme des « philosophes-médecins », va proposer pour traiter le problème de « l'anarchie des instincts[1] ».

De quoi s'agit-il au juste ? Tout simplement de l'histoire de l'apparition, dans la Grèce du IVᵉ siècle avant Jésus-Christ, d'une morale qui, à travers Socrate, puis le christianisme, va perdurer jusqu'à nous. Cette naissance difficile, mais comme on le voit prometteuse, est décrite par Nietzsche comme s'effectuant selon quatre grandes étapes, qu'on peut très brièvement décrire de la façon suivante.

Le premier temps est celui de l'innocence des « grands Hellènes », de ces aristocrates qui n'avaient pas encore assez de culpabilité en eux pour se poser des questions philosophiques sur l'existence humaine, mais, comme des artistes, se plaisaient seulement à commander. Pas d'interrogation chez eux, ni ressentiment ni mauvaise conscience : paradis perdu, sans doute, mais paradis où cette brutalité des passions encore « bêtes », encore inaccessible à la spiritualité dont nous avons vu qu'elle consistait à intégrer l'ennemi, gâte malheureusement les chances de survie.

Le second temps est celui de la *décadence*, le temps de la naissance des premières interrogations philosophiques dont témoigne l'apparition de la sophistique. C'est l'époque de la « chute », celle où la vie commence

---

1. Mes analyses doivent ici beaucoup à celles de mon regretté maître, Jacques Rivelaygue.

à ne plus aller de soi, à faire question, le temps où apparaît cette « anarchie des instincts », ces conflits intérieurs en l'absence desquels les humains n'auraient sans doute jamais été conduits à s'interroger sur leur sort, sur le sens de leur vie, sur la nature de la vérité, de la justice ou de la beauté. Décadence, car nous avons perdu l'innocence première, parce que toute interrogation ne peut être que le signe d'un déchirement, par conséquent d'un état réactif des forces vitales : des pulsions qui s'affrontent – et il faut bien qu'elles l'aient fait pour que ce *symptôme* qu'est le questionnement philosophique apparaisse – sont aussi des forces qui se mutilent les unes les autres et qui, par conséquent, diminuent en nous la somme globale d'énergie, de joie de vivre.

Troisième temps, celui de la cure : face à ce déchirement intérieur qui épuise, il faut réagir, proposer un remède. Comme l'explique longuement *Le Crépuscule des idoles*, c'est en ce point de l'histoire que Socrate intervient, qu'il invente le « monde vérité », c'est-à-dire un univers « idéal » au nom duquel on va pouvoir juger et critiquer la vie réelle. Il s'agit bien, au plus profond, de mettre un terme à « l'anarchie des instincts » qui apparaît lorsqu'on quitte l'univers aristocratique de la tradition et que, dès lors, le questionnement, l'interrogation et le doute viennent prendre la place de l'autorité, du commandement et de cette volonté qui pose des valeurs sans discussion. Mais la « cure » socratique, cette thérapeutique qui va aux yeux de Nietzsche fournir pour plus de deux mille ans le prototype de toute morale, est une véritable catastrophe : elle consiste dans la « castration » pure et simple, dans la suppression de tous les instincts (du monde sensible) au nom de la prétendue « vérité » de l'intelligible. Elle règle le problème, sans doute, mais en en éradiquant tous les

153

termes : les pulsions s'opposent entre elles ? Fort bien, supprimons-les, inventons le monde intelligible et nions le monde sensible tout entier, ainsi toute question sera réglée pour toujours. Socrate est celui qui combat la réaction par la réaction, qui pousse jusqu'à son terme la logique de l'affaiblissement, de l'éradication des forces, la logique mortelle du nihilisme.

On mesure tout ce qui sépare ici la cure socratique du grand style. Au fond, le problème qu'ils ont à résoudre est bien le même : celui de l'anarchie, du déchirement pathologique des instincts. Là encore, nous sommes tout proches de Freud qui voit dans le conflit psychique l'origine de toute maladie, et dans la maladie elle-même, une impuissance, une impossibilité à « agir et à jouir », pour reprendre la formule mille fois citée. Mais la véritable solution, pour Nietzsche, eût consisté, non à annihiler toutes les forces sensibles, actives, au nom d'autres forces (celles, réactives, du prétendu monde de l'intelligible), mais à les hiérarchiser et à les harmoniser, comme elles s'harmonisent dans le geste élégant et fort du champion ou du virtuose. Comme le dit Nietzsche de manière significative : Socrate, au fond, a « manqué de maîtrise ».

Il en va de même, à l'autre bout de l'histoire, du « déchirement » romantique. Dans le domaine de l'art, il apparaît, pour les mêmes raisons, comme le sommet du réactif : les passions y sont si déchaînées qu'elles ne peuvent que se contrarier les unes les autres. Telle est la raison pour laquelle le héros romantique est toujours souffreteux, malheureux, déchiré, pâle et malade au point d'en mourir, si possible avant l'âge de quarante ans. De même que Nietzsche nous invite à intégrer les forces de la logique, de la raison mathématique, de la rigueur intellectuelle, au lieu de les rejeter « bêtement », de même il préfère infiniment le classicisme, grec ou français, au romantisme : « Qui sait, en effet, si sous l'antinomie du classicisme et du romantisme ne se cache pas l'antinomie de l'actif et du réactif[1] ? » Par opposition à ce dernier, le classicisme apparaît comme l'incarnation parfaite du grand style, puisque « pour être un classique, il faut avoir tous les dons, tous les désirs violents et contradictoires en apparence, mais de telle sorte qu'ils marchent ensemble sous le même joug[2] », de sorte qu'on y « a besoin d'une quantité de froideur, de lucidité, de dureté de la logique avant tout », par exemple, des « trois unités », puisqu'il faut s'y garder à tout prix du sentimentalisme. Selon un thème constant chez Nietzsche, la « simplicité logique » propre aux classiques est la meilleure approximation de cette hiérarchisation « grandiose », comme le suggère de façon explicite cet autre fragment de *La Volonté de puissance* : « L'embellissement est la conséquence d'une plus grande force. On peut considérer l'embellissement comme l'expression d'une volonté victorieuse, d'une coordination plus intense, d'une mise en harmonie de tous les désirs violents, d'un infaillible équilibre perpendiculaire. La simplification logique et géométrique est une conséquence de l'augmentation de la force[3]. »

Nous sommes loin, on le voit, de l'image d'un Nietzsche apologète de la « libération des mœurs », d'une émancipation volcanique des passions contre une supposée sécheresse de la raison : tout au contraire, « nous sommes les adversaires des émotions sentimentales[4] » ! L'artiste digne de ce nom est celui qui sait cultiver « la haine du sentiment, de la sensibi-

1. *La Volonté de puissance,* trad. Albert, II, p. 139.
2. *Ibid.,* p. 168.
3. *Ibid.,* p. 152.
4. *Ibid.,* p. 172.

lité, de la finesse d'esprit, la haine de ce qui est multiple, incertain, vague, fait de pressentiments[1]... ». Dans le même sens, contre Victor Hugo, Nietzsche réhabilite Corneille, comme un de ces « poètes appartenant à une civilisation aristocratique [...] qui mettaient leur point d'honneur à *soumettre à un concept* [c'est Nietzsche qui souligne] leurs sens peut-être plus vigoureux encore, et à imposer aux prétentions brutales des couleurs, des sons et des formes la loi d'une intellectualité raffinée et claire ; en quoi ils étaient, ce me semble, dans la suite des grands Grecs[2]... ». Le triomphe des classiques grecs et français consiste ainsi à combattre victorieusement ce que Nietzsche nomme encore de façon significative « cette plèbe sensuelle » qui suscite l'admiration des peintres et des musiciens « modernes » (romantiques).

Bref, dans cette morale de la grandeur, c'est bien l'intensité qui prime tout, la volonté de puissance qui l'emporte sur toute autre considération : « Rien n'a de valeur dans la vie que le degré de puissance[3] ! », certes, mais cela ne signifie pas, tout au contraire, qu'il n'y ait pas de valeur. Encore faut-il bien comprendre, comme on le voit de manière limpide dans la critique de la cure socratique et du romantisme, que l'intensité authentique n'a rien à voir avec le déferlement des passions, avec l'émancipation des corps : elle réside dans l'intégration harmonieuse, classique, des forces vitales, dans cette sérénité, ce calme, mais aussi cette légèreté qui oppose Mozart et Schubert à Schumann et Wagner. Comme celui qui a pratiqué avec bonheur les arts martiaux, l'homme du grand style se meut dans l'élé-

1. *Ibid.*, p. 170.
2. Bianquis, II, 337.
3. *Ibid.*, introduction, § 8.

gance, à mille lieues de toute apparence laborieuse. Il ne transpire pas, et s'il déplace des montagnes, c'est sans effort apparent, dans la sérénité. De même que la vraie connaissance, le gai savoir se moque de la théorie et de la volonté de vérité au nom d'une vérité plus haute, l'immoralisme de Nietzsche, on le voit, ne se moque de la morale qu'au nom d'une autre éthique. Il en va de même pour sa doctrine du salut.

III. | Sotériologie : l'*amor fati*, l'éternel retour
 | ou le salut par les instants d'éternité

N'est-ce pas, toutefois, aller cette fois-ci vraiment trop loin ? Comment vouloir déceler chez l'Antéchrist lui-même les prémices d'une doctrine de la béatitude, une pensée salvatrice ? Nietzsche ne s'y est-il pas d'ailleurs opposé avec la dernière énergie lorsqu'il vit dans toute sotériologie une expression achevée, bien qu'inavouée, du nihilisme, de la négation de la vie au nom de l'au-delà ? Certes, on n'avoue pas volontiers que l'on est nihiliste, « on ne dit pas "le néant", à la place, on dit "l'au-delà", ou bien "Dieu", ou encore "la vie véritable", ou bien le nirvâna, le salut, la béatitude », mais « cette innocente rhétorique, qui rentre dans le domaine de l'idiosyncrasie religieuse et morale paraîtra beaucoup moins innocente dès que l'on comprendra quelle est la tendance qui se drape ici dans un manteau de paroles sublimes : *l'inimitié* de la vie [1] ». Chercher le salut en un Dieu, ou dans quelque autre figure de la transcendance qu'on voudra mettre à sa place, c'est « déclarer la guerre... à la vie, à la nature,

---

1. *L'Antéchrist*, § 7.

à la volonté de vivre ! », c'est la « formule de toutes les calomnies de "l'en deçà", de tous les mensonges de "l'au-delà[1]" ». Sans doute.

Cela signifie-t-il, pourtant, que toute aspiration à la béatitude soit, aux yeux de Nietzsche, à écarter ? Rien n'est moins sûr, là encore, comme en témoigne d'ailleurs son admiration fraternelle pour Spinoza, son compagnon en quête de *sotériologie athée*[2]. Comme chez ce dernier, en effet, la pensée de l'éternité – qu'il faut soigneusement éviter de confondre avec l'idée chrétienne d'immortalité – occupe une place décisive dans la pensée de Nietzsche. Il voyait même dans la doctrine de l'éternel retour, telle qu'il eut à peine le temps de la formuler avant que la maladie ne lui interdise à jamais de l'accomplir, son apport le plus original, sa véritable contribution à l'histoire de la pensée. Or il n'a cessé de comparer cette doctrine à une religion, affirmant tout à la fois qu'elle « contenait plus que toutes les religions qui ont enseigné à mépriser la vie comme passagère, à lorgner vers une *autre* vie », mais aussi, et même surtout, qu'elle allait elle-même devenir « *la religion* des âmes les plus sublimes, les plus libres, les plus sereines[3] », « la forme la plus haute d'affirmation qui puisse jamais être atteinte[4] ». De manière tout à fait explicite, même, Nietzsche propose de mettre « la doctrine de l'éternel retour à la place de la "métaphysique" et de la religion[5] ».

---

1. *Ibid.*, § 18.
2. Cf. la lettre de Nietzsche à Overbeck du 30 juillet 1881 : « je suis tout étonné, et ravi ! J'ai un prédécesseur, et lequel ! Je ne connaissais presque pas Spinoza [...] ma solitude s'est transformée du moins en duo. C'est merveilleux ! ». Sur le sens de la quête nietzschéenne de béatitude, cf. Henri Birault, « De la béatitude chez Nietzsche », in *Nietzsche* (actes du colloque de Royaumont), Éditions de Minuit, 1967.
3. Sur ces formules, voir Henri Birault, *op. cit.*
4. Schelchta, II, 1128.
5. Schlechta, III, 560.

A moins de supposer qu'il emploie un tel terme à la légère, ce qui est peu probable, il faut bien nous demander pourquoi il l'applique à sa propre pensée dans ce qu'elle a de plus original à ses yeux. Chacun sait combien son *Zarathoustra* emprunte au style des Evangiles, comment il ne cesse de le parodier, jusque dans l'annonce de la «bonne nouvelle» de l'éternel retour et de cette figure inédite de l'amour qu'est à ses yeux l'*amor fati*, l'adhésion sans réserve au destin. Nul hasard, là encore, s'il définit ce dernier de manière tout à fait significative, dans un fragment posthume, comme le niveau ou «l'état le plus élevé qu'un philosophe puisse atteindre[1]» : c'est dire que la déconstruction des transcendances n'est pas une fin en soi, qu'il faut aller plus loin, et que le «gai savoir», le «grand style» eux-mêmes n'épuisent pas la tâche de la philosophie. C'est donc en ce point de sa pensée que Nietzsche entreprend de répondre enfin à la question de la «vie bonne», en athée bien sûr, loin de toute référence à un au-delà, cela va de soi, mais néanmoins sous la forme d'une doctrine du salut, d'une sotériologie d'autant plus intéressante qu'elle se situe enfin pleinement à l'âge qui est le nôtre : celui du désenchantement et de la lucidité.

Qu'enseigne donc la pensée de l'éternel retour? Qu'a-t-elle, pour nous, de si actuel? Au fond ceci : s'il n'est pas de transcendance, pas de fuite possible dans un au-delà, fût-il, après la mort de Dieu, «humanisé» sous forme d'idéal moral ou politique sacrificiel (l'«humanité», la «justice», la patrie, la révolution...), *c'est au sein de l'ici-bas, sur cette terre, dans cette vie, qu'il faut apprendre à distinguer ce qui vaut d'être vécu et ce qui mérite de périr.* C'est ici et maintenant qu'il faut savoir séparer les formes de vie ratées, médiocres, réactives

---

1. *Ibid.*, 834.

et affaiblies, des formes de vie intenses, grandioses, courageuses et riches de diversité. Et pour cela, la doctrine de l'éternel retour nous fournit tout simplement, comme l'a parfaitement vu Deleuze, un *critère de sélection*. Relisons, en effet, le fameux fragment de 1881 dans lequel Nietzsche formule sa pensée dans les cadres d'un impératif catégorique :

« Si, dans tout ce que tu veux faire, tu commences par te demander : "Est-il sûr que je veuille le faire un nombre infini de fois ?", ce sera pour toi le centre de gravité le plus solide... Ma doctrine enseigne : "Vis de telle sorte que tu doives *souhaiter* de revivre, c'est le devoir – car tu revivras en tout cas ! Celui dont l'effort est la joie suprême, qu'il s'efforce ! Celui qui aime avant tout le repos, qu'il se repose ! Celui qui aime avant tout se soumettre, obéir et suivre, qu'il obéisse ! Mais *qu'il sache bien où va sa préférence,* et qu'il ne recule devant *aucun moyen* ! Il y va de *l'éternité* !" Cette doctrine est douce envers ceux qui n'ont pas la foi en elle. Elle n'a ni enfer ni menaces. Celui qui n'a pas la foi ne sentira en lui qu'une vie *fugitive*[1]. »

Où l'on perçoit la signification de la doctrine de l'éternel retour. Elle n'est ni une description du cours du monde, un « retour aux Anciens » comme on l'a cru parfois bêtement, ni une prédiction. Elle n'est au fond rien d'autre qu'un *critère d'évaluation,* un *principe de sélection* des *instants* qui valent la peine d'être vécus. Il s'agit, grâce à elle, d'interroger nos existences afin de fuir les faux-semblants et les demi-mesures, toutes ces lâchetés qui conduiraient, comme dit encore Nietzsche, à ne vouloir telle ou telle chose, « rien

---

1. *La Volonté de puissance*, Bianquis, IV, 2442-244. Dans le même sens, voir aussi *Le Gai Savoir*, IV, § 341, ainsi que les fameux passages du *Zarathoustra* où Nietzsche commente sa formule selon laquelle « toute joie (*Lust*) veut l'éternité ».

qu'une petite fois », comme une concession, tous ces moments de l'existence où l'on s'abandonne à la facilité d'une *exception*, sans vraiment la vouloir. Vivre de telle façon que les regrets et les remords, que leur idée même n'ait plus aucun sens, voilà la vraie vie. Qui, en effet, pourrait vouloir sérieusement que les instants médiocres de sa vie, tous ces déchirements, toutes ces colères inutiles, toutes ces faiblesses inavouables, ces mensonges, ces lâchetés, ces petits arrangements avec soi-même, reviennent éternellement ? Mais aussi : combien d'instants de nos vies subsisterait-il si nous appliquions honnêtement, avec rigueur, le critère de l'éternel retour ? Quelques moments de joie, sans doute, d'amour, de lucidité, de sérénité, surtout. Mais pour y parvenir, c'est ce sens de l'éternel qui nous fait défaut. En quoi sa doctrine peut bien prétendre occuper la place des religions défuntes : même en l'absence de Dieu, il en va bien de *l'éternité*, et pour y parvenir, il faut, affirme étrangement Nietzsche, avoir *la foi*.

Toute la question, bien sûr, est de savoir de quelle foi et de quelle éternité il s'agit. Comment faut-il, au juste, les comprendre ? Quelle signification concrète leur conférer si, d'évidence, elles ne sont pas celles du christianisme, ni d'aucune autre religion monothéiste ? De même, si nous voulons saisir le message de Nietzsche sur la vie bonne, sur ces instants qui valent vraiment la peine que nous les voulions au point d'en souhaiter le retour éternel, il nous faut aussi préciser de quelle sélection, de quel choix il s'agit puisqu'il ne saurait être question, là non plus, d'une résurgence inavouable et inavouée de ce qui a été si clairement rejeté par Nietzsche, à savoir le libre arbitre. Pas davantage il ne saurait nous inviter à un tri qui, de manière réactive, éliminerait certains moments du réel pour n'en conserver que quelques autres : ce serait sombrer à nouveau dans une attitude réactive. Allons plus loin encore : pourquoi, au juste, faudrait-il à tout prix, après avoir accédé à des formes de connaissance plus hautes que toutes celles connues jusqu'à ce jour, après avoir mis en pratique dans sa vie les exigences du grand style, s'élever maintenant à ce degré supérieur, quasi religieux, où nous entrerions dans une bien problématique éternité ? Que Nietzsche nous y incite, qu'il y rencontre même une figure enfin achevée de l'amour, est clair : « Oh ! Comment ne brûlerais-je pas du désir de l'éternité, du désir de l'anneau des anneaux, l'anneau nuptial du Retour ? Jamais encore je n'ai rencontré la femme de qui j'eusse voulu des enfants, si ce n'est cette femme que j'aime, car je t'aime, ô éternité ! *Car je t'aime, ô éternité*[1] *!* » Mais, après tout, en admettant même que cette éternité sans divinité ni au-delà ait un sens, pourquoi serait-elle si aimable ? Pourquoi serait-elle, au final, préférable à cette « vie fugitive » que connaîtront « seulement » ceux qui sont incapables de s'élever jusqu'aux exigences de l'éternel ? Et de quel point de vue faut-il se placer pour *valoriser*, sans contradiction évidente avec la déconstruction de toutes les valeurs éternelles, une telle *sacralisation* d'une dimension du temps qui semble trop intemporelle pour être honnête ? Pourquoi faut-il absolument que la critique de la vérité réintroduise de la vérité, que la critique des valeurs réhabilite des valeurs, que la dénonciation du religieux, sous toutes ses formes, culmine dans une foi nouvelle ? Ne pourrions-nous pas, comme nous y invitent si bien les romans d'un Houellebecq aujourd'hui, nous contenter *sans état d'âme aucun* du réel tel qu'il est, c'est-à-dire humain, non pas *trop* humain, mais *rien*

---

1. *Zarathoustra*, III, *Les Sept Sceaux*.

qu'humain, essentiellement glauque, un peu misérable et désenchanté ? Pourquoi, si l'on est vraiment matérialiste, ne pas l'être jusqu'au bout, pourquoi ce besoin *subreptice* de réenchantement du monde, cette aspiration à retrouver des critères qui permettraient à nouveau, et Nietzsche s'en est privé sans nul doute moins que tout autre philosophe, de mépriser et de glorifier, bref, de juger encore tout le monde et son voisin ?

La réponse est difficile, peut-être impossible. Elle fait, au fond, tout l'objet de ce livre. Mais si nous nous en tenons à Nietzsche, c'est ici sans nul doute qu'il témoigne encore de son appartenance à la tradition philosophique, qu'il renoue même avec l'intuition profonde qui fut celle des sagesses anciennes[1] : celle selon laquelle le désir d'éternité, le salut et l'amour véritables convergent dans un rapport authentique à l'instant, au présent pur, enfin débarrassé des illusions et des pesanteurs de l'avenir comme de celles du passé. La vie réussie, la vie bonne, c'est celle qui parvient à vivre l'instant sans condamnation ni exclusive, dans la légèreté absolue, dans le sentiment accompli qu'il n'y a plus alors de différence entre le présent et l'éternité.

Nous avons vu comment ce thème était essentiel à la sagesse stoïcienne, mais aussi bouddhiste. Nietzsche le retrouve, si l'on peut dire, par ses propres moyens, en suivant son cheminement de pensée, comme l'indique assez ce magnifique passage d'*Ecce homo* : « Ma formule pour ce qu'il y a de grand dans l'homme est *amor fati* : ne rien vouloir d'autre que ce qui est, ni devant soi, ni derrière soi, ni dans les siècles des siècles. Ne pas se contenter de supporter l'inéluctable, et

---

1. Comme l'a bien vu Pierre Hadot dans *La Citadelle intérieure, op. cit.,* p. 161 *sq.*

encore moins de se le dissimuler – tout idéalisme est une manière de se mentir devant l'inéluctable –, mais l'*aimer*[1].» Ne rien vouloir d'autre que ce qui est! La formule pourra paraître bien étrange chez Nietzsche. Cette reddition au réel n'est-elle pas contraire à l'esprit de révolte qui anime toute sa pensée, contradictoire, même, avec le principe de *sélection* qu'elle affirme au même instant dans la doctrine de l'éternel retour? Et pourtant, il faut maintenir les deux exigences, Nietzsche y insiste avec force, comme dans ce fragment de *La Volonté de puissance* : «Une *philosophie expérimentale* comme celle que je vis commence par supprimer, à titre d'expérience, jusqu'à la possibilité du pessimisme absolu... Elle veut bien plutôt parvenir à l'extrême opposé, à une *affirmation dionysiaque* de l'univers tel qu'il est, sans possibilité de soustraction, d'exception ou de choix. Elle veut le cycle éternel : les mêmes choses, la même logique ou le même illogisme des enchaînements. Etat le plus élevé auquel puisse parvenir un philosophe : ma formule pour cela est *amor fati*. Cela implique que les aspects jusqu'alors *niés* de l'existence soient conçus non seulement comme *nécessaires* mais comme désirables[2]... »

La contradiction est troublante : le critère de l'éternel retour nous invitait au choix, à la sélection des seuls instants dont nous pourrions souhaiter l'infinie répétition, tandis que l'*amor fati*, qui dit oui au destin, ne doit par essence faire aucun tri, aucune exception, tout prendre et tout comprendre dans un même amour du réel. Comment concilier les deux thèses? Peut-être en admettant, tout simplement, que cet amour du destin ne vaut qu'après application des exi-

---

1. *Ecce homo, Pourquoi je suis si avisé.*
2. Bianquis, II, introduction, § 14.

gences très sélectives de l'éternel retour : si nous vivions selon ce critère d'éternité, si nous nous trouvions enfin dans le grand style, dans l'intensité la plus haute, tout nous serait bon. Les mauvais coups du sort n'auraient plus d'existence, pas davantage que les heureux : c'est le réel tout entier que nous pourrions enfin vivre comme s'il était, à chaque instant, l'éternité même et ce pour une raison que bouddhistes et stoïciens, bien avant Nietzsche, avaient déjà comprise : si tout est nécessaire, si nous comprenons que le réel se réduit en vérité au présent, le passé et l'avenir perdront enfin leur inépuisable capacité à nous culpabiliser, à nous persuader que nous aurions pu, et par conséquent dû, faire *autrement* : attitude du remords, de la nostalgie, des regrets, mais aussi des doutes et des hésitations face au futur, qui conduit toujours au déchirement intérieur, à l'opposition de soi à soi, donc à la victoire de la réaction puisque nos forces vitales, dès lors, s'affrontent les unes les autres.

Si la doctrine de l'éternel retour conduit inévitablement à celle de l'*amor fati*, cette dernière culmine à son tour dans l'idéal d'une déculpabilisation totale, dans l'affirmation de ce que Nietzsche nomme l'«innocence du devenir» : «Depuis combien de temps déjà me suis-je efforcé de me démontrer à moi-même la totale *innocence* du devenir!... Et tout cela pour quelle raison? N'était-ce pas pour me procurer le sentiment de ma complète irresponsabilité, pour échapper à toute louange et à tout blâme[1]...?» Car c'est ainsi et ainsi seulement que nous pouvons enfin être *sauvés*. De quoi? Comme toujours, de la peur. Par quoi? Comme toujours par la sérénité. Voilà pourquoi, tout simplement, «nous voulons rendre au devenir son inno-

---

1. *Ibid.*, livre III, § 382.

cence : il n'y a pas d'être que l'on puisse rendre responsable du fait que quelqu'un existe, possède telle ou telle qualité, est né dans telles circonstances, dans tel milieu. *C'est un grand réconfort qu'il n'existe pas d'être pareil* [c'est Nietzsche lui-même qui souligne]... Il n'y a ni lieu, ni fin, ni sens, à quoi nous puissions imputer notre être et notre manière d'être... Et encore une fois, c'est un grand réconfort, en cela consiste l'innocence de tout ce qui est[1] ».

A la différence des stoïciens, sans doute, Nietzsche ne pense pas que le monde soit harmonieux et rationnel. La transcendance du cosmos est abolie. Mais comme eux, cependant, il invite à vivre dans l'instant, à nous sauver nous-mêmes en aimant tout ce qui est, à fuir la distinction des événements heureux et malheureux, à nous affranchir, surtout, de ces déchirements que la temporalité du libre arbitre introduit fatalement en nous : remords liés à une vision indéterminée du passé (« j'aurais dû faire autrement... »), hésitations face au futur (« ne devrais-je pas faire un autre choix ? »). Car c'est en nous libérant de ce double visage insidieux des forces réactives (encore une fois, tout déchirement est par essence réactif), en nous libérant des pesanteurs du passé et de l'avenir, que nous atteignons à la sérénité et à l'éternité, ici et maintenant, *puisqu'il n'y a rien d'autre,* puisqu'il n'y a plus de possibles culpabilisants pour relativiser l'existence présente.

La vérité dans l'art, l'intensité dans le grand style, l'éternité dans l'amour du monde tel qu'il est, voilà donc les critères nietzschéens d'une vie bonne, enfin débarrassée des illusions de la transcendance. Immanentisme radical, dont on dira peut-être qu'il soulève

---

1. *Ibid.,* § 458.

bien des interrogations. J'en évoquerai simplement trois, sur lesquelles je voudrais revenir dans la dernière partie de ce livre, car, inhérentes à tout matérialisme, elles me paraissent en hypothéquer la cohérence d'ensemble.

La première tient au statut du libre arbitre et des responsabilités qu'il implique. Comment en faire l'économie, ne fût-ce qu'au niveau du choix que nous pourrions (devrions?) faire d'une vie « affirmative » et « innocente » plutôt que négative et coupable? Le passage de *La Volonté de puissance* où Nietzsche énonce la formule impérative de l'éternel retour comme sélection des instants, commence par l'exposé d'une objection préalable : « "Mais si tout est déterminé, comment puis-je disposer de mes actes?" La pensée et la croyance sont un poids qui pèse sur toi, autant et plus que tout autre poids. Tu dis que la nourriture, le site, l'air, la société te transforment et te conditionnent? Eh bien tes opinions le font encore plus, car ce sont elles qui te déterminent dans le choix de ta nourriture, de ta demeure, de ton air, de ta société. Si tu t'assimiles cette pensée entre les pensées, elle te transformera. » On croirait entendre Epictète ou Marc Aurèle! Comme si, le monde étant nécessaire, indépendant de notre volonté, il subsistait encore une marge de liberté *dans la pensée,* comme si nos opinions pouvaient *dépendre de nous* davantage que le temps qu'il fait ou que la chute des corps? Mais n'est-ce pas, justement, réintroduire par excellence le libre arbitre? N'est-ce pas affirmer que nous pouvons nous changer nous-mêmes, affecter librement nos dispositions d'esprit, que nous sommes, donc, responsables d'accéder ou non à une vie plus ou moins réussie?

Amor fati : regretter un peu moins, espérer un peu moins, aimer un peu plus le réel comme il est, et si possible même, l'aimer entièrement ! Voilà, au fond, le message constant du matérialisme. Fort bien. Je comprends ce qu'il peut y avoir de sérénité, de soulagement, de « réconfort », comme dit si bien Nietzsche, dans l'innocence du devenir. Mais fallait-il vraiment toute cette déconstruction des idoles pour revenir à Spinoza et à Zénon ? Pour retrouver, surtout, les mêmes difficultés qu'ils avaient déjà rencontrées ? Car l'injonction ne vaut, bien entendu, que pour les aspects les plus ignobles du réel : nous inviter à l'aimer quand il est aimable n'aurait en effet aucun sens, puisque cela va de soi. S'il faut dire oui à tout, s'il ne faut pas, comme on dit, « en prendre ou en laisser », mais bien tout assumer, comment éviter à nouveau ce que Clément Rosset nommait si justement (mais pour le rejeter), « l'argument du bourreau » : les tortionnaires existent, ils font indubitablement partie du réel, aimer le réel tel qu'il est, c'est donc aussi aimer les tortionnaires ! Rosset, qui est nietzschéen et spinoziste, juge l'objection banale et dérisoire. Sur le premier point, il a raison : l'argument, j'en conviens, est trivial. Mais sur le second ? Un propos ne pourrait-il être tout à la fois banal et vrai ? Comment répondre ? Peut-on encore, après Auschwitz, demandait Adorno, inviter les hommes à se réconcilier avec *le monde tel qu'il est,* dans un oui sans réserve ni exception ? Et quelle différence y a-t-il, au final, entre ces chrétiens que dénonce Nietzsche lorsqu'ils nous prêchent la résignation dans l'attente de jours meilleurs, qui perçoivent les souffrances comme des épreuves qu'un croyant authentique doit accepter dans la joie et la gratitude, et ces matérialistes qui nous invitent, en se plaçant bien sûr d'un tout autre point de vue, à faire de même ? Epictète avouait n'avoir jamais dans sa vie rencontré un authentique sage stoïcien, quelqu'un qui aime le monde en toute occasion, même les plus atroces que l'on voudra imaginer, qui s'abstienne en toute circonstance de regretter comme d'espérer. Devons-nous vraiment voir dans cette défaillance une folie, une faiblesse passagère, un manque de sagesse, ou n'est-elle pas plutôt le signe que la théorie vacille, que l'*amor fati*, non seulement est impossible, mais qu'il devient parfois, tout simplement, obscène?

Comment faut-il comprendre, enfin, l'assertion selon laquelle la volonté de trouver un sens à la vie ne serait qu'une illusion, une figure insidieuse de ce nihilisme qui prétend pouvoir la juger *de l'extérieur*? Là encore, l'argumentation semble imparable : on ne saurait juger le tout de l'existence pour une bonne et simple raison, c'est qu'il n'y a rien en dehors d'elle, sauf à réintroduire de manière plus ou moins subreptice une surnaturalité, une transcendance, bref, un au-delà. Soit. Mais, d'une part, sommes-nous bien certains qu'il n'existe pas d'autres manières de penser la transcendance que sur un mode religieux, métaphysique? La phénoménologie, en particulier celle de Husserl, ne nous a-t-elle pas appris le contraire? Et d'autre part : si l'immanence est le fin mot de nos vies, s'il nous faut accepter tout ce qui est comme il est, dans toute sa dimension tragique de non-sens radical, comment éviter, en dehors même de l'«argument du bourreau», l'accusation de complicité, voire de collaboration avec ce que Marx eût nommé l'«univers de la marchandise»? Comment ne pas voir dans l'apologie de la «volonté de puissance» une manière de légitimer les rapports de forces existants? On dira bien sûr, et on aura raison, qu'il faut éviter de commettre le contresens habituel sur cette volonté de puissance : ce n'est pas la volonté qui veut bestialement le pouvoir et Nietzsche n'entend nullement se ranger du côté des

« puissants ». Elle doit être comprise comme la volonté qui se veut elle-même, qui cherche sa propre intensification, son accroissement actif, et fuit son affaiblissement dans les divers visages des forces réactives. Sans doute. Mais, dans ces conditions, cette « volonté de volonté » n'est-elle pas, justement, la légitimation philosophique suprême, la figure la plus achevée du « monde de la technique », d'un univers où l'accroissement infini de la puissance est, en effet, privé pour la première fois peut-être dans l'histoire de l'humanité, de toute finalité et de tout sens ? Est-ce une si bonne nouvelle ? Se pourrait-il que le souci d'en finir avec la question du sens ne soit qu'une des façons possibles d'adhérer pleinement au non-sens de ce réel enfin définalisé, éclaté, que nous promet l'univers de l'économie capitaliste globalisée ? Se pourrait-il que ce sujet brisé que Nietzsche appelle de ses vœux, existe déjà pour le pire davantage que pour le meilleur, qu'il ne soit rien d'autre que cet individu livré à l'inconscient, dépossédé de lui-même, privé de libre arbitre, de toute responsabilité, de toute influence sur le cours de l'histoire, cet être minuscule, atomisé qu'est devenu l'individu moderne noyé dans les puissances d'un univers qui lui échappe de toutes parts ? Faut-il encore déconstruire la volonté de maîtrise à l'âge d'une mondialisation dont l'effet le plus sûr est déjà de nous priver de toute maîtrise sur notre destin ?

Quoi qu'il en soit de telles interrogations, elles ne sauraient nous conduire à sous-estimer l'importance cruciale, historiale, de la réponse nietzschéenne à la question de la vie bonne. Pour la première fois, elle s'inscrit dans une pensée d'après les transcendances classiques. Elle ouvre ainsi l'ère des grands matérialismes, de ces pensées de l'immanence radicale de l'être au monde, dans lesquelles nous baignons désor-

mais. A ce titre, elle aura une longue et féconde postérité. Elle exprime ou thématise des bouleversements
qui vont donner naissance à d'autres visions du
monde, à des représentations jusqu'alors inédites de la
vie réussie. Deux d'entre elles, notamment, se situe-
ront dans le sillage direct, et parfois même explicite de
Nietzsche. L'aspiration à la rupture, à la marginalité,
le rejet des traditions répétitives, des vies banales et
ennuyeuses, «provinciales», le souci de l'intensité, de
l'aventure qui s'exprime dans l'idéal d'une vie de
bohème en est un premier visage. La volonté d'achever *pour son propre compte*, dans sa vie intime, le programme d'une désaliénation totale à l'égard des illusions oppressantes, le souci de parvenir à la «grande
santé», de s'affranchir des idoles d'un surmoi qui nous
empêche de jouir et d'agir, de ces déchirements et de
ces culpabilités qui engendrent les symptômes en est
un autre. Tous deux méritent d'être analysés, fût-ce
brièvement, dans cette optique nouvelle.

CHAPITRE IV

Postérités de Nietzsche

Quatre versions de la vie après la mort de Dieu : « vie quotidienne », « vie de bohème », « vie d'entreprise » ou « vie désaliénée » ?

Enfin redescendus sur terre, débarrassés des transcendances de jadis et des anciens « surmoi » métaphysiques, l'effet premier d'une « sagesse de l'ici-bas » semble bien résider dans une émancipation, ou pour mieux dire peut-être, dans une multiplication jusqu'alors inimaginable des possibles de la vie humaine. *Welcome to earth* : moins de religion, de *religare*, n'est-ce pas moins de liens contraignants, moins de traditions, de communautés au sein desquelles le destin des individus pouvait apparaître comme scellé de toute éternité ? N'est-ce donc pas aussi plus de liberté à l'égard des héritages qui enserrent et préforment l'existence humaine, plus de diversité dans les choix existentiels, plus d'individualisme et moins de communautarisme si l'on veut recourir à des termes, peut-être galvaudés mais, dans ce contexte, assez parlants ? C'est ainsi l'émergence d'une exigence nouvelle qui se fait jour, celle de l'authenticité, de l'être enfin « soi-même », le

souci d'un épanouissement de la personnalité individuelle qui n'est plus réductible aux catégories morales
classiques telles que l'honnêteté et la sincérité. Que
vous aimiez agir ou paresser, que vous aimiez commander ou obéir, à la limite peu importe, mais à tout
le moins « soyez vous-même ! » nous dit le nouvel impératif catégorique de l'éternel retour. Ne passez plus
votre vie à tenter d'égaler des principes que des siècles
de nihilisme cosmologique, religieux ou humaniste
vous ont présentés de façon fallacieuse comme extérieurs et supérieurs à vous ! Nul hasard, en ce sens, si
le sous-titre d'*Ecce homo* ouvre une voie destinée à un
bel avenir au sein des sociétés contemporaines : « *Wie
man wird, was man ist !*» annonce-t-il de façon pro-
grammatique – «comment on devient ce que l'on
est ! ». *Be yourself !* – soyez vous-même, cessez de
prendre pour modèles «aliénants» des critères qui
vous sont étrangers ! L'existence humaine n'a plus
désormais à se conformer à des valeurs transcendantes
qui ne prétendaient la guider que pour mieux la borner. Son centre de gravité bascule dans la vie intérieure d'un moi qui, pour être «éclaté», ouvert sur
l'inconscient infini de ses forces vitales les plus tumul-
tueuses, n'en constitue pas moins l'alpha et l'oméga
de la nouvelle destinée des hommes.

A cet égard, le «moment nietzschéen» se situe au
carrefour de deux tendances lourdes des sociétés
laïques dont il accompagne et exprime puissamment
le mouvement de fond. En apparence contradictoires,
elles s'articulent en vérité avec une cohérence impressionnante.

La première s'annonce déjà bien avant Nietzsche,
même s'il en achève le tracé. Elle prend son essor avec
la Renaissance, s'épanouit au XVIIᵉ siècle et trouve son
apogée au XVIIIᵉ : il s'agit du mouvement, déjà si sou-

vent analysé bien que toujours problématique, de *sécu-larisation ou de désenchantement du monde*. Ce processus, au cours duquel on assiste à l'érosion lente mais certaine des idoles «supérieures» à l'humanité, s'avère être aussi – c'est presque une tautologie – un processus d'*humanisation du monde*. Tout en dénonçant les idéaux de l'humanisme moderne (l'égalité, les droits de l'homme, le progrès, la république, etc.) Nietzsche n'en contribue pas moins à en approfondir le motif principal : celui de l'*émancipation* de l'humain comme tel, de cet humain qui n'est plus le membre d'une totalité cosmique englobante, qui n'est pas davantage une créature de Dieu, ni même le fragment isolé d'un projet politique, d'une cause révolutionnaire qui le dépasserait, mais qui veut, tout simplement, être lui-même. Sous les transcendances qui s'estompent, c'est le visage de l'Homme qui se profile de plus en plus nettement, avec ses traits les plus humbles, ceux que les traditions, justement, n'avaient jamais voulu considérer comme éminents. Le corporel, le sensible, l'inconscient, le chaos des pulsions, bref, la part de nous-mêmes qui renvoyait depuis toujours aux aspects jugés inférieurs, à «l'animalité en nous», se voit, non pas réhabilitée, mais tout simplement valorisée comme jamais dans les siècles passés. Sur ce versant, donc, la généalogie nietzschéenne prolonge et poursuit paradoxalement bien davantage qu'elle ne s'oppose à lui le grand mouvement de l'«humanisme», entendu ici au sens le plus large, comme le pendant de la laïcisation. Et sur cette voie de la déconstruction, l'humain n'est jamais «trop humain», mais son émancipation doit au contraire s'accomplir jusques et y compris dans ses manifestations les plus triviales et les plus quotidiennes, pour ne pas dire les plus communes.

D'un autre côté, cependant, la sécularisation du

monde, à laquelle Nietzsche participe si activement, implique une tout autre attitude à l'égard de la banalité, voire de l'ennui qui émanent aussi de la « quotidienneté ». Dès lors que Dieu est mort, dès lors que les traditions ne sont plus investies *a priori* d'une légitimité indiscutable mais plutôt contestées par principe, dès lors qu'aucune cause salvatrice ne le justifie plus, rien ne nous oblige à accepter comme un passage obligé, voire comme une épreuve salutaire, le caractère pénible, répétitif, de l'existence. S'il n'y a plus d'au-delà, plus d'« après », pas d'autre vie pour se « rattraper », c'est ici et maintenant qu'il faut accéder à la « vraie vie ». De là, à l'inverse semble-t-il du premier mouvement, la volonté de s'émanciper du « troupeau », le mépris de la vie ordinaire, voire bientôt le culte de la « marginalité », de la « solitude », si possible à plusieurs, comme dans le modèle qui apparaît avec le romantisme tardif pour prendre son essor à l'époque de Nietzsche, celui de la « vie de bohème » ou de la « vie d'artiste », opposée à celle des « philistins ». Lorsque l'innovation, le génie, l'originalité, la rupture avec le passé deviennent les maîtres mots de l'existence humaine, comment pourrait-on accepter dans la vie nouvelle ce que l'on avait si vigoureusement dénoncé dans l'ancienne ? Le retour continuel des « travaux et des jours », qui fait l'essence de la tradition, mais aussi de la vie quotidienne fût-elle « moderne », devient inacceptable, insupportable à celui qui prétend se mouvoir dans l'air « glacé mais vif des hauteurs montagneuses »...

Vie bourgeoise, vie quotidienne, calme mais ennuyeuse d'un côté. Vie d'artiste, vie de bohème, aventureuse mais marginale de l'autre : comment en sommes-nous venus à osciller entre les tentations inverses de ces deux versions possibles de la vie moderne? Quels liens entretiennent-elles, par-delà leurs oppositions manifestes, si leur dualité apparaît paradoxalement sur un même fond commun : celui du rejet des transcendances et des traditions inhérent à l'humanisation/laïcisation du monde? Voilà une question qui mérite d'autant plus l'attention qu'elle trace des possibilités d'existence qui sont encore les nôtres aujourd'hui. Si nous suivons, ne fût-ce qu'un bref instant, le fil de l'histoire de l'art – comme nous y invite l'imagerie de la vie d'artiste qui préside à l'opposition entre «bohèmes» et «philistins» – cette contradiction existentielle s'éclaire de façon lumineuse et riche.

I. | L'humanisation de l'art
ou l'éloge de la «vie quotidienne» :
le cas de la peinture hollandaise

Une même définition de l'art parcourt toute l'histoire de la philosophie depuis Platon, celle selon laquelle la grande œuvre serait d'abord et avant tout l'incarnation d'une «grande idée» dans un matériau sensible, la «présentation» ou la mise en scène de grands principes dans une réalité qui semble *a priori* réfractaire à l'esprit : le marbre, le bois ou le bronze du sculpteur, la toile et la couleur du peintre, les vibrations sonores du compositeur... Chaque fois, l'artiste, à la différence du philosophe ou du savant, est celui qui a le génie d'exprimer les idées, non par des concepts, des formules abstraites, mais par la mise en forme d'une *matière* sensible, immédiatement *perceptible* par tout un chacun. L'art est un langage, sans doute, mais son langage n'est pas celui des mots. Il est celui des *matériaux*. Et c'est cela qui le rend *émouvant*, qui lui permet, au sens propre, de *toucher*, en passant par les organes sensoriels qui sont ses réceptacles naturels.

Il n'en demeure pas moins, par-delà l'extraordinaire permanence de cette définition commune à toutes les époques et à tous les genres[1], que l'art possède une histoire. C'est que les idées, ici ou là transfigurées par lui, changent. Son historicité est l'expression même de cette variation des principes que les artistes ont cherché à rendre sensibles en inventant, s'il le fallait, de nouveaux langages en même temps que le contenu à exprimer changeait. Nul hasard, donc, si toute une part de cette histoire est rigoureusement parallèle à celle des conceptions de la vie bonne : l'art grec cherche à traduire, par exemple dans le visage calme et serein des statues ou dans les justes proportions de leurs corps, l'harmonie cosmique, la perfection du Grand Tout dont chaque œuvre particulière, tel un microcosme, n'est qu'une des représentations possibles. Le Moyen Age célèbre la splendeur des attributs du divin, et l'humanisation/sécularisation du monde implique, à son tour, un changement radical de perspective[2] : c'est désormais l'humain comme tel, laïcité oblige, qu'il s'agit de mettre en scène, de présenter dans l'œuvre, et non plus des principes transcendants, cosmiques ou divins, extérieurs et supérieurs à l'humanité.

C'est là ce dont la peinture hollandaise du xviie siècle nous donne sans doute l'illustration la plus frappante. Que l'éloge de la vie humaine, «tout sim-

---

1. La poésie elle-même, bien qu'elle recoure au langage ordinaire, ne traite pas les mots comme des concepts, mais comme des matériaux : ils ne sont pas pour elle de simples moyens, mais en quelque façon des fins en soi.

2. J'ai analysé ailleurs cette histoire de la sécularisation de l'art, cf. *Le Sens du beau*, Le Cercle d'art, 1998.

plement humaine », dans ce qu'elle a de plus quotidien, de plus banal, de plus « bourgeois » si l'on veut, soit un effet de la sécularisation du monde, fut d'ailleurs très tôt remarqué par ses plus grands admirateurs – à commencer par Hegel, dans ses cours sur la peinture. Pour la première fois, sans doute, dans l'histoire de l'humanité, les œuvres sont appelées à représenter des scènes de tous les jours, les moments les plus simples et les plus banals de la vie ordinaire d'êtres eux-mêmes anonymes. Bien sûr, certains tableaux du Moyen Age nous montraient déjà des scènes de la vie quotidienne. Ils illustraient par exemple les travaux de l'année, en fonction des saisons, ou les sept péchés capitaux, ou les cinq sens, ou les quatre éléments, etc. Mais justement, comme l'a noté Tzvetan Todorov, dans le bel ouvrage qu'il a consacré à cette approche nouvelle du monde de la culture, « on sent tout de suite que cette ancienne représentation de la vie quotidienne est soumise à un objectif supérieur : dresser le répertoire exhaustif et systématique des situations de la vie, illustrer un ordre préexistant. Ou encore, dans un tableau à sujet religieux ou édifiant, on trouve tel saint occupé à un travail manuel tout à fait commun. A une certaine époque on privilégie même les sujets sacrés qui permettent un rapprochement maximal avec le monde profane : les tribulations du fils prodigue, le Christ chez Marthe et Marie, la maternité. Mais là aussi, on voit que si cette activité a été élevée à la dignité que présuppose son apparition dans une image, c'est parce qu'elle est l'attribut d'un personnage célèbre[1]... ». En revanche, si nous considérons les toiles de Pieter de Hooch, Gerard Ter Borch, Judith Leyster, Elinga, Gabriel

---

1. *Eloge du quotidien. Essai sur la peinture hollandaise du XVIIᵉ siècle*, éditions Adam Biro, 1998, p. 10.

Metsu, Jan Steen, Gérard Dou, ou même Vermeer, les personnages représentés n'appartiennent plus nécessairement à la mythologie grecque ou à l'histoire sainte. Ils ne sont pas non plus des « grands hommes », les héros de batailles fameuses, des personnages illustres, rois, princes, nobles ou riches, mais de simples humains, saisis dans les instants les plus clairement profanes de la journée : une laitière qui prépare un plat, une femme qui s'est déchaussée pour lire un roman, une autre qui épluche une pomme à côté d'enfants jouant avec un petit chien, des hommes dans une taverne, trinquant en galante compagnie, une épouse qui se querelle avec un mari aviné, des paysans qui dînent autour d'une modeste table en bois, une jeune fille faisant sa toilette du matin, une vieille femme malade dans son lit, bref : rien de grandiose, mais la vie dans ce qu'elle a de moins aventureux, de plus commun, de plus *répétitif.* Il s'agit, comme le montre encore Todorov, de faire simplement, à l'encontre de toutes les traditions passées des arts transcendants, « l'éloge du quotidien » comme tel. Cette peinture « ne se contente donc pas de renoncer à l'histoire, elle opère un choix, et même un choix très restrictif, au sein de toutes les actions qui forment le tissu de la vie humaine. Elle renonce à la représentation de tout ce qui sort de l'ordinaire et reste inaccessible au commun des mortels : il n'y a pas de place, ici, pour les héros ou les saints... La beauté n'est pas au-delà ou au-dessus des choses vulgaires, elle est en leur sein même, et il suffit d'un regard pour l'en extraire et la révéler à tous. Les peintres hollandais ont été, quelque temps, inspirés par une grâce – nullement divine, nullement mystique – qui leur a permis de lever la malédiction qui pesait sur la matière, de se réjouir de l'existence même des choses, de faire s'interpénétrer l'idéal

180

et le réel, et donc de trouver le sens de la vie dans la vie même[1] ».

Hegel, déjà, y avait insisté : cet éloge des simples humains a quelque chose de profond, inséparable qu'il est, dans la Hollande de l'époque, de cette Réforme protestante qui conduit la bourgeoisie à s'affranchir du poids des tutelles religieuses, à faire clairement du christianisme même, selon l'heureuse formule de Marcel Gauchet, la « religion de la sortie de la religion ». C'est en effet dans ce contexte d'une première sécularisation du monde que « se justifie », selon Hegel, « le passage de l'Eglise et des représentations de la piété à la joie prise au profane comme tel, aux objets et aux manifestations particulières de la nature, à la vie domestique dans sa respectabilité, sa bonne humeur et sa tranquille exiguïté[2]... ». Et, « si c'est avec ces yeux que nous considérons les maîtres hollandais, nous ne penserons plus que la peinture aurait dû s'abstenir de ce genre d'objets et ne représenter que les dieux antiques, les mythes et les fables, ou les images de la Madone, des crucifixions, des martyrs, des papes, des saints et des saintes », car désormais, ce qu'il s'agit de « rendre » enfin, c'est « l'homme, l'esprit et les caractères humains, la contemplation de ce qu'est *l'homme en général* mais aussi de ce qu'est *tel homme particulier*[3] ».

Un art enfin humain, donc, rien qu'humain, qui nous pose cependant une question cruciale : celle de savoir dans quelle mesure cette humanité de l'homme est réductible au quotidien. Le paradoxe a quelque chose de saisissant : c'est parce qu'on est sorti du monde des transcendances cosmiques et divines, parce

1. *Ibid.*, p. 17-181.
2. *Cours d'esthétique*, III, Aubier, p. 117.
3. *Ibid.*, p. 119.

qu'on a quitté l'univers des traditions héritées de l'extérieur, que cette réduction semble s'imposer. Mais le quotidien, par son caractère répétitif même, ne rétablit-il pas quelque chose comme une «nouvelle tradition», celle des gestes, des tâches, des obligations chaque jour recommencés? Qu'avons-nous gagné à libérer les hommes des transcendances anciennes, s'ils sont aussitôt asservis aux fardeaux de l'immanence? Tout le pari de la peinture hollandaise est justement de montrer ce que cette banalité même peut avoir aussi de charmant : mais «la vie quotidienne – qui ne le sait? – n'est pas forcément joyeuse. Très souvent même, elle est étouffante : une répétition de gestes devenus mécaniques, un enlisement dans les soucis imposés, un épuisement des forces dans le simple but d'entretenir l'existence, la sienne comme celle de ses proches. C'est pour cette raison qu'on est si tenté par le rêve, l'évasion, l'extase héroïque ou mystique : solutions qui se révèlent toutes pourtant factices. Il faudrait, non pas abandonner la vie quotidienne (au mépris, aux autres), mais la transformer de l'intérieur, pour qu'elle renaisse illuminée de sens et de beauté... C'est alors que la vie quotidienne cesserait de s'opposer aux œuvres d'art, aux œuvres de l'esprit, pour devenir, tout entière, aussi belle et riche de sens qu'une œuvre[1]». Vaste et beau programme, et qui trace sans nul doute un des possibles de la «vie réussie» *après la mort de Dieu*.

Et pourtant, comme le reconnaît justement Todorov, impossible, pour qui est pris dans le répétitif, englué dans l'anecdotique, de ne pas rêver d'évasion, d'altérité, d'aventures lointaines, de vies plus enchantées et plus aériennes. Sauf à se contenter d'une vie

---

1. Tzvetan Todorov, *op. cit.*, p. 181.

sans saveur ni couleur, comme cet écrivain suisse, Henri-Frédéric Amiel, auteur d'un journal de seize mille pages vouées à l'insignifiance du quotidien, que Pascal Bruckner, dans *L'Euphorie perpétuelle*, a pu, sans remords ni regrets, résumer ainsi : « Un sanctuaire de papier dédié à une nouvelle divinité : l'infinitésimal [...]. Humeurs, anecdotes, migraines, digestions pénibles, difficultés respiratoires, tout ce peu de choses finit par constituer une histoire. Explorateur forcené du dedans, voué au décousu de ses impressions, "aux défauts de l'analyse microscopique", il invente littéralement un domaine nouveau : la promotion de la vétille comme épopée du psychisme moderne, de l'accidentel comme moyen d'accès à l'essentiel... Si le héros est celui qui vit dans l'urgence et ne traverse que des parenthèses entre deux exploits, Amiel, lui, ne connaît que des temps morts que bordent de longues plages de vide[1]. » Tout le monde, en effet, n'est pas Vermeer, et quand le seul horizon de nos vies devient le quotidien comme tel, le risque n'est pas exclu que les aléas de la météo prennent, sur fond de vacuité, l'allure d'événements considérables et que notre vie intérieure tende à se réduire à celle de nos embarras gastriques... En quoi, selon Pascal Bruckner, « l'enfer de nos contemporains s'appelle la platitude, le paradis qu'ils recherchent, la plénitude. Il y a ceux qui ont vécu et ceux qui ont duré[2] ». Le jugement est sévère, sans doute, mais nul ne saurait sans mauvaise conscience y rester tout à fait insensible. A tout le moins traduit-il à merveille cette exigence, post-nietzschéenne, d'évaluer la vie sans sortir de la vie, de séparer l'existence réussie de ses

---

1. *Op. cit.*, p. 103.
2. *Ibid.*, p. 97.

alternatives médiocres, amoindries, ratées, sans référence à des principes transcendants mais en opposant, tout simplement, platitude et plénitude, vacuité et intensité...

Par où l'on mesure encore combien l'humanisation du monde porte en elle l'éloge du quotidien et son opposé absolu : la volonté d'en sortir à tout prix, d'en finir avec les traditions oppressantes, fussent-elles désormais sécularisées, voire irréligieuses ; l'exigence d'innovation, d'originalité, de table rase, de rupture avec la vie de tous les jours, bref, la préférence pour cette vie de « bohème » et d'avant-garde qui, opposée à celle des philistins, va affirmer sans cesse plus nettement sa légitimité dans la culture moderne.

Pour mieux cerner cette tension, cette alternative qui, très largement encore, nous est offerte, il peut être précieux d'en retracer, ne fût-ce qu'à grands traits, les premières origines. Ces deux versions de la vie moderne, terrestre, immanente à elle-même – l'éloge du quotidien et son contraire, la vie de bohème – sont bien les deux visages possibles des existences qui accompagnent la lente agonie du divin. Car le second même, malgré ses dehors plus grandioses, est lui aussi enfant de la sécularisation du monde, laquelle, dans l'histoire de l'art et de la culture, va conduire les créateurs à se penser comme des *génies*, voués tout entiers à l'innovation, à l'originalité, et par là même, à la rupture avec toutes les formes de traditions passées ou passéistes. La révolution qu'institue l'apparition, au XVIIIe siècle, puis l'essor avec le romantisme, des théories du génie est à cet égard décisive. Elle constitue un préalable nécessaire à l'émergence de l'opposition entre vie quotidienne et vie de bohème. Voici, très brièvement, pourquoi.

Dans les civilisations du passé, les œuvres d'art remplissaient une fonction sacrée[1]. Au sein de l'Antiquité grecque encore, comme je l'ai déjà suggéré, elles avaient pour mission de refléter un ordre cosmique, extérieur aux hommes. Elles étaient, au sens étymologique, un « microcosme », un petit monde censé représenter à l'échelle réduite les propriétés harmonieuses du cosmos. Et c'est de là qu'elles tiraient leur grandeur imposante, leur capacité à s'*imposer* effectivement à des individus qui les recevaient comme données du dehors. Dans un tel contexte, l'œuvre avait une « objectivité » : elle exprimait moins l'*inspiration* subjective de l'architecte ou du sculpteur que l'ordre cosmique ou divin qu'il saisissait en modeste intermédiaire. Nous le percevons encore si bien qu'il nous importe peu, au fond, de connaître l'identité de l'auteur de telle statue ou de tel bas-relief ancien. Pas davantage il ne nous viendrait à l'esprit de chercher le nom d'un artiste derrière les chats en bronze que nous pouvons admirer dans les salles d'égyptologie : l'essentiel est qu'il s'agissait d'un animal sacré, transfiguré comme tel dans l'espace de l'art. Il incarnait un symbole transcendant, et c'est comme tel, sans nul doute, qu'il était perçu par le public de l'époque. Pour toutes les sociétés traditionnelles, donc, l'essentiel, dans l'art, et plus généralement, dans la culture au sens large, n'était pas l'originalité, encore moins l'innovation, mais, tout au contraire, la transmission d'un patrimoine, la traduction de valeurs symboliques à proprement parler *religieuses*, susceptibles de relier entre eux les individus d'une même communauté. Comme l'ont noté, dans une perspective analogue, les ethnologues contemporains, non seulement les sociétés traditionnelles ne

---

1. Les quelques lignes qui suivent résument le propos principal développé dans *Le Sens du beau, op. cit.*

valorisent pas l'innovation, mais elles l'interdisent de la manière la plus ferme et la plus explicite. Innover, heurter la tradition, c'est prendre le risque d'y perdre sa vie. C'est là, par exemple, ce qu'a montré Pierre Clastres[1], dans son analyse des cultures amérindiennes : chez les Indiens Guayaki, le chef n'est pas, comme dans nos sociétés occidentales, celui qui se fait élire en promettant des réformes, des améliorations, donc des innovations qui nécessairement opèrent des ruptures avec la coutume, mais tout à l'inverse, celui qui fait promesse *de ne rien changer*, de veiller de toutes ses forces au maintien de l'ordre établi tel qu'il est, c'est-à-dire tel qu'il a été transmis par les Ancêtres, qui, de génération en génération, se relient eux-mêmes aux divinités tutélaires des origines. Voilà pourquoi, du reste, la vieillesse est respectée dans ces sociétés. Voilà aussi pourquoi elles ignorent fondamentalement la mode[2]. Pendant des siècles la toge romaine, le kimono japonais ou le sari indien restent inchangés, mais dans le domaine de l'art aussi, les œuvres sont vouées à la répétition, à la maintenance des symboles culturels communs.

C'est peu dire que notre situation au regard des œuvres a changé. A certains égards, elle s'est même inversée au point qu'il nous arrive de connaître le nom d'un créateur, voire certains aspects de sa vie en ignorant tout de sa « production ». Ce qui est tout particulièrement vrai dans les secteurs de l'art qui sont relativement soustraits au marché, comme c'est pour l'essentiel le cas de la musique savante d'aujourd'hui. A l'époque de Bach, encore, les bourgeois de Leipzig

---

1. Dans *La Société contre l'Etat*, Editions de Minuit, 1974.
2. Comme l'a montré, dans le même esprit, Gilles Lipovetsky dans *L'Empire de l'éphémère*, Gallimard, 1991.

entendaient ses œuvres, avec bonheur, sans même savoir qu'elles étaient de Bach. Aujourd'hui, nous connaissons sans doute le nom de compositeurs contemporains, mais avouons-le, sans être toujours en mesure d'identifier une de leurs œuvres, encore moins de les reconnaître à l'audition. La prédiction de Nietzsche est devenue la règle générale dans les sociétés laïques : la vérité de l'œuvre d'art se trouve désormais dans l'artiste, non plus dans la nature ou la divinité. L'œuvre n'est plus le reflet d'un monde suprahumain, transcendant, elle est l'expression la plus achevée de la personnalité de l'auteur qui, à la limite, prime sur ses créations. Et même lorsqu'elle vise à exprimer une réalité qui n'est pas, comme dans l'art abstrait, directement celle du moi, l'exigence d'originalité devient essentielle, là où les anciens se contentaient volontiers de l'imitation. Il s'agit maintenant d'inventer et non plus seulement de découvrir. Il y avait, certes, des « auteurs » dans les civilisations prémodernes : mais ils n'étaient sans doute pas perçus comme des « génies », si l'on entend par ce terme des créateurs *ex nihilo,* capables de trouver en eux-mêmes toutes les sources et ressources de leur inspiration. L'artiste ancien était davantage un intercesseur – entre les individus et le cosmos, entre les hommes et les dieux – que lui-même un véritable démiurge. Par contrecoup, on comprend comment l'exigence d'innovation et d'originalité radicales s'attache directement à la conception moderne de l'auteur comme génie, comme inventeur qui doit rompre avec le passé. Si l'éloge de la vie quotidienne, simplement humaine, est sans nul doute un effet de la sécularisation du monde, son contraire, le culte de la vie de bohème comme lieu de rupture et, par là même, d'innovation, ne l'est pas moins non plus. Voilà pourquoi il nous faut aussi, dans cet espace laïc que consacre le moment nietzschéen, faire sa part au culte de la marginalité comme nouvelle figure d'un destin, tout simplement, humain.

II. | «La vraie vie est ailleurs» :
| bohèmes contre philistins

Il est toujours difficile de dater l'apparition d'un concept nouveau. Il semble cependant que la notion de « bohème » apparaisse pour la première fois, en son sens métaphorique du moins, sous la plume de George Sand[1], dans le contexte du romantisme tardif. Il ne désigne plus alors les « romanichels » – dont on pensait à l'époque qu'ils venaient de « Bohême », c'est-à-dire de la région de Prague –, mais les jeunes artistes qui, comme ces derniers, ont accepté de vivre dans la précarité. Dans les années 1830, les « bohèmes » se rassemblent dans des groupes restreints et fermés, comme le « Petit Cénacle » (ainsi nommé en hommage à Victor Hugo), où l'on peut rencontrer des hommes tels qu'Auguste Marquet, Gérard de Nerval ou Théophile Gautier encore tout jeunes étudiants... Une chose, à tout le moins, est certaine : c'est à Henry Murger qu'il revient d'avoir popularisé le thème avec ses *Scènes de la vie de bohème*[2]. Ce roman commence à paraître en mars 1845, sous forme de feuilleton, publié dans une gazette parisienne, *Le Corsaire*, avant d'être adapté au théâtre où il rencontrera un succès considérable, consacré en 1896 par le célèbre opéra que

---

1. Dans *La Dernière Aldini*.
2. Gallimard, 1998.

Puccini en a tiré. Si l'on écoute encore la musique de Puccini, les écrits de Murger sont largement tombés dans l'oubli. Ce qui est dommage, car, par-delà les «amours malheureuses de Rodolphe et de Mimi», ils offrent une description magistrale de la vie d'artiste dans cette «capitale du XIXe siècle» qu'est encore, selon le mot de Walter Benjamin, le Paris de l'époque. On y voit, comme il se doit, une pléiade de jeunes gens désargentés vivre sous les combles, porter des tenues vestimentaires extravagantes, hanter les cafés, s'enivrer d'absinthe, s'enflammer pour de nobles causes, tomber souvent amoureux, choquer le bourgeois, organiser des canulars savoureux, des tapages nocturnes et même, créer quelques œuvres novatrices... Mais surtout, on y perçoit de façon concrète la signification que ce nouveau mode de vie pouvait revêtir aux yeux de ses premiers acteurs. Car Murger, bien sûr, fut l'un d'entre eux et la description qu'il fit de ses condisciples fut parfois si juste qu'elle lui valut quelques ruptures avec ses anciens amis, choqués à leur tour d'avoir été ainsi publiquement mis à nu...

Voici comment, dès la préface de son livre, Murger proposait de définir la Bohème : «Aujourd'hui comme autrefois, tout homme qui entre dans les arts, sans autre moyen d'existence que l'art lui-même, sera forcé de passer par les sentiers de la Bohème. La plupart des contemporains qui étaient les plus beaux blasons de l'art ont été des bohémiens ; et, dans leur gloire calme et prospère, ils se rappellent souvent, en le regrettant peut-être, le temps où, gravissant la verte colline de la jeunesse, ils n'avaient d'autre fortune, au soleil de leurs vingt ans, que le courage, qui est la vertu des jeunes, et que l'espérance, qui est le million des pauvres. Pour le lecteur inquiet, pour le bourgeois timoré, pour tous ceux qui ne trouvent jamais trop de points sur les *i* d'une définition, nous répéterons en forme d'axiome : la Bohème, c'est le stage de la vie artistique ; c'est la préface de l'académie, de l'Hôtel-Dieu ou de la morgue. Nous ajouterons que la Bohème n'existe et n'est possible qu'à Paris. »

Tout est dit, ou presque : si la « vie provinciale » est clouée au pilori – et il est remarquable que cette expression paraisse aujourd'hui si choquante qu'elle tend à disparaître – si elle fait horreur aux bohémiens, c'est qu'elle incarne la quotidienneté par excellence, la vie répétitive et peu aventureuse des philistins qui ne prendront jamais le risque de sortir du lot ou de périr. Pour Murger, bien sûr, parce qu'il tente de conférer une légitimité incontestable à un mouvement nouveau, la Bohème n'est pas liée à une époque. Elle appartient à toutes. C'est une attitude existentielle, un choix de vie dont la possibilité, toujours ouverte, remonte à la nuit des temps. Ce en quoi, d'évidence, il sous-estime son temps : la Bohème est moderne, typiquement moderne même, et ne saurait être vraiment comparée à rien de ce qui la précède. Murger cherche ainsi du côté du monde grec. Il évoque la figure emblématique de Socrate, l'autorité tutélaire des cyniques, qui eux aussi, vivaient d'amour et d'eau fraîche, au mépris, semble-t-il, des conventions bourgeoises. C'est de bonne guerre, mais la vérité est que les transgressions grecques ne sont pas les nôtres, qu'elles s'opèrent dans un monde où, justement, la bourgeoisie n'existe pas, et au nom d'une vie en harmonie avec une nature cosmique dont nous avons perdu jusqu'à l'idée. Méfions-nous donc, ici encore, des illusions rétrospectives.

La vérité est que si le fardeau de l'existence quotidienne saisit d'effroi une jeunesse en mal d'aventures, c'est bien dans la perspective d'une sécularisation enfin radicale du monde, et ce pour trois raisons cruciales.

Tout d'abord, si la finalité ultime d'une vie d'artiste est désormais liée à ses capacités d'innovation, d'originalité – ce dont le souci du vêtement excentrique est le signe extérieur – le répétitif, qui forme le fond de la tradition, *mais aussi de la vie quotidienne*, doit devenir haïssable. Un siècle plus tard d'ailleurs, la formule « métro, boulot, dodo » la stigmatisera encore comme telle. Voilà pourquoi la haine de la vie bourgeoise, déjà présente chez les romantiques, va être sans cesse radicalisée dans les mouvements d'avant-garde dès la fin du XIXe siècle et tout au long du XXe. Comme on sait[1], l'expression « avant-garde », qui appartient originellement au vocabulaire militaire, fait sa première apparition en un sens figuré, pour désigner le monde des artistes, chez Saint-Simon. Si l'on en croit les *Opinions littéraires, philosophiques et industrielles*, en effet, ce sont eux, « les hommes à imagination », qui désormais « ouvriront la marche » de l'histoire et « proclameront l'avenir de l'espèce humaine ; ils ôteront au passé l'âge d'or pour en enrichir les générations futures ». Plus tard, mais dans le même esprit, on a parfois vu dans le groupe des « Incohérents[2] » la première avant-garde esthétique digne

---

1. Pour autant qu'il soit possible de dater l'émergence d'un concept avec une absolue précision. Cf. Donald D. Egbert, « The Idea of "avant-garde" in Art and Politics », *The American Historical Review*, décembre 1967, p. 343. Sur l'historique du concept, les livres de Renato Poggioli, *The Theory of the Avant-Garde*, Harvard University Press, 1968 (original italien, *Il Mulino*, 1962) et de Peter Burger, *Théorie des avant-gardes*, Suhrkamp, 1974, n'apportent aucun élément remarquable.

2. Sur cet étrange mouvement, plus symptomatique que réellement novateur, cf. l'*Encyclopédie des farces et attrapes et mystifications*, Pauvert, 1964, ainsi que l'article de Daniel Grojnowski paru dans *Actes de la recherche en sciences sociales*, auxquels j'emprunte quelques-unes des remarques qui suivent.

de ce nom. Défrayant la chronique entre les années 1882 et 1889 (date à laquelle le mouvement s'épuise de lui-même et s'autodissout), cc groupuscule reprend l'héritage de la Bohème et se constitue par la fusion de modestes réseaux où se retrouvent les habitués des cabarets parisiens : «Hydropathes», «Hirsutes», «Zutistes» ou «Jemenfoutistes» – comme ils se nomment eux-mêmes –, leur principale activité réside dans l'organisation d'expositions plus ou moins humoristiques destinées pour l'essentiel à «choquer le bourgeois», à marquer symboliquement la distinction entre la vie de bohème et celle du philistin. Les signes de reconnaissance jouent donc ici un rôle capital, comme en témoigne ce manifeste où s'expriment les éléments les plus caractéristiques d'une idéologie tout à la fois élitiste et potache, qui rejette d'abord et avant tout les insignes de la vie quotidienne : «L'Incohérent est jeune, il lui faut en effet la souplesse des membres et de l'esprit pour se livrer à de perpétuelles dislocations physiques et morales. […] L'Incohérent n'a conséquemment ni rhumatismes ni migraines, il est nerveux et robuste. Il appartient à tous les métiers qui se rapprochent de l'art : un typographe peut être incohérent, un zingueur jamais. […] L'Incohérent prend sa retraite en se mariant ou en attrapant un rhumatisme…»

Plus sérieusement, c'est au cours des premières années de ce siècle qu'on assiste de la part des artistes eux-mêmes à une extraordinaire thématisation de la vie d'avant-garde comme lieu de rupture avec la vie ordinaire, ce dont l'essai de Kandinsky, *Du spirituel dans l'art et dans la peinture en particulier* (1912), constitue sans doute l'une des expressions les plus remarquables. Kandinsky mobilise pour décrire cette existence nouvelle et novatrice, une métaphore qui mérite l'attention car elle recèle tous les éléments qui vont bientôt sacraliser le type idéal de la vie d'artiste : « Un grand triangle divisé en parties inégales, la plus petite et la plus aiguë au sommet, figure schématiquement assez bien la vie de l'esprit. Tout le triangle, d'un mouvement à peine sensible, avance et monte lentement, et la partie la plus proche du sommet atteindra "demain" l'endroit où la pointe était "aujourd'hui". En d'autres termes, ce qui n'est encore "aujourd'hui", pour la base du triangle, qu'un radotage incompréhensible et n'a de sens que pour la pointe extrême paraîtra demain, à la partie qui en est la plus rapprochée, chargé d'émotions et de significations nouvelles[1]. »

D'où l'on peut conclure, déjà, que la solitude du génie, de ce point singulier formé par le sommet du triangle, n'est que provisoire : la Bohème, disait Murger, n'a qu'un temps, n'est qu'un « stage » de la vie, qui correspond à la jeunesse, aux débuts. Il demeure qu'en raison même de sa structure triangulaire, la vie d'artiste est, du moins quand elle se joue tout à fait au sommet, celle d'une infime élite, sinon d'un solitaire. Ainsi se trouve légitimée la vie groupusculaire des avant-gardes : « A l'extrême pointe du triangle, il n'y a qu'un homme, tout seul. Sa vision égale son infinie tristesse. » Il a pour mission de « faire avancer le chariot récalcitrant » des masses situées à la base du triangle. D'un côté, donc, se trouvent « les hommes supérieurs » qui ont l'audace de remettre en question les traditions ; de l'autre, les êtres ordinaires, qui restent englués dans le conformisme. Parmi ces derniers, ajoute Kandinsky, « personne n'est jamais parvenu à résoudre une seule difficulté. Ce sont d'autres

---

1. *Du spirituel dans l'art,* trad. Denoël, p. 43.

193

hommes, supérieurs à eux, qui toujours ont fait avancer le chariot de l'humanité ». La métaphore de l'avant-garde retrouve alors les accents militaircs qui l'inspiraient à l'origine : les hommes supérieurs, artistes ou savants de génie, « vont de l'avant, oubliant toute prudence, et succombent dans la conquête de la citadelle de la science nouvelle, tels ces soldats qui, ayant fait le sacrifice de leur personne, périssent dans l'assaut désespéré d'une forteresse qui ne veut pas capituler ». Le génie est seul, car le sommet du triangle n'est qu'un point. On le « tourne en dérision », on le « traite de fou ». Mais cette solitude est le signe le plus sûr de la rupture avec le monde ordinaire, avec la vie commune, comme Schönberg le confesse à Kandinsky dans une lettre du 24 janvier 1911 : « Il est provisoirement refusé à mes œuvres de gagner la faveur des masses. Elles n'en atteindront que plus facilement les individus. Ces individus de grande valeur qui seuls comptent pour moi. » Le thème, qui vient directement de Nietzsche, est si essentiel aux yeux de Schönberg qu'il deviendra, en 1937, le centre d'un essai intitulé *Comment on devient un homme seul*, où l'élitisme et la question du public (de son absence) s'articulent autour de la notion d'individualité : la solitude de l'artiste y apparaît comme l'indice le plus fiable de sa singularité, le signe le plus sûr de son individualisation au regard du commun des mortels platement absorbé par les tâches journalières.

Si les impératifs de la créativité imposent ainsi une rupture avec la quotidienneté – et cette distance, autre lieu commun de la biographie des « génies », sera presque toujours décrite comme pénible à vivre pour les proches –, une seconde raison vient encore renforcer la première pour faire de la vie de bohème une exigence typiquement moderne : celle selon laquelle ce qui menacerait désormais nos vies, après l'éclipse des transcendances, ne serait rien d'autre que la platitude, entendue au sens littéral, comme l'absence de tout relief, de toute hauteur, de tout rapport au « grandiose ». Le thème mérite réflexion. Il traverse toute la culture contemporaine et motive, pour une large part, les diagnostics empreints de pessimisme qu'elle inspire parfois : existe-t-il, peut-il même exister une « grandeur moderne » ? N'est-ce pas là une contradiction en soi ? La grandeur n'est-elle pas liée de façon indissoluble à la représentation d'un univers extérieur et supérieur aux hommes et, pour cette raison même, *imposant* ? Comment ce qui n'est qu'immanence à l'humanité pourrait-il encore posséder ce caractère sacré en l'absence duquel tout n'est que divertissement et vanité – à tout le moins, familière proximité ? Encore étudiant en théologie, le jeune Hegel se demandait quelle pourrait être « la religion d'un peuple libre ». Il entendait par là réfléchir aux conditions dans lesquelles l'humanité pourrait enfin *se reconnaître* dans une culture commune, débarrassée de tout dogmatisme, libérée de cette transcendance opaque que condensent les « arguments d'autorité » fondés sur la représentation d'une vérité révélée. Il fallait, selon lui, émanciper la religion chrétienne de sa « positivité », de tout ce qui restait encore *en elle d'étranger à l'esprit humain*. Mais n'était-ce pas là vouloir supprimer la religion elle-même, la transformer en simple culture *transparente,* enfin de part en part produite par et pour les hommes, et non donnée à eux par la divinité ? Si la source de toute œuvre est humaine, donc, d'un point de vue traditionnel et sans vouloir faire une formule facile, « trop humaine », la culture laïque n'est-elle pas vouée à se situer, elle aussi, à échelle d'homme ? Mais après l'éclipse du sacré, comment l'être humain pourrait-il tirer de lui-même, sans référence à un dehors radical, de quoi reconstituer de la grandeur ? Les « grands hommes », qu'ils fussent des politiques ou des artistes, n'étaient-ils pas avant tout ceux qui incarnaient des entités sublimes : Cosmos, Divinité, Science, Patrie, Révolution... ? Si je ne représente plus que moi-même, si je suis, pour parodier la formule de Sartre, un être qui vaut, certes, tous les autres, mais que tous les autres valent aussi, comment pourrais-je encore prétendre, quel que soit mon talent, reconstituer de la grandeur ? On a dit comment Nietzsche répondait à cette question, en distinguant, au sein de la vie elle-même, entre des formes d'existence « nihilistes », affaiblies, et d'autres, qui atteignent à l'intensité et au grand style. Quoi qu'on pense de sa « solution », elle implique à ses yeux une rupture radicale avec les formes ordinaires de la vie bourgeoise – en quoi, Apollinaire avait sans doute raison de voir en lui le véritable père fondateur des avant-gardes[1].

Un dernier motif, lui aussi typiquement moderne, contribue enfin à légitimer un tel écart. Il tient tout simplement au fait qu'après la mort de Dieu, les humains ne sauraient plus disposer que d'une seule vie. Il n'y a plus d'ailleurs, d'au-delà, dans nos temps sécularisés, et dans cette perspective, chaque instant perdu l'est de manière irréversible. Dès lors, comme l'a justement noté Pascal Bruckner, « plus rien ne nous sauve du prosaïsme qui constituait jadis cette humble part de l'existence que les prières, la foi, les rites pouvaient amender. S'il faut se libérer maintenant, c'est bien de cette quotidienneté qui nous empoisse et l'on

---

1. *Les Peintres cubistes*, Hermann, p. 52.

oppose moins le péché à la grâce que l'ordinaire à l'exceptionnel[1] ».

Malgré hypocrisie et faux-semblants, la réalité est têtue : le bohème, sans doute, se moque des biens de ce monde, mais comme, au final, il est le seul que nous connaissions, le pouvoir et l'argent reprennent leurs droits. Manque d'humilité et de sagesse ? Contradiction avec la pureté des idéaux de départ ? Assurément. La « réussite », au sens le plus trivial du terme, n'en continue pas moins de former l'un des horizons possibles de la vie moderne, un idéal que les dénégations répétées des vertueux (ou de la vertu en nous) ne parviennent jamais tout à fait à occulter. Nietzsche lui-même a couru toute sa vie après le succès, meurtri lorsqu'il devait publier à compte d'auteur, fou de joie lorsqu'un de ses livres rencontrait le moindre écho, lorsqu'une lettre d'un « homme en vue » venait l'encourager et le sortir de sa terrible solitude[2]... Signe, sans nul doute, comme Murger déjà le notait, que la vie d'artiste n'est, ou plutôt ne devrait être, qu'une transition, un simple passage vers une reconnaissance publique dont le désir même rend un hommage sans doute involontaire, mais néanmoins certain, à la vie bourgeoise.

III. Artistes et entrepreneurs : capitalisme, monde de la technique et volonté de puissance

L'affaire semblait entendue : selon la mythologie si bien transmise par Murger, les bohèmes authentiques, les « purs », ne se souciaient guère de la fortune.

---

1. *L'Euphorie perpétuelle, op. cit.*, p. 88.
2. Voir sur ce point la belle biographie de Daniel Halévy, *Nietzsche, op. cit.*

Adeptes de l'art pour l'art, ils s'attachaient à vivre « en marge de la société » et à mourir « pour la plupart décimés par cette maladie à qui la science n'ose pas donner son véritable nom, la misère ». Et ces images d'Epinal, bien sûr, entendent décrire un choix délibéré, un refus explicite, dirions-nous aujourd'hui, de la « société de consommation ». Selon Murger, beaucoup pourraient « échapper à ce dénouement fatal qui vient brusquement clore leur vie à un âge où d'ordinaire la vie ne fait que commencer : il leur suffirait pour cela de quelques concessions faites aux dures lois de la nécessité, c'est-à-dire de savoir dédoubler leur nature, d'avoir en eux deux êtres : le poète, rêvant toujours sur les hautes cimes où chante le chœur des voix inspirées ; et l'homme, ouvrier de sa vie sachant se pétrir le pain quotidien [1] ». Mais voilà, le bohème n'est pas un être de compromis, encore moins de compromission. Il ignore la duplicité, et c'est pourquoi ceux qui ont voué leur être tout entier à la vie d'artiste « meurent jeunes, laissant quelquefois après eux une œuvre que le monde admire plus tard, et qu'il eût sans doute applaudie plus tôt si elle n'était pas restée invisible ». Telle est la raison pour laquelle Murger, qui au fond n'est pas dupe de cette imagerie, propose de distinguer deux variantes au sein de la Bohème : « l'ignorée » et « l'officielle », selon sa propre terminologie. La première, la plus courante hélas, « n'est pas un chemin, c'est un cul-de-sac ». Son défaut principal est de confondre ce qui n'est qu'un moyen provisoire avec une finalité ultime. Tragique méprise, car la Bohème n'est pas un objectif en soi, elle ne doit correspondre qu'au tout début de la vie d'artiste ! Comme plus tard les avant-gardistes, Murger est convaincu que le génie authentique n'est pas voué pour

---

1. *Scènes de la vie de bohème, op. cit.*, p. 36.

l'éternité à l'incognito : « Tous les esprits vraiment puissants ont leur mot à dire et le disent en effet tôt ou tard... Le génie, c'est le soleil : tout le monde le voit. Le talent, c'est le diamant qui peut rester longtemps perdu dans l'ombre, mais qui toujours est aperçu par quelqu'un. On a donc tort de s'apitoyer aux lamentations et aux rengaines de cette classe d'intrus et d'inutiles entrés dans l'art malgré l'art lui-même et qui composent dans la Bohème une catégorie dans laquelle la paresse, la débauche et le parasitisme forment le fond des mœurs. » Telle est la « Bohème ignorée »...

Cette sentence, qui vaudra à Murger l'animosité de ses anciens amis, s'accompagne en revanche d'une véritable sacralisation de la « Bohème officielle », cette « vraie Bohème » dont Murger déclare qu'elle fait seule l'objet de son livre et qu'il propose de définir en des termes qui ne laissent aucun doute sur ses ambitions : « Cette Bohème-là est comme les autres hérissée de dangers. Deux gouffres la bordent de chaque côté : la misère et le doute. Mais entre ces deux gouffres il y a du moins un chemin menant à un but que les bohémiens peuvent toucher du regard, en attendant qu'ils le touchent du doigt. C'est la Bohème officielle, ainsi nommée parce que ceux qui en font partie ont constaté publiquement leur existence, qu'ils ont signalé leur présence dans la vie ailleurs que sur un registre d'état civil; qu'enfin, pour employer une expression de leur langage, leurs noms sont sur l'affiche, qu'ils sont connus sur la place littéraire et artistique et que leurs produits, qui portent leur marque, y ont cours, à des prix modérés, il est vrai », du moins dans un premier temps[1]! On ne saurait mieux dire que l'art, lui aussi, appartient au marché, qu'il n'est pas tout à fait désin-

---

1. *Ibid.*, p. 41.

téressé, tant s'en faut, et que la reconnaissance, la notoriété et même l'argent ne sont pas exclus de ses arrière-pensées, sinon de ses pensées. D'ignorée au départ, la Bohème doit donc travailler sans relâche à devenir officielle, et « pour arriver à leur but, qui est parfaitement déterminé, tous les chemins sont bons » aux bohémiens dont « l'esprit, toujours tenu en éveil par l'ambition », sait vaincre tous les obstacles qui le séparent du succès.

Dans une optique assez proche, bien que déjà plus sophistiquée, l'avant-gardisme de Kandinsky et Schönberg est lui aussi persuadé que la « réussite » constitue à terme l'horizon inévitable d'une marginalité toujours transitoire pour un authentique génie. Certes, obligation est faite à l'artiste de rompre avec la tradition pour innover de sorte que « chaque époque crée un art qui lui est propre et qu'on ne verra jamais renaître ». Dès lors, l'imitation des formes passées et dépassées de la culture n'est que « celle des singes » dont « la mimique est dénuée de toute signification[1] ». L'avant-garde est liée à l'idée de révolution : elle a pour mission d'ébranler « hardiment l'ordre établi », étant entendu que ce mouvement est sans fin. L'originalité ou l'individualité de l'artiste le condamnent donc à une certaine forme de purgatoire. Mais malgré ce pessimisme lié à la structure triangulaire d'une vie spirituelle dont on a vu en quoi elle imposait à l'artiste l'état de solitude, une croyance inébranlable au progrès permet de ressusciter l'optimisme : « En dépit de l'aveuglement [de la masse] le triangle spirituel continue en réalité d'avancer » ; il « monte lentement avec une force irrésistible » de sorte qu'un jour ou l'autre, la base rejoindra le point actuellement occupé par le sommet ! L'élite peut être rassurée : sa solitude n'est que provisoire, elle sera tôt

---

1. *Du spirituel dans l'art, op. cit.*, p. 31.

ou tard comprise par une « base » à laquelle elle sert d'éclaireur et de guide : « La dissonance picturale et musicale d'aujourd'hui n'est rien d'autre que la consonance de demain [1] », affirme en ce sens Kandinsky [2].

Non, bien sûr, que la finalité de l'art s'épuise dans la conquête de la notoriété et de l'argent – ce qui serait une erreur symétrique à celle que commet la Bohème ignorée en confondant la fin avec les moyens. Mais tout se passe néanmoins comme si, pour sortir du marasme et de la platitude inhérente à la vie quotidienne, pour gagner son rang dans l'« élite », deux possibilités d'existence *concurrentes*, deux façons d'occuper le « haut du pavé », pour parler encore comme Murger, s'offraient désormais à l'ambition des hommes : d'un côté la Bohème, pourvu du moins qu'elle sache devenir « officielle » et ne point se morfondre trop longtemps dans les soupentes malsaines, de l'autre, *la vie d'entreprise*. Malgré l'opposition évidente – trop évidente à vrai dire – qui les sépare selon la mythologie bohémienne, ces deux formes de vie ont en commun de s'écarter toutes deux de manière radicale et définitive de cette vie quotidienne que la peinture hollandaise avait transfigurée dans l'art. Toutes deux partagent un même culte de l'élitisme et de l'innovation. Comme le déclarait d'ailleurs Marx [3], « la bourgeoisie

---

1. Lettre de Kandinsky à Schönberg du 18 janvier 1911. Sur la correspondance Kandinsky/Schönberg, cf. la revue *Contrechamps*, n° 2, avril 1984.

2. Comme le note Dan Franck, en des termes qui pourraient illustrer les propos de Murger sur les deux Bohèmes : « Avant la Première Guerre mondiale, si Picasso était déjà riche, la plupart de ses compagnons vivaient dans une incroyable pauvreté. Après 18, ils s'achetaient des Bugatti et des hôtels particuliers. Le temps des rapins lumineux s'achevait... » Cf. son beau livre *Bohèmes*, Calmann-Lévy, 1998, p. 11.

3. Dans le *Manifeste du parti communiste*, tout simplement. Pour une analyse marxiste des avant-gardes, cf. Daniel Bell, *Les Contradictions culturelles du capitalisme*, traduction PUF.

ne peut exister sans révolutionner constamment les instruments de production... Tous les rapports sociaux traditionnels et figés, avec leur cortège de notions et d'idées antiques et vénérables se dissolvent; tous ceux qui les remplacent vieillissent avant de pouvoir s'ossifier» de sorte que le capitalisme, bien que volontiers perçu par la Bohème comme «réactionnaire», est en vérité, comme elle, et même contre son propre gré, révolutionnaire. Pour lui aussi, et c'est là le sens de ce que Marx souligne, la rupture avec les traditions, l'impératif d'innovation constituent le véritable quotidien, de sorte que la société libérale, plus que toute autre forme d'organisation sociale connue jusqu'à ce jour, s'oppose diamétralement aux sociétés traditionnelles tout entières vouées au respect des ancêtres en même temps qu'au maintien des coutumes.

La marginalité n'apparaît ainsi que comme l'un des moyens, pour ne pas dire comme l'une des stratégies[1], permettant d'obtenir, par d'autres voies bien sûr que celle de l'entreprise, un rang égal, voire supérieur à celui des puissants de ce monde. Et le bohème, bien entendu, en est pleinement conscient : «L'art, rival de Dieu, écrit en ce sens Murger, marche à l'égal des rois. Charles Quint s'incline pour ramasser le pinceau du Titien et François Ier fait antichambre dans l'imprimerie où Etienne Dolet corrige peut-être les épreuves de *Pantagruel*», tandis que Clément Marot, «familier du Louvre», «devient, avant même qu'elle eût été favorite d'un roi, le favori de cette belle Diane dont le sourire illumina trois règnes[2]... ».

Ainsi, ce ne sont pas deux mais bien trois modèles

---

1. Sur ce thème, cf. l'article de Pierre Bourdieu, «Flaubert et l'invention de la vie d'artiste», in *Actes de la recherche en sciences sociales*, mars 1975.
2. *Scènes de la vie de bohème, op. cit.*, p. 32.

de vie dont la possibilité s'ouvre avec la sécularisation du monde : la vie quotidienne, bien sûr, mais opposées à elle et concurrentes entre elles, celles des bohèmes et des capitaines d'industrie qui peuvent, chacun à leur façon, prétendre au titre de gloire de pourfendeur des traditions.

En quoi l'on mesure peut-être mieux comment l'hypothèse de Heidegger selon laquelle la doctrine nietzschéenne de la volonté de puissance serait la véritable « superstructure » du monde de la technique, la philosophie spontanée du capitalisme, n'a rien d'absurde. Il suffit pour cela, si paradoxal que cela puisse paraître aux yeux d'un « nietzschéisme de gauche », de la comprendre correctement, comme Deleuze nous y invite : non comme une plate et bestiale volonté d'« avoir le pouvoir », mais bien comme une « volonté de volonté », comme une aspiration à l'intensification *sans fin* (aux deux sens du mot : à la fois infinie et définalisée) de sa propre force. Sans doute le capitaliste peut-il, à titre personnel, vouloir et rechercher le pouvoir. Mais si l'on considère, non pas l'homme, mais le système mondialisé, le « mode de production » ou la structure sociale en tant que telle, alors il semble bien en effet fournir une parfaite incarnation de la volonté de puissance entendue comme volonté de volonté. On se souvient peut-être – nous avions évoqué cet aspect du monde contemporain dans l'avant-propos – qu'aux yeux de Heidegger, pour que notre vision du monde devienne de part en part technicienne, il faut opérer un pas supplémentaire par rapport aux Lumières dans la volonté de domination de l'univers qui apparaissait déjà avec Descartes. Il fallait que la volonté cesse de viser des fins extérieures à elle pour se prendre elle-même comme objet. Or c'est bien là, selon Heidegger, ce qui advient avec le primat « révolutionnaire » de *La*

Volonté de puissance, véritable soubassement métaphysique de cette technique planétaire dans laquelle nous baignons aujourd'hui. Chez Nietzsche, en effet, la volonté authentique, la volonté accomplie est bien celle qui cesse d'être volonté *de quelque chose*, pour devenir volonté d'elle-même, force qui vise l'accroissement de la force vitale, volonté qui cherche sa propre vivification en tant que telle. C'est ainsi, et ainsi seulement qu'elle atteint la perfection de son concept : se voulant elle-même, elle devient maîtrise pour la maîtrise, force brute pour la force brute, domination pour la domination, mouvement pour le mouvement. Rien ne lui résiste parce qu'elle a cessé de se croire assujettie, comme elle l'était au temps des transcendances, et même encore dans l'idéal progressiste des Lumières, à des finalités extérieures à elle.

Exigence sans fin, donc infiniment mobilisatrice, qui menace l'individu contemporain par excellence : ce fameux « bobo », tout à la fois bourgeois, bohème et cependant englué dans la vie quotidienne, qu'une volonté nouvelle de parvenir au *bonheur dans la lucidité* contraint bientôt à substituer aux préoccupations philosophiques, désormais réputées désuètes, les secours plus concrets, mais surtout *mieux adaptés à sa situation*, d'une psychologie des profondeurs. On a souvent souligné tout ce que Freud devait à Nietzsche, notamment dans sa découverte de l'inconscient. Comme lui, même s'il le fait sur un mode différent, il enregistre et poursuit la déconstruction des illusions métaphysiques et religieuses sous toutes leurs formes. Comme lui encore, il se méfie de la pensée « abstraite », « trop rationnelle », et travaille à remettre en mouvement, en « circulation » comme on dit si bien, les énergies affectives bloquées par des idoles aliénantes afin de pouvoir pleinement « jouir et agir ». Comme lui, surtout, il invite les hommes, sinon à «réussir leur vie» – trop normative, la formule est déjà suspecte – du moins à la penser avec plus de clairvoyance, sans chercher à la mesurer, erreur fatale et pathogène, à l'aune d'une transcendance dont le caractère névrotique ne saurait plus faire l'ombre d'un doute.

IV. De la vie réussie comme vie «désaliénée» :
le message philosophique de la psychanalyse
ou l'éloge de la lucidité

Vie quotidienne ou bohème? Vie d'artiste ou de capitaine d'industrie? Au fond, est-ce si important? L'essentiel, dans une perspective vraiment laïque, n'est-il pas de parvenir enfin à être soi-même, bien dans sa peau et dans sa tête? Et pour cela, une certaine clairvoyance n'est-elle pas le principal atout? A cet égard, il faudrait dire tout ce que ces modèles de vie, pourtant sécularisés dans leur principe, doivent encore secrètement à l'imaginaire de l'immortalité : qu'on veuille se survivre à soi-même à travers ses enfants ou rester dans l'histoire par ses œuvres, le fantasme d'une mort plus ou moins surmontée ne continue-t-il pas de hanter les schémas modernes de la réussite? Freud se veut en revanche sans illusion. Quant aux réflexions encore tournées, fût-ce inconsciemment, vers la métaphysique, il offre le mérite d'être clair, comme en témoigne ce fameux passage d'une lettre à Fliess : «Quand on commence à se poser des questions portant sur le sens de la vie et de la mort, on est malade, car tout ceci n'existe pas de façon objective.» Assigner une fin à l'existence humaine, c'est vouloir la juger, c'est adopter sur elle un point de vue normatif, forcément répressif. Au style près, la sentence aurait pu être de Nietzsche[1]. Elle signifie une condamnation sans appel des spéculations métaphysiques qui, depuis les Grecs, tenaient que « philosopher c'est apprendre à mourir[2] »... Quant à la religion, résolument post-nietzschéen, Freud n'y va pas non plus par quatre chemins : il y voit tout simplement, le mot est resté célèbre, la « névrose obsessionnelle de l'humanité[3] ». S'il a toujours confessé avoir pris à la lecture de Nietzsche un « plaisir intense », c'est précisément parce qu'elle lui paraissait annoncer « de manière prophétique » sa propre déconstruction des illusions métaphysico-théologiques. Mais, bien entendu, Freud entend aller plus loin, passer du stade des « intuitions fulgurantes », auquel en reste Nietzsche, à celui de l'analyse scientifique de la production des fantasmes.

Chez Nietzsche, en effet, la critique de la religion, pour être radicale, ressemblait encore à une « explication » entre égaux. Son insistance même à souligner combien il est crucial pour un penseur digne de ce nom d'avoir de « bons ennemis », sa volonté de préserver « l'Eglise en nous », de concurrencer les Evangiles, jusque parfois dans leur style même, son souci de ne pas rompre tout lien avec l'éternel, tout cela traduisait une certaine forme de *respect* jusque dans l'irrespect le plus marqué. Rien de cela chez Freud qui porte sur le discours religieux le regard froid du clinicien. On connaît sa thèse la plus constante à cet égard :

---

1. Le thème est d'ailleurs développé par Nietzsche de manière tout à fait explicite dans *Le Crépuscule des idoles*, tout particulièrement dans *Le Cas Socrate*.
2. Cf. sur ce point, Paul-Laurent Assoun, *Freud, la philosophie et les philosophes*, PUF.
3. Cf. *L'Avenir d'une illusion*, PUF, p. 61-62.

les grands dogmes monothéistes ne sont rien d'autre que la réalisation purement imaginaire des aspirations les plus archaïques de l'enfance – ne pas mourir, ne plus être exposé à la solitude, ne pas être abandonné par ses parents, être aimé quoi que nous fassions. Bref, ils ne sont «pas le résultat de l'expérience ni les conclusions d'une réflexion», mais «des illusions, la réalisation des désirs les plus anciens, les plus forts, les plus pressants de l'humanité : le secret de leur force, c'est la force de ces désirs... L'impression terrifiante de la détresse infantile avait éveillé le besoin d'être protégé – protégé en étant aimé –, besoin auquel le père a satisfait. La reconnaissance du fait que cette détresse dure toute la vie a fait que l'homme s'est cramponné à un père, un père cette fois plus puissant. L'angoisse humaine en face des dangers de la vie s'apaise à la pensée du règne bienveillant de la providence divine», et c'est ainsi que nous avons collectivement inventé les grands délires monothéistes[1].

Le thème est bien connu et, à vrai dire, assez commun aujourd'hui pour qu'on ne s'y arrête pas ici. L'essentiel est de comprendre en quoi, selon Freud, nous avons tout intérêt à ne pas en rester là si nous voulons réussir nos vies. Non que la religion ne présente certains avantages : elle peut, on vient de le suggérer, apaiser l'angoisse infantile. Surtout, elle permet parfois, en offrant une structure névrotique toute prête à l'emploi, d'épargner aux individus la peine de se fabriquer leur propre «névrose personnelle[2]». Mais un tel bénéfice, bien mince on l'avouera, se paie au prix fort. Le manque de lucidité qu'il implique quant à la nature réelle de la condition humaine peut, tout simplement,

---

1. *Ibid.*, p. 44-45.
2. *Ibid.*, p. 61-62.

nous interdire d'être vraiment heureux dans la mesure
où la religion porte préjudice à nos efforts d'adaptation à la réalité. Avec des formules qui, là encore, se
situent clairement dans le sillage de Nietzsche, Freud
insiste donc à propos de la religion sur le fait que « sa
technique consiste à rabaisser la valeur de la vie et à
déformer de façon délirante l'image du monde réel,
démarches qui ont pour postulat l'intimidation de l'intelligence [1]... ». Ainsi, la religion nous contraint-elle
tout à la fois à l'« infantilisme psychique » et au « délire
collectif ». Aussi est-elle vouée à l'échec : « Ses enseignements portent l'empreinte des époques auxquelles
ils ont été conçus : périodes d'enfance, d'ignorance de
l'humanité. Les consolations qu'offre la religion ne
méritent pas créance, et l'expérience nous enseigne
que le monde n'est pas une *nursery*[2]. »

Si l'on veut réussir sa vie, être heureux, en quelque
sens qu'on l'entende, mais du moins de manière réelle
– et il est selon Freud de multiples façons d'y parvenir
et non point une seule, comme la religion voudrait
nous le faire croire[3] –, mieux vaut avoir le courage
d'affronter la nécessité telle qu'elle est : voilà le premier et peut-être principal enseignement de la psychanalyse en matière de conduite de l'existence. De là
aussi l'insistance de Freud à souligner que le « principe
de réalité » n'est pas le contraire du « principe de plaisir », mais, selon ses propres termes, « une simple modi-
fication » de ce dernier. Il en est même le prolongement le plus sûr et le plus utile, comme l'a joliment
montré Bruno Bettelheim dans son commentaire du
célèbre conte des « Trois petits cochons ». Chacun en

1. *Malaise dans la civilisation*, PUF, p. 31.
2. *Nouvelle Conférences sur la psychanalyse*, Gallimard, p. 228.
3. *Malaise dans la civilisation, op. cit.*, p. 31.

connaît le thème principal : le plus petit des trois héros construit sa maison en paille, à la va-vite. Son seul souci, conforme au principe de plaisir, est de consacrer le moins de temps possible à un travail ennuyeux – l'édification d'un abri –, pour aller dès que possible jouer et manger dans les belles prairies qui l'entourent. Le second petit cochon consacre plus de temps et d'énergie à se protéger contre les menaces de la vie, symbolisées par le loup : sa maison sera en bois, déjà plus résistante. Seul le dernier prend la réalité au sérieux : soigneusement construite en briques, sa demeure résistera aux assauts de la bête féroce. Mais pour y parvenir, il lui aura fallu, contrairement à ses deux petits frères, faire l'effort de *différer la réalisation de ses désirs immédiats*, la sacrifier provisoirement au principe de réalité. Il en sera récompensé : non seulement il échappe au triste sort réservé aux deux petits, mais, passant par la cheminée et tombant dans la marmite, c'est le loup qui sera contre toute attente dévoré. Bettelheim montre de façon convaincante comment, dans la version anglaise du conte, on comprend à cet instant que les trois petits cochons n'en font qu'un, qu'ils forment un même personnage à trois stades de son évolution : non seulement les deux premiers sont présentés comme «plus petits» que le troisième, mais au moment où ce dernier mange à son tour le loup, il avale par là même les deux «frères», il les récupère et les intègre pour ainsi dire en lui, dévoilant ainsi la morale de l'histoire : il faut savoir surmonter l'enfance, dépasser le dangereux principe de plaisir, car c'est en étant lucide, en tenant compte de la réalité telle qu'elle est, sans chercher, donc, à la fuir, que l'on peut parvenir à la maîtriser, et par là même, à en tirer des satisfactions qui, pour n'être pas immédiates et faciles, n'en sont que plus réelles et durables. Morale de l'histoire : plutôt que de fuir à notre tour les difficultés de la vie dans les fantasmes de la métaphysique et de la religion, nous aurions tout intérêt à percevoir enfin la condition humaine telle qu'elle est, sans fioritures ni faux-fuyants. Tel est bien selon la psychanalyse, le premier réquisit d'une vie enfin ancrée dans la réalité. Non que la maladie soit toujours évitable : à la limite, elle peut même apparaître, dans certains cas, comme une « solution » nécessaire. Un chirurgien, constatant l'ampleur imprévue d'une maladie sous-estimée au moment du diagnostic, renonce parfois à opérer et, dans une perspective analogue, Freud lui-même a reconnu que le recours à une thérapie analytique n'était pas toujours ni pour tous une bonne indication. Il n'en demeure pas moins, comme le suggère assez l'analogie avec la chirurgie, que la maladie reste malgré tout un pis-aller et la lucidité un idéal, impossible sans doute à réaliser pleinement, mais toujours à rechercher autant que possible. De là la question qu'il nous faut bien poser à la psychanalyse si nous voulons savoir dans quelle mesure elle peut offrir une réponse à la question de la vie bonne : qu'en est-il de la condition humaine ? A quoi ressemble, au juste, notre situation *réelle* ? Si, comme dans le cas des petits cochons, il s'avère préférable de se conformer à la réalité, encore faut-il savoir à quoi elle ressemble avant de tenter l'aventure.

A cette question, Freud a répondu de façon magistrale, dans le chapitre vingt-deux de l'*Introduction à la psychanalyse*. Consacré à l'histoire de la libido, et plus généralement, au destin de notre vie psychique dans son ensemble, il est rédigé dans un style d'une inégalable clarté. Je me bornerai à en rappeler brièvement le propos principal, avant d'en tirer les quelques conclusions cruciales qui touchent à notre question directrice.

Comme chez Nietzsche, le fond de la réalité vivante,

y compris humaine, est composé pour Freud d'instincts, de pulsions ou de désirs qu'il regroupe sous le terme générique de « libido ». Or, de l'enfance à l'âge adulte, cette libido possède une histoire, ou pour mieux dire, elle suit une évolution qui la conduit comme on sait à traverser trois grandes époques : le « stade oral », où les désirs du nourrisson, encore largement auto-érotiques et narcissiques, se réalisent essentiellement dans les activités liées à la succion ; le « stade anal », qui coïncide à peu de chose près avec l'apprentissage de la propreté chez l'enfant, puis, après une période transitoire dite de « latence », l'apparition avec l'adolescence de la sexualité adulte au sein de laquelle toutes les pulsions primaires sont regroupées sous le primat de la génitalité. La libido se tourne alors clairement vers des objets extérieurs à elle. On pourrait dire, en reprenant le vocabulaire de Piaget, qu'elle s'est « décentrée » et s'exprime désormais dans la recherche d'un partenaire sexuel et amoureux. Les traces des anciens stades de l'évolution de la libido n'en conservent pas moins un certain rôle, ne fût-ce que de manière partielle et timide, dans l'acte sexuel venu à maturité où elles occupent une importance variable selon les individus : le baiser, par exemple, souvenir du premier stade de notre vie affective, occupe toujours une place importante chez l'adulte et la libido anale, pour faire le plus souvent l'objet d'un tabou particulièrement puissant, n'en continue pas moins d'animer une part non négligeable de sa vie érotique.

Face à cette évolution, qui est propre à l'espèce humaine tout entière et relève donc pour l'essentiel aux yeux de Freud de notre dimension purement biologique, nous sommes tous à peu de chose près à égalité. Elle constitue notre lot commun. Toutefois, cette histoire va, ici et là, selon les individus et en fonction

de l'éducation qu'ils reçoivent, prendre des orienta-
tions légèrement différentes qui vont commander, au
final, le destin de chacun d'entre nous. De nombreux
accidents peuvent en effet se produire au fil de ce parcours de la libido qui n'a décidément rien d'un long
fleuve tranquille. Deux d'entre eux, tout particulièrement, que Freud désigne sous les noms de « fixation »
et de « régression », vont jouer un rôle décisif dans
notre existence. On pourrait définir la fixation comme
une quantité d'affect qui reste « accrochée » à un stade
antérieur du développement de la libido. Au lieu
d'évoluer tout entière d'une époque à une autre, une
partie de la libido s'est ainsi fixée à un endroit
archaïque, par exemple au stade oral, sans doute en
raison du plaisir très fort qu'elle y avait éprouvé : il est
normal, après tout, que l'on souhaite séjourner dans
les lieux où l'on se sent heureux et la libido, de ce
point de vue, ne fait pas exception à la règle. Quant à
la régression, elle est en un sens directement liée à
l'importance des fixations : parvenues à maturité – au
primat de la génitalité, donc –, nos pulsions rencon-
trent bien entendu de nombreux obstacles sur le chemin de leur réalisation. C'est même là, il faut bien
l'avouer, une expérience quotidienne et nous tentons,
tant bien que mal, d'y faire face de multiples façons :
soit en surmontant les obstacles, soit en renonçant, au
moins provisoirement, aux objets auxquels ils font
écran, soit encore en les contournant pour choisir des
objets dérivés, qui leur ressemblent autant que possible (« sublimation »). Mais si ces obstacles (ou « privations ») apparaissent réellement insurmontables, s'il
est impossible de les contourner, bref, si la situation
est désespérément « bloquée », alors notre malheureuse libido n'aura plus guère le choix : il lui faudra
se contenter de régresser, de revenir à des satisfactions

anciennes, bien qu'elles soient par définition infantiles et archaïques, donc en quelque façon déjà pathologiques. De là le double lien qu'entretient la régression avec les fixations : plus la quantité d'affects fixés dans le passé de la libido sera importante, plus il sera, si l'on ose dire, «tentant» d'y retourner en cas de privation insurmontable dans le présent; et réciproquement, plus cette quantité sera grande, plus la libido, qu'on pourrait comparer ici à un cours d'eau tumultueux, sera affaiblie par ces «retenues» dans sa tentative de surmonter les privations, donc encline à la régression.

Pour mieux se faire comprendre, Freud propose une métaphore du plus haut intérêt, car c'est au fond toute sa vision de la condition humaine qui s'y révèle : il compare l'évolution de notre libido à celle d'un peuple qui, contraint d'abandonner son premier habitat, entreprendrait de traverser une contrée tout entière pour en trouver un nouveau. Songeons, par exemple, à la conquête de l'Ouest américain. En cours de route, certains, par lassitude, par fatigue ou, tout au contraire, parce que le lieu leur convient à merveille, choisiront de s'installer avant d'avoir atteint la destination ultime du groupe tout entier – en l'occurrence, la côte pacifique. Mais il est clair aussi que, dans la poursuite de son voyage, la cohorte sera d'autant plus faible pour surmonter les obstacles (les tribus indiennes, par exemple), que seront plus nombreuses les familles ayant décidé de s'arrêter en route. Elle aura donc, en cas d'obstacle particulièrement difficile à vaincre, tendance elle aussi à rebrousser chemin pour rejoindre, à défaut de pouvoir faire mieux, ceux qui avaient déjà choisi de s'installer. Elle le fera d'autant plus volontiers que ce choix, à lui seul, témoigne d'une possibilité sans doute non négligeable de vie. On peut supposer en effet que ceux qui ont stoppé

213

leur voyage l'ont fait au profit d'un lieu agréable, offrant un maximum de possibilités d'adaptation. Comme le dit Freud pour souligner le lien qu'entretiennent fixation (arrêt précoce) et régression (retour vers des fixations antérieures) : « Lorsqu'un peuple en mouvement a laissé en cours de route de forts détachements, les fractions les plus avancées auront une grande tendance, lorsqu'elles seront battues ou qu'elles se seront heurtées à un ennemi trop fort, à revenir sur leurs pas pour se réfugier auprès de ces détachements. Mais ces fractions avancées auront d'autant plus de chance d'être battues que les éléments restés en arrière seront plus nombreux[1]. »

Traduisons : si la régression marque l'entrée dans la maladie (on verra dans un instant pourquoi), les fixations ne sont pas une bonne chose. Plus elles sont nombreuses et plus la régression a des chances de se produire au cours de notre vie, et ce sous une double forme, également pernicieuse : la régression peut d'abord s'opérer sans être « refoulée », c'est-à-dire sans être chassée activement dans l'inconscient sous l'impulsion de ce grand censeur que Freud désignera bientôt sous le nom de « surmoi » ; on a alors affaire à une « perversion » c'est-à-dire à une satisfaction de la libido qui ne s'effectue plus dans l'acte sexuel proprement dit, mais qui porte au contraire sur des objets ou des phases archaïques de son développement ; mais le plus souvent, la régression, pour des raisons évidentes, va être « interdite », censurée par le surmoi, et comme telle refoulée dans l'inconscient : il est clair, en effet, que la morale ordinaire, quoi qu'on en pense, réprouve en général les satisfactions libidinales infantiles. On imagine mal, par exemple, un adulte normal

---

1. *Introduction à la psychanalyse*, Payot, p. 321.

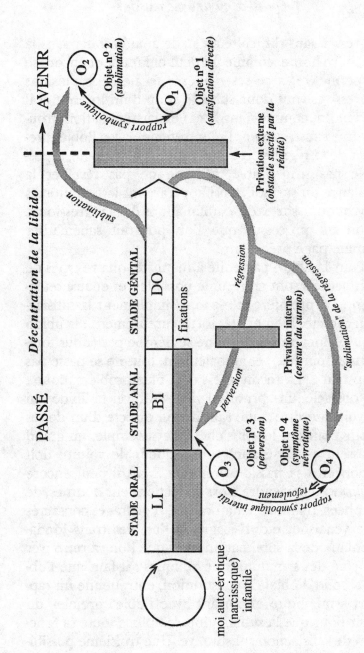

LA CONDITION HUMAINE SELON FREUD

régresser sans difficulté au stade anal et jouer sans la moindre honte, comme un petit enfant peut encore se le permettre, avec ses matières fécales. Ses pulsions régressives vont donc subir le coup d'un interdit et il lui faudra, comme dans le cas de la sublimation, trouver une satisfaction qui n'entretienne avec l'objet premier de sa régression qu'un rapport d'analogie, si possible pas trop visible, afin de ne pas réveiller la vigilance du surmoi. Ainsi apparaissent les symptômes névrotiques, sortes de « sublimations de la régression », selon un processus que l'on pourrait schématiser comme page précédente.

Pour la libido parvenue à maturité, quatre types de satisfactions sont en résumé possibles, et quatre seulement. La première, c'est tout simplement la satisfaction directe. Il en existe, fort heureusement : la libido trouve alors un objet qui ne se dérobe pas (nous tombons amoureux), et globalement, tout ne se passe pas trop mal... La seconde est déjà plus problématique : un obstacle, une privation vient entraver la libido qui se voit interdire toute satisfaction directe d'un de ses désirs pourtant les plus chers. Par exemple, un grand chasseur paralysé après un accident de voiture doit renoncer à sa passion première. Mais il peut encore *sublimer* : il deviendra alors collectionneur d'armes, de trophées, d'animaux naturalisés, d'ouvrages consacrés à la venaison, etc. Il s'agit de l'un des traits fondamentaux de la sublimation, trait que l'on va retrouver du côté des symptômes névrotiques : il faut que l'objet second, l'objet de substitution, entretienne un rapport symbolique important avec l'objet premier du désir pour que la sublimation remplisse toute sa fonction de satisfaction substitutive. Une troisième possibilité s'offre encore lorsque la situation devient plus grave et que les privations portent aussi bien sur les

satisfactions directes que sur les satisfactions sublimées. Le cas n'est pas rare, notamment en raison du
fait que tout le monde n'est pas au même degré
capable de sublimation (la culture aide considérablement à sublimer mais elle est, comme on sait, très
inégalement partagée) : dans cette situation, la régression apparaît comme la seule solution possible et, ainsi
qu'on l'a dit, elle sera d'autant plus aisément choisie
que les fixations seront fortes dans le passé de la libido.
Et c'est vers elles, bien sûr, que la régression s'effec-
tuera, selon la métaphore du peuple qui retourne vers
les détachements qu'il a perdus en route. Toutefois,
cette troisième « solution », si l'on ose dire puisqu'il
s'agit déjà d'un pis-aller, se divise à son tour en deux
cas de figure : la régression peut être « directe », non
refoulée (elle portera alors sur l'objet n° 3 dans notre
schéma), et elle prend dès lors nécessairement la
forme d'une perversion (d'une satisfaction libidinale,
mais non génitale) ; ou bien, si le « surmoi » de la personne en question est particulièrement fort, cette
régression a toutes les chances d'être interdite, donc
refoulée, ce qui la contraindra à se détourner vers un
objet n° 4, qui doit dès lors être un objet paradoxal,
pour ne pas dire « fou » : il doit en effet tout à la fois,
comme dans le cas de la sublimation et pour les mêmes
raisons, ressembler autant que possible à l'objet premier (objet n° 3) de la régression, sinon la libido ne
sera pas satisfaite ; mais en même temps, afin que le
surmoi ne soit pas mécontenté, il faut que cet objet ne
ressemble surtout pas trop à celui qui vient d'être
interdit ! De là l'apparition du symptôme névrotique,
qui seul répond à cette double exigence, et qu'on
pourrait définir au plus juste comme une « sublimation
inconsciente de la régression ».
La deuxième remarque c'est que, bien entendu,

toute condition humaine relève de ces quatre satisfactions, bien que dans des proportions variables. En clair, nous connaissons tous, heureusement, des satisfactions directes, mais aussi des satisfactions seulement sublimées, quelques perversions et quelques symptômes névrotiques. Parmi ces derniers, on citera comme quasi universels, ceux qui s'apparentent aux phobies ou encore, pour ceux, plutôt rares, qui n'en possèdent aucune, aux idées obsédantes : qui n'a jamais éprouvé dans sa vie une répulsion aussi irrépressible qu'injustifiée pour une situation (claustrophobie, peur des algues au fond de l'eau, phobie des grands fonds, etc.), un animal (insecte, souris, serpent, même tout à fait inoffensif) ? Qui n'a jamais vérifié une fois de trop que la porte était verrouillée, que la lumière était éteinte, que le gaz était fermé ? Qui n'a jamais fait de « pari avec soi-même », tenté d'éviter les rayures formées par les dalles d'un trottoir, contourné une échelle, touché du bois ou cédé à ces mille et une petites superstitions auxquelles nous ne prêtons plus la moindre attention tant les mécanismes de défense qu'elles recouvrent fonctionnent sans difficulté notable ? Ce sont pourtant, à l'évidence, de petits symptômes névrotiques, dont la fabrication s'explique parfaitement aux yeux de la psychanalyse en référence à notre schéma.

Troisième remarque, sous forme de question : comment, dans ces conditions, distinguer encore le normal du pathologique ? On connaît la réponse habituelle de la psychanalyse : ce n'est plus à ses yeux une question de qualité, mais de quantité ou de degré. La différence entre la « folie » et la santé n'a rien d'absolu et la coupure entre les deux univers, c'est le moins qu'on puisse dire, est loin d'être nette. Sans doute. Deux critères qualitatifs, cependant, peuvent malgré tout être indiqués, qui donnent seuls tout son sens à l'aspect quantitatif. On dira d'abord que la santé est tout de même plutôt du côté de l'avenir que du passé. En clair : plus un parcours est semé de fixations et de régressions, plus il est englué dans le passé, moins il est, quoi qu'on en dise par crainte du « normatif », « réussi ». On ajoutera ensuite, en suivant là encore au plus près l'inspiration nietzschéenne, que ce qui nous épuise au point de nous rendre malades, de nous empêcher de « jouir et d'agir », ce sont les conflits *internes*, les déchirements qui opposent en nous la censure aux désirs qu'elle interdit. C'est en ce sens, Freud y revient sans cesse, que seules *les privations internes, celles qui sont engendrées par le surmoi et ses interdits moraux,* sont vraiment pathogènes, génératrices de symptômes. Comme l'a justement montré Bettelheim, les êtres humains peuvent supporter presque toutes les privations extérieures sans pour autant devenir fous : même dans les camps de concentration allemands, on a pu survivre sans perdre la raison. En revanche, les privations internes sont insupportables parce qu'elles occasionnent, par définition même, des conflits psychiques qui, comme les forces réactives décrites par Nietzsche, sont tout à la fois angoissants et épuisants.

On connaît à cet égard la signification psychanalytique du célèbre conte des trois souhaits : un génie propose à un couple de pauvres paysans au bord de la famine de réaliser leurs trois premiers souhaits. La femme, qui sent passer près d'elle une bonne odeur de choucroute, n'y tient pas : elle demande son plat favori qui apparaît tout à coup sur la table. Le mari, furieux de voir ainsi stupidement gâcher un vœu alors qu'il aurait pu demander tout l'or du monde, punit sa femme : « Puissent les saucisses s'accrocher à ton vilain nez ! » Aussitôt dit, aussitôt fait ! Mais, comme souvent dans les contes, le mari et la femme ne forment qu'un seul et unique personnage dont ils symbolisent les différentes instances : en l'occurrence, la femme symbolise le « ça », les désirs immédiats du principe de plaisir. Quant au mari, il figure bien entendu le « surmoi », la censure morale, l'instance du châtiment. Le couple, c'est la personne tout entière, ce fameux moi qui est chargé de régler au mieux les conflits entre ces deux fractions capricieuses. Il ne peut donc faire qu'un seul souhait, qui est hélas aussi le dernier : que les saucisses se détachent du nez de la femme pour retourner dans l'assiette. Morale de l'histoire ? Tout simplement ceci : les conflits psychiques sont *épuisants*, « réactifs » aurait dit Nietzsche, ils bloquent nos forces vitales, leur interdisent de se déployer dans le monde sans inhibition ni mutilation. Alors qu'il partait de trois souhaits mirifiques, le couple de paysans se retrouve Gros-Jean comme devant, sans rien, ou si peu : une malheureuse choucroute dont la saveur doit être désormais bien amère. Il a, disons-le franchement, raté son coup, sinon sa vie...

Alors, comme la généalogie nietzschéenne, la psychanalyse nous inviterait-elle à choisir le grand style, la « grande santé » ? Ce pourrait, sans doute, être une pente naturelle et je suppose que nombre de psychanalystes doivent bien, par-devers eux, et malgré toute la suspicion que soulève l'idée d'un modèle normatif, préférer la clairvoyance à l'inconscience, l'avenir au passé, l'harmonie, fût-elle relative, au conflit, la fluidité au blocage, bref, le plus ou moins normal au pathologique avéré. Après tout, si le transfert a un sens, si la psychanalyse est avant tout une pratique plutôt qu'une théorie, c'est bien pour remettre en circulation les énergies « coincées » par les conflits psychiques, pour libérer les forces vitales des pièges qui les emprisonnent. Pour autant, elle ne livre à ma connaissance aucune réponse ultime. A la question de savoir pourquoi la désaliénation est préférable à l'aliénation, il n'est pas même sûr qu'elle puisse répondre autrement qu'en termes de *fonctionnement,* de plaisir et de peine. A la limite, si un grand malade est plus heureux avec ses symptômes que sans, on voit mal au nom de quoi il faudrait l'en priver. Comme l'a reconnu Freud, la psychanalyse, au fond, n'est qu'une *technique.* Ses prétentions philosophiques sont volontairement nulles. C'est là d'ailleurs sa grandeur, mais peut-être aussi, affaire de point de vue, toute sa faiblesse : radicalement lucide et désenchantée, elle laisse à chacun le soin de chercher son chemin, de trouver son destin. A ses yeux, tous les modes de vie se valent, pourvu du moins qu'ils conviennent au mieux à celui qui les vit. Indifférente aux fins, refusant à tout prix d'être normative, n'offrant donc jamais que des moyens, elle rejoint là encore la pensée de Nietzsche pour conférer au monde de la technique son visage non plus philosophique, mais thérapeutique. Sagesse suprême ou reddition forcée au monde de la marchandise ? C'est toute la question.

Pour en mesurer honnêtement la portée, il faut sans *a priori,* ne serait-ce que pour comparer et réfléchir, revenir aux alternatives qu'elle prétend dépasser : celles qu'offrait dès l'origine la philosophie ancienne, avec sa conviction que la valeur de la vie ne saurait se mesurer qu'à l'aune d'une transcendance, avec sa prétention à dépasser la « raison instrumentale » par une « raison objective » qui fixerait des objectifs, des fins supérieures pour guider l'humanité. Rien n'exclut à mes yeux que Nietzsche et Freud, comme on dit, « aient raison », que, les premiers dans l'histoire de la pensée, ils aient dit le fin mot d'une existence humaine enfin pleinement désenchantée, c'est-à-dire aussi, si l'on veut du moins formuler positivement les choses, libérée comme jamais des illusions passées. A bien des égards, et quoi qu'en disent les derniers révolutionnaires, nos sociétés démocratiques sont largement à l'image de leur pensée : quels que soient leurs dysfonctionnements, quelle que soit l'impression d'injustice ou de vide qu'elles peuvent laisser parfois, nul ne peut sérieusement nier que nous y soyons plus libres que partout avant et ailleurs. Y compris, bien sûr, d'exprimer toutes les critiques possibles à leur endroit, ce qu'elles seules sont programmées pour tolérer. Sans doute existe-t-il encore des nations religieuses, pleines de sens et de valeurs «supérieures», des «communautés» qui dépassent ce fameux «individualisme» que nous stigmatisons si volontiers en paroles. Mais avouons-le : elles nous font horreur, et pour rien au monde nous ne voudrions revenir – car ce serait bien pour nous une régression – vers les figures passées et dépassées du théologico-politique. Rien ne prouve pourtant à mes yeux qu'il faille en rester là, qu'une telle liberté se suffise à elle-même ni que l'on puisse ou doive se satisfaire de cette clairvoyance désenchantée. Rien n'interdit, pour tout dire, de penser qu'il existe d'autres formes de spiritualité, d'autres représentations du sens de la vie compatibles avec cette lucidité qu'en effet, nous ne pouvons ni ne devons plus renier. Ce serait là, au fond, le programme d'un «humanisme non métaphysique», de cette philosophie que j'ai désignée sous l'expression d'«humanisme de l'Homme-Dieu». Loin de tout «retour à», il nous faut peut-être apprendre à penser enfin par-delà ce désenchantement du monde lui-même, sans renier ce qu'il a pu avoir d'inévitable, et même de salutaire, mais sans non plus chercher désespérément à nous y conformer. Et pour ce faire, il n'est pas inutile, ne fût-ce qu'à titre de propédeutique, de reprendre un instant le cours de cette histoire à ses origines, au moment où elle nous promettait encore de la transcendance et du sens. Au-delà du seul intérêt historique, qui n'est pas négligeable, il s'agit de saisir la signification de telles promesses, non sans doute pour y céder naïvement, mais pour mesurer en quoi, et surtout pourquoi, elles nous parlent encore aujourd'hui. On y découvrira, je crois, une pensée surprenante et profonde selon laquelle les exigences du sens et du salut ne sont pas incompatibles avec la sécularisation du monde – en quoi il se pourrait que l'idée d'une spiritualité laïque ou, si l'on veut, d'une sagesse des Modernes, ne soit pas nécessairement acquise au prix d'un manque de rigueur ou de lucidité.

Troisième partie

LA SAGESSE DES ANCIENS OU LA VIE EN HARMONIE AVEC L'ORDRE COSMIQUE

CHAPITRE I

La sagesse grecque
ou le premier visage
d'une « spiritualité laïque »

La sécularisation de la problématique du salut

Liminaire : pourquoi s'intéresser à la sagesse des Anciens si elle n'est plus d'aujourd'hui ?

La question pourra paraître superflue, voire saugrenue. Ne va-t-il pas de soi que la philosophie étant née dans l'Antiquité, il nous faut revenir à nos propres traditions pour saisir qui nous sommes ? Un minimum de respect pour les grands lieux de mémoire de notre civilisation européenne ne nous commande-t-il pas d'ailleurs de défendre les études classiques en l'absence desquelles nous serions coupés de nos racines les plus profondes ? Et, par-delà même les justifications historiques ou culturelles, n'est-ce pas tout simplement en Grèce que les prémisses de la pensée contemporaine se sont mises en place, de sorte qu'en pratiquant une archéologie du savoir, c'est au fond de nous-mêmes que nous prendrions conscience ?

Peut-être, sans doute même, et pourtant, je ne puis

m'empêcher de trouver ces légitimations des Anciens un peu courtes, ou pour mieux dire, trop narcissiques pour être tout à fait convaincantes : c'est toujours par rapport à nous, parce qu'ils annonceraient ou prépareraient nos modes de pensée modernes, que nous devrions *encore* lire les Grecs. Je n'aime guère l'idée qu'il faudrait découvrir ou redécouvrir des œuvres profondes et difficiles pour le seul plaisir de nous y retrouver nous-mêmes à l'état naissant. C'est ainsi, pourtant, que nombre de lecteurs, ô combien prestigieux, justifient volontiers leur amour pour la Grèce : Marx, déjà, voyait en Démocrite l'ancêtre de son matérialisme, tandis qu'Heidegger déchiffrait chez les présocratiques les premiers linéaments d'une pensée non oublieuse de l'Etre. Depuis, on a vu la démocratie directe et l'autogestion poindre déjà dans le siècle de Périclès, la psychanalyse lacanienne percer sous les sophistes, le pragmatisme américain affleurer chez Platon et Aristote, ou l'« aube » de la pensée scientifique chez les physiciens d'Ionie... Comme si les Anciens n'étaient admirables que par leur proximité avec nous ! A ce compte, pourquoi ne pas s'épargner la peine d'un tel détour ? Pourquoi ne pas aller directement puiser chez les contemporains eux-mêmes ce qu'on est censé retrouver, sous une forme encore immature et moins élaborée, chez les Anciens ?

Je proposerai donc de les lire ici différemment, pour ce qu'ils sont, c'est-à-dire étrangement distants de nous, et non pour ce que nous voudrions qu'ils soient au prix de filiations trop souvent controuvées[1]. Non

---

1. Cette proposition, du reste, ne prétend nullement à l'originalité : Heidegger, Leo Strauss, Alexandre Koyré, Michel Villey mais tout autant, aujourd'hui, Rémi Brague ou Pierre Hadot, nous invitent à lire les Anciens, non comme nos proches, mais comme appartenant au contraire à un « monde perdu » et, *comme tel,* riche d'enseignements pour nous.

que la distance soit en tant que telle, et davantage que la proximité, un meilleur garant de notre intérêt. La sagesse des Anciens nous offre justement les deux conditions fondamentales de tout dialogue fécond : une parenté, pour ne pas dire une complicité dans la nature des interrogations philosophiques dont nous dépendons encore, une altérité parfois radicale dans les réponses et les visions du monde qui les sous-tendent, de sorte que, comme des ethnologues qui tentent de saisir le sens des us et coutumes d'une « société sauvage », nous sommes fascinés par l'Autre et, de cette étrangeté même, comme renvoyés de l'extérieur à nous-mêmes. Disons-le clairement : bien qu'elle fonde une tradition philosophique qui, à bien des égards, est encore la nôtre, la pensée des Anciens se meut dans un monde désormais perdu. En trouver l'accès est pour nous une double chance. Celle de découvrir un univers intellectuel qui possède le charme des cathédrales englouties, mais aussi celle de mieux nous comprendre nous-mêmes comme par contrecoup : il faut toujours, pour prendre conscience de soi, se placer en quelque façon d'un point de vue extérieur. Jamais Tocqueville ne nous aurait appris autant sur la naissance du monde démocratique s'il n'avait porté sur lui le regard distancié d'un aristocrate. Or, à bien des égards, malgré une indéniable permanence de leur questionnement, les Grecs restent *notre* extérieur le plus radical, celui à partir duquel le point de vue sur notre humanisme moderne est tout à la fois le plus vaste et le plus pénétrant.

C'est ce mélange de lien et d'écart, qui fait à mes yeux toute la saveur des Anciens.

Lien d'abord, parce que l'interrogation sur le « bien

vivre », qui est au cœur de leur pensée[1], se formule déjà chez eux de manière explicite en rupture avec les attitudes religieuses traditionnelles. Dès l'Antiquité, en effet, la philosophie va apparaître sur un point crucial comme une concurrente des religions. A l'image de ces dernières, elle situe sans doute la vie bonne en rapport avec la question de la mort et du salut. Comme elles encore, elle y répond en référence à une transcendance radicale (en l'occurrence, celle de l'ordre cosmique). Mais à la différence de tous les discours religieux, elle entreprend dès l'origine de « séculariser » les doctrines du salut. Déjà, elle entend mettre l'homme en demeure de se sauver lui-même, par ses propres moyens, plutôt que par la grâce d'une divinité *personnelle*. Elle fonde dans cette mesure un espace de réflexion qui restera jusqu'à nos jours celui de la philosophie.

Ecart ensuite, puisque les réponses qui s'organisent en référence à la transcendance objective d'un univers ordonné et doué de sens ne peuvent plus être aussi simplement les nôtres[2]. Pour des raisons de fond, sur lesquelles nous nous interrogerons plus loin, la représentation d'un « ordre du monde », d'un cosmos organisé et finalisé fut ruinée par la physique moderne, celle de Galilée, de Descartes et de Newton, notamment par l'émergence des notions d'espace et de temps infinis et neutres. Au XVIIᵉ siècle encore, on avait conscience des angoisses suscitées par cette révolution

---

1. Je rejoins ici l'opinion si bien argumentée par Pierre Hadot dans son beau livre, *Qu'est-ce que la philosophie antique ?*, *op. cit.* Pour un point de vue contraire, mais à mes yeux sans force de conviction, cf. Monique Canto-Sperber, *L'Inquiétude morale et la vie humaine*, PUF, 2001, p. 191 *sq.*
2. On a souvent noté à cet égard que les sophistes et les épicuriens ne sont pour ainsi dire « pas des Grecs », qu'ils sont déjà des « modernes » en ce qu'ils rejettent explicitement l'idée d'un cosmos organisé au sein duquel chacun pourrait et devrait trouver sa place et son salut.

scientifique. On pressentait avec inquiétude qu'elle conduirait inéluctablement à l'effondrement du monde ancien. La fameuse sentence du libertin de Pascal, selon laquelle le silence de ces nouveaux espaces infinis effraie, en porte encore témoignage : une fois doté de dimensions infinies, l'univers n'a plus rien d'une maison que l'on pourrait habiter chaleureusement. Pour s'y repérer, il faut désormais recourir à des coordonnées arbitraires, choisir de manière conventionnelle une « abscisse » et une « ordonnée », et les points infimes que nous sommes alors devenus dans un univers dénué de sens ont perdu toute possibilité d'y retrouver quoi que ce soit qui ressemble à un « lieu naturel ». Mais cette distance, qui pourrait sembler nuire à l'intérêt que l'on doit porter aux Anciens, en est au contraire à mes yeux le garant le plus sûr. Pour comprendre ce qui est, rien n'est sans doute plus précieux que de savoir mesurer la distance qui nous sépare de ce qui n'est plus.

De la philosophie comme sécularisation de la religion

L'une des thèses les plus profondes jamais soutenues touchant à l'essence de la philosophie moderne tient qu'elle fut, d'abord et avant tout, une vaste entreprise de sécularisation ou de « rationalisation » de la religion chrétienne [1]. C'est là une analyse qui fut développée à plusieurs reprises par Hegel, notamment

---

1. C'est là un thème que j'ai déjà abordé dans *La Sagesse des Modernes*, *op. cit.*, au chapitre X. Il fera en lui-même l'objet d'un prochain livre consacré à Kant.

dans ses cours sur l'histoire de la philosophie et dans ses leçons d'esthétique. Il élabora cette idée au fil d'une comparaison éclairante entre ces trois grands moments de la vie de l'esprit qu'étaient à ses yeux l'art, la religion et la philosophie. On pourrait la présenter très simplement de la façon suivante : l'art, pour l'essentiel, vise à incarner certaines représentations de l'Absolu dans un matériau sensible. Ainsi, par exemple, du sculpteur qui rend la divinité sensible dans le marbre, la terre ou la pierre sous forme de statues, mais encore du peintre qui retrace à l'aide de la couleur et du dessin, donc dans un élément lui aussi *sensible*, de grandes scènes de la mythologie, de l'Evangile, ou de quelque autre texte sacré que l'on voudra considérer. L'art plaît parce qu'il parle au cœur, aux émotions, à la sensibilité, et c'est là, bien sûr, son charme propre. Revers de ses qualités, il n'en reste pas moins nécessairement limité dans ses visées spirituelles puisqu'il repose, pour ainsi dire dès l'origine, sur une contradiction insoluble : son objet est idéel – c'est, en dernière instance, le divin même, ou à tout le moins, s'il s'agit d'un art « humain », l'esprit – mais la forme dans laquelle il l'exprime est toujours inadéquate, puisque matérielle. Il doit donc être dépassé par la religion qui a les mêmes objectifs que lui – exprimer le divin, l'esprit absolu – mais qui recourt à une forme déjà plus appropriée : celle du mythe, des symboles, des paraboles telles que le Christ en utilise dans son message évangélique. En d'autres termes, les moyens d'expression religieux sont déjà plus spirituels, plus adéquats à leur objet, que ne le sont ceux de l'artiste, fût-il génial. Pour autant, le mythe n'est pas non plus la raison. Il relève encore en quelque façon du cœur, de la sensibilité, en quoi, comme l'œuvre d'art d'ailleurs, il parvient à toucher ceux-là mêmes qui n'ont ni connaissances approfondies, ni culture érudite. Seule la rationalité, selon Hegel, est véritablement capable d'exprimer l'Absolu, d'être en pleine sympathie avec son objet, en parfaite harmonie avec lui. L'art et la religion doivent donc finalement faire place à la philosophie qui les dépasse tout en conservant fondamentalement la même finalité qu'eux : atteindre et penser le divin.

D'une certaine façon, Nietzsche et Heidegger eux-mêmes confirmeront largement cette compréhension de la philosophie comme « concurrente » d'une religion dont elle partage l'objet, la finalité, mais non la forme ou les moyens d'expression. De là le reproche que l'un comme l'autre adresseront à la métaphysique classique : elle ne serait qu'une « religion déguisée », une « onto-théologie » sécularisée par les exigences d'une raison humaine qui prétend remplacer la foi. Sans doute ont-ils critiqué et tenté de dépasser une telle conception de la philosophie. Tous deux ont prétendu rompre avec les illusions de la métaphysique, les « casser au marteau » ou les « déconstruire ». Il n'est nullement certain que, ce faisant, ils n'aient pas entretenu avec elle une continuité plus secrète : celle qui, tout simplement, consistait à *poursuivre* cette entreprise de sécularisation du religieux, afin de mener à son terme la quête désillusionnée d'une vie bonne, « intense » ou « authentique ».

Quoi qu'il en soit du statut de ces critiques, elles s'accordent à tout le moins sur ce diagnostic quant à ce qui les précède : pendant des millénaires, la philosophie n'aurait fait finalement que poursuivre les finalités religieuses par d'autres moyens, disons : ceux de la raison plutôt que de la foi, de l'argumentation plutôt que des rites initiatiques, de l'espace public plutôt que de la communauté secrète, de l'universel plutôt que du particulier... Et si cette thèse me semble avoir une telle portée, si elle seule, me semble-t-il, éclaire vraiment le sens de l'activité philosophique des Grecs jusqu'à nous, c'est qu'elle permet de comprendre en quoi et pourquoi cette dernière conserve, bien que sur un mode tout différent et même opposé à la religion, un rapport à la question de la sagesse, voire du salut, comme sa question ultime. Méfions-nous donc de certaines tentations contemporaines qui pousseraient volontiers la philosophie, pour la parer d'une légitimité voisine de celle des sciences, vers la spécialisation : une philosophie ne saurait jamais être partielle, se borner à une pensée du droit, de la science, de la politique, de la morale, du langage, etc., sans se perdre elle-même et se trouver très vite débordée et dépassée par les sciences dures ou humaines au regard desquelles elle risquerait bien vite de paraître désuète ou inutile. A la question rituelle « qu'est-ce que la philosophie ? », j'aurais donc envie de répondre très simplement : une tentative d'assumer les questions religieuses sur un mode non religieux, voire antireligieux.

On objectera que cette thèse, en admettant même qu'elle vaille pour une partie de la philosophie *moderne* (essentiellement l'idéalisme allemand), ne saurait sans absurdité être étendue à *toute* la philosophie[1] : on voit mal, en effet, quel sens il y aurait à prétendre que la philosophie grecque fut une sécularisation de la religion chrétienne... Comme on peut s'en douter, là n'est pas non plus mon propos. Il s'agit plutôt de montrer comment toutes les grandes pensées philosophiques furent marquées de manière indélébile par un rapport très particulier à la *religion de leur temps*, d'in-

1. C'est l'objection que me faisait notamment André Comte-Sponville dans *La Sagesse des Modernes* (cf. *op. cit.*, p. 54).

diquer comment c'est ce rapport qui les définit comme telles et permet de comprendre les questions dont elles ont *hérité*, fût-ce pour les reprendre à nouveaux frais et selon des modalités différentes.

La philosophie s'est toujours voulue en *rupture* avec l'attitude religieuse dans la façon d'aborder et de traiter les questions qu'elle envisage ; elle n'en conserve pas moins avec elle une *continuité* moins visible mais tout aussi cruciale, en ce sens que c'est d'elle qu'elle reçoit des interrogations qui *ne deviennent ainsi les siennes qu'après avoir été forgées dans l'espace religieux*. C'est cette continuité, par-delà la rupture, qui permet de comprendre comment la philosophie va reprendre à son compte la question de la vie bonne en termes de *salut,* par rapport à la finitude et à la mort donc, tout en abandonnant au statut d'illusions les réponses religieuses. De là aussi sa prétention à s'adresser à tous les êtres humains, et non seulement aux croyants, son souci de viser à dépasser ainsi les discours particuliers vers une dimension d'universalité qui, dès l'origine, l'opposera aux communautarismes religieux.

Que cette rupture et cette continuité soient attestées en Grèce, dès la naissance de la philosophie, c'est là ce que les meilleurs spécialistes de l'Antiquité nous ont appris à reconnaître. Si nous voulons comprendre comment et pourquoi les philosophes grecs entendaient répondre à la question de la vie réussie, en quel sens ils la liaient à la question du salut face à la finitude et à la mort, sans pour autant céder au discours religieux, il faut commencer par saisir la façon dont ils ont entrepris tout à la fois de dépasser et de conserver cette dernière.

**De la philosophie grecque comme sécularisation
de la religion grecque**

C'est là un thème que Jean-Pierre Vernant a mis en lumière avec beaucoup d'acuité, en s'inspirant des travaux de Cornford consacrés au passage de la religion à la philosophie en Grèce. Il a montré comment la naissance de la philosophie dans l'Antiquité ne relevait pas d'un « miracle » insondable, comme on l'a si souvent dit et répété, mais s'expliquait par un mécanisme qu'on pourrait dire de « sécularisation » ou de « laïcisation » de l'univers religieux au sein duquel vivaient les Grecs. Ce point mérite attention, car ce processus inaugural de « désenchantement du monde » présente une double face : d'un côté, les premiers philosophes vont *reprendre à leur compte* toute une part de l'héritage religieux tel qu'il s'inscrit notamment dans les grands récits poétiques touchant à la naissance des dieux et du monde ; mais d'un autre côté, cet héritage même va être « traduit » dans une nouvelle forme de pensée, la pensée rationnelle, qui va lui donner un sens et un statut nouveaux. Ainsi, selon Vernant, la philosophie ancienne, pour l'essentiel, « transpose, dans une forme laïcisée et sur le plan d'une pensée plus abstraite, le système de représentation que la religion a élaboré. Les cosmologies des philosophes reprennent et prolongent les mythes cosmogoniques... Il ne s'agit pas d'une analogie vague. Entre la philosophie d'un Anaximandre et la théogonie d'un poète inspiré comme Hésiode, Cornford montre que les structures se correspondent jusque dans le détail[1] ».

---

1. Cf. Jean-Pierre Vernant et Pierre Vidal-Naquet, *La Grèce ancienne. Du mythe à la raison*, Seuil, coll. « Points », p. 198.

Sans entrer dans l'analyse approfondie de ces analogies, dont on imagine sans peine l'extrême complexité, on se fera une idée du bouleversement ainsi introduit par la pensée philosophique en songeant, par exemple, à la façon dont les philosophes vont passer du sacré au profane en s'efforçant d'« extraire » ou d'« abstraire » des divinités grecques les quatre éléments « matériels » constitutifs de l'univers : il n'est pas faux de dire qu'à leurs yeux, on passe ainsi de Zeus à l'éther (feu), d'Hadès à l'air, de Poséidon à la mer, ou de Gaïa à la terre. Quelques siècles plus tard, on trouvera encore, chez Cicéron, des échos de cette révolution « laïque » par laquelle, selon ses propres termes, « les dieux des mythes grecs furent interprétés par la physique ». Considérons le cas, par exemple, de Saturne : « La Grèce a été envahie il y a bien longtemps par cette croyance que Caelus avait été mutilé par son fils Saturne et Saturne lui-même garrotté par son fils Jupiter. Une doctrine physique recherchée est renfermée dans ces fables impies. Elles veulent dire que la nature du ciel, qui est la plus élevée et faite d'éther, c'est-à-dire de feu, et qui engendre tout par elle-même, est privée de cet organe corporel qui a besoin, pour engendrer, de se joindre à un autre. Elles ont voulu désigner par Saturne la réalité qui contenait le cours et la révolution circulaires des espaces parcourus et des temps, dont il porte le nom en grec ; car on l'appelle Cronos, ce qui est la même chose que *chronos*, qui signifie "espace de temps". Mais on l'a appelé Saturne parce qu'il était "saturé" d'années ; et l'on feint qu'il a coutume de manger ses propres enfants, parce que la durée dévore les espaces de temps [1]. »

---

1. *De la nature des dieux*, chapitre XXIV.

Laissons de côté la question de la valeur de vérité philologique d'une telle lecture des grandes théogonies grecques. Ce qui importe ici cst que le mécanisme de « sécularisation » est clairement élucidé en son principe : il s'agit moins de rompre avec la religion que d'en réaménager les contenus, moins de faire table rase que d'en détourner les grands thèmes dans une optique nouvelle. Et c'est cette dualité même – rupture et continuité – qui va marquer, dès l'origine, *mais de manière indélébile,* les rapports ambigus de la philosophie avec sa seule rivale sérieuse, la religion. Contrairement à une opinion indéfiniment répétée au nom d'évidences aveuglantes, ce n'est nullement avec la science que la philosophie entre parfois en concurrence, mais bien évidemment avec la théologie. Sciences et philosophies sont, en tant qu'elles représentent les deux visages distincts d'une pensée également rationnelle, complémentaires. On imagine mal Aristote méconnaître la biologie de son temps, ni Kant la physique de Newton, encore moins être en quelque façon « gênés » par leur présence. Bien au contraire, ils s'en nourrissent sans cesse. En revanche, les remarques de Cornford et de Vernant nous invitent à penser que, dès l'origine, et pour toujours peut-être tant il s'agit d'un lien essentiel[1], la religion « préforme » pour ainsi dire les questions métaphysiques les plus fondamentales dont la philosophie hérite, fût-ce pour les réaménager en termes neufs, les détourner ou même les déconstruire. On peut insister sur l'un ou l'autre moment de cette relation, sur les filiations ou les trahisons, mais il est impossible, même si l'on se

---

1. C'est dans cette perspective que j'ai esquissé l'idée d'un lien étroit entre la naissance de la philosophie moderne et la sécularisation de la religion, protestante notamment, en Allemagne. Cf. *La Sagesse des Modernes, op. cit.,* chapitre X.

reconnaît plus volontiers dans le second, d'éliminer tout à fait le premier.

Cette thèse est si peu limitée au seul espace de la pensée grecque, elle possède en vérité une portée si générale qu'on la verra confirmée dans toute l'histoire de la philosophie, jusques et y compris chez les penseurs réputés les moins religieux. C'est ainsi que Spinoza et Nietzsche, par exemple, continueront de s'intéresser, chacun à leur façon qui se veut bien sûr en rupture radicale avec les religions constituées, à la problématique du salut en même temps qu'à celle de l'éternité. Nul hasard, en ce sens, si l'éthique de Spinoza prétend dépasser les morales simplement formelles pour nous conduire vers la « béatitude » : pas de vie bonne selon lui, qui ne soit débarrassée de la crainte de la mort, tout se passant comme si réussir sa vie et réussir sa mort ne faisaient qu'un : on ne saurait bien vivre qu'en ayant vaincu toute peur, et le moyen d'y parvenir, c'est d'avoir travaillé à sa vie, de l'avoir rendue si sage, si éloignée de la folie que l'on parvienne à « mourir le moins possible ». Pour bien vivre, en somme, il faut être prêt à bien mourir, sans peurs et sans regrets, et pour bien mourir, il faut avoir vécu de telle façon que seule une infime et inessentielle partie de soi-même disparaisse. Nulle surprise non plus si les textes où Nietzsche met en scène sa doctrine de l'éternel retour empruntent si souvent la forme parabolique qui est la marque même des grands textes évangéliques : là encore, nous l'avons vu, il s'agit de décrire un critère d'existence qui permette de distinguer entre ce qui vaut *absolument* la peine d'être vécu et ce qui, en revanche, ne mérite guère de durer...

De la religion à la philosophie : trois ruptures dans la continuité

Ce que nous apprennent les travaux des spécialistes de l'Antiquité, c'est que, dès l'aube de la philosophie, cette sécularisation de la religion qui la conserve tout en la dépassant – la problématique du salut et de la finitude est préservée, mais les réponses proprement religieuses sont abandonnées – se met déjà très clairement et fermement en place. Et dès l'origine encore, on peut être plus ou moins attaché à ce qui relie la philosophie aux religions qui la précèdent et l'informent ou, au contraire, à ce qui l'en écarte et que l'on pourrait désigner comme son moment laïc ou rationaliste. Alors que Cornford est plutôt sensible aux liens qui unissent les deux problématiques, Vernant, sans rien renier de cette paternité religieuse de la philosophie, entend mettre plutôt l'accent sur ce qui les oppose. Certes, écrit-il, les premiers « philosophes n'ont pas eu à inventer un système d'explication du monde ; ils l'ont trouvé tout fait... Mais aujourd'hui que la filiation, grâce à Cornford, est reconnue, le problème prend nécessairement une forme nouvelle. Il ne s'agit plus seulement de retrouver dans la philosophie l'ancien, mais d'en dégager le véritablement nouveau : ce par quoi la philosophie cesse d'être le mythe pour devenir philosophie[1] ». Une révolution, si l'on peut dire, dans la continuité, qui s'opère au moins sur trois plans. Repérons-les brièvement, en suivant Vernant, avant d'en tirer les conséquences sur la façon dont la pensée philosophique va devoir reposer, pour une part à nouveaux frais, une question qui pourtant la pré-

---

1. *Op. cit.*, p. 202.

cède, la dépasse et en quelque façon la guide de par son origine religieuse même : celle des liens qui unissent la problématique du salut à celle de la finitude et de la mort, dans la définition d'une nouvelle compréhension du « bien vivre ».

La première mutation est aussi simple à comprendre que fondamentale dans les effets qu'elle induit : dans la philosophie, les questions vont prendre la place des réponses religieuses, les interrogations sur l'origine du monde et les fins de l'homme vont se substituer aux grands récits qui contaient aux humains la destinée *en termes de filiations*. Dans les mythes de l'origine du monde, comme le souligne Vernant, « l'explication du devenir reposait sur l'image mythique de l'union sexuelle. Comprendre, c'était trouver le père et la mère, dresser l'arbre généalogique ». A bien des égards, il en va de même dans toutes les grandes religions où la problématique des filiations est centrale, comme on le voit dans la Bible. Chez les premiers philosophes, au contraire, dès lors que des éléments matériels (l'air, le feu, la terre, l'eau) prennent la place des dieux, les généalogies ne peuvent plus tenir lieu d'explications. La pensée doit se faire tout à la fois interrogative et explicative, il lui faut non seulement poser des questions – ce qui suppose ce fameux « étonnement » dont on a si souvent dit, depuis Platon, combien il était consubstantiel à la philosophie – mais les expliciter, les formuler clairement, et commencer d'y répondre par les voies de la simple raison : « La cosmologie, par là, ne modifie pas seulement son langage. Elle change de contenu. Au lieu de raconter les naissances successives, elle définit les principes premiers, constitutifs de l'être. De récit historique, elle se transforme en un système qui expose la structure profonde du réel[1].» De là aussi, le fait qu'à sa naissance, il est encore impossible de la distinguer de l'activité scientifique avec laquelle elle se confond. Car c'est bien à la religion qu'elle s'oppose, et non à l'esprit scientifique, contre elle qu'elle se constitue au moment même où elle en reprend, sur un autre mode, celui d'un *détournement,* les principales interrogations.

Mais dans ce passage des dieux aux éléments, une seconde mutation s'opère : le contenu même du monde change, le surnaturel s'éclipse. Chez les premiers philosophes, ceux qu'on nomme les «physiciens» justement, «la positivité a envahi d'un coup la totalité de l'être, y compris l'homme et les dieux. Rien de réel qui ne soit nature. Et cette nature, coupée de son arrière-plan mythique, devient elle-même problème, objet d'une discussion rationnelle[2]». Premier «désenchantement du monde», donc, puisque c'est désormais «la force de la *phusis,* dans sa permanence et dans sa diversité qui prend la place des anciens dieux; par la puissance de la vie et le principe d'ordre qu'elle recèle, elle assume elle-même tous les caractères du divin[3]». Remarque essentielle où l'on voit à nouveau toute la dualité, pour ne pas dire l'ambivalence du processus de sécularisation. Si l'on insiste sur le moment de la rupture, on soulignera le retrait du divin, la naissance du naturalisme, du rationalisme, bref, de la pensée scientifique et positive. Si l'on restitue au contraire la continuité, on montrera comment, dans l'univers mental des Grecs, la nature reste encore un être fondamentalement *animé,* organisé, harmonieux, bref, *divin* puisque, comme l'écrit justement

1. *Ibid.,* p. 205.
2. *Ibid.*
3. *Ibid.,* p. 233.

Vernant, il a hérité de toutes les caractéristiques (ou presque) qui étaient celles des dieux eux-mêmes. De là aussi le fait, dont on verra toute l'importance pour comprendre comment les Grecs, et en particulier les stoïciens, vont répondre à la question de la vie bonne, qu'à la différence de notre nature à nous, Modernes, qui n'est en elle-même qu'un matériau neutre n'ayant d'autre valeur éthique ou esthétique que celle que nous voulons bien lui prêter, la nature des Anciens est immédiatement porteuse de valeurs et de sens. Parce qu'il n'est plus dirigé par la divinité, mais parce qu'il est devenu, si l'on ose dire, la divinité elle-même, l'ordre cosmique fixe en et par lui-même les fins que les humains ont tout intérêt à s'approprier s'ils veulent y trouver leur place et commencer de bien vivre. C'est paradoxalement parce qu'il est sécularisé que l'ordre cosmologique devient un ordre «cosmologico-éthique», «reposant non sur la puissance d'un dieu souverain... mais sur une loi de justice (*diké*) *inscrite dans la nature*, une règle de répartition (*nomos*) impliquant pour tous les éléments constitutifs du monde dans un ordre égalitaire, de telle sorte qu'aucun ne puisse dominer les autres et l'emporter sur eux[1]». En ce sens, il n'est pas exagéré de dire qu'il existe, en plus du «cosmologico-éthique», en plus de l'inscription de fins morales dans l'ordre du monde lui-même, un «cosmologico-politique» : une certaine pensée de l'égalité cosmique, qui va assurément s'inscrire dans la cité par le biais de la démocratie grecque, n'est pas étrangère à ce processus de sécularisation par lequel la nature est soustraite au «pouvoir royal» pour devenir en et par elle-même porteuse de *lois de répartition*, c'est-à-dire de droit.

Enfin, cette même dualité, cette rupture/continuité

---

1. *Ibid.*

243

dans le rapport au religieux qui marque la sécularisation par laquelle la philosophie devient possible, se retrouve dans la figure du philosophe lui-même. Comme le prêtre ou comme le poète qui conte aux hommes l'histoire des dieux, le sage est celui qui entretient un lien privilégié avec des entités transcendantes : comme eux, il possède la puissance de voir et de faire voir l'invisible[1], il accède à la contemplation de l'harmonie céleste, pénètre, au-delà de la caverne, dans le monde des idées, perçoit l'unité de toutes choses au travers de la diversité apparente, etc. Et là encore, on peut insister sur les liens ou souligner le changement. Si l'on choisit le second, on dira, avec Vernant, que malgré tout ce qui le relie au poète et au prêtre, le premier philosophe n'est «pourtant plus un *shamane*[2]» puisque son rôle, justement, n'est pas de vivre du secret, de se nourrir du mystère qu'il préserve à tout prix, mais au contraire de divulguer son savoir, de faire école, d'enseigner, c'est-à-dire de le soumettre à la discussion rationnelle et publique : «divulgation d'un secret religieux, extension à un groupe ouvert d'un privilège réservé, publicité d'un savoir auparavant interdit, telles sont donc les caractéristiques du tournant qui permet à la figure du philosophe de se dégager de la personne du mage». A cet égard, les écoles philosophiques qui fleurissent dans la Grèce du IVe siècle se distinguent essentiellement des sectes, qui même lorsqu'elles s'élargissent et deviennent nombreuses, n'en demeurent pas moins des groupes fermés, ésotériques, centrés sur des vérités révélées qu'il ne faut pas dévoiler aux non-initiés : «Au contraire, la philosophie, dans son progrès, brise le cadre de la

---

1. *Ibid.*, p. 211.
2. *Ibid.*, p. 214-215.

confrérie dans laquelle elle a pris naissance. Son message ne se limite plus à un groupe, à une secte. Par l'intermédiaire de la parole et de l'écrit, le philosophe s'adresse à toute la cité, à toutes les cités. Il livre ses révélations à une publicité pleine et entière. En portant le mystère sur la place, en pleine "agora", il en fait l'objet d'un débat public et contradictoire.» Bref, le vrai philosophe est déjà, sans nul doute, «médiatique» – il n'est pas encore frappé par l'interdit que va faire peser sur lui, vingt-quatre siècles plus tard, une idéologie d'avant-garde, à nouveau animée par un sectarisme et un élitisme d'après lesquels le génie est celui qui, en avance sur son temps, ne saurait par définition même avoir qu'un public infime, trié sur le volet et d'avance tout acquis à sa cause.

Mais on peut, tout autant que sur la distance, insister sur la proximité entre le premier philosophe et les mages qui l'ont précédé. Comme eux, il est censé être un sage, c'est-à-dire posséder un accès privilégié au transcendant, à cet invisible, celui de l'harmonie cosmique, à partir duquel il doit être possible de mieux organiser la vie dans la cité comme dans l'individu. De là son prestige qui demeure, du moins dans la Grèce ancienne, exceptionnel...

Par où l'on voit aussi combien, dans ce passage du religieux au philosophique, la quête du salut reste, en tant que telle, un fil d'Ariane pour la réflexion – ce qui, si on comprend convenablement la nature de cette permanence, doit conduire à s'interroger sur les analogies qui doivent bien subsister aussi, au-delà des changements introduits par la sécularisation, dans les réponses elles-mêmes. Si nous sommes passés des premières formes du «théologico-éthique» à l'émergence du cosmologico-éthique, encore faut-il que l'ordre cosmique sur lequel il repose possède les qualités requises pour que notre insertion en son sein nous rende pour ainsi dire les mêmes services que les anciennes croyances : en quoi le dévoilement de l'harmonie du monde par la philosophie peut-il me permettre de répondre à la question du salut ? Comment peut-il, jusque dans la prise en compte de ma finitude radicale, me conduire à me débarrasser, sinon de la mort elle-même, puisque c'est impossible, du moins de la crainte qu'elle suscite pour moi ou pour les miens et qui m'empêche à certains égards de « bien vivre » ?

Le désir d'éternité ou la première sécularisation de la problématique du salut

Comme l'a souligné Hannah Arendt, la culture grecque traditionnelle proposait essentiellement deux façons de relever les défis lancés aux humains par l'incontournable fait de leur mortalité, deux manières, si l'on veut, de tenter une victoire sur la mort ou, du moins, sur les craintes qu'elle nous inspire.

La première, toute naturelle, résidait simplement dans la procréation : en assurant sa descendance, on pouvait espérer s'inscrire dans le cycle éternel de la nature, dans l'univers des choses qui ne sauraient mourir. L'ennui, bien sûr, c'est qu'une telle voie d'accès à l'éternité ne vaut guère que pour l'espèce : si cette dernière peut apparaître potentiellement immortelle, l'individu, en revanche, naît, se développe et meurt, de sorte qu'en visant la pérennité par la procréation, l'être humain, non seulement échoue, mais il ne s'élève en rien au-dessus de la condition des autres espèces animales.

La seconde était déjà plus élaborée : elle consistait

à accomplir des actions héroïques et glorieuses pouvant faire l'objet d'un récit, la *trace écrite* ayant pour principale vertu de vaincre en quelque façon l'éphémère du temps. Pour les historiens grecs, en effet, à commencer par Hérodote lui-même, la tâche de l'historiographie était, en rapportant les faits exceptionnels accomplis par certains hommes, de les sauver de l'oubli menaçant tout ce qui n'appartient pas au règne de la nature. Les phénomènes naturels sont cycliques : ils se répètent indéfiniment, comme le jour vient après la nuit, l'hiver après l'automne ou le beau temps après l'orage. Et leur répétition même garantit que nul ne saurait les oublier : le monde naturel, en ce sens, accède sans peine à l'immortalité, au lieu que « toutes les choses qui doivent leur existence à l'homme, comme les œuvres, les actions et les mots sont périssables, contaminées pour ainsi dire, par la mortalité de leurs auteurs ». Or c'est précisément cet empire de l'éphémère que la gloire devait permettre, au moins pour une part, de combattre. Telle était, selon Arendt, la thèse tacite de l'historiographie ancienne, lorsque, rapportant les faits « héroïques », elle tentait de les arracher à la sphère du périssable pour les égaler à celle de la nature : « Si les mortels réussissaient à doter de quelque permanence leurs œuvres, leurs actions et leurs paroles, et à leur enlever leur caractère périssable, alors ces choses étaient censées, du moins jusqu'à un certain point, pénétrer et trouver demeure dans le monde de ce qui dure toujours, et les mortels eux-mêmes trouver leur place dans le cosmos où tout est immortel, excepté les hommes [1]. »

Avec la naissance de la philosophie, c'est une troi-

---

1. Cf. *La Crise de la culture*, « Le concept d'histoire », trad. Gallimard, 1989, p. 60 *sq.*

sième façon de relever les défis de l'immortalité qui fait son entrée en scène. On sait combien la crainte de la mort était, selon Epictète – qui sans nul doute exprime ici la conviction de tous les grands cosmologistes – le mobile ultime de l'intérêt pour la sagesse philosophique. Mais grâce à cette dernière, l'angoisse existentielle va enfin recevoir, par-delà les fausses consolations de la procréation et de la gloire, une double réponse.

La première ne prétend pas changer le cours des choses lui-même. Elle réside plutôt dans un travail sur soi qui vise moins à vaincre la mort elle-même que les peurs suscitées par elle. Il ne s'agit donc ni de se révolter, ni de céder à quelque illusion consolatrice qui nous promettrait l'immortalité, mais de parvenir avec lucidité à l'acceptation de l'inéluctable. On ne changera pas, pour paraphraser la célèbre formule stoïcienne, l'ordre du monde, qui inclut en lui la nécessité de la mort, mais on peut en revanche modifier ses attentes et ses désirs – en distinguant par exemple, comme nous y invitent sans relâche les stoïciens, entre ce qui dépend de nous et ce qui n'en dépend pas et, comme tel, ne doit pas nous effrayer. Les ressorts de ce dispositif de lutte contre l'angoisse existentielle sont infiniment plus profonds qu'il ne peut sans doute y paraître à première vue. Nous y reviendrons aussi. Bornons-nous pour l'instant à observer que cette invitation à la sagesse ne remet pas en cause la réalité de la mort, mais qu'elle s'attaque seulement à la façon pusillanime dont nous la percevons. En ce sens, le stoïcisme s'écarte assurément des grandes religions qui laissent espérer une immortalité de l'âme.

Mais il est aussi une autre réponse, qui s'attache davantage au fond du problème et qui, au rebours de la première, rapproche singulièrement la philosophie de l'attitude religieuse. Selon les stoïciens, en effet, le sage peut, grâce à un juste exercice de la pensée, parvenir à une certaine forme humaine, sinon d'immortalité, du moins d'éternité. La mort, en effet, n'est pas la fin absolue de toute chose, mais plutôt une transformation, un « passage », si l'on veut, d'un état à un autre au sein d'un univers dont la perfection *globale* possède quelque chose de *stable*, voire de divin. Nous allons mourir, c'est un fait, comme c'en est un aussi que les épis de blé, un jour, seront moissonnés. Faut-il pour autant, se demande Epictète, se voiler la face et s'abstenir, comme par superstition, de formuler de telles pensées parce qu'elles seraient en quelque façon « de mauvais augure » ? Nullement, selon le philosophe, car « les épis disparaissent, mais non le monde ». Le commentaire de la formule mérite qu'on s'y arrête : « Les feuilles tombent, la figue sèche remplace la figue fraîche, le raisin sec la grappe mûre, voilà selon toi, des paroles de mauvais augure ! En fait, il n'y a là que la transformation d'états antérieurs en d'autres ; il n'y a pas de destruction, mais un aménagement et une disposition *bien réglés*. L'émigration n'est qu'un petit changement. La mort en est un plus grand, mais il ne va pas de l'être actuel au non-être, mais au non-être de l'être actuel. – Alors je ne serai plus ? – Tu ne seras pas ce que tu es, mais autre chose dont le monde aura alors besoin[1]. » Comme le dit encore une pensée de Marc Aurèle (IV, 14) : « Tu existes comme partie : tu disparaîtras dans le tout qui t'a produit, ou plutôt, par transformation, tu seras recueilli dans sa raison séminale. »

Commentons un instant : il ne s'agit plus ici, comme dans le premier type de réponse, d'inviter le disciple à « changer ses désirs plutôt que l'ordre du monde » afin

---

1. *Les Stoïciens, op. cit.*, p. 1030.

de ne plus vouloir l'éternité et d'accepter la mort sans l'entourer de craintes inutiles et, même, on l'a vu, au plus haut point nuisibles. Il s'agit bien plutôt de lui faire entendre que, parvenu à un certain niveau de sagesse théorique, l'être humain comprend que la mort n'existe pas vraiment, qu'elle n'est qu'un passage d'un état à un autre, non pas un anéantissement, mais un mode d'être différent : en tant que membres d'un cosmos divin et stable, nous pouvons participer, nous aussi, de cette stabilité et de cette divinité. Pourvu que nous le comprenions, nous percevrons du même coup combien notre peur de la mort est injustifiée non seulement subjectivement, mais bien aussi, en un sens quasi panthéiste, objectivement.

Or c'est là, selon Epictète, le but même de *toute activité philosophique* : c'est elle qui doit permettre à chacun de réussir son existence, de parvenir à une vie bonne et heureuse en enseignant, selon sa belle formule, « à vivre et à mourir comme un dieu[1] », entendons : comme un être qui, percevant son lien privilégié avec tous les autres au sein de l'harmonie cosmique, parvient à la sérénité, à la conscience du fait que, bien que mortel en un sens, il ne meurt pas tout à fait en un autre. Telle est la raison pour laquelle, selon Cicéron, la tradition s'est parfois employée à « diviniser certains hommes » illustres tels que Hercule ou Esculape : comme leurs âmes « subsistaient et jouissaient de l'éternité, on les a légitimement tenus pour des dieux car ils sont parfaits et éternels[2] ». Tout se passe dès lors *comme s'il y avait des degrés dans la mort, comme si l'on mourait plus ou moins selon que l'on est plus ou moins sage et « éveillé ».* Dans cette optique, la vie

---

1. *Ibid.*, p. 900.
2. *De la nature des dieux*, II, 24.

bonne, la vie «réussie», c'est celle qui, malgré l'aveu désillusionné de sa propre finitude, conserve le lien le plus étroit possible avec l'éternité, en l'occurrence, avec la divinité cosmique à laquelle le sage accède par la contemplation, par la *theoria*. En assignant cette mission suprême à la philosophie, Epictète ne fait d'ailleurs que s'inscrire dans une longue tradition, qui remonte au moins au *Timée* de Platon, qui passe par Aristote, et qui se prolonge étrangement, jusque dans la philosophie moderne, chez les penseurs les plus proches des Anciens, à commencer par celui qu'on présente si souvent à tort comme le moins religieux d'entre tous : Spinoza.

Ecoutons d'abord Platon, dans ce célèbre passage du *Timée* (90 b-c) qui évoque les pouvoirs sublimes de la partie supérieure de l'homme, l'intellect (le *nous*) : «Dieu nous l'a donnée comme un génie, et c'est le principe que nous avons dit logé au sommet de notre corps, et qui nous élève de la terre vers notre parenté céleste, car nous sommes une plante du ciel, non de la terre, nous pouvons l'affirmer en toute vérité. Car Dieu a suspendu notre tête et notre racine à l'endroit où l'âme fut primitivement engendrée et a ainsi dressé tout notre corps vers le ciel. Or quand un homme s'est livré tout entier à ses passions ou à ses ambitions et applique tous ses efforts à les satisfaire, toutes ses pensées deviennent nécessairement mortelles, *et rien ne lui fait défaut pour devenir entièrement mortel, autant que cela est possible, puisque c'est à cela qu'il s'est exercé.* Mais lorsqu'un homme s'est donné tout entier à l'amour de la science et à la vraie sagesse et que, parmi ses facultés, il a surtout exercé celle de penser à des choses immortelles et divines, *s'il parvient à atteindre la vérité il est certain que, dans la mesure où il est donné à la nature humaine de participer à l'immortalité, il ne lui manque rien pour y par-*

venir », ce qui, ajoute aussitôt Platon, doit lui permettre d'être « supérieurement heureux ». Il faut donc, pour réussir sa vie, pour la rendre tout à la fois bonne et bienheureuse, rester fidèle à la partie divine de nous-même, à l'intellect. C'est par elle que nous nous rattachons, comme par des « racines du ciel », à l'univers supérieur et divin de l'harmonie céleste : « Aussi faut-il tâcher de fuir au plus vite de ce monde dans l'autre. Or fuir ainsi, c'est se rendre, autant qu'il est possible, semblable à Dieu, et être semblable à Dieu, c'est être juste et sain avec l'aide de l'intelligence[1]. »

La philosophie, pourvu du moins qu'elle n'en reste pas au discours mais soit mise réellement en pratique, doit donc nous permettre de réussir notre vie, *c'est-à-dire d'échapper, « autant qu'il est possible », à la condition de mortel.* Les deux convictions qui animent ces grands textes platoniciens ne peuvent manquer de frapper le lecteur moderne. D'une part, celle selon laquelle il existe des degrés dans la finitude : à la limite, on pourrait presque dire qu'on meurt « plus ou moins » selon l'élévation dans la sagesse (ou dans la folie) à laquelle on parvient. De là l'importance extraordinaire de la philosophie, sa vocation, le mot n'est pas trop fort, *salvatrice* : c'est elle et elle seule qui peut nous sauver, au moins pour une part, de la mort la plus absurde qui soit, celle qu'on s'est construite, si l'on peut dire, de son propre fait, en poursuivant des objectifs qui nous écartent de la *réconciliation avec le divin cosmos.* Mais ce qui étonne aussi, c'est la symétrie de la formule « autant qu'il est possible » appliquée tout aussi bien à la mortalité qu'à l'immortalité : celui qui choisit la mauvaise route, celle de ces parties inférieures et moins célestes de l'âme qui tendent aux passions et à

---

1. *Théétète*, 176 b.

l'ambition, se prépare à mourir entièrement, du moins « autant qu'il est possible », c'est-à-dire, malgré tout, pas tout à fait, comme celui qui choisit l'autre voie se prépare à l'éternité « autant qu'il est possible », sans non plus, donc, l'atteindre parfaitement : c'est là encore une confirmation de l'idée qu'il existe des degrés dans la mort et que, comme membre du divin cosmos, l'être humain ne peut ni tout à fait mourir, ni tout à fait parvenir à l'éternité. C'est entre les deux qu'il dispose d'une marge de manœuvre, c'est là qu'il peut échouer ou réussir. Dans un univers hiérarchisé et harmonieux, chaque être possède sa place, si misérable soit-elle, et il ne saurait s'en distraire tout à fait, fût-ce par la mort. Il n'en reste pas moins, et c'est là la tâche ultime de toute existence humaine digne de ce nom, qu'il peut s'élever dans cette hiérarchie au point que la mort, à l'extrême limite, comme une quantité infinitésimale, n'est presque plus rien.

Ce qui signifie aussi par contrecoup, et c'est là sans doute le sens ultime de cette réflexion sur la finitude humaine, qu'il existe aussi des *degrés dans la vie* : de même que je meurs plus ou moins selon que je suis plus ou moins sage, c'est-à-dire « céleste », de même ma vie sera, avant le « grand passage » évoqué par Epictète, plus ou moins intense, plus ou moins vivante, plus ou moins digne, pour tout dire, d'être vécue. En quoi, de nouveau, la philosophie nous sauve : non plus seulement de la mort, mais d'une vie ratée, non plus de l'anéantissement pur et simple, lequel est d'ailleurs impossible absolument, mais de l'appauvrissement, du rétrécissement de cette vie même.

On trouve encore un constat similaire chez Aristote, lorsque dans un des moments les plus commentés de son *Ethique à Nicomaque* il définit lui aussi la vie bonne, la « vie théorétique ou contemplative », la seule qui puisse nous conduire au «parfait bonheur», comme une vie par laquelle nous échapperions, au moins pour une part, à la condition de simples mortels : on dira peut-être qu'une «vie de ce genre sera trop élevée pour la condition humaine : car ce n'est pas en tant qu'homme qu'on vivra de cette façon, mais en tant que quelque élément divin est présent en nous... Pourtant, si l'intellect est quelque chose de divin par comparaison avec l'homme, la vie selon l'intellect est également divine comparée à la vie humaine. Il ne faut donc pas écouter ceux qui conseillent à l'homme, parce qu'il est homme, de borner sa pensée aux choses humaines, et parce qu'il est mortel, aux choses mortelles, mais l'homme doit, dans la mesure du possible, s'immortaliser et tout faire pour vivre selon la partie la plus noble qui est en lui[1]».

Comme le souligne Pierre Aubenque, en commentant ce texte, dont on perçoit combien il suit celui de Platon et annonce ceux d'Epictète, on ne saurait ici accuser Aristote de pécher par orgueil ou par démesure. A n'en pas douter, en effet, une telle accusation viserait beaucoup trop large : «car ce n'est pas seulement le projet d'Aristote, mais celui de toute philosophie que de rivaliser avec les dieux pour la possession de la sagesse[2]». On ne saurait mieux dire. De cette opinion qui fait de la philosophie la grande rivale de la théologie, nous trouvons une confirmation pour ainsi

---

1. 1177 b, trad. Tricot, Vrin, 1967. La question de savoir comment comprendre cette «immortalité» (est-elle personnelle ou non ?) reste, chez Aristote, très difficile à résoudre, de même que celle de savoir si le fameux «autant que possible» dessine, comme le pense Aubenque, un «idéal régulateur». Cette dernière notion me paraît, en l'occurrence, anachronique et il me semble qu'Aubenque est plus proche d'Aristote quand il la relie plutôt à l'idée que l'être humain est «l'être de la médiation».

2. *La Prudence chez Aristote*, PUF, 1963, p. 169.

dire *a fortiori* dans la reprise de ce thème jusque dans l'athéisme de Spinoza. Assurément, la «sotériologie» philosophique se veut moins consolatrice que la théologique, moins prometteuse mais plus lucide, moins enchantée mais plus solide, moins symbolique mais plus rigoureuse. C'est dire que tous ces «moins» s'inversent dès lors qu'on perçoit comment cette apparente modestie du propos est le gage le plus sûr de son efficacité.

Certes, la doctrine spinoziste ne nous promet pas l'immortalité d'une âme séparée du corps mortel. Mais à vrai dire, elle fait mieux, en nous assurant que nous «sentons» et «expérimentons» d'ores et déjà, ici et maintenant, que nous sommes «éternels». Et comme chez Epictète, Platon ou Aristote, il ne s'agit pas pour Spinoza, ainsi qu'on le dit trop souvent à tort, de vaincre seulement la crainte de la mort, mais bien de parvenir «autant qu'il est possible» à surmonter la mort elle-même. Les formules de Spinoza n'ont rien à envier à celle qu'on vient de lire dans le *Timée* et qui affirment comment, grâce à la philosophie, il est possible de mourir «plus ou moins». Comme Platon, et pour des raisons qui ne sont pas si éloignées des siennes qu'on pourrait le penser *a priori*, Spinoza est convaincu que le sage meurt moins que le fou, et l'enfant plus que l'homme mûr, parce qu'il n'a pas eu l'occasion ni le temps de s'élever à la véritable intelligence de ce qui est. Voilà pourquoi, comme le souligne Deleuze, en commentant ces passages de l'*Ethique*, «ce qu'on appelle une vie heureuse, c'est faire tout ce qu'on peut, et ça Spinoza le dit formellement, pour précisément conjurer les morts prématurées [...] pour faire que la mort, quand elle survient, *ne concerne finalement que la plus petite partie de moi-même*». Non seulement, donc, vaincre ses peurs, ce qui est déjà beau, mais mourir le moins possible, ce qui, on l'avouera, est encore mieux : voilà ce que nous promet cette sotériologie qu'on peut bien dire « athée » et « matérialiste » si l'on y tient, mais qui, à tout le moins, nous reconduit au cœur même de la problématique religieuse.

Pour en revenir aux Grecs, on mesure ainsi combien la rupture avec la religion signifie également continuité avec elle : dans la reprise des interrogations sur le salut, tout d'abord, mais aussi dans la conviction que la nature, si elle prend la place des dieux, n'en reste pas moins en quelque façon elle-même divine et, au sens propre, « animée ». On est encore loin de la conception moderne d'un univers sans âme ni signification, simple matériau brut livré à la domination et à l'exploitation des hommes. Non seulement le cosmos est organisé et hiérarchisé, non seulement il offre à la contemplation l'image d'un ordonnancement harmonieux, mais, en outre, il est doué de sens, de sorte qu'il n'est pas exagéré de dire, pour reprendre une formule de Hans Jonas, que les fins morales y sont « domiciliées » : c'est en l'observant et en le comprenant par leur raison, bien plus, c'est en l'imitant que les êtres humains ont le plus de chances de s'élever vers la sagesse authentique afin d'échapper, « autant qu'il est possible », à la crainte de la mort, voire, pour une part, à la mort elle-même. C'est cette conviction qu'il nous faut encore explorer pour mieux comprendre en quoi cet univers grec pouvait fonder une alternative aux religions dans la réponse à la question de la vie bonne.

Le « cosmologico-éthique » : la puissance et les charmes des morales inscrites dans le cosmos

Sans doute est-il temps d'en dire un peu plus sur le néologisme – «cosmologico-éthique» – par lequel j'ai tenté de qualifier la grande tradition philosophique grecque : celle qui va du *Timée* de Platon aux pères fondateurs de l'école stoïcienne en passant par l'éthique d'Aristote. Elle exercera son influence décisive sur toute l'Europe chrétienne jusqu'à la fin du Moyen Age. La formule est sans doute incompréhensible pour qui s'inscrit dans l'optique des Modernes. Depuis la révolution galiléenne et l'avènement des sciences positives, en effet, il est devenu évident pour nous que la nature ne saurait avoir, en tant que telle, la moindre valeur normative. Nous pouvons certes admirer sa beauté, sa perfection, sa richesse, sa puissance et peut-être même, quoiqu'en un sens métaphorique, son «intelligence», mais en aucun cas nous ne saurions la percevoir comme porteuse de valeurs morales, et ce pour deux raisons de fond, intimement liées entre elles.

La première tient à ce que pour nous, Modernes,

héritiers de Galilée et de Newton, le monde a cessé d'être perçu comme un être organisé et « animé » : la notion d'« âme du Monde », si présente dans la philosophie ancienne, a disparu de nos traités de physique et pour nous, il va de soi qu'en dehors des logiques de l'obscurantisme et de la pensée magique, il est absurde d'imaginer que l'univers pourrait ne pas être radicalement neutre à l'égard de nos principes éthiques.

Les fins morales relèvent donc d'une autre sphère, celle du devoir-être et non de l'être, de l'idéal plus que du réel. Elles s'expriment désormais en termes d'impératifs et d'exigences, par opposition aux simples données factuelles du règne naturel. Ou pour le dire autrement : les sciences de la nature décrivent ce qui est, elles ne sauraient *en tant que telles* indiquer ce que nous devons faire. Je puis observer que, *de facto*, les gros poissons mangent les petits, sans en tirer pour autant la conclusion selon laquelle il faudrait, sur le plan moral, suivre cette règle dans le monde humain. Ce n'est pas non plus parce que les êtres de nature semblent manifestement guidés dans la plupart de leurs actions par l'instinct de conservation et l'égoïsme, que je dois les prendre pour modèle. Au contraire, il se peut même que je considère comme élémentaire au regard de l'éthique de lutter contre ces aspects de la nature en moi et hors de moi. Cette dernière, quelle que soit l'admiration qu'elle puisse inspirer sur d'autres plans, n'est plus pour nous un guide infaillible. De même qu'il nous semblerait insensé, comme relevant d'une superstition d'un autre âge, de tenir tel virus ou tel microbe pour « méchant », de même, nous ne pouvons considérer comme bon *moralement* l'arbre qui nous offre des pommes ou la source qui nous désaltère, et ce quel que soit l'avantage que nous en tirons. Et quand bien même, pour prendre un cas extrême, la biologie nous aurait appris que le tabac est à coup sûr nuisible pour la santé, sa consommation n'en resterait pas moins située « par-delà le bien et le mal », le fait que cette activité soit factuellement dangereuse ne fondant en soi et en tant que telle aucune valeur éthique : la question de savoir si je préfère une vie courte et bonne à une existence longue et ennuyeuse, si un certain nombre d'activités dangereuses font partie de la première ou non, si je souhaite en prendre le risque etc. ne peuvent pas être tranchées par la seule observation des faits naturels.

A la limite, on pourrait même dire que notre univers moral, aujourd'hui largement dominé par une philosophie des droits de l'homme, est presque tout entier construit sur le rejet de ce que la nature peut avoir de brutal et d'aveugle. Des lois telles que celle de la sélection naturelle des plus faibles, par exemple, constituent un repoussoir davantage qu'un modèle. Le plus souvent, nous estimons que les imiter serait contraire à toutes les valeurs d'entraide, de charité, de solidarité, de respect d'autrui sur lesquelles reposent à un moment ou à un autre nos systèmes de valeurs, quelles que soient par ailleurs les différences qui peuvent les séparer ou même les opposer entre eux. Il est ainsi devenu clair pour nous que la nature est, dans le meilleur des cas, moralement *indifférente,* qu'elle correspond à la sphère du fait et non du droit. Sans doute certaines visions du monde, le nazisme par exemple, ont-elles parfois voulu l'ériger en idéal des conduites humaines, mais le moins qu'on puisse dire est qu'elles n'ont guère réussi à s'imposer universellement sur le plan éthique.

Toutefois, il nous faut d'emblée écarter le malentendu que ces remarques sur la différence entre les Anciens et les Modernes pourraient susciter : en invitant à imiter la nature, à puiser en elle nos valeurs éthiques, les Grecs n'entendaient nullement faire l'apologie de la force brutale, de l'égoïsme ou de la sélection naturelle des plus faibles. Pour comprendre leur conception d'un «cosmologico-éthique», d'une morale enracinée dans le cosmos, il faut bien sûr se rappeler que leur représentation de la nature était à bien des égards aux antipodes de la nôtre. Vaste champ de forces incarnées ou non dans des êtres organisés, la réalité naturelle offre à nos yeux davantage le spectacle d'un affrontement permanent, d'une guerre de tous contre tous que celui d'un agencement bien réglé où l'harmonie, la coopération et la solidarité occuperaient une place essentielle [1]. Voilà pourquoi le mot d'ordre selon lequel il faudrait «imiter la nature» peut avoir ici et là des significations tout à fait différentes, pour ne pas dire inverses. Pour les Anciens, non seulement la nature était d'abord et avant tout caractérisée par l'ordre harmonieux plus que par une lutte permanente et mortelle en vue de la survie (encore qu'ils n'ignorassent pas non plus cet aspect des choses), mais elle était en et par elle-même porteuse des valeurs morales les plus hautes de sorte que les fins éthiques pouvaient, en effet, paraître «domiciliées» en elle. On pouvait non seulement trouver dans l'ordre cosmique un guide de conduite, mais on devait même y déchiffrer, pourvu que l'on ait suffisamment pratiqué la contemplation, les finalités ultimes et le sens de notre vie de mortels. C'est très exactement cette «conception du monde» que je désigne ici sous le vocable de «cosmologico-éthique».

---

1. C'est bien sûr cette vision de la nature comme lieu de perpétuel conflit que certains écologistes tentent de combattre, en évoquant d'ailleurs souvent la conception grecque de l'harmonie cosmique.

Comme l'a écrit Rémi Brague, dans le beau livre qu'il a consacré à cette « sagesse du monde » : « Pour nos ancêtres [...], l'homme pouvait – voire devait – emprunter le critère de son action à la nature. La nature était alors source de moralité. En conséquence, on pouvait faire de la physique une propédeutique à l'éthique[1]. » Ce que les stoïciens, les premiers peut-être à articuler systématiquement entre elles les différentes parties de la philosophie, ne manquèrent pas de faire comme l'atteste, entre autres, cette sentence de Chrysippe, le second directeur de l'école stoïcienne : « Il n'y a pas d'autre moyen ou de moyen plus approprié pour parvenir à la définition des choses bonnes ou mauvaises, à la vertu et au bonheur, que de partir de la nature commune et du gouvernement du monde. » C'est dans le cosmos, en effet, qu'il nous faut apprendre à déchiffrer, comme à livre ouvert, les fins de l'homme – ce qui ne signifie nullement, bien entendu, que ce dernier puisse faire l'économie de la réflexion, ni renoncer à l'usage de sa raison, tout au contraire, car c'est grâce à elle qu'il peut comprendre les signes de la nature. Il n'en reste pas moins que les fins de la moralité sont, aux yeux des stoïciens, *objectivement* et non seulement subjectivement inscrites dans l'être même du monde, de sorte que la compréhension du propre de l'homme et de ses finalités suprêmes sur cette terre, ou si l'on veut, la perception adéquate du sens de sa vie passe par celle du cosmos. Dans cette tradition d'origine platonicienne, l'anthropologie et la cosmologie s'avèrent inséparables l'une de l'autre comme le montre encore Brague, dans un passage de son livre qu'il faut citer tant il cerne parfaitement sur ce point la différence entre les

---

1. *La Sagesse du monde, op. cit.*, p. 137.

Anciens et les Modernes, entre l'univers du cosmologico-éthique ou des « sagesses du monde » et celui de l'humanisme ou des « droits de l'homme » : « C'est bien la nature, et non seulement la science de la physique, qui détermine l'humanité de l'homme ; la nature comme objet d'étude, non l'étude de la nature comme activité du sujet. *La valeur éthique de la physique ne vient pas du processus humain de connaissance, mais de la nature elle-même...* Le monde, et avant tout ce qu'il y a de plus cosmique dans le monde, à savoir le ciel, donne à l'homme antique et médiéval l'éclatant témoignage de ce que le bien n'est pas seulement une possibilité, mais une triomphante réalité. *La cosmologie a une dimension éthique.* A son tour, la tâche de transporter un tel bien dans ce bas monde où nous vivons enrichit l'éthique d'une dimension cosmologique. C'est par la médiation du monde que l'homme devient ce qu'il doit être et, partant, ce qu'il est. La sagesse ainsi définie est bien une "sagesse du monde[1]". »

On ne saurait mieux dire, et Brague a raison d'insister sur le fait que la détermination des fins de

---

1. *Ibid.*, p. 137-143. Voir aussi le développement de ce thème p. 153 *sq.* On a réellement peine à comprendre que, sous l'influence sans doute de certains courants de pensée anglo-saxons, cette spécificité si manifeste et si intéressante du monde grec soit manquée ou déniée par certains commentateurs, par ailleurs estimables. Cf. en ce sens, le livre de Monique Canto-Sperber, *L'Inquiétude morale et la vie humaine, op. cit.* (par exemple p. 79 : « Il va sans dire que dans ces trois philosophies [celle de Platon, d'Aristote, et des stoïciens] on ne voit pas la moindre trace de la thèse selon laquelle les fins de l'homme ou les idées morales sont données par la nature »). « Il va sans dire... », « pas la moindre trace » ! Ces formulations péremptoires sont directement contredites, comme nous allons le voir ici même, par des dizaines, voire des centaines de textes essentiels issus de ces trois traditions qui affirment aussi clairement que fermement le contraire. Que le rapport de l'éthique à la cosmologie n'en soit pas un de simple « déduction » est une chose, au demeurant si évidente qu'en tirer argument revient à enfoncer une porte ouverte. Affir-

l'homme appartient, dans cette grande tradition des cosmologies grecques, *à la nature elle-même*. C'est là ce que Sénèque, parmi tant d'autres héritiers de ces premières visions philosophiques du monde, avait clairement perçu : « Ici, tous les stoïciens sont d'accord : c'est à la nature que je donne mon assentiment ; *ne pas s'égarer loin d'elle, se conformer à sa loi et à son modèle, c'est là que réside la sagesse*[1]. » Ou encore Cicéron : « Quant à l'homme, il est né pour contempler et pour imiter le divin monde ; il n'est pas l'être parfait, mais il est une petite portion de l'être parfait... L'homme n'est pas un être parfait, et pourtant la vertu s'accomplit en lui. Combien plus facilement s'accomplit-elle dans le monde. Le monde possède donc la vertu et alors il est sage, et par conséquent Dieu[2]. » Où l'on voit parfaitement que c'est bien l'Etre lui-même, le cosmos comme tel, et non notre regard sur lui, qui s'avère être, en tant que « divin », le fondement ultime des valeurs éthiques. Certes, cela ne signifie nullement que les êtres humains soient dispensés pour autant des tâches de l'étude et de la connaissance. Sinon, à quoi bon d'ailleurs philosopher, à quoi bon valoriser la *theoria*, la contemplation de ce divin même, et recommander dans les écoles l'apprentissage de la physique et de la logique comme un préalable à l'éthique ? L'usage de la rai-

---

mer pour autant que la notion de « cosmologico-éthique » ou, comme dit Brague, de « sagesse du monde » n'a guère de sens ou qu'elle ne caractérise pas cette philosophie grecque, prétendre que la question de la sagesse n'y est que marginale (cf. p. 191 *sq.*), c'est passer à côté de ce qui lui donne son sens le plus profond pour n'en conserver que les aspects les moins *intéressants* et les moins *spécifiques*, ceux que l'on retrouve aussi bien, par exemple, dans la philosophie morale américaine contemporaine.

1. *De la vie heureuse*, in *Les Stoïciens, op. cit.*, II, p. 726.
2. *De la nature des dieux, ibid.*, 422.

son reste à l'évidence indispensable. Il demeure fragile, difficile, et parfois même incertain, car il ne s'efface pas devant la nature comme devant une révélation qui nous livrerait des vérités toutes faites, données en soi et pour soi en l'absence de tout effort de pensée.

Toutefois, la raison, comme ne cessent de le rappeler les stoïciens, n'est pas elle-même une entité extérieure au cosmos : elle en est au contraire la structure la plus intime et la plus divine. Les hommes en participent, ils n'en sont pas les propriétaires, comme s'il s'agissait d'un simple outil, d'un instrument neutre que l'on appliquerait de manière toute subjective à un univers extérieur dépourvu de liens avec elle. Bref, nous sommes ici encore aux antipodes de ce que les Modernes vont nommer, pourtant d'un mot grec, la « technique », cette « raison instrumentale » qui va se caractériser tout à la fois par son indifférence radicale à l'égard des finalités qu'elle peut être appelée à poursuivre, et par son extériorité non moins radicale par rapport au réel qu'elle cherche davantage à transformer, à manipuler ou à expliquer qu'à contempler. L'ordre du monde et la raison forment ici les deux facettes d'une même entité, comme Socrate, déjà, nous invite à le penser dans ce célèbre passage de la *République* : « On n'a guère le loisir, quand l'esprit est vraiment occupé à contempler les essences, d'abaisser le regard sur la conduite des hommes, de leur faire la guerre et de se remplir contre eux de haine et d'aigreur ; mais regardant et contemplant des objets ordonnés et immuables, qui ne se nuisent pas les uns aux autres, qui tous au contraire sont sous la loi de l'ordre et de la raison, on les imite et on se rend autant que possible semblables à eux ; ou bien crois-tu vraiment qu'il soit possible, quand on vit avec ce que l'on admire, de ne pas l'imiter[1]?» A l'évidence, pour Platon, la réponse est non, et l'on voit à merveille dans ce texte combien les grandes cosmologies anciennes sont convaincues non seulement de la beauté du monde, mais bien aussi de sa bonté.

De là les caractéristiques du cosmos grec, qui fondent pour les humains cette possibilité, que nous avons en grande partie perdue, d'y puiser une représentation de la vie bonne. Il faut les saisir pleinement si nous voulons comprendre les conséquences qui s'en déduisent quant à la compréhension ultime des rapports de l'éthique à la cosmologie dont elle dépend, fût-ce de façon complexe et non mécanique.

Il s'agit d'abord d'*un monde radicalement «transcendant» par rapport aux hommes*. L'idée mérite d'être précisée, car elle peut prêter à confusion. Elle ne saurait bien sûr renvoyer ici, comme dans les religions monothéistes, à la représentation d'un être situé dans un au-delà totalement étranger à l'univers réel. Il s'agit plutôt, si l'on peut dire, d'une «transcendance dans l'immanence» : l'ordre cosmique, l'harmonie de l'univers n'existent nulle part ailleurs qu'incarnés en lui ; ils ne sont pas des idéalités, au sens propre, abstraites ; il n'en reste pas moins que, du point de vue des hommes, ils constituent des principes radicalement extérieurs et supérieurs, s'il est vrai, comme l'affirme Chrysippe, que «les choses célestes et celles dont l'ordre est toujours le même ne peuvent être faites par l'homme[2]». Transcendance, donc, non par rapport au réel naturel, mais bien par rapport aux individus qui composent l'humanité et qui n'en participent que

---

1. Cité et traduit par Rémi Brague, *op. cit.*, p. 154.
2. Cf. Cicéron, *De la nature des dieux, ibid.*, 415.

comme les membres infiniment petits d'un organisme aussi imposant qu'admirable.

Car cet ordre, organisé comme un être vivant, harmonieux et bon, est divin. Ecoutons Cicéron, qui, sur ce chapitre, prend la défense de la tradition stoïcienne contre les critiques épicuriennes des grandes cosmologies. Elles lui paraissent en effet si étrangères au monde ancien qu'il en vient presque à douter qu'Epicure soit bien grec : « Qu'Epicure se moque tant qu'il voudra (il est d'ailleurs bien peu fait pour plaisanter et il n'a rien de son pays) ; qu'il dise qu'il ne peut comprendre ce dieu qui tourne sur lui-même et qui est tout rond. Cependant, il ne me détournera jamais d'une opinion que pourtant il partage. Car il veut que les dieux existent, parce qu'il est nécessaire qu'il y ait une nature supérieure, plus parfaite que tout le reste. Or rien n'est plus parfait que le monde. Et il n'est pas douteux qu'un être animé, doué de conscience, de raison et d'intelligence est supérieur à celui qui n'a pas ces facultés. Il en résulte que le monde est un être animé, doué de conscience, d'intelligence et de raison[1]. » Voilà, très exactement, ce que la physique moderne nous interdit aujourd'hui de croire et qui nous empêche, par là même, de fonder encore l'éthique sur un cosmos désormais introuvable.

Il n'empêche. Pour les Grecs, à l'exception notable des épicuriens et sans doute des sophistes, cette divinisation du monde qui en fait, au sens étymologique, l'objet privilégié de la *theoria*, fonde des qualités d'harmonie à nulle autre pareilles[2], des attributs dignes

---

1. *Ibid.*, I, 425.
2. Cf. J. Brunschwig, *op. cit.*, p. 1053 : « L'écheveau des attributs du monde stoïcien est si serré qu'il vient tout entier, quel que soit le fil que l'on tire : ce monde est une totalité, non une simple somme ; il est un, fini, sphérique, géocentré, plein, continu, ordonné, organisé. Les évé-

d'être imités par une sagesse humaine, au sens où l'indique ce passage remarquable des *Pensées* de Marc Aurèle[1] : il faut, recommande-t-il, « penser sans cesse que le monde est un vivant unique, ayant une seule substance et une seule âme. Comme tout se rapporte à une conscience unique qui est la sienne, comme il agit en tout par une impulsion unique [...] les conséquences surviennent toujours selon la qualité propre aux antécédents. Ce n'est pas comme une énumération de choses séparées, ce qui implique seulement la nécessité, c'est une continuité rationnelle ; et de même que les êtres sont coordonnés harmonieusement, de même les événements ne se succèdent pas purement et simplement, ils montrent une admirable liaison[2] ».

Où l'on voit que l'univers, comme le souligne Jacques Brunschwig[3], n'obéit pas seulement à un ordre mécanique, celui des causes efficientes qui enchaînent entre eux les événements historiques, mais aussi, comme un être vivant, à une systématicité interne : « Le tableau cosmique se revêt de couleurs biologiques et vitalistes. Les différences entre les êtres naturels sont de degré plutôt que de nature, et le monde lui-même est conçu, selon l'antique analogie du microcosme et du macrocosme, comme possédant les propriétés que

nements qui s'y produisent ne sont pas indépendants les uns des autres : son unité temporelle et causale se résume dans la notion de destin, agencement ordonné et inviolable des causes, notion à laquelle les stoïciens ne tenaient pas moins qu'à celle de responsabilité morale qu'elle paraissait mettre en péril. »

1. IV, 40, in *Les Stoïciens, op. cit.*, II, 1166.

2. Il est d'ailleurs à noter que c'est cette conviction d'une interconnexion continue des choses entre elles qui fonde, chez les stoïciens, une conception presque « rationnelle » de ce qui apparaît à la science d'aujourd'hui comme une pure et simple superstition : l'art de la divination. Si « tout se tient », en effet, on ne voit pas pourquoi, en traçant pour ainsi dire les pointillés que dessine le présent, on ne parviendrait pas à connaître une part de l'avenir.

3. *Op. cit.*, p. 1053.

possèdent ses parties les plus accomplies : la vie, pour commencer, mais aussi la sensibilité caractéristique de l'animal, et la rationalité caractéristique de l'homme. Il ne serait pas contraire à l'esprit du portique de dire que l'homme est "au chaud" dans ce vaste cocon tiède qui lui ressemble, où tout ce qui n'est pas lui est fait pour lui, où le mal n'est qu'une illusion, un détail ou une rançon inévitable du bien. *Encore faudrait-il ajouter que l'homme lui-même, animal rationnel mais mortel, ne s'accomplit qu'en reconnaissant le tout dont il est une partie, grand vivant rationnel parfait, c'est-à-dire Dieu. Le destin est une providence et la physique se dévoile, à la dernière étape de l'initiation aux mystères (l'image est de Chrysippe), comme une théologie.* » Harmonieux, organisé comme un être vivant, le monde est donc également juste et bon, et comme dit Marc Aurèle avec la sérénité que peut conférer une telle certitude : «Tout ce qui arrive, arrive justement ; c'est ce que tu découvriras si tu observes exactement ; et je ne dis pas comme conséquence de la justice, mais selon la justice, comme si quelqu'un vous attribuait votre part suivant votre mérite[1].» Le sentiment que le mal existe dans la nature est par conséquent erroné, lié à un biais. Il tient au fait que nous jugeons de la valeur de la totalité en nous fiant seulement à l'observation d'une toute petite partie de l'univers, celle où nous vivons, le monde «sublunaire». Mais les désordres qu'on y observe parfois en se plaçant du mauvais côté de la lorgnette sont infimes au regard de la beauté et de la perfection de l'ensemble. Selon Aristote[2], on doit reprocher à ceux qui pensent que le monde est imparfait d'«étendre à l'Univers tout entier des observations qui ne portent

---

1. *Pensées*, IV, 10 (*Les Stoïciens, op. cit.*, p. 1161).
2. *Métaphysique*, G, 5, 1010 a, 25.

que sur les objets sensibles, et même que sur un petit nombre d'entre eux. En effet, la région du sensible qui nous environne est la seule où règnent la génération et la corruption, mais elle n'est même pas, si l'on peut dire, une partie du tout; de sorte qu'il eût été plus juste d'absoudre le monde sensible en faveur du monde céleste, que de condamner le monde céleste à cause du monde sensible ». On ne saurait juger du tout en considérant seulement des parties infinitésimales… là où nous avons acquis la conviction que la nature est moralement neutre, voire trop violente pour fournir quelque modèle éthique que ce soit, les Anciens sont animés au contraire par la conviction que le « mal qui règne sur la terre n'est au fond qu'une exception. La règle qu'il confirme se manifeste dans la régularité et l'ordre majestueux des mouvements célestes. C'est grâce à cet ordre que le monde mérite son nom grec de *cosmos*, ce qui veut dire, justement, "ordre", bel arrangement, totalité rangée et harmonieusement arti-culée, etc. En bas, il se peut que tout aille à vau-l'eau ; en haut, "tout n'est qu'ordre et beauté"[1] ». Nous reviendrons plus loin, en étudiant plus en profondeur la sagesse stoïcienne et sa réponse ultime à la question de la vie bonne, sur les implications de ce panthéisme ancien. Une double conviction s'impose déjà : celle selon laquelle la raison ne doit pas, aux yeux des Grecs, être conçue comme une faculté simplement humaine, subjective, instrumentale et extérieure au réel, mais au contraire comme un ordre objectif et commun auquel nous participons au même titre que le monde lui-même[2] ; celle, ensuite, qui nous commande de prendre le réel lui-même pour modèle éthique.

1. Rémi Brague, *op. cit.*, p. 129 *sq.*
2. Cf. sur ce point *La Sagesse du monde, op. cit.*, p. 153 *sq.*

C'est parce qu'il est doué des qualités qu'on vient d'évoquer que le cosmos s'avère être *un monde intrinsèquement moral et c'est dans cette affirmation, bien sûr, que l'idée d'un cosmologico-éthique prend enfin tout son sens.* Dans son ouvrage *Des fins des biens et des maux* (III, 73), Cicéron explique parfaitement pour quelles raisons, dans la vision stoïcienne du monde, la physique, c'est-à-dire l'étude du cosmos, possède une dimension immédiatement ou, pour mieux dire, intrinsèquement éthique : « Celui qui veut vivre d'accord avec la nature doit, en effet, partir de la vision d'ensemble du monde et de la providence. On ne peut porter des jugements vrais sur les biens et sur les maux sans connaître le système entier de la nature et la vie des dieux ni savoir si la nature humaine est ou non en accord avec la nature universelle. Et l'on ne peut voir, sans la physique, quelle importance (et elle est immense) ont les anciennes maximes des sages : "Obéis aux circonstances", "suis Dieu", "connais-toi toi-même", "rien de trop", etc. Seule la connaissance de cette science peut nous enseigner ce que peut la nature dans la pratique de la justice, dans la conservation de nos amitiés et de nos attachements... »

On mesure peut-être mieux ici, dans ces formules de Cicéron qui traduisent fidèlement l'univers mental non seulement du stoïcisme, mais plus généralement des grandes cosmologies grecques, combien nous sommes à l'opposé de la pensée moderne : il ne s'agit pas simplement de suggérer que l'étude de la nature pourrait être « utile » à la vie morale, que nous pourrions, moyennant certains correctifs, y puiser quelques enseignements, mais bien d'affirmer que les fins de l'homme, les objectifs qu'il doit se proposer sur le plan éthique *sont inscrits au cœur même du réel*, domiciliés dans une nature dont on a vu que Cicéron, dans le même esprit, n'hésite pas à dire que, «consciente et sage», «elle est le plus beau des gouvernements[1]». C'est dire, à l'encontre de ce qu'enseigneront les moralistes modernes[2], que les valeurs se situent dans l'être et non dans le devoir-être, qu'elles sont enracinées dans les faits et non suspendues à un idéal de «droit[3]». Bien qu'exotique à nos yeux, cette vision du cosmologico-éthique se comprend assez aisément lorsqu'on l'associe à la métaphore organiciste qui domine la représentation du cosmos : si l'ordre du monde ressemble à un organisme vivant, il est clair qu'en son sein, chaque être possède une fonction propre, une destination particulière. Comment ne pas estimer préférable, dans ces conditions, qu'elles soient accomplies, et même bien accomplies, plutôt que laissées à l'état de virtualités? C'est sur ce modèle que l'idée d'une finalité immanente au réel peut acquérir une signification cohérente. C'est aussi en suivant cette voie qu'on pourra envisager une réponse quasiment

---

1. *De la nature des dieux*, II, XXXII, 81.

2. A l'exception bien sûr de Spinoza, le «plus ancien des Modernes» selon Leo Strauss.

3. C'est, là encore, une des thèses fondamentales de l'ouvrage de Rémi Brague; cf., entre autres, p. 142 : «Selon cette façon de voir, il n'y a donc pas, d'un côté, un monde physique vide de "valeurs" et, de l'autre, des "valeurs" sans enracinement dans la réalité sensible... Pour la pensée antique et médiévale, l'être est d'emblée bon et n'a donc nul besoin de recevoir cette qualité d'ailleurs que de lui-même. La convertibilité de l'Etre et du Bien ne gouverne pas seulement la métaphysique, dans la doctrine des transcendantaux; elle a une version cosmologique. Elle se donne à voir dans la structure même du monde. Cette situation a des conséquences éthiques : elle n'oblige à rien de moins qu'à une manière déterminée de définir l'agir moral humain. Le bien n'est pas quelque chose qu'il faudrait injecter du dehors dans un réceptacle neutre; il est déjà là, voire il s'impose avec éclat dans la réalité. Cela ne mène pas à un quelconque quiétisme. L'éthique demeure comme tâche. Mais "faire" le bien consiste moins à produire qu'à traduire, qu'à transporter d'un domaine à l'autre ce qui est déjà là.»

« objective » à la question de la vie bonne. Cette sagesse du monde, qui aura dominé l'Europe durant la période qui s'étend de l'Antiquité jusqu'à la fin du Moyen Age[1], ne peut plus, ne fût-ce qu'en raison des évolutions de la science moderne, être la nôtre. Il n'en reste pas moins qu'elle possède encore à nos yeux une force de séduction qui ne saurait laisser indifférent. Elle nous parle encore, pourvu qu'on prenne la peine d'en analyser les ressorts les plus intimes.

On a souvent dit des grandes visions morales enracinées dans la cosmologie grecque qu'elles étaient d'abord et avant tout « eudémonistes », que leur idéal ultime n'était autre que le bonheur sur cette terre. Et il n'est pas exclu, en effet, que les convictions éthiques qui se fondent sur l'idée d'un cosmos harmonieux aient eu raison de toute forme d'angoisse, qu'elles aient réussi à vaincre les peurs existentielles qui interdisent aux humains de vivre dans la sérénité, et que le sage grec ait été le plus heureux des

---

1. *Ibid.*, p. 213. La domination du modèle cosmologique, donc des « sagesses du monde », « est le fait d'une époque close, que nous pouvons donc maintenant envisager comme un tout. Cette période de l'histoire de la pensée humaine qui présente, du point de vue de cette articulation recherchée entre cosmologie et anthropologie, un intérêt tout particulier, s'étend de l'Antiquité post-classique à la fin du Moyen Age... Pendant une période qui a duré plus d'un millénaire, les esprits ont été dominés par une cosmographie qui, d'une part faisait l'unanimité, au moins quant à ses grands traits et qui, d'autre part, se prêtait à l'articulation avec une éthique. Il s'agit bien d'une période car elle a un commencement et une fin. Car cette liaison [...] n'a pas toujours existé. Et par la suite, soit en gros, avec l'époque moderne, la cosmographie qui pouvait faire l'accord des esprits ne se prêtait plus à une surdétermination éthique, négative ou positive. Le cosmos moderne est éthiquement indifférent. L'image du monde qui sort de la physique d'après Copernic, Galilée, Newton est celle d'un jeu de forces aveugles où il n'y a pas de place pour la considération du Bien ».

hommes. Si la nature est bonne, si elle est divine, le destin qu'elle nous réserve, quel qu'il soit, mérite bien le nom de providence – et, comme le chrétien ou le musulman qui remet humblement son sort entre les mains de Dieu et parvient à l'accepter dans la joie, le stoïcien doit pouvoir affirmer tranquillement, avec Épictète : «Je veux toujours, avant tout, ce qui arrive. Car je pense que ce que Dieu veut vaut mieux que ce que je veux[1]. » Dieu, sans doute, n'est pas ici une personne réelle, comme dans les représentations monothéistes. Il n'est en vérité qu'un autre nom de la nature. Il n'en reste pas moins qu'à cette nature cosmique, il est possible de se fier comme à un dieu, qu'on peut, pour ainsi dire, se laisser porter par elle comme par une vague douce et chaleureuse. Même lorsque le sort semble contraire à nos désirs, on doit pouvoir l'accepter sans céder au malheur car «l'animal raisonnable possède le moyen [...] de savoir qu'il est une partie du monde, quelle espèce de partie il est, et qu'il est bon que les parties obéissent à l'ensemble[2] ». Nous reviendrons dans le prochain chapitre sur les motifs philosophiques plus profonds de cette « sagesse de la providence ». D'ores et déjà, il est clair qu'elle pouvait, au temps des Grecs comme aujourd'hui encore, exercer sur les disciples une double séduction : d'une part, parce que la confiance, comme la foi, est destinée à chasser l'angoisse ; d'autre part parce que la cosmologie fonde une attitude qui se trouve être en rupture radicale avec la conscience commune immergée dans la vie quotidienne.

Sur le premier versant, les *Entretiens* d'Épictète ne

1. *Entretiens*, IV, 19.
2. *Ibid.*, IV, 6.

laissent aucun doute. La vie bonne, c'est la vie sans espérances ni craintes, c'est la vie réconciliée avec ce qui est. Mais comment cette réconciliation pourrait-elle advenir hors la conviction que le monde est divin, harmonieux et bon ? Il faut chasser « de ton esprit le chagrin, la peur, l'envie, la joie des maux d'autrui, l'avarice, la mollesse, l'incontinence. Mais il n'est pas possible de les chasser sans avoir égard à Dieu seul, sans s'attacher à lui seul, sans se consacrer à suivre ses ordres. Si tu veux autre chose, tu te lamenteras, tu gémiras en suivant ceux qui sont plus forts que toi, en cherchant toujours hors de toi un bonheur que tu ne pourras jamais trouver ; c'est que tu le cherches là où il n'est pas et que tu négliges de le chercher là où il est [1] ». Injonction qu'il faut encore lire ici en un sens « cosmique » ou panthéiste, plutôt que religieux : Dieu n'est qu'un équivalent du cosmos, un autre nom de la raison universelle, un visage du destin qu'il nous faut accepter, et même vouloir de toute notre âme, alors que, victimes des illusions de la conscience commune, nous croyons toujours devoir nous opposer à lui pour tenter de l'infléchir : « Il faut accorder notre volonté avec les événements de telle manière que nul événement n'arrive contre notre gré et qu'il n'y ait non plus nul événement qui n'arrive lorsque nous le voulons. L'avantage, pour ceux qui sont ainsi pourvus, c'est de ne pas échouer dans leurs désirs, de ne pas tomber sur ce qu'ils détestent, *de vivre intérieurement une vie sans peine, sans crainte et sans trouble* [2]... »

---

1. II, XVI, 45-47 (*Les Stoïciens, op. cit.*, p. 924).
2. Cf. *Entretiens* II, XIV, 7-8 (*ibid.*, p. 914).

Bien entendu, de telles injonctions semblent *a priori* absurdes au commun des mortels. Il ne peut guère y voir autre chose qu'une forme de « quiétisme » particulièrement niaise. La sagesse passe aux yeux du plus grand nombre pour une folie, parce qu'elle repose sur une vision du monde, une cosmologie dont la compréhension intime suppose un effort théorique hors du commun. Mais n'est-ce pas cela, justement, qui distingue la philosophie des discours ordinaires, n'est-ce pas ainsi qu'elle acquiert un charme à nul autre pareil ? Comme le souligne Pierre Hadot : « Il y a là un renversement total de la manière de voir les choses. On passe d'une vision "humaine" de la réalité, vision dans laquelle nos jugements de valeur dépendent des conventions sociales ou de nos passions, à une vision "naturelle", "physique" des choses qui replace chaque événement dans la perspective de la nature et de la raison universelle [1]. »

Où l'on voit encore combien la philosophie est, dès l'origine, l'héritière paradoxale des religions : non seulement elle invite à une véritable *conversion*, à une expérience de pensée après laquelle plus rien ne sera comme avant, où tout différera de la vie ordinaire, mais elle le fait au nom d'un principe clairement non humain, le principe cosmique dont on a vu comment, bien qu'immanent au monde, il incarnait une transcendance radicale par rapport aux hommes. Pour comprendre la façon dont la philosophie ancienne répond ainsi à la question de la vie bonne, c'est donc ce principe même qu'il nous faut

---

1. *Op. cit.*, p. 207. Voir aussi du même auteur, *La Citadelle intérieure*, Fayard, 1992, p. 122, 123, 180, etc.

encore approfondir. Et dans cette voie, nous ne pouvons bien sûr trouver de meilleurs guides que les philosophes stoïciens. Sans nul doute, en effet, ce sont eux qui lui ont accordé dans l'antiquité grecque l'importance la plus considérable [1].

---

1. Comme l'écrit Jacques Brunschwig, « le stoïcisme pousse à sa cohérence extrême l'une des deux grandes visions du monde qui se sont partagé la pensée antique, l'autre étant parfaitement représentée par l'épicurisme atomiste et mécaniste » (*Le Savoir grec*, Flammarion, p. 1053). Ce qui ne signifie nullement que l'autre tradition de la pensée grecque, celle de l'atomisme de Démocrite et des épicuriens, ne mérite pas notre attention dans le contexte d'une réflexion sur la vie bonne. Tout au contraire, j'y reviendrai plus longuement dans la dernière partie de ce livre. Il s'agit simplement ici, comme nous y invite Brunschwig, de ne pas mettre sur le même plan ces deux courants de pensée, l'un adossé explicitement à une construction cosmologique, l'autre à ce que l'on nommerait peut-être aujourd'hui sa « déconstruction ». Rémi Brague propose la même division, et désigne, fort justement il me semble, la tradition atomiste comme celle de « l'autre Grèce ». Dans le même sens, voir Pierre Hadot, *Qu'est-ce que la philosophie antique ?, op. cit.*, p. 201.

CHAPITRE III

Un type-idéal de la sagesse ancienne : le cas du stoïcisme

Conformément à la coutume selon laquelle on désignait parfois les écoles philosophiques du nom des lieux où elles s'étaient établies, le mot stoïcisme vient tout simplement du grec *stoa*, « portique » : le père fondateur de la doctrine, Zénon de Kition (vers 334-262) enseignait à Athènes, sous des arcades « recouvertes de peintures » (*stoa poïkilê*). Ses leçons, gratuites et publiques, reçurent un écho considérable de sorte qu'à sa mort, son enseignement ne fut pas abandonné par ses disciples. Le premier successeur de Zénon fut Cléanthe d'Assos (vers 331-230), et le second Chrysippe de Soles (vers 280-208). Ce sont les trois grands noms de ce qu'il est convenu de désigner comme le « stoïcisme ancien ». En dehors d'un bref poème, l'*Hymne à Zeus* de Cléanthe, nous n'avons pratiquement rien conservé des très nombreux ouvrages rédigés par les premiers stoïciens. Nous savons qu'ils avaient écrit des œuvres importantes consacrées aux trois grandes parties de leur philosophie, la logique, la physique et l'éthique, mais elles sont aujourd'hui perdues et nous ne connaissons leur pensée que de manière indirecte, lacunaire et sans doute déformée : par des écrivains bien postérieurs à eux (Cicéron) qui furent du reste le plus souvent leurs adversaires (Plutarque, par exemple), ou tout simplement par des auteurs de manuels, de recueils d'opinions, bons mots ou sentences des philosophes anciens – comme Diogène Laërce –, dont les propos doivent être interprétés avec précaution.

La seconde période de l'école stoïcienne, celle du «moyen stoïcisme», qui se situe pour l'essentiel au IIe siècle avant Jésus-Christ, est moins bien connue encore que la première : Diogène le Babylonien, Antipater de Tarse, Panétius de Rhodes et Posidonius d'Apamée en sont les principaux représentants.

Les grandes œuvres de la troisième vague, celle du «stoïcisme impérial», nous sont en revanche beaucoup plus accessibles. Elles ne proviennent plus de philosophes se succédant à la tête de l'Ecole et vivant en Grèce, à Athènes, mais d'un membre de la cour impériale romaine, Sénèque (vers – 8-65), qui fut aussi précepteur et ministre de Néron, d'un professeur, Musonius Rufus (25-80), qui enseigna le stoïcisme à Rome et fut persécuté par le même Néron, d'Epictète (vers 50-130), un esclave affranchi dont l'enseignement oral nous fut transmis de façon fidèle par des disciples, notamment par Arrien, l'auteur des fameux *Entretiens* et du *Manuel*[1], et enfin de l'empereur Marc Aurèle lui-même (121-180).

Cette relative rareté des œuvres qui nous sont parvenues en état d'origine contraste singulièrement avec l'importance et la permanence extraordinaires du stoïcisme tout au long de l'histoire depuis sa naissance dans la Grèce du IVe siècle jusqu'à l'époque moderne : Montaigne, Descartes, Pascal en sont tout imprégnés,

---

1. Selon Simplicius, le titre se justifie par le fait que les maximes d'Epictète devaient pouvoir être à tout moment «sous la main» de ceux qui veulent bien vivre, comme un poignard doit être toujours «sous la poigne» de ceux qui veulent bien combattre.

mais il suscite encore la discussion chez Kant, Hegel ou Nietzsche. Comment l'expliquer? Sans nul doute par la puissance d'un message cosmologique voué tout entier à permettre aux grands de ce monde tout autant qu'aux plus humbles (à Marc Aurèle comme à Epictète) d'apporter une réponse concrète et applicable à la question de la vie bonne. Cet enseignement commence par une distinction qui, étrangement, peut paraître aussi simple que contestable. Nous allons voir qu'elle est en vérité plus profonde qu'on ne peut l'apercevoir à première vue. C'est d'elle qu'il faut partir pour comprendre comment l'idéal de sagesse qui s'en déduit devait atteindre une puissance de conviction assez impressionnante pour traverser les âges.

Savoir distinguer entre ce qui dépend de nous et ce qui n'en dépend point...

C'est là le motif fondamental, omniprésent, de la doctrine stoïcienne. Voici comment Epictète la présente dans son fameux *Manuel* : «Parmi les choses qui existent, les unes dépendent de nous, les autres ne dépendent pas de nous. Dépendent de nous : jugement de valeur, impulsion à agir, désir, aversion, en un mot, tout ce qui est notre affaire à nous. Ne dépendent pas de nous, le corps, nos possessions, les opinions que les autres ont de nous, les magistratures, en un mot, tout ce qui n'est pas notre affaire à nous.» De cette dernière catégorie relèvent donc, selon Epictète, la maladie et la santé, la richesse et la pauvreté, le plaisir et la douleur, la beauté et la laideur, la gloire et l'obscurité et, bien entendu, la vie et la mort elles-mêmes.

Pierre Hadot a donné de ce texte, dont il est aussi le

traducteur, le commentaire suivant : « Tout, dans notre vie, nous échappe. Il en résulte que les hommes sont dans le malheur, parce qu'ils cherchent avec passion à acquérir des biens qu'ils ne peuvent obtenir et à fuir des maux qui sont pourtant inévitables. Mais il y a une chose, une seule chose qui dépend de nous et que rien ne peut nous arracher, c'est la volonté de faire le bien, la volonté d'agir conformément à la raison. Il y aura donc une opposition radicale entre ce qui dépend de nous, ce qui peut donc être bon ou mauvais, parce qu'il est l'objet de notre décision, et ce qui ne dépend pas de nous, mais des causes extérieures, du destin, et qui est donc indifférent. La volonté de faire le bien est la citadelle intérieure inexpugnable que chacun peut édifier en lui-même [1]. » On ne saurait mieux résumer la pensée stoïcienne. Malgré leur apparente simplicité, ces propos soulèvent cependant trois problèmes redoutables qu'il nous faut résoudre en priorité si nous voulons comprendre dans toute son ampleur la réponse stoïcienne à la question de la vie bonne.

On remarquera d'abord qu'en examinant avec attention la liste généralement donnée par les stoïciens eux-mêmes des choses qui ne dépendent pas de nous, le lecteur d'aujourd'hui ne peut se départir d'un certain sentiment d'étrangeté. Certes, nous conviendrons volontiers qu'un certain nombre d'éléments constitutifs de nos vies échappent à notre contrôle – à commencer peut-être même par l'essentiel : le fait indubitable que nous allons vieillir et mourir, qu'un accident, une maladie peuvent nous ôter la santé ou la raison, que nos proches peuvent disparaître sans que nous y puissions rien, etc. Mais enfin, en quoi cela prouve-t-il que la totalité de ce qui advient soit tout à

---

1. *Qu'est-ce que la philosophie antique ? op. cit.,* p. 198.

fait hors de nos pouvoirs? N'y a-t-il pas un moyen terme entre le tout et le rien? Ainsi la richesse, si souvent invoquée par les stoïciens comme l'exemple même de ce qui ne dépend pas de nous, ne peut-elle, au moins en partie, être l'effet de nos efforts, de nos talents ou de nos entreprises? Et la prudence, qui me permettra d'éviter certains accidents ou certaines maladies, de conserver ma vie et ma santé plus longtemps, n'est-elle pas pour une part de ma responsabilité? Autrement dit : sur quels présupposés se fonde au juste la conviction que la totalité de ce qui relève du cours du monde nous échappe radicalement et que seule l'intériorité du moi, la « citadelle intérieure » comme dit Hadot, relève de notre compétence?

Ensuite, le texte suppose, sans l'expliciter, une définition de la vertu qui peut, elle aussi, paraître bien étrange. A première vue, là encore, elle pourrait sembler pourtant « proche de nous » : la vertu résiderait dans l'action libre et « conforme à la raison ». Pourquoi pas, en effet? Mais cela peut s'entendre en deux sens tout à fait opposés. En un sens moderne, kantien, agir conformément à la raison, c'est le plus souvent s'engager à *lutter contre la nature en soi et contre le cours du monde à l'extérieur de soi.* Par exemple, on agit « raisonnablement » quand on combat l'irrationnel des injustices, des inégalités, des atteintes aux droits de l'homme, de l'exploitation, etc. Ce n'est évidemment pas en ce sens qu'il faut comprendre la vertu stoïcienne puisqu'elle part au contraire du principe que toute influence sur le cours du monde nous est interdite. En quoi consiste dès lors cette vertu tout intérieure? Que change-t-elle, au juste, si elle ne modifie en rien les événements eux-mêmes? Et n'est-ce pas une bien piètre liberté et une éthique bien frileuse que celles qui ne nous conduiraient qu'à faire de nécessité vertu ? « Les destins, dit Sénèque, conduisent celui qui accepte et traînent celui qui refuse » : est-ce là la seule marge de manœuvre que nous laisse le stoïcisme ?

Enfin, cet enseignement implique aussi que tout notre malheur provient du fait que nous n'avons pas bien distingué entre ce qui dépend de nous et ce qui n'en dépend point. En première approximation, là encore, le propos semble compréhensible et cohérent : nous sommes malheureux parce que nous avons tendance à viser des objectifs, à vouloir atteindre certains biens ou fuir certains maux qui sont tout à fait hors de notre portée. Fort bien. Est-ce à dire, dans ces conditions, qu'il nous suffirait d'être vertueux, d'accepter le cours du monde tel qu'il est, pour être heureux ? Si tel était le cas, il nous faudrait admettre l'équation selon laquelle vertu = raison = bonheur. Soit. Mais sommes-nous bien certains qu'il suffise d'être vertueux et d'agir rationnellement pour accéder au bonheur ? La réalité ne nous donne-t-elle pas sans cesse l'exemple du contraire : d'hommes vertueux mais malheureux, et de méchants injustement récompensés par la réussite sociale, l'argent, les honneurs, la reconnaissance d'autrui et, même, pourquoi pas, l'amour de leurs proches ?

Ces interrogations vont nous permettre de préciser les trois thèmes essentiels qui constituent comme les trois piliers de la pensée stoïcienne : d'abord les fondements exacts du déterminisme « cosmologique » qui justifie en son fond la fameuse distinction en même temps que la conviction selon laquelle tout ce qui advient en ce monde nous échappe... à l'exception de la perception plus ou moins réfléchie que nous pouvons nous en faire et qui change en sa racine même le sens que nous donnons à notre vie ; ensuite, comme par contrecoup, le statut de cette liberté qui ne paraît régner qu'au sein de la seule « citadelle intérieure » ; la définition, enfin, de la vertu qui en résulte et les liens qu'elle entretient avec l'idéal d'une vie bienheureuse.

I. Une cosmologie résolument déterministe

C'est dans la physique stoïcienne, dans la cosmologie, qu'il faut chercher la réponse à notre première question. Cette partie de la philosophie va nous permettre de mieux comprendre une première équation fondamentale dans le stoïcisme, celle selon laquelle il y a une équivalence parfaite entre ces trois termes que sont Dieu, la nature et la raison. *Deus sive natura sive ratio*, pourrait-on dire, pour parodier Spinoza : il existe un ordre du monde, un système cosmologique parfaitement *déterminé, rationnel et divin*. Le « logos », le rationnel si l'on veut, est le propre de cet ordonnancement, de sorte que la raison est tout à la fois objective (elle est la structure la plus intime du monde en tant qu'il est harmonieux), subjective (elle est le mode de pensée qui nous spécifie comme humains) et divine (elle est la réconciliation ou l'identité même de ces deux ordres[1]). Comme l'affirme Cicéron en commentant la pensée stoïcienne, « le monde doit être sage et la nature qui tient toutes choses embrassées doit excel-

---

1. C'est évidemment sur ce point que stoïciens et épicuriens se séparent radicalement. Comme le note Pierre Hadot, pour ces derniers, en effet, « si les corps sont formés d'agrégats d'atomes, ils ne forment pas une véritable unité et l'univers n'est qu'une juxtaposition d'éléments qui ne se fondent pas ensemble : chaque être est une individualité, en quelque sorte atomisée, isolée, par rapport aux autres ; tout est en dehors de tout et tout arrive par hasard : dans le vide infini se forment une infinité de mondes » régis par le hasard (*op. cit.*, p. 201). Pour les stoïciens au contraire, le monde, comme les organismes vivants qui sont « accordés à eux-mêmes », est « lui aussi accordé à lui-même » et, « comme dans une unité systématique et organique, tout a rapport avec tout, tout est dans tout, tout a besoin de tout ».

ler par la perfection de la raison ; ainsi le monde est dieu et l'ensemble du monde est embrassé par une nature divine[1] ». Et, bien entendu, cette parfaite rationalité de l'univers implique aussi qu'en lui, rien n'advienne sans raison. Tout événement possède nécessairement une cause et Chrysippe, par exemple, n'a pas de mots assez durs contre ceux (les épicuriens) qui « font violence à la nature en niant la causalité[2] ». Contre Epicure et ses disciples, les stoïciens ne cessent d'affirmer qu'il « n'y a pas de mouvement sans cause » et que, « s'il en est ainsi, tout arrive par le destin ». Comme le dit encore Pierre Hadot en commentaire de cette formule, « le moindre événement implique toute la série des causes, l'enchaînement de tous les événements antérieurs, et finalement tout l'univers. Que l'homme le veuille ou non, les choses arrivent donc nécessairement comme elles arrivent. La Raison universelle ne peut agir autrement qu'elle n'agit, précisément parce qu'elle est parfaitement rationnelle[3] ». Dans le même sens encore, c'est en des termes tout à fait modernes, avec des formules qui annoncent déjà la fameuse anecdote de l'âne de Buridan, que Chrysippe défend avec force l'idée selon laquelle les événements qui nous semblent sans cause, parce qu'indéterminés, sont en vérité engendrés par un mécanisme implacable qui, simplement, a échappé à notre attention : ainsi, par exemple, « des osselets, du fléau de la balance et de bien d'autres objets dont la chute ou l'inclinaison d'un côté ou de l'autre ne sont pas possibles sans une cause et une différence qui se produisent en ces objets mêmes ou dans les choses extérieures ; car il

1. *De la nature des dieux*, XI, 30.
2. Cf. Plutarque, *Des contradictions des stoïciens*, chap. XXIII.
3. *Op. cit.*, p. 203.

n'existe absolument rien qui soit sans cause ou spontané, et dans le cas de ces prétendues contingences imaginées par certains, il se glisse des causes cachées qui, à notre insu, attirent la volonté d'un côté ou de l'autre[1] ». Comme, plus tard, chez Spinoza, la croyance en l'indétermination du monde n'est rien de plus qu'un des nombreux visages de notre ignorance des causes qui y déterminent de part en part le moindre événement.

Voilà pourquoi, à la limite, tout ce qui est *dans le monde*, c'est-à-dire la totalité de ce qui est hormis *notre pensée réflexive en tant qu'elle est immatérielle*[2], appartient à la liste des choses qui ne dépendent pas de nous : pas plus la santé que la vie, pas plus la souffrance que la mort, mais pas davantage non plus les honneurs, la richesse, l'amour et l'amitié. Tout est déterminé de part en part dans le cours des choses, si l'on en croit ce spinozisme avant la lettre, et c'est pourquoi il nous faut apprendre à ne point désirer l'impossible, à ne pas vouloir fuir des maux ou rechercher des biens qui ne dépendent en rien de notre volonté. Car de cette erreur intellectuelle découle à coup sûr une misère morale.

De là, justement, notre seconde question : qu'en est-il, dans ces conditions, de cette vertu dont on nous dit qu'elle dépendrait, elle, de notre liberté ? Ne faut-il pas, comme chez Spinoza encore, réduire finalement cette dernière à la seule « intelligence de la nécessité » ? Elle semble exclue par ce déterminisme et pourtant, l'éthique en a besoin : à quoi servirait-il même seulement de philosopher, à quoi bon

---

1. Cité par Plutarque, *op. cit.*, chap. XXIII.
2. C'est justement dans cette exception à la règle intangible du déterminisme général que Plutarque voit la principale contradiction des stoïciens.

prêcher la sagesse si rien, rigoureusement rien, pas même le fait de comprendre la distinction des choses qui dépendent ou non de nous afin de s'élever justement vers cette sagesse, ne relevait de notre liberté ? Il faut bien que l'homme dispose d'une certaine possibilité de choix, ne serait-ce qu'entre la vertu, fût-elle tout intérieure, et son contraire, pour que l'éthique ait un sens. Et cependant, la physique semble la rendre impossible. Comment résoudre la contradiction ?

II. Sur la nature de la liberté : qu'est-ce qui, au juste, dépend de nous et en quoi est-ce important d'en prendre conscience ?

On l'a déjà compris : la liberté stoïcienne n'est pas celle des Modernes. Elle n'est pas le libre arbitre, le pouvoir de choisir entre des possibles comme si nous pouvions surplomber le monde, et elle ne saurait résider non plus dans une quelconque faculté de le transformer : on vient de voir qu'il était de part en part déterminé de sorte que tout ce qui est en lui ne dépend en rien de nous. Si tout advient selon un ordre harmonieux et bon, certes, mais qui échappe complètement à notre volonté, c'est, selon Epictète, avec une juste pensée de cet ordre même qu'il nous faut apprendre à vivre, « dans l'intention, donc, non de changer le fond des choses (cela ne nous est pas donné et il n'y a pas mieux à faire) mais, les choses étant autour de nous comme elles sont par nature, de conformer nous-mêmes notre volonté aux événements [1] ».

---

1. *Entretiens*, I, 17.

Malheureusement pour eux, la plupart, emportés par une fougue insensée dès lors que la réalité s'oppose à leurs désirs subjectifs, choisissent l'attitude de la révolte. Mais c'est pure illusion : l'homme peut toujours s'imaginer qu'il lui est loisible de faire le choix, en refusant d'accepter le destin, de s'opposer au cosmos tout entier, mais, outre que ce prétendu « choix » fait déjà partie de toute éternité de ce destin lui-même, il conduit seulement, comme l'enseigne Marc Aurèle à son disciple, à faire du pauvre fou qui l'a opéré un simple et pitoyable membre arraché du corps auquel il appartenait : « As-tu jamais vu une main ou un pied coupés, une tête tranchée, gisante et séparée du reste du corps ? Il se rend tel, autant qu'il est en lui, celui qui ne veut pas ce qui arrive, qui se retranche ou qui agit en être insociable. Tu t'arraches en quelque sorte à l'unité de la nature, tu en es une excroissance, une partie, et maintenant tu t'es retranché d'elle[1] ! » La métaphore n'est pas indifférente : elle désigne habilement le cosmos comme un corps organisé, et celui qui s'en détache, comme un membre ou un organe qui, une fois séparé, s'avère privé de sens et de vie. On retrouvera, dans une perspective bien sûr différente mais néanmoins analogue, une attitude assez proche dans certains courants du fondamentalisme chrétien : se plaindre de son sort parce que l'on a subi un revers de fortune, perdu un proche, contracté une maladie grave, etc., est à la limite du blasphème car si tout arrive en ce monde selon la volonté de Dieu, le vrai croyant doit non seulement refuser la révolte, mais se soumettre à la providence *avec une joie qui va bien au-delà de toute résignation.*

Disons-le clairement : aux yeux des stoïciens déjà, le

---

1. *Pensées*, VIII, 34.

« choix » du révolté est, autant qu'il puisse s'agir d'ailleurs d'un choix authentique, tout à la fois irrationnel, illusoire, malheureux et, par le fait même, immoral. Ces quatre points méritent un bref commentaire : il est *irrationnel,* parce qu'il résulte d'une erreur de jugement sur la rationalité du monde de même que sur la nature de ce qui dépend de nous ou n'en dépend pas ; *illusoire* parce que ce refus ne change rien à l'ordre du monde qui, pour parodier Sénèque, nous tire ou nous pousse que nous le voulions ou non : si l'homme est comme un chien attaché à un chariot, il marchera tranquillement avec l'attelage en acceptant son sort, mais s'il le récuse, rien ne sera fondamentalement changé, sinon qu'il sera tiré de force, voilà tout. Ou pour mieux dire, si l'on veut même raffiner encore l'argument : comme son prétendu choix fait de toute façon, sans que le révolté s'en rende compte, partie intégrante du destin, il n'est pas même l'expression d'une authentique liberté ; *malheureux,* parce que le seul résultat de la révolte, c'est que, coupé du cosmos, l'être humain est voué au malheur : confondant ce qui dépend de lui avec ce qui n'en dépend pas, il poursuit sans cesse des buts qui, au final, toujours lui échapperont. Il perd donc tout le bonheur d'une vraie réconciliation avec son habitat naturel et raisonnable. Et enfin *immoral,* puisque, nous allons maintenant pouvoir le comprendre, la vertu réside d'abord et avant tout dans cette réconciliation même, ou, c'est tout un, dans une vie en conformité avec la raison divine, cosmique et universelle.

Mais avant d'en venir là, encore faut-il d'abord tirer de justes conclusions sur la véritable nature de la liberté humaine : la liberté authentique n'est évidemment pas celle qui prétend s'appliquer au monde comme de l'extérieur, pour le changer au nom de l'indignation du révolté, mais celle qui consiste à le comprendre, à l'accepter et à l'aimer, en quoi les stoïciens, en effet, annoncent bien la réponse de Spinoza : la liberté, de fait, n'est rien d'autre que l'intelligence de la nécessité. Elle n'est pas libre arbitre, mais libération, non pas une donnée intangible inhérente à l'espèce humaine, mais le résultat ultime d'un processus par lequel on se libère progressivement des illusions «réformistes» ou «révolutionnaires» en comprenant exactement ce qui dépend de nous et ce qui n'en dépend point. Cette pensée est-elle contradictoire, comme le pense Plutarque[1]? C'est possible. Mais pour les stoïciens eux-mêmes, à tout le moins, il paraît tout à fait cohérent d'affirmer que la raison humaine, loin d'être opposée à la liberté parce qu'elle dévoilerait les causes des événements, en est au contraire l'auxiliaire suprême, qu'elle est, à vrai dire, la liberté même puisqu'elle constitue la voie d'accès royale à la Raison universelle, à l'ordre cosmique et divin dont la juste compréhension doit nous permettre de vaincre toute peur, y compris celle de la mort, et d'accéder ainsi à la vie bienheureuse.

Qu'est-ce que cela change, objectera-t-on, si le cours du monde reste inchangé? Tout selon les stoïciens, c'est-à-dire, comme le suggère justement Pierre Hadot, *le sens qu'on lui donne* : «C'est que la forme de la raison propre à l'homme n'est pas cette raison substantielle, formatrice, immanente immédiatement aux choses qu'est la Raison universelle, mais une raison discursive qui, dans les jugements, dans les discours qu'elle énonce sur la

---

1. Plutarque décèle en effet une contradiction majeure dans la pensée stoïcienne : car ce processus de «libération» suppose bien que je puisse au moins choisir la voie de la raison plutôt que celle de l'ignorance.

réalité a le pouvoir de donner un sens aux événements que le destin lui impose et aux actions qu'elle produit. C'est dans cet univers de sens que se situent aussi bien les passions humaines que la moralité[1]. »

Tout se joue, en effet, non dans l'action qui transforme le monde, mais dans la pensée qui donne sens au réel, ou pour mieux dire, aux rapports que nous entretenons avec lui : c'est là la signification ultime de la formule de Sénèque, toute la différence à ses yeux entre celui qui est « conduit » par le destin et celui qui est « traîné » par lui. Le premier comprend et accepte sereinement ce qui lui advient. Ayant « lâché prise », il est dans la sérénité du « laisser-être » – par où le stoïcisme rejoint certains aspects du bouddhisme. Nul hasard, en effet, si c'est chez Cicéron, et dans un commentaire des stoïciens, que l'on trouve la fameuse métaphore du tireur à l'arc : s'il est sage, l'archer ne doit nullement chercher à tout prix à atteindre le cœur de la cible. Car cet objectif ne dépend jamais tout à fait de lui : un coup de vent, un tremblement de terre, une corde ou une flèche défectueuses peuvent l'empêcher de l'atteindre. Mais ce qui est, en revanche, en son pouvoir, c'est de faire de son mieux, de procéder avec ordre et calme, selon la nature, et s'il a bien fait, il sera satisfait et heureux. Que la cible soit atteinte ou non ne changera rien à son bien-être, car le sens de son action n'était pas de changer le monde, mais de s'y accorder. C'est aussi cet accès au sens qui nous permet de nous délivrer des passions pour atteindre l'« ataraxie », la paix de l'âme, la vie enfin réussie : si l'on se passionne, si l'on s'emporte, si l'on espère ou craint, c'est parce qu'on n'a pas compris la vraie distinction entre ce qui dépend ou ne dépend pas de

---

1. *Op. cit.*, p. 204.

nous. Et cela, c'est non seulement le malheur assuré, mais l'absence de vertu, c'est-à-dire de raison et, finalement, d'excellence et de sagesse.

III. Sur l'équation : « intelligence = vertu = liberté = bonheur »

C'est avec cette équation que culmine dès lors la pensée stoïcienne. Elle mérite d'autant plus commentaire qu'elle peut aujourd'hui nous paraître bien surprenante : pour nous, Modernes, les quatre termes, non seulement ne s'impliquent pas les uns les autres, mais le plus souvent, ils s'opposent radicalement entre eux. La réalité telle qu'elle est nous offre quasi quotidiennement l'exemple de l'imbécile heureux, du vertueux malheureux, du méchant injustement récompensé, comme celui, même s'il est plus rare, de l'homme digne qui sacrifie son bonheur aux exigences de la liberté. A première vue, sans doute. Mais dans la perspective stoïcienne, ce n'est là que l'écume des choses. D'après ce que nous avons vu dans les pages qui précèdent, nous pouvons en effet relier sans trop de difficultés nos quatre termes : la raison dévoile l'harmonie du cosmos et nous aide à percevoir que le destin nous échappe. La vertu consiste dès lors à nous réconcilier avec ce monde parfait, à vouloir et aimer ce qui est, plutôt qu'à céder au tourment des désirs insatisfaits. Nous accédons ainsi à la vraie liberté, qui est émancipation, maîtrise de soi, et par là même au bonheur, puisque plus rien ne saurait désormais décevoir ni effrayer.

Comme on peut s'en douter, cette « sagesse du monde », en raison même de la rigueur doctrinale dans laquelle elle fut formulée, a suscité tout au long de l'histoire de nombreuses critiques. Il est bon de les évoquer pour comprendre comment, malgré des objections de fond, le stoïcisme a pu délivrer un message de vie dont les thèmes principaux conservent pour nous, par-delà les limites qui sont toujours celles d'une époque particulière, une étonnante actualité.

Plutarque, dans son ouvrage intitulé *Des contradictions des stoïciens*, est l'un des premiers à avoir souligné la difficulté qui paraît d'emblée affecter la pensée stoïcienne. Elle est moins évidente et plus embarrassante qu'il n'y paraît peut-être à première vue : c'est celle qui oppose le déterminisme extérieur et la liberté intérieure. Certes, on comprend bien ce qui conduit les stoïciens à poser les deux termes : sans l'hypothèse d'un destin aussi implacable dans l'ensemble que minutieux dans le détail, la réalité redeviendrait aussitôt une source d'angoisse. Si je n'ai pas la conviction entière et absolue que le cours du monde m'échappe à tous égards, si, par conséquent, j'introduis un tant soit peu l'idée que je pourrais, par mon action libre, l'infléchir ou le modifier, alors je perds toute possibilité d'y adhérer avec la sérénité et la quiétude recommandées par le stoïcisme. Pour accepter le destin, encore faut-il avoir la certitude absolue qu'il s'agit bien, à proprement parler, d'un destin, c'est-à-dire d'une série d'événements dont la mécanique est de part en part réglée en dehors de ma volonté personnelle. Mais, en revanche, si je n'accepte pas non plus un minimum de liberté, ne fût-ce que dans la sphère de la pure intériorité propre à ma seule conscience, comment pourrais-je même distinguer entre le disciple qui *s'efforce* de bien faire et celui qui n'entend rien aux conseils éclairés du philosophe ? D'où vient, en effet, sinon d'un libre choix, la différence entre celui qui pratique ses exercices en vue d'accepter le réel comme il convient pour vivre en conformité avec la nature, et celui qui se livre aux passions les plus stupides ? Il suffit d'y réfléchir un instant pour comprendre que, même dans le stoïcisme, l'idée de libre arbitre ne peut pas totalement être éradiquée puisque les idées d'effort et de vertu, la notion d'exercice consenti la supposent déjà, pour ainsi dire, *a priori*. Pourquoi, du reste, le philosophe perdrait-il son temps à transmettre sa doctrine à des élèves, s'il ne pensait pas que la compréhension de la vérité peut leur permettre de faire *le choix* d'une vie bonne, intelligente et vertueuse, plutôt que déraisonnable et malheureuse ? Mais dans ces conditions, quelle place accorder à cette liberté à laquelle l'idée de destin semble de toute part s'opposer ? C'est là ce que souligne Plutarque, non sans raison : « Si nos opinions et les dommages qu'elles entraînent ne sont pas le fait du destin, il est clair qu'il n'est pour rien non plus dans nos jugements corrects, notre intelligence, nos pensées solides, ni dans les avantages qui en viennent, et disparaît ainsi l'universelle causalité[1]. »

Ultra-déterministe d'un côté, mais de l'autre attachée malgré tout à une certaine forme de ce qu'il faut bien nommer libre arbitre, la doctrine stoïcienne nous laisse, selon Plutarque, dans la plus grande ambiguïté : « Dirons-nous donc que les vertus et les vices, les actions droites et les fautes ne dépendent pas de nous, ou bien dirons-nous que le destin est en défaut, que son arrêt n'est pas exécuté, que les volontés et les dispositions de Zeus restent sans effet ? » Car, de deux choses l'une, là encore : ou bien le destin est une « cause complète, il est cause de toutes choses, et il sup-

---

1. *Les Stoïciens, op. cit.*, p. 132.

prime notre pouvoir et notre liberté», ou bien, à l'inverse, on admet cette liberté sans laquelle il n'y aurait plus de distinction entre vices et vertus, et alors ce pauvre destin «perd son caractère de puissance absolue et efficace[1]».

Cette critique sera souvent reprise, par Kant, bien sûr, mais aussi, paradoxalement sous une forme assez proche, par Nietzsche. Dans *Par-delà le bien et le mal*, il reproche aux stoïciens de présenter, de façon tout à fait incohérente à ses yeux, la vie «conforme à la nature» comme un «devoir moral», un impératif ou un «idéal» alors qu'il ne saurait s'agir d'autre chose que d'un fait : si la nature, en effet, est tout, si le déterminisme cosmologique est omniprésent et omnipotent, *comment pourrions-nous seulement vivre autrement qu'en accord avec elle ?* D'où vient, dans ces conditions, cette absurde hypothèse d'une liberté qui pourrait contrecarrer les destins du cosmos : «A supposer que votre impératif "vivre conformément à la nature" signifie au fond, en tout et pour tout, "vivre conformément à la vie", comment pourriez-vous donc *ne pas* le faire ? A quoi bon poser en principe ce que vous êtes et devez nécessairement être[2] ?» Si la nature est toute-puissante, on voit mal, en effet, quel comportement humain pourrait bien, en dernière instance, ne pas lui être conforme ! Par où, bien entendu, l'idée même d'une non-conformité possible à la nature suppose bien, Plutarque a raison, l'hypothèse d'un «libre arbitre minimum». Belle critique, qui pourrait d'ailleurs valoir pour toutes les pensées qui rejettent ce fameux libre arbitre, à commencer par celles de Spinoza... et de Nietzsche lui-même chez qui on voit tout aussi mal

---

1. *Ibid.*
2. *Par-delà le bien et le mal*, § 9.

comment il serait possible de *ne pas vivre* conformément à la nature ou à la vie, et moins encore en quoi une telle hypothèse, en admettant même qu'elle ait un sens, pourrait en quelque façon être imputée à la liberté humaine...

Mais peu importe : ce qui est clair, c'est que l'équation stoïcienne selon laquelle l'intelligence qui dévoile le destin du monde et la liberté qui l'accepte iraient de pair a suscité de très sérieuses et très nombreuses critiques. Il n'est pas même certain d'ailleurs, que chez les plus grands stoïciens eux-mêmes, cet accord ait semblé en tout point convaincant. On peut se demander si l'échec qui semble affecter d'emblée à leurs propres yeux la figure du sage n'est pas dès l'origine lié à cette difficulté. Car les stoïciens le concèdent : nul, peut-être, dans l'histoire de l'humanité n'a pu accueillir avec une joie réelle, et non seulement feinte, l'annonce de la mort d'un proche aimé ou celle d'une maladie fatale et douloureuse. C'est là, du moins, ce qu'Épictète paraît reconnaître lorsque, dans un fameux passage des *Entretiens*, il oppose le sage authentique aux simples détenteurs des principes abstraits de la doctrine : «Je vois bien des hommes qui débitent les maximes des stoïciens, mais je ne vois point de stoïcien. Montre-moi donc un stoïcien, je n'en demande qu'un! Un stoïcien, c'est-à-dire un homme qui, dans la maladie, se trouve heureux, qui, dans le danger, se trouve heureux, qui, mourant, se trouve heureux, qui, méprisé et calomnié, se trouve heureux! Si tu ne peux me montrer ce Stoïcien parfait et achevé, au moins montre-m'en un qui commence à l'être. Ne frustre pas un vieillard comme moi de ce grand spectacle dont, je l'avoue, je n'ai encore pu jouir...»

Cet aveu aurait pu, déjà à l'époque, décourager bien des vocations. Mais aujourd'hui, *a fortiori*, on se demandera peut-être ce qui doit conduire à nous intéresser encore à une pensée qui s'avoue si franchement hors de portée des simples humains. Et pourtant. Comme on va le voir, même pour qui ne partage pas les attendus du stoïcisme et par-delà la distance qui nous sépare des grandes cosmologies anciennes, subsistent au moins deux messages d'une rare profondeur, deux idées directrices dont la signification perdure et qui méritent assurément d'être encore méditées aujourd'hui.

Une sagesse de l'instant présent : par-delà la nostalgie et l'espérance, c'est ici et maintenant qu'il faut accéder à la vie bonne

La première s'enracine dans une conviction qui n'a rien perdu de son actualité : celle selon laquelle les deux maux qui pèsent sur l'existence humaine, les deux freins qui la bloquent et l'empêchent d'accéder à des formes réussies sont la nostalgie et l'espérance, l'attachement au passé et le souci de l'avenir. Sans cesse ils nous font manquer l'instant présent, nous interdisent de le vivre pleinement. D'un côté, le stoïcisme annonce ici l'un des aspects peut-être les plus profonds de la psychanalyse : celui qui reste prisonnier de son passé sera toujours incapable de «jouir et d'agir». Chacun sait aujourd'hui que la nostalgie des paradis perdus, des joies et des souffrances de l'enfance notamment, pèse sur nos vies d'un poids d'autant plus grand qu'il est méconnu. De l'autre, il rejoint l'un des thèmes les plus subtils des sagesses de l'Orient, du bouddhisme tibétain en particulier : l'espérance est, contrairement au lieu commun selon lequel on ne pourrait «vivre sans espoir», le plus grand malheur qui soit. Car par essence même, elle est de l'ordre du manque, de la tension inassouvie. Sans cesse, nous vivons dans la dimension du projet, assujettis à des finalités localisées dans un futur plus ou moins lointain et nous pensons, illusion suprême, que notre bonheur dépend de la réalisation enfin accomplie des objectifs, médiocres ou grandioses peu importe, que nous nous sommes à nous-mêmes assignés. Acheter un appartement plus grand, une maison plus belle, une voiture plus rapide, un bateau plus performant, gravir les échelons d'une carrière, accéder au pouvoir, exercer une séduction, accomplir une œuvre, gagner son salut, réaliser une entreprise de quelque ordre qu'elle soit : chaque fois nous cédons au mirage d'un bonheur ajourné, d'un paradis encore à construire, ici-bas ou dans l'au-delà, et nous en oublions qu'il n'est d'autre réalité que celle vécue ici et maintenant et que cette étrange fuite en avant nous fait sûrement manquer. Au reste, l'objectif une fois conquis, nous faisons presque toujours l'expérience douloureuse de l'indifférence, sinon de la déception : la possession des biens si ardemment convoités ne nous rend guère meilleurs ni plus heureux qu'avant. Les difficultés à vivre et le tragique de la condition humaine n'en sont guère modifiés et, selon la fameuse formule de Sénèque, «tandis qu'on attend de vivre, la vie passe».

Voilà pourquoi, comme le dit en substance un proverbe bouddhiste, l'instant le plus important de notre vie est celui que nous vivons en ce moment même, et les personnes qui comptent le plus sont celles qui sont en face de nous. Car le reste n'existe tout simplement pas, le passé n'étant plus et l'avenir n'ayant encore aucune réalité. Ces dimensions du temps sont des entités fictives dont nous ne nous «chargeons», comme ces «bêtes de somme» dont se moquait Nietzsche, que pour mieux perdre «l'innocence du devenir» et justifier notre incapacité à aimer le présent tel qu'il est.

Bonheur perdu, félicité à venir, mais, du coup, présent fuyant, renvoyé au néant alors qu'il est la seule temporalité de l'existence réelle. Telle est sans doute la première conviction, simple et profonde, qui s'exprime derrière l'édifice théorique, sophistiqué mais contestable, de la sagesse stoïcienne. Marc Aurèle, mieux que quiconque peut-être, l'a formulée au début du livre XII de ses *Pensées* : «Tout ce que tu souhaites atteindre par un long détour, tu peux l'avoir dès maintenant, si tu ne te le refuses pas à toi-même. *Il suffit de laisser là tout le passé, de confier l'avenir à la providence et de diriger l'action présente vers la piété et la justice*; vers la piété pour aimer la part que la nature t'attribue; car elle l'a produite pour toi et toi pour elle; vers la justice, pour dire la vérité librement et sans détour et pour agir selon la loi et selon la valeur.»

Souvenons-nous, pour bien comprendre ce passage, que dans le stoïcisme, théologie et cosmologie se confondent : la «piété» à laquelle nous convie Marc Aurèle pour aider à dépasser les pesanteurs de l'avenir et du passé n'est rien d'autre que l'amour du monde tel qu'il est et comme il va, dans la certitude que la «part» qui nous revient de nature, ici et maintenant, est, toutes choses étant égales par ailleurs, juste et bonne, et que c'est cela qu'il nous faut dire et penser haut et fort si nous voulons du moins vivre sans vaines peurs ni nostalgies superflues : «Que l'image de ta vie entière ne te trouble jamais. Ne va pas songer à toutes les choses pénibles qui sont probablement survenues, mais à chaque moment présent demande-toi : qu'y a-t-il dans cet événement d'insupportable et d'irrésistible? Souviens-toi alors que ce n'est pas le passé ni l'avenir, mais le présent qui pèse sur toi[1].» Voilà pour-

---

1. *Pensées*, VIII, 36.

quoi il faut apprendre à se débarrasser de ces lourdeurs étrangement ancrées dans deux figures du
néant. Marc Aurèle y insiste : «Souviens-toi que chacun ne vit que dans le moment présent, dans l'instant.
Le reste, c'est le passé, ou un obscur avenir. Petite est
donc l'étendue de la vie» que nous avons, en réalité,
à affronter. Ou, comme le dit encore Sénèque dans ses
Lettres à Lucilius : «Il faut retrancher ces deux choses :
la crainte de l'avenir, le souvenir des maux anciens.
Ceux-ci ne me concernent plus et l'avenir ne me
concerne pas encore [1]», à quoi l'on pourrait ajouter,
pour faire bonne mesure, que ce ne sont pas seulement les «maux anciens» qui gâtent la vie présente de
celui qui pèche par manque de sagesse, mais, paradoxalement aussi et peut-être même davantage, le souvenir des jours heureux que nous avons irrémédiable-
ment perdus. Dans le poème d'Edgar Poe, le corbeau,
incarnation de l'enfer sur la terre comme au ciel,
ne sait prononcer qu'un seul mot : *nevermore*, «plus
jamais», et c'est cet irrémédiable du temps perdu,
cette première mort au sein même de la vie qui, sous
la forme des souvenirs parfois les plus heureux, nous
tire en arrière et nous empêche d'accéder à la sérénité.

Cette attitude face au temps, que les stoïciens déri-
vaient de leur cosmologie et des représentations philosophiques qui s'y attachent, n'a rien perdu, on le
voit, de sa force et de son intérêt même pour qui ne
partage pas les grandes options doctrinales stoïciennes. Elle peut même s'approfondir dans deux
directions, l'une pratique, l'autre spirituelle, qui n'entretiennent pas de lien direct et nécessaire avec
quelque parti pris dogmatique que ce soit.

---

1. Cité et commenté avec beaucoup de profondeur et de finesse par
Pierre Hadot dans *La Citadelle intérieure, op. cit.*, p. 133 *sq.*

Sur le plan pratique, en effet, les écoles stoïciennes en appelaient, comme d'ailleurs toutes les écoles philosophiques grecques, à un certain nombre d'«exercices spirituels» destinés à permettre aux disciples de passer autant qu'il est possible de la simple connaissance des principes à leur mise en œuvre réelle ou, si l'on veut, de la philosophie, qui n'est encore qu'amour de la sagesse, à la sagesse proprement dite, qui n'a de valeur qu'en acte. L'un d'entre eux consistait, comme dans le bouddhisme, à se débarrasser par la pensée des divers «attachements» aux choses, aux personnes, mais aussi et peut-être même surtout aux passions enracinées dans le passé ou dans l'avenir. Pierre Hadot a magnifiquement décrit le sens de cet exercice de sagesse dans les écoles stoïciennes en général et chez Marc Aurèle en particulier : il s'agit, pour ainsi dire, de «séparer de soi-même» tout ce qui n'est pas véritablement soi mais qui y est «attaché» par accident et qui grève notre vie comme un fardeau. L'élève doit s'efforcer par la pensée de détacher de lui tout «ce que les autres font ou disent, ce qu'il a lui-même fait ou dit dans le passé, de séparer aussi de son moi toutes les choses futures qui peuvent l'inquiéter, son corps et même l'âme qui anime le corps, les événements qui proviennent de l'enchaînement des causes universelles, c'est-à-dire du destin, les choses qui se sont attachées à lui parce qu'il s'est attaché à elles, et il se promet ainsi, s'il se sépare du temps passé et du futur et s'il vit dans le présent, d'atteindre à un état de tranquillité et de sérénité[1]».

Où l'on voit en quel sens le stoïcisme plaide, comme le bouddhisme encore, pour l'avènement d'une sub-

---

1. *Qu'est-ce que la philosophie antique ?*, *op. cit.*, p. 293. Cf. aussi, sur le même thème, *La Citadelle intérieure*, *op. cit.*, p. 130 *sq.*

jectivité enfin dépouillée de toute hypertrophie du moi, pour une attitude, non d'indifférence, mais de « non-attachement » à l'égard des possessions de ce monde. Comme le suggère Epictète, dans un texte que des maîtres tibétains n'auraient sans doute pas renié : « Le premier et principal exercice, celui qui mène d'emblée aux portes du bien, c'est, lorsqu'une chose nous attache, de considérer qu'elle n'est pas de celles qu'on ne peut vous enlever, qu'elle est du même genre qu'une marmite ou une coupe de cristal, dont on ne se trouble pas lorsqu'elle se brise, parce qu'on se rappelle ce qu'elle est. Il en est de même ici : si tu embrasses ton enfant, ton frère ou ton ami, ne t'abandonne pas sans réserve à ton imagination [...] rappelle-toi que tu aimes un mortel, un être qui n'est aucunement toi-même. Il t'a été accordé pour le moment, mais pas pour toujours, ni sans qu'il puisse t'être enlevé... Quel mal y a-t-il à murmurer entre ses dents, tout en embrassant son enfant : "demain il mourra" [1]. » Les attachements nous font oublier les réalités de l'« impermanence », le fait que rien n'est stable en ce monde, et que ne pas le comprendre, c'est se préparer soi-même aux pires souffrances qui soient : celles, justement, de la nostalgie et de l'espérance. La raison, qui nous guide et nous invite à vivre conformément à la nature cosmique, doit être ainsi purifiée des sédimentations qui viennent l'alourdir et la fausser, dès lors qu'elle s'égare dans ces dimensions non réelles de la temporalité. Mais une fois saisie par l'esprit, cette vérité est encore loin d'être mise en pratique. Voici pourquoi Marc Aurèle invite son disciple à l'incarner concrètement : « Si, dis-je, tu sépares de cette faculté directrice tout ce qui s'y est joint en consé-

---

1. *Entretiens*, III, 84 *sq.*

quence des passions, tout ce qui est au-delà du présent et tout le passé, tu feras de toi-même, comme dit Empédocle, "une sphère bien ronde, fière dans la joie de sa solitude". Tu t'exerceras à vivre dans le seul moment où tu vis, c'est-à-dire dans le présent; et tu pourras passer tout le temps qui te reste jusqu'à ta mort, sans trouble, noblement et d'une manière agréable à ton propre démon[1]. »

C'est donc bien à nouveau de la mort qu'il s'agit, et des victoires que la philosophie, quand elle devient sagesse, peut permettre de remporter sur elle. Par où les exercices les plus concrets confinent à la spiritua-lité la plus haute : s'il s'agit de vivre au présent, de déta-cher de soi les remords, les regrets et les angoisses que cristallisent le passé et l'avenir, c'est bien pour goûter chaque instant de la vie comme il le mérite, c'est-à-dire avec la pleine et entière conscience que, pour les mor-tels que nous sommes, il peut toujours être le dernier. Comme le note Pierre Hadot, la sérénité stoïcienne exprime paradoxalement un sentiment d'urgence : celui qui diffère la vie en attendant des jours meilleurs, qui ajourne son bonheur tant que tel ou tel objectif n'est pas réalisé, cède à la pure folie, car « la mort peut survenir à n'importe quel moment. Il faut donc "accomplir chaque action de la vie comme si c'était la dernière" (Marc Aurèle, *Pensées*, II, 5, 2). Dans la pers-pective de la mort, il est impossible de laisser passer avec légèreté un seul instant de l'existence[2] ». L'enjeu spirituel de l'exercice pratique par lequel le sujet se dépouille de ses attachements pesants au passé et à l'avenir est donc clair. Il s'agit de vaincre les peurs liées à la finitude grâce à la mise en œuvre d'une conviction

---

1. *Pensées*, XII, 3.
2. *La Citadelle intérieure, op. cit.*, p. 152.

non pas intellectuelle, mais intime et presque charnelle : celle selon laquelle il n'est pas au fond de différence entre l'éternité et le présent, une fois du moins
que ce dernier n'est plus dévalorisé au regard du passé
et de l'avenir. C'est en ce sens que le sage peut vivre
«comme un dieu», dans l'éternité d'un instant que
plus rien ne relativise, dans l'absoluité d'un bonheur
qu'aucune angoisse ne peut venir gâter.

De la sagesse du moi à la sagesse du monde : une version occidentale du bouddhisme ?

Où l'on voit aussi comment, selon un paradoxe
facile à dissiper, les exercices de concentration sur le
moi tel qu'il vit ici et maintenant, n'ont rien, dans le
stoïcisme comme dans le bouddhisme encore, d'égocentrique. Tout au contraire, en nous réconciliant
avec le monde tel qu'il est, avec ce vécu présent que
les extases du temps tendent à nous faire manquer, ils
invitent à élargir la pensée jusqu'aux dimensions du
cosmos. C'est du point de vue de l'univers tout entier,
et de ce point de vue seulement, qu'il est possible de
comprendre pourquoi, le destin étant ce qu'il est,
c'est-à-dire globalement juste et bon, il nous faut l'accepter sans remords ni regrets, sans révolte ni espérances. Le moi authentique n'est pas celui qui «s'attache», ni à lui-même ni à quelque possession, et qui,
s'étant attaché, craint pour son avenir et défend son
passé, mais au contraire celui qui parvient à se fondre
en toute légèreté dans le Grand Tout. C'est alors qu'enfin, il saisit combien, malgré les apparences, «tout ce
qui arrive, arrive justement». Il faut apprendre à
craindre et à espérer un peu moins pour aimer un peu

plus : «Pour le sage stoïcien, on peut dire qu'à partir du moment où il a découvert que les choses indifférentes ne dépendent pas de sa volonté, mais de la volonté de la nature universelle, elles prennent pour lui un intérêt infini, il les accepte avec amour, mais toutes avec un égal amour, il les trouve belles, mais toutes avec la même admiration. Il dit "oui" à l'univers tout entier et à chacune de ses parties, à chacun de ses événements, même si cette partie ou cet événement paraissent pénibles ou répugnants[1]... »

De même que dans la théologie chrétienne le vrai croyant doit penser que, les voies du Seigneur étant impénétrables, le cours de la providence est toujours bon même lorsqu'il paraît fâcheux à première vue, il faut aussi au sage stoïcien savoir s'élever au-dessus de son moi limité pour comprendre que si le monde peut sembler imparfait dans le détail, il est en vérité harmonieux et bon dans l'ensemble. A la théodicée, qui entend laver Dieu du soupçon d'avoir mal fait, répond ainsi une «cosmodicée» qui, elle aussi, vise à absoudre le cosmos. Voilà pourquoi, parmi les plus belles propriétés de l'âme humaine, parmi les exercices les plus utiles à la réalisation concrète d'une authentique sagesse, il faut citer en premier cette capacité de «parcourir le monde entier, le vide qui l'entoure, la forme qu'il a. Elle s'étend à l'infini de la durée, elle saisit le retour périodique de toutes choses. Elle comprend et elle voit que la postérité ne verra rien de nouveau et que nos ancêtres n'ont rien vu de plus» tant il est vrai que le temps ne fait rien à l'affaire, réduit qu'il doit être à la seule dimension du présent[2].

Ainsi, de même que le «non-attachement» aux pos-

---

1. *Qu'est-ce que la philosophie antique?*, op. cit., p. 337.
2. *Pensées*, XI, 1.

sessions de ce monde, en dévoilant la nature authentique d'un moi débarrassé des lourdeurs du temps
passé ou à venir, libérait déjà des angoisses de la mort,
c'est maintenant en nous ouvrant à la dimension cosmique, en nous élevant vers la totalité de l'Etre, que
nous pourrons parfaire le travail de lutte contre nos
peurs de mortels. D'abord parce que du point de vue
de l'univers entier, un changement d'échelle s'impose : nous mesurons mieux notre petitesse et pouvons
ainsi relativiser la signification des « petites morts » qui
sont les nôtres et qui, il faut bien l'avouer, ne changent rien, rigoureusement rien, à l'harmonie et à la
perfection du Tout. Mais en outre, c'est aussi en nous
situant à ce niveau que nous pouvons nous préparer à
accueillir avec sérénité les événements que le commun
des mortels juge d'ordinaire catastrophiques. Comme
dans le bouddhisme à nouveau, on pourrait dire que
pour le stoïcisme la dimension temporelle de la lutte
contre l'angoisse de mort est celle du futur antérieur
ou, pour dire les choses plus simplement : sage est
celui qui, loin d'occulter la méditation sur la brièveté
de la vie, pourra se dire : « Quand le destin aura frappé,
alors je m'y serai préparé. » Lorsque la catastrophe, ou
du moins ce que les hommes considèrent habituellement comme tel – la mort, la maladie, la misère, etc.
– *aura eu lieu*, je pourrai y faire face grâce aux capacités qui me furent données de vivre au présent, c'est-à-
dire d'aimer le monde tel qu'il est, quoi qu'il
advienne : « S'il arrive un de ces accidents qu'on
appelle désagréables, ce qui, dès l'abord, allégera ta
peine, c'est qu'il n'était pas inattendu... Tu te diras :
"je savais que j'étais mortel. Je savais que je pouvais
quitter mon pays, je savais que l'on pouvait m'exiler,
je savais qu'on pouvait me conduire en prison".
Ensuite, si tu fais un retour sur toi-même, et si tu

305

cherches de quel domaine fait partie l'accident, tu te souviendras tout de suite qu'il est du domaine des choses qui ne dépendent pas de notre volonté, qui ne sont pas nôtres» et qui nous sont envoyées par la nature de manière juste et bonne pourvu que l'on considère les choses, non avec le petit bout de la lorgnette, mais en adoptant le point de vue de l'harmonie générale[1].

On le voit, ici encore, le stoïcisme paraît se rapprocher davantage du bouddhisme que du christianisme. Comme le premier, il fait du divin une réalité immanente au monde, une entité qui se confond avec l'harmonie cosmique. Comme lui encore, il ne cherche aucune consolation dans l'au-delà. Comme lui enfin, il invite à ne pas fuir la méditation sur la mort et la souffrance. Sans doute une telle éthique soulève-t-elle de multiples objections. Mais elle offre aussi l'intérêt d'esquisser une première forme de spiritualité sans Dieu, de sagesse laïque, qui n'est pas sans rencontrer de multiples échos dans les préoccupations de l'homme contemporain[2].

Mais cette «sagesse du monde» fut aussi, d'un même mouvement, une sagesse des hommes : les stoïciens furent sans doute les premiers, avant même les chrétiens, à s'élever jusqu'à l'idée d'une humanité une et fraternelle, à considérer, sur le plan moral et politique, que nous étions tous membres d'une même communauté universelle. Ils furent ainsi les pères fondateurs de ce que l'on nomme encore aujourd'hui le

---

1. Epictète, *Entretiens*, III, 103.
2. Et notamment, mais non seulement, dans la tradition matérialiste sur laquelle nous reviendrons à la fin de ce livre.

« cosmopolitisme », entendu ici au sens propre, comme l'enracinement de tous dans un même et unique cosmos. Ainsi que le soulignait volontiers Marc Aurèle : « Si la pensée nous est commune, la raison qui fait de nous des êtres raisonnables, nous est aussi commune, et s'il en est ainsi, la raison, qui ordonne ce qui est à faire ou non, nous l'est également. Par conséquent, la loi aussi est commune. S'il en est ainsi, nous sommes des citoyens. Donc, nous avons part à un gouvernement et par conséquent le monde est comme une cité. Car à quel autre gouvernement commun pourrait-on dire que tout le genre humain a part ? »

Pourquoi cette sagesse des Anciens, alors même qu'elle nous parle de manière parfois si proche, nous semble appartenir pourtant de manière irrémédiable au passé ? Pourquoi nous paraît-il si difficile et parfois, il faut l'avouer, si peu enthousiasmant d'y adhérer lors même que certaines pensées nous séduisent ? Sans doute parce que la vision du monde, la cosmologie dans laquelle elle s'enracinait n'est tout simplement plus. Le fait est qu'elle n'aura véritablement duré que de l'Antiquité post-classique jusqu'à la fin du Moyen Age où elle va progressivement faire place à une tout autre représentation de l'univers. Le monde chrétien, d'abord enraciné dans l'univers philosophique des Grecs, s'en est finalement, du moins pour une large part, émancipé. Et c'est lui, sans doute, qui a su comme nul autre peut-être, réassumer la volonté d'élaborer une représentation de la destinée humaine qui parvienne enfin de façon plus crédible à éradiquer les peurs primitives des hommes face à la finitude et à la mort.

Quatrième partie

L'ICI-BAS ENCHANTÉ PAR L'AU-DELÀ

Le chemin de la vie bonne et heureuse n'est autre que la vraie religion.

SAINT AUGUSTIN, *De la vraie religion.*

La mort enfin vaincue par l'immortalité : la philosophie supplantée par la religion

La philosophie grecque avait eu le génie d'élaborer de puissantes doctrines du salut sans Dieu, nous offrant ainsi le premier modèle d'une «spiritualité laïque» en Occident. Comment la religion a-t-elle réussi à reprendre la main, à inverser le processus de sécularisation que nous avions vu à l'œuvre dès la naissance de la philosophie en Grèce? En vertu de quel dispositif intellectuel le christianisme, bientôt suivi par les deux autres grands monothéismes, s'est-il montré capable de détourner la philosophie grecque à son profit tout en proposant une nouvelle doctrine du salut qui allait dominer la pensée occidentale pendant plus de quinze siècles? Comment cette compétition d'un genre inédit s'est-elle déroulée et pourquoi la philosophie l'a-t-elle perdue? Ces questions sont d'autant plus légitimes que le contenu de la religion chrétienne – la première à établir le lien avec Athènes – paraît d'une grande simplicité face à l'extrême sophistication à laquelle la pensée grecque était déjà parvenue. On pourrait le résumer en quelques lignes, comme un philosophe chrétien, Etienne Gilson, s'y est essayé de façon faussement naïve :

« Un homme est né dans des circonstances merveilleuses : il avait nom Jésus ; il a enseigné qu'il était le Messie annoncé par les prophètes d'Israël, le Fils de Dieu, et il l'a prouvé par ses miracles. Ce Jésus a promis la venue du royaume de Dieu pour tous ceux qui s'y prépareront en observant ses commandements : l'amour du Père qui est dans les cieux ; l'amour mutuel des hommes, désormais frères en Jésus-Christ et enfants du même Père ; la pénitence des péchés, le renoncement au monde, et à tout ce qui est du monde, par amour du Père par-dessus toutes choses. Le même Jésus est mort en croix pour racheter les hommes : sa résurrection a prouvé sa divinité, et il viendra de nouveau, à la fin des temps, pour juger les vivants et les morts et régner avec les élus dans son royaume. Pas un mot de philosophie dans tout ceci[1]. »

En effet. Et pourtant, c'est bien à la pensée « païenne », c'est-à-dire grecque, que la religion chrétienne va se mesurer ; c'est elle qu'elle va investir et mettre à son service avant que le judaïsme et l'islam ne lui emboîtent le pas dans cette voie difficile où la philosophie, perdant son statut ancien d'apprentissage de la vie et de la sagesse, va se voir progressivement reléguée au statut de modeste auxiliaire de la théologie. Le christianisme, en instaurant l'idée d'une incarnation du « logos » divin dans un être humain, le Christ, va fonder non seulement une nouvelle conception de la providence, mais une promesse inédite de salut : celle qui garantit que, par l'amour de Dieu et des créatures « en » Lui, nous pouvons accéder à une immortalité *personnelle* et vaincre ainsi toutes les peurs inspi-

---

1. *La Philosophie au Moyen Age*, Payot, 1986 (réédition), p. 9.

rées par la finitude. Une longue histoire, qui commence avec les écrits johanniques et dont l'essentiel se joua dès les premiers siècles de notre ère.

Jean, Paul et Justin : « logos divin » contre « logos cosmique ». La naissance d'une nouvelle doctrine du salut en rupture avec les philosophes grecs

Même hors du monde chrétien, chacun connaît les premières lignes de l'Evangile de Jean : « Au commencement était le Verbe (*Logos*), et le Verbe était auprès de Dieu, et le Verbe était Dieu. Par lui tout a paru, et sans lui rien n'a paru de ce qui a paru... Et le Verbe est devenu chair, et il a séjourné parmi nous. Et nous avons contemplé sa gloire, gloire comme celle que tient de son Père un Fils unique, plein de grâce et de vérité. »

Je ne suis pas certain, pourtant, que hors les prêtres et les érudits, les chrétiens d'aujourd'hui sachent encore, même de manière approximative, ce que recouvre cette notion de « Verbe », ni qu'ils mesurent pour quelles raisons cet emprunt explicite de Jean l'évangéliste à la philosophie stoïcienne pouvait paraître iconoclaste à ses principaux héritiers. Le fait n'aurait d'autre intérêt qu'historique ou philologique s'il ne symbolisait à lui seul le conflit qui allait opposer sous l'Empire romain, du IIe au Ve siècle, la philosophie chrétienne naissante à la philosophie grecque. Une compétition acharnée, souvent mortelle – le martyre des chrétiens ne fut pas un mythe –, en vue de conquérir le monopole de la doctrine légitime du salut. Il faut tâcher d'en cerner les principaux enjeux, si l'on veut prendre la mesure de la nouveauté inouïe

313

de la pensée chrétienne et comprendre les motifs intimes pour lesquels elle allait s'imposer presque sans partage à l'humanité européenne jusqu'au XVIIᵉ siècle. C'est une nouvelle définition de la vie bonne qui allait prendre le dessus sur la sagesse des Anciens, et les motifs pour lesquels elle devait l'emporter ne manquent pas d'intérêt : à bien des égards, ils restent encore pertinents aujourd'hui pour plusieurs centaines de millions d'individus sur cette planète.

Commençons donc, nous aussi, par le commencement : qu'y a-t-il de si choquant pour un penseur grec dans les formulations de Jean touchant l'incarnation du Verbe divin dans la chair du Christ ? Et en quoi cette nouvelle destination du *logos* fonde-t-elle une autre doctrine du salut en même temps qu'une conception inédite de la vie bienheureuse ? Malgré la profondeur insondable de l'enjeu métaphysique et historique, la réponse peut être assez simplement formulée. Emprunté par Jean aux philosophes stoïciens, le terme de *logos* reçoit chez lui une acception proprement insensée à leurs yeux : il ne désigne plus, en effet, la structure harmonieuse et rationnelle du monde, la divine organisation du cosmos dans son ensemble, mais un humain particulier, le Christ. Pour le dire plus simplement encore : d'impersonnel, le *logos* est devenu personnel, et, par-delà la continuité apparente du mot, sa nouvelle définition change évidemment tout à la vision du monde, de la vie et du salut qui s'y attachait chez les Grecs. C'est ainsi que trois révolutions dans la pensée découlent directement de cette nouvelle représentation du Verbe. Elles touchent à l'ordre de la theoria, de la praxis et de la sotériologie. Or toutes trois paraissent rigoureusement inadmissibles aux héritiers de Platon.

D'abord c'est la nature même de la *theoria* qui se

trouve bouleversée : ce n'est plus, comme le voulait toute la tradition philosophique depuis les Grecs, par sa *raison* seule que chaque homme doit s'efforcer de parvenir à une juste compréhension de la rationalité universelle (*logos*), cosmique, dont témoigne l'organisation du monde, mais c'est par la foi, en faisant confiance (*fides*) au message d'un autre homme que le *logos* doit être non pas conquis mais reçu. Même si l'impératif reste pour une part légitime, il ne s'agit plus tant de *penser par soi-même*, que de *faire confiance à un Autre*, d'accepter la nouvelle qu'il apporte et de croire dans les promesses qu'il nous fait. En d'autres termes, l'orgueil philosophique doit faire place à l'humilité religieuse. La foi, sans doute, ne supprime pas la raison, et nous verrons que la philosophie, pour devenir chrétienne, ne disparaît pas pour autant. Mais à tout le moins, la première prend le pas sur la seconde et, désormais, c'est à la Révélation qu'il appartiendra de guider la pensée dans tous ses efforts d'intelligibilité, qu'ils portent sur le déchiffrage des Ecritures ou sur la compréhension du monde lui-même.

Rien de plus significatif à cet égard que les premières lignes de la première épître de saint Jean, qui reprennent le thème inaugural de son Evangile mais le présentent comme un témoignage direct, un récit, au sens propre du terme, *crédible*, digne de foi et de confiance : « Ce qui était dès le commencement, ce que nous avons entendu, ce que nous avons vu de nos yeux, et que nos mains ont palpé du Verbe (*Logos*) de la vie – et la vie s'est manifestée, et nous avons vu et nous témoignons, et nous annonçons la vie, la vie éternelle qui était auprès du Père et qui s'est manifestée à nous – ce que nous avons vu et entendu, nous vous l'annonçons à vous aussi, pour que vous aussi vous soyez en communion avec nous. » Gilson, fidèle en cela à Augustin[1], a fort bien résumé le sens de ce détournement de l'héritage grec : «Partant de la personne concrète de Jésus, objet de la foi chrétienne, Jean se tourne vers les philosophes pour leur dire que ce qu'ils nomment le *Logos*, c'est lui ; que le *Logos* s'est fait chair et qu'il a habité parmi nous si bien que, scandale intolérable pour des esprits en quête d'une explication purement spéculative du monde, nous l'avons vu (Jean, I, 14). Dire que c'est le Christ qui est le *Logos* n'était pas une affirmation philosophique, mais religieuse. Ainsi que l'a dit excellemment Aymé Puech : «Comme pour tous les emprunts que le christianisme a faits à l'hellénisme, il s'agit, dès celui-ci, qui est à notre connaissance le premier, de s'approprier une notion qui servira à l'interprétation philosophique de la foi, bien plutôt qu'un élément constitutif de cette foi[2].» La formule est juste : elle s'applique aux premiers Pères de l'Eglise, comme plus tard, à saint Thomas d'Aquin (même si, des uns à l'autre, les références à la philosophie grecque ont changé, passant pour ainsi dire de Platon à Aristote). En clair, et si l'on ose utiliser des métaphores guerrières que la violence des polémiques justifie cependant, il s'agit bien pour la religion chrétienne, et ce dès l'Evangile de Jean, de coloniser, voire d'asservir la philosophie grecque : d'en faire, selon le mot de Pierre Damien qui connaîtra la fortune que l'on sait jusque chez saint Thomas, la «servante» d'une théologie désormais consacrée comme seule véritable doctrine du salut.

Si le *logos* grec se voit ainsi personnalisé par son incarnation christique et non plus cosmique, c'est aussi la notion de providence qui change du tout au tout. Les

---

1. Cf. *La Cité de Dieu*, livre X.
2. *Op. cit.*, p. 11.

stoïciens, sans doute, nous invitaient à mettre toute notre «confiance» dans le destin. Encore s'agissait-il là d'une conviction rationnelle, dictée par une compréhension tout intellectuelle du déterminisme parfait, du *logos* régissant le cours du monde. C'est au nom de cette connaissance spéculative qu'ils nous conviaient à changer nos désirs plutôt que l'ordre du réel. Et même lorsqu'ils parlaient de la «providence» et de la «bonté de Dieu», ces formules ne devaient nullement s'entendre en un sens personnel : Dieu, dans cette perspective panthéiste, c'était d'abord le divin, non pas une personne réelle, mais la structure parfaite et harmonieuse du monde considéré comme un Tout. Dès lors, au contraire, que le *logos* s'est fait chair, qu'il s'est incarné sous nos yeux dans une personne réelle, celle du Christ, il perd son caractère ancien de destin inéluctable et aveugle. Au contraire exact de ce qui avait lieu chez les stoïciens, la providence va désormais se confondre avec l'attention bienveillante et consciente portée par une personne (divine) à d'autres personnes (humaines). Tout devient, ici encore, affaire de confiance, de foi en la probité et la véracité de la parole donnée.

Saint Justin, sans doute le premier philosophe chrétien qui, venant lui-même du platonisme, se soit attaché à pourfendre les erreurs des philosophes grecs, y insistera dans son *Dialogue avec Tryphon* : «Bien sûr, écrit-il parlant des disciples d'Aristote et de Platon, ils essaient de nous convaincre que Dieu s'occupe de l'univers dans son ensemble, des genres et des espèces. Mais de moi, de toi et de chacun en particulier, il n'en va pas de même, car autrement nous ne le prierions pas nuit et jour[1].» La réciproque est aussi vraie : le Dieu chrétien,

---

1. Saint Justin, *Dialogue avec Tryphon*, in *La philosophie passe au Christ*, Editions de Paris, p. 120. Ce recueil comprend aussi la traduction du texte des *Apologies*.

parce qu'en et par lui le logos est une personne et non plus la structure impersonnelle du monde, s'occupe de tous et de chacun, comme Augustin, dans son essai sur la vraie religion (XXV, 46), le souligne, dans le même esprit que Justin, c'est-à-dire explicitement contre la tradition grecque : « La providence divine pourvoit aux intérêts, non seulement de chaque homme, si l'on peut dire, en privé, mais de tout le genre humain, en quelque sorte officiellement. Son action sur les individus, Dieu qui en est l'auteur la connaît et les bénéficiaires aussi ; son action sur le genre humain, il a bien voulu nous la manifester par l'histoire et la prophétie. » Avec le détournement johannique du *logos* stoïcien, nous nous retrouvons ainsi aux antipodes de l'idée d'un cours du monde déterminé de manière anonyme, auquel seul la raison nous commanderait d'adhérer. C'est maintenant dans l'élément de la conscience, de personne à personne, que la providence opère.

La promesse du salut s'en trouve, elle aussi, radicalement transformée. Chez les Grecs, et tout particulièrement chez les stoïciens, la crainte de la mort se trouvait finalement surmontée au moment où le sage comprenait qu'il était lui-même une partie, sans doute infime mais néanmoins réelle, de l'ordre cosmique éternel. C'est en tant que tel, par son adhésion au *logos* universel, qu'il parvenait à la pensée de la mort comme simple *passage* d'un état à un autre – et non comme disparition radicale et définitive. Il n'en demeure pas moins que le salut éternel, comme la providence et pour les mêmes raisons qu'elle, restait *impersonnel*. C'est en tant que fragments inconscients d'une perfection elle-même inconsciente que nous pouvions nous penser comme éternels, non en tant qu'individus. La personnalisation du *logos* change toutes les données du problème : si les promesses qui me sont faites par le Christ, ce Verbe incarné que des témoins fiables ont pu voir de leurs yeux, sont véridiques, si la providence divine me prend en charge en tant que personne, si humble soit-elle, alors mon immortalité sera, elle aussi, *personnelle*. C'est bien sûr dans cette perspective que les Evangiles rapportent les trois résurrections opérées par Jésus – sans même parler de la sienne propre : celle du fils de la veuve de Naïn, celle de la fille de Jaïre, et celle de Lazare. Mais ce qui mérite notre attention dans le contexte de notre enquête sur la victoire du christianisme sur la Grèce philosophique, c'est l'incrédulité ironique que suscite Paul lorsqu'il évoque devant un public athénien cette résurrection des morts : « Des philosophes épicuriens et stoïciens s'entretenaient avec lui. Certains disaient : "Que peut bien vouloir dire ce discoureur ?" D'autres : "On dirait un prêcheur de divinités étrangères" parce qu'il annonçait Jésus et la résurrection[1]. » Nul hasard, évidemment, si c'est ce dernier thème que Paul transmet, ni si c'est lui qui lui vaut les quolibets les plus acérés de la part des philosophes[2] : *car c'est la mort elle-même, et non seulement les peurs qu'elle suscite en nous, qui se trouve enfin vaincue. L'immortalité n'est plus celle, anonyme et cosmique, du stoïcisme, mais celle, individuelle et consciente, de la résurrection des âmes accompagnées de leurs corps « glorieux ».*

La dimension de l'« amour en Dieu » viendra conférer son sens ultime à cette révolution opérée par le christianisme dans les termes de la pensée grecque. C'est cet amour, en effet, qui se trouve au cœur de la nouvelle doctrine du salut, lui qui s'avère, *in fine*, « plus

---

1. Actes des Apôtres, 17, 18.
2. *Ibid.*, 17, 32.

fort que la mort ». Nous y reviendrons dans un instant. Ce qui vient d'être dit, cependant, suffit à comprendre tout à la fois l'extraordinaire hostilité que devait susciter, au sein du judaïsme, mais surtout dans le monde gréco-romain, le détournement, par Jean, de son concept philosophique le plus prestigieux, celui du *logos*, en même temps que le succès non moins extraordinaire qu'allait rencontrer la sotériologie chrétienne. Paul, déjà, avait parfaitement annoncé les termes précis de cette polémique : «Dieu n'a-t-il pas frappé de folie la sagesse du monde? Puisqu'en effet le monde, par le moyen de la sagesse, n'a pas reconnu Dieu dans la sagesse de Dieu, c'est par la folie de la proclamation qu'il a plu à Dieu de sauver ceux qui croient. Alors que les Juifs demandent des miracles et que les Grecs cherchent la sagesse, nous proclamons, nous, un Christ crucifié, scandale pour les Juifs et folie pour les païens, mais, pour ceux, tant Juifs que Grecs, qui sont appelés, puissance de Dieu et sagesse de Dieu. Car ce qui est folie de Dieu est plus sage que les hommes, et ce qui est faiblesse de Dieu est plus fort que les hommes[1]. »

Ce texte, par la suite mille fois commenté par les Pères de l'Eglise et les théologiens dans le contexte d'une «explication» avec la philosophie grecque[2], trace le programme que mettront en œuvre les premiers auteurs chrétiens, à commencer par Justin. A bien des égards, c'est encore lui qu'accomplira Augustin dans les passages des *Confessions* et, surtout de *La Cité de Dieu* consacrés à exposer la supériorité du christianisme sur l'hellénisme.

---

1. Première Epître aux Corinthiens.
2. Voir notamment saint Augustin, *La Cité de Dieu*, livre X, chapitre XXVIII.

La signification profonde du message paulinien a été parfaitement résumée, du moins envisagée d'un point de vue chrétien, par Gilson. On ne saurait mieux faire que lui laisser, ici encore, la parole : «Telle qu'elle se définit elle-même dans la première Epître aux Corinthiens, la nouvelle révélation se trouve placée comme une pierre de scandale entre le judaïsme et l'hellénisme. Les Juifs veulent le salut par l'observance littérale d'une loi et l'obéissance aux ordres d'un Dieu dont la puissance s'avère en miracle de gloire ; les Grecs veulent un salut conquis par la droiture de la volonté et une certitude obtenue par la lumière naturelle de la raison. Aux uns et aux autres, qu'apporte le christianisme ? Le salut par la foi au Christ crucifié, c'est-à-dire un scandale pour les Juifs, qui réclament un miracle de gloire et à qui on offre l'infamie d'un Dieu humilié ; une folie pour les Grecs, qui réclament de l'intelligible, et à qui l'on propose l'absurdité d'un Dieu-Homme mort en croix et ressuscité des morts pour nous sauver[1].» Dans les deux cas, même si la perspective est différente, c'est l'*humilité* de la doctrine chrétienne du salut qui fait problème : pour les Juifs, parce que le Verbe divin, en admettant même qu'il se puisse incarner, ne saurait être ridiculisé et mis à mort par de simples humains – la faiblesse, si l'on ose dire, n'est pas son fort. Le vrai Dieu ne saurait être qu'une puissance de salut qui opère par des signes incontestables : il est Celui qui, au moment où son peuple se trouve asservi en Egypte, parvient à le délivrer à force de faire pleuvoir les fléaux sur Pharaon et les siens. Comment pourrait-il s'incarner dans la faiblesse d'un malheureux qui s'est laissé martyriser ? Pour les Grecs, parce que toute leur phi-

---

1. *L'Esprit de la philosophie médiévale*, Vrin, 1944, p. 18.

losophie, qui repose sur la raison, c'est-à-dire sur le divin en nous en tant qu'il peut rejoindre le divin hors de nous (l'harmonie cosmique éternelle), enseigne qu'il est possible de se sauver par soi-même, sans l'aide d'un Autre dont il est au demeurant absurde de penser qu'il pourrait résumer à lui seul la divinité du *logos*. A la force des uns, le Christ oppose la faiblesse de son martyre, à la raison orgueilleuse des autres, l'humilité de la foi qu'il appelle en nous comme seule réponse adéquate à sa parole donnée.

Les représentants de la sagesse grecque ainsi prise à partie ne resteront pas sans réponse et, comme on pouvait s'y attendre, c'est sur cette question de l'incarnation du *logos* dans un être humain, fût-il le Christ, que portent leurs principales critiques. Augustin le rappellera encore dans *La Cité de Dieu* : les platoniciens auraient bien voulu que les premières lignes de l'Evangile de Jean fussent « gravées en lettres d'or et exposées dans toutes les églises au lieu le plus éminent ». Elles pouvaient, en effet, leur convenir et même témoigner à leurs yeux de ce que le christianisme avait repris à Platon tout ce qu'il y avait de juste en lui. Mais en revanche, « les superbes ont dédaigné de prendre ce Dieu pour maître parce que "le Verbe a été fait chair et a habité parmi nous" ». Que Jésus ait pu à lui seul incarner la vérité du divin *Logos*, voilà, en effet, l'absurde à leurs yeux. L'anecdote évoquée par Augustin est du reste bien réelle et la polémique entre platoniciens et chrétiens donna lieu à un pamphlet de saint Grégoire, l'évêque de Milan qui devait plus tard ordonner Augustin. On y mesure alors combien la question de l'incarnation du *logos* constitue bien la pomme de discorde entre platoniciens et chrétiens. Et, pour être discutables, les raisons qu'Augustin avance en vue d'expliquer la réticence des philosophes sont plus profondes qu'il n'y paraît : c'est par orgueil que les héritiers des grands penseurs grecs refusent selon lui l'incarnation du Verbe dans la figure de Jésus et c'est pour cela qu'ils rejettent l'enseignement de la religion lors même que le fond de leur philosophie pourrait sur plus d'un point les en rapprocher [1]. En disant cela, il n'est pas impossible qu'Augustin touche le point crucial : au regard de la religion, les doctrines philosophiques du salut ont quelque chose d'orgueilleux. Elles visent à nous permettre de nous sauver par nous-mêmes, sans l'aide d'un Autre. Comme le dira le néoplatonicien Porphyre dans les premières pages de sa *Vie de Plotin* – c'est lui, rappelons-le, que saint Augustin prend pour cible dans les lignes qu'on vient de citer : «Je m'efforce de faire remonter ce qu'il y a de divin en nous à ce qu'il y a de divin dans l'univers.» Là se situe, en effet, le salut, l'entrée en communication avec le monde éternel, et pour cela, point n'est besoin aux yeux du philosophe de recevoir la grâce d'un Dieu. La raison seule suffit.

Or c'est là, justement, ce que contestent les premiers auteurs chrétiens. Leur témoignage est d'autant plus intéressant qu'ils ont été d'abord des disciples des écoles grecques : il nous permet encore de mesurer, par le récit qu'ils font de leur conversion, les motifs qui leur apparaissaient justifier leur décision de quitter la philosophie pour entrer en religion. A cet égard, rien n'est plus significatif que le témoignage de saint Justin : il est tout à la fois le premier et pratiquement le seul de cette époque dont les œuvres aient été pour l'essentiel conservées et qui expose de la manière la plus vivante comment et pour quelles raisons un philosophe du IIe siècle rallié au platonisme pouvait quit-

---

1. *La Cité de Dieu*, livre X, *passim*.

ter cette vision du monde en découvrant le christianisme. Le récit que saint Justin donne de cette conversion est d'autant plus intéressant qu'il se présente
comme une sorte de « banc d'essai » : Justin a « testé
pour nous » successivement le stoïcisme, l'aristotélisme, le pythagorisme, puis il est devenu un platonicien fervent, avant d'en venir à confesser le nom de
Jésus-Christ. C'est bien d'une comparaison entre des
doctrines laïques du salut et la foi chrétienne qu'il
s'agit dans ce récit qui possède une valeur de para-
digme et exercera à ce titre une influence décisive
dans l'histoire de la théologie chrétienne.

Rappelons en quelques mots qui était Justin et dans
quel contexte il devait intervenir. Il appartient au mouvement des « apologistes » grecs dont il est le principal
représentant au IIe siècle. Les persécutions des chrétiens par les païens, mais aussi l'hostilité des Juifs,
avaient conduit les premiers théologiens à rédiger des
apologies, c'est-à-dire des plaidoiries adressées aux
empereurs romains afin de défendre leur communauté contre les rumeurs qui pesaient sur leur culte.
On les accusait, entre autres absurdités qui rencon-
traient un écho dans l'opinion, d'adorer un dieu à tête
d'âne, de sacrifier à des rites anthropophages, de procéder à des meurtres rituels, de se livrer à toutes sortes
de débauches qui n'avaient évidemment aucun rapport avec le christianisme. Le texte des apologies rédi-
gées par Justin avait pour but de témoigner de la réalité de la pratique chrétienne. La première, qui date
de l'an 150, fut envoyée à l'empereur Antonin, et la
seconde à Marc Aurèle. De là le caractère de document irremplaçable qu'on leur reconnaît aujourd'hui
puisqu'elles offrent une description unique par sa pré-
cocité et, sans nul doute aussi par sa fidélité, de la
façon dont les premières communautés chrétiennes

célébraient la messe ou la liturgie du baptême. Pour mesurer l'authenticité de son témoignage, il n'est pas inutile de se rappeler que Justin vivait moins d'un siècle après la mort du Christ et qu'il avait pu rencontrer des hommes ayant directement connu Pierre et Paul. Après sa conversion au christianisme, vers l'an 130, il fonda à Rome une école qui connut un réel succès. C'est en 160 qu'il écrivit son *Dialogue avec Tryphon* – un rabbin, sans doute Tarphon, qu'il avait connu à Ephèse. Accomplissant le programme esquissé par Paul, il y expose les motifs pour lesquels il fut conduit à rejeter d'un même mouvement la philosophie grecque et le judaïsme. La loi romaine voulait que les chrétiens ne fussent pas inquiétés, sauf s'ils étaient dénoncés par une personne « crédible ». C'est un philosophe appartenant à l'école des cyniques, Crescens, qui devait occuper ce rôle sinistre : adversaire irréductible de Justin, jaloux de l'écho remporté par son enseignement, il le fit condamner, ainsi que six de ses élèves qui furent décapités avec lui en 165... sous le règne, donc, et c'est tout un symbole, du plus éminent des philosophes stoïciens de l'époque impériale, Marc Aurèle. Le récit de son procès a été conservé. Il est même aujourd'hui le seul document authentique rapportant le martyre d'un penseur chrétien dans la ville de Rome du IIᵉ siècle.

Dans le *Dialogue avec Trypon*, Justin s'en prend donc aux Grecs et aux Juifs. Si l'on voulait, pour la commodité du propos, reprendre les trois grandes catégories qui ont structuré toute notre enquête, *theoria, praxis, sotériologie,* voici comment on pourrait présenter simplement les ruptures décisives qui interviennent entre le christianisme et la philosophie grecque dans ces trois domaines qui permettent de définir la vie bonne.

Du côté de la theoria tout d'abord. Comme la plupart des grands théologiens chrétiens après lui – du moins jusqu'à la redécouverte d'Aristote au XIIIᵉ siècle sous l'influence de la philosophie arabe et juive – Justin considère le platonisme comme le sommet des connaissances vraies auquel il est possible de s'élever sans l'aide de la Révélation, par les voies de la simple raison. Son admiration pour Platon demeurera d'ailleurs, sinon intacte, du moins considérable jusques et y compris après l'épisode de sa conversion. Il n'en reste pas moins que, sur le plan simplement théorique, deux ruptures fondamentales s'introduisent, qui vont en commander peu à peu beaucoup d'autres. D'abord, bien entendu, celle qui porte sur la nature du *Logos*. Comme Jean, Justin croit en cette incarnation du Verbe, qui vient pour ainsi dire détourner la philosophie païenne, car, à ses yeux, « ce n'est pas seulement chez les Grecs, et par la bouche de Socrate, que le Verbe a fait entendre ainsi la vérité ; mais les barbares (c'est-à-dire les chrétiens) aussi ont été éclairés par le même Verbe, revêtu d'une forme sensible, devenu homme et appelé Jésus-Christ[1] » : ce passage est crucial car il montre qu'aux yeux des premiers philosophes chrétiens de culture grecque, comme sans doute pour Jean lui-même, c'est bien en effet « du même Verbe » qu'il est question dans les deux doctrines, païennes ou chrétienne, du salut. C'est ainsi dans un dialogue explicite avec la pensée grecque que le message de la Révélation est perçu. Ce dernier est donc davantage le prolongement de la première que sa réfutation et c'est en quoi, loin de la rejeter purement et simplement, la théologie chrétienne va pouvoir, sur le plan spéculatif de la theoria, s'annexer l'essentiel de la philosophie pour la mettre à son service.

---

1. *Apologies, op. cit.*, p. 35.

A une seconde rupture près cependant : en effet, si c'est désormais la foi qui vient remplacer la raison dans son rapport au Verbe incarné, cette dernière n'est toutefois pas anéantie pour autant, et Justin lui-même continuera toute sa vie de porter le manteau de philosophe. Il s'agit plutôt pour la Révélation de guider la pensée rationnelle, pour la théologie de s'annexer la philosophie en vue de lui donner les objets qu'elle doit nous aider à comprendre et qui se résument essentiellement à deux : d'un côté, l'Ecriture sainte, dont il faut malgré tout *penser le message,* ce qui suppose bien un certain usage de la raison, et, de l'autre, la nature en tant qu'elle témoigne, puisqu'elle est créature de Dieu, de la splendeur du divin. C'est en ce sens, par exemple, que Paul, dans la première Epître aux Romains (I, 19), déclarait déjà que « depuis la création du monde, les attributs invisibles de Dieu sont rendus visibles à l'intelligence par ses œuvres », de sorte que l'étude de la nature aurait dû conduire depuis longtemps tous les prétendus sages grecs au contenu de la Révélation, si du moins « leur cœur inintelligent » ne s'était « obscurci ». C'est donc bien dès l'origine que nous voyons émerger, grande différence avec les Grecs, la première figure de la philosophie servante de la théologie, de la raison au service d'une Révélation qui sans doute la guide, mais ne l'annule pas pour autant.

Du côté de la *praxis,* de la simple morale, le christianisme s'oppose également selon Justin, à l'ensemble de la philosophie grecque d'inspiration platonicienne, même s'il en reprend et prolonge les aspects véridiques. Ce qu'il reproche, pour l'essentiel, à cette dernière, c'est que la providence, comme on l'a déjà suggéré, y prend l'allure d'un destin inéluctable et cyclique. Non seulement le libre arbitre ne semble avoir aucune place dans la vision grecque du monde, mais d'une manière plus générale, chez les platoniciens eux-mêmes, la conviction selon laquelle toutes choses sont appelées à revivre le sort qu'elles ont connu une éternité de fois sans changement aucun rend totalement inopérante l'idée même de morale : « Ceux qui professent ces opinions ne redoutent rien et ont toute licence en leurs paroles comme en leurs actes ; ils font et disent ce qu'ils veulent puisqu'ils ne craignent pas plus le châtiment de Dieu qu'ils n'en espèrent une récompense. Quel espoir ou quelle crainte auraient-ils, en effet, ceux qui prétendent que les choses seront toujours les mêmes, que moi et toi nous revivrons à nouveau dans un état identique, ni meilleurs ni pires[1] ? » Et là encore, sous l'apparente naïveté des formulations, c'est tout un continent qui émerge dans son opposition à la Grèce : celui du libre arbitre et d'une historicité conçue pour la première fois hors l'idée cyclique de l'éternelle répétition. C'est parce que l'homme est libre, parce qu'il choisit sa vie, qu'il est responsable de ses actes, que l'histoire doit être conçue, non comme un cycle naturel, mais comme le champ d'exercice où cette liberté peut se manifester comme un *progrès* ou comme un *déclin*, comme une élévation ou comme une chute. Contrairement à l'enseignement de Porphyre, « ce n'est donc pas par l'affinité que l'homme voit Dieu, ni parce qu'il est esprit, mais parce qu'il est vertueux et juste[2] ».

---

1. *Dialogue avec Tryphon*, p. 121.
2. *Ibid.*, p. 128.

En termes de *sotériologie*, cette nouvelle vision du monde implique aussi une rupture décisive : c'est désormais dans l'action libre des hommes et par la grâce de Dieu que le salut se gagne. Sans nul doute, comme pour les Grecs, le salut porte toujours, et même plus que jamais, sur la question de la finitude et de la mort. Mais, par-delà cette continuité de surface, l'écart avec le monde grec n'en est pas moins consommé : ce n'est plus en tant que telle, et de son propre fait, que l'âme peut être dite immortelle, comme si la liberté humaine d'un côté, et la volonté de Dieu de l'autre n'avaient pas l'une et l'autre leur mot à dire dans l'affaire. Déclarer, comme le faisait Platon, que l'âme est immortelle quoi qu'elle choisisse, « ce serait vraiment une bonne nouvelle pour tous les méchants[1] ». Si l'âme peut, parce qu'elle a été vertueuse, parce qu'elle a fait pour ainsi dire le « premier pas », parvenir à l'immortalité, c'est au final grâce à Dieu et non par ses propres forces, car c'est lui qui lui a donné la vie et qui peut la lui reprendre ou, au contraire, la prolonger pour l'éternité « car tout ce qui existe en dehors de Dieu et tout ce qui sera jamais est de nature corruptible, peut disparaître et n'être plus ». Voilà pourquoi il faut se moquer des sages comme Platon et Pythagore, anéantir, comme nous y invite saint Paul, leur fausse sagesse, et terrasser la « prudence des prudents ». En effet, « l'âme participe à la vie parce que Dieu veut qu'elle vive. Aussi n'y participera-t-elle plus lorsqu'il ne voudra plus qu'elle vive. La vie ne lui appartient pas en propre comme elle appartient à Dieu ». Pour qui du moins possède la foi, le message chrétien apparaît ainsi comme infiniment plus « prometteur », en termes de salut, que celui des sages

---

1. *Ibid.*, p. 130.

grecs : ce n'est plus d'immortalité impersonnelle qu'il s'agit, mais bien d'une providence qui promet de sauver chacun d'entre nous, s'il le mérite, en tant qu'individu singulier, et ce, qui plus est, à partir d'une situation de départ où l'immortalité n'a rien de garanti *a priori* pour aucun d'entre nous. Comme plus tard dans le pari de Pascal, le jeu en vaut donc largement la chandelle...

C'est cette même inspiration que nous retrouvons, de manière plus élaborée mais analogue quant au fond, dans les écrits d'Augustin contre les philosophes platoniciens – c'est-à-dire contre lui-même lorsqu'il était encore, avant sa conversion, partisan de leurs doctrines.

Saint Augustin : grandeur et misère du platonisme ou comment l'humilité de la religion triomphe de l'orgueil philosophique

Comme Justin, Augustin place Platon et les néo-platoniciens au plus haut parmi ceux qui ont cherché la vérité par leurs propres forces. Le fait mérite d'être souligné car les différences résiduelles n'en ressortent que mieux. Selon son essai *De la vraie religion*, Platon est en effet celui qui a eu le génie de découvrir la quasi-totalité du message chrétien sans pouvoir bénéficier de la Révélation christique, donc par les voies de la simple raison. Que voulait en effet Platon, lorsqu'il s'adressait à ses disciples ? Tout simplement, selon Augustin, les convaincre de quelques pensées vraies que l'on retrouve intactes dans le christianisme, les persuader notamment que « la vérité se voit non pas par les yeux du corps, mais par le seul esprit ; que toute âme s'attachant à elle y trouve son bonheur et sa perfection ; que rien n'empêche tant de la percevoir qu'une vie de plaisirs et que les images trompeuses des objets sensibles [...] ; qu'il faut en conséquence guérir son esprit pour qu'il puisse fixer ses regards sur la forme immuable des choses et sur la beauté toujours égale et en tout semblable à elle-même que ni l'espace ne divise ni le temps ne transforme [...] ; que toutes les autres choses naissent, meurent, s'écoulent, s'en vont et pourtant, dans la mesure où elles sont, subsistent grâce au Dieu éternel qui les a façonnées par sa vérité ; que, parmi elles, seul l'être raisonnable et intelligent a reçu le privilège de trouver ses délices dans la contemplation de l'éternité divine, de s'y transformer et de s'y enrichir jusqu'à mériter la vie éternelle[1]... » : il fallait citer cette longue liste pour mesurer combien Augustin avait conscience que, dans sa polémique contre les platoniciens, le nombre des points communs avec le christianisme l'emportait largement sur les différences et les antagonismes. On retrouvera, sous une forme à peine différente, le même constat au livre VII des *Confessions*[2]. Saint Augustin l'affirme sans détour : rien ne peut s'approcher davantage du christianisme que la philosophie platonicienne. Bien entendu, des différences essentielles subsistent, qui vont fonder l'évidente suprématie du premier sur la seconde : seul le christianisme parviendra à convaincre le peuple du bien-fondé des vérités que la philosophie réservait encore à une élite – en quoi Augustin apparaît comme le premier auteur du fameux thème, plus tard popularisé par Nietzsche, selon lequel le christianisme serait du platonisme pour le peuple, tout le

---

1. *De la vraie religion*, in *Œuvres de saint Augustin*, 1ʳᵉ série, tome VIII, *La Foi chrétienne*, Desclée de Brouwer, 1951, p. 27.
2. Chapitre IX.

talent du Christ, mais il fallait pour cela qu'il incarnât en et par lui-même le Verbe divin, consistant à faire comprendre et partager les idées les plus hautes par d'autres voies que celles d'une raison élitiste [1].

De là la conviction affichée par Augustin, selon laquelle Platon et tous ses grands disciples se seraient convertis sans la moindre hésitation au christianisme s'ils avaient pu bénéficier des fruits de la Révélation : « Ce que je puis assurer à coup sûr, n'en déplaise à tous ceux qui s'obstinent à aimer les livres de ces philosophes, c'est qu'à l'ère chrétienne, la question ne se pose plus de la religion à laquelle il faut adhérer de préférence à toute autre et qui conduit en fait à la vérité et au bonheur. Supposons que Platon lui-même soit encore vivant et qu'il ne repousse pas mes questions, ou plutôt, supposons qu'au temps où il vivait, un de ses disciples l'ait interrogé », tous deux auraient à coup sûr, voyant la façon dont le Christ parvenait à faire passer infiniment mieux qu'eux-mêmes leurs propres convictions dans le peuple, rendu « les honneurs dus à la sagesse de Dieu » et reconnu d'où venait « cette influence qui a si aisément transformé l'huma-

---

1. *De la vraie religion*, p. 25-27. Augustin s'interroge : si un disciple de Platon avait demandé à son maître s'il pensait possible qu'un homme puisse convaincre la masse du peuple de toutes les vérités contenues dans le platonisme, qu'aurait répondu le philosophe ? Conviction d'Augustin : « Platon eût répondu, je crois, que c'était œuvre impossible à un homme à moins que par hasard la force même de Dieu et sa sagesse n'eussent soustrait quelqu'un à la loi de la nature et, après l'avoir éclairé, non par l'enseignement des hommes, mais, dès le berceau, par une illumination intime, ne l'eussent doué d'un charme si vif, d'un ascendant si fort, d'une dignité enfin si haute que, détaché de tout ce que désirent les méchants, patient à endurer tout ce qu'ils redoutent, accomplissant tout ce qu'ils admirent, il convertît le genre humain... » En clair, il fallait l'aide de Dieu et, à vrai dire, l'incarnation du *Logos* dans le Christ, pour que les vérités déjà reconnues par la philosophie puissent passer dans les faits et atteindre auprès du peuple à l'universalité qui est la leur dans le christianisme.

nité et, au prix de quelques changements dans leur langage et leur manière de voir, ils deviendraient chrétiens comme la plupart des platoniciens des dernières générations et de la nôtre[1] ». Malheureusement, ce qui pourrait apparaître à juste titre comme le couronnement de la doctrine platonicienne est rejeté par les philosophes héritiers de Platon. Pourquoi? Par orgueil, tout simplement, parce qu'ils sont « superbes » selon la jolie formule des anciennes traductions d'Augustin.

Cette référence à l'orgueil est essentielle pour comprendre le différend qui sépare chrétiens et platoniciens. Tout oppose sur ce point le projet philosophique en tant que tel à l'humilité supposée de l'attitude religieuse[2]. Par opposition au paganisme, la conversion au christianisme suppose, en effet, une double humilité : une humilité « objective », tout d'abord, puisque le christianisme accepte l'incarnation humaine, trop humaine aux yeux des Grecs comme à ceux des Juifs, du divin *logos*; humilité subjective, ensuite, puisqu'elle nous demande de croire en la parole d'un Autre plutôt qu'en la seule vertu de notre propre raison, et d'accepter d'être ainsi sauvés par Lui. C'est en ce sens toute la problématique nouvelle de la vie bonne qui dépend de cette humilité.

Un passage très significatif des *Confessions*[3] énumère

---

1. *Ibid.*, p. 27, 33, 35.
2. Cf. Augustin, *Confessions*, livre VII, chapitres XX et XXI, et, dans le même sens, Pascal (*Pensées*, édition Brunschvicg), fragments 556, 430, et surtout 464, où l'opposition entre un bien venu du dehors et un peudobien situé seulement en dedans de nous, recouvre celle de la religion et de la philosophie : « Notre instinct nous fait sentir qu'il faut chercher notre bonheur hors de nous... Et ainsi les philosophes ont beau dire "Rentrez en vous-même, vous y trouverez votre bien", on ne les croit pas, et ceux qui les croient sont les plus vides et les plus sots. »
3. Livre VII, chapitre IX.

à nouveau dans cette perspective ce qu'il y a de juste dans les œuvres platoniciennes [...] cette longue énumération ayant pour seule finalité de mieux faire ressortir encore ce qui en est tragiquement absent et que seul le Christ va apporter à l'humanité, à savoir cette «miséricorde que vous avez fait paraître aux hommes dans cette prodigieuse humilité par laquelle votre Verbe s'est fait homme et a habité parmi nous». Sans doute Augustin confesse-t-il avoir lu de bien belles choses dans Platon, mais, comme il y insiste encore : «Je n'y lus pas que le Verbe étant venu chez soi, les siens ne l'ont pas reçu et qu'il a donné le pouvoir d'être faits enfants de Dieu à tous ceux qui l'ont reçu et qui ont cru en son nom.» Pourquoi cette absence? Tout simplement parce que les philosophes, «enflés d'orgueil par la haute opinion qu'ils se font de leur science n'écoutent pas le Christ quand il dit : apprenez de moi que je suis doux et humble de cœur et vous trouverez le repos de vos âmes». La question de l'incarnation est directement associée à la représentation d'une nouvelle doctrine du salut dont *La Cité de Dieu* soulignera une fois encore combien elle est infiniment plus «performante» que celle des Grecs : «Porphyre ne veut pas reconnaître dans le Seigneur Jésus-Christ le principe dont l'incarnation nous purifie. Il le méprise dans cette chair dont il se revêt pour le sacrifice expiatoire; mystère profond, inaccessible à cette superbe que ruine l'humilité du véritable et bon médiateur; ce médiateur qui apparaît aux mortels asservi, comme eux, à la mortalité; tandis que fiers de leur immortalité, les médiateurs d'insolence et de mensonge promettent aux mortels malheureux une assistance dérisoire[1].» Texte magnifique et d'une pré-

---

1. Livre X, chapitre XXIV.

cision remarquable dans lequel Augustin fait le lien entre les deux thèmes fondamentaux au nom desquels les platoniciens refusent le christianisme, et les chrétiens, au contraire, s'y convertissent : la superbe philosophique implique le rejet de l'incarnation du *Logos* dans une personne jugée, quelle qu'elle soit, indigne de lui, mais c'est aussi ce refus qui conduit à priver la philosophie de tout accès à la vraie sotériologie : impersonnelle et anonyme, l'immortalité des Grecs n'est qu'une pacotille à côté de celle que le Christ incarné et, par conséquent exposé au même titre que nous à la finitude et au malheur, nous promet individuellement.

Humilité de Jésus, donc, qui bien que divin, accepte de s'abaisser jusqu'au rang de simple mortel, mais aussi humilité du chrétien qui fait confiance en sa parole et reconnaît l'impuissance de la simple raison à nous procurer le salut authentique. Ainsi, «lors même qu'ils connaissent Dieu», les philosophes platoniciens «ne le glorifient pas comme Dieu, et ne lui rendent pas les actions de grâce qui lui sont dues, mais ils s'égarent et se perdent dans la vanité de leurs pensées et deviennent d'autant plus fous qu'ils se croient être plus sages[1]» : jugement sans appel, qui fait bien sûr allusion au fameux message de saint Paul, et où l'on retrouve la ligne de démarcation qui sépare aux yeux des premiers auteurs chrétiens et pour tout l'avenir de la théologie chrétienne, l'orgueil philosophique de l'humilité religieuse, comme en témoigne encore, dans *La Cité de Dieu*, cette adresse à Porphyre, le néoplatonicien qui publia tant de livres contre le christianisme : «Ah ! Si tu en avais eu l'amour sincère et fidèle, tu eusses connu le Christ, vertu et sagesse de Dieu ; une

---

1. *Confessions*, livre VII, chapitre IX.

vaine science n'eût pas provoqué contre son humilité salvatrice la révolte de ton orgueil » – ce Christ, ajoute Augustin, reprenant encore l'héritage de saint Paul, que malheureusement, Grecs et Juifs méprisent « pour ce corps reçu d'une femme, comme pour l'opprobre de sa croix[1] ». Et pourtant : « Dieu pouvait-il répandre plus heureusement sa grâce que dans ce mystère où son Fils unique, demeurant immuable en soi, devait se revêtir de l'humanité et donner aux hommes un témoignage de son amour par l'homme médiateur entre lui et les hommes, entre l'immortel, le juste, le bienheureux, et les hommes tributaires de la mort, du changement, du péché et de la misère. Et, comme c'est un instinct naturel qu'il nous inspire de désirer la béatitude et l'immortalité, demeurant dans sa béatitude et prenant la mortalité pour nous donner l'objet de notre amour, il nous enseigne par ses souffrances à mépriser l'objet de nos terreurs[2] » – passage décisif où le lien, une fois encore affirmé entre incarnation personnelle du *logos* et nouvelle doctrine du salut face à la mortalité humaine se précise : seul le Christ, parce qu'il a bien voulu se faire homme et nous comprendre tels que nous sommes, parce qu'il a partagé nos souffrances et nos angoisses, peut nous permettre de vaincre nos peurs.

Toutefois, ajoute encore Augustin contre Porphyre et ses disciples, « pour consentir à cette vérité il vous fallait l'humilité, vertu qu'il est si difficile à persuader à vos têtes hautaines. Qu'y a-t-il donc d'incroyable, pour vous surtout, dont les doctrines vous invitent même à cette croyance, qu'y a-t-il d'incroyable quand nous disons que Dieu a pris l'âme et le corps de

---

1. *La Cité de Dieu*, livre X, chapitre XXVIII.
2. *Ibid.*, X, XXIX.

l'homme?». La réponse à cette question, nous la connaissons et Augustin aussi : si les Grecs tiennent l'incarnation du *logos* dans une *personne* pour une absurdité, c'est parce qu'ils lui préfèrent celle qui s'opère dans le cosmos tout entier et qui conduit à poser l'existence d'une «âme du monde», d'une rationalité immanente à «ce corps immense de l'univers» : «Ne dites-vous pas, d'après Platon, que ce monde est un animal, et un animal très heureux?» Alors pourquoi ce qui vaut pour les corps de ce monde, par exemple pour les planètes[1], à savoir qu'elles sont l'incarnation du *logos* divin, ne pourrait-il valoir pour le Christ qui leur est infiniment supérieur à tous égards? Pourquoi rejeter avec tant de dédain «l'incarnation du Fils immuable de Dieu, mystère de notre salut, qui nous élève vers l'objet de notre foi où notre intelligence n'atteint qu'à peine», sinon, comme toujours, par orgueil : «Oui, pourquoi des opinions qui sont les vôtres et qu'ici vous combattez vous détournent-elles d'être chrétiens sinon parce que le Christ est venu dans l'humilité et que vous êtes superbes[2]?» Orgueil de la raison, sans doute, mais aussi et peut-être même surtout, vision cosmologique du salut, que la réduction à une seule personne ne saurait jamais satisfaire. Péché de la raison contre la foi, mais aussi, et peut-être plus encore, de l'intelligence contre l'amour.

---

1. «Comme vous placez vous-mêmes dans les demeures célestes les corps immortels des immortels bienheureux, quelle est donc cette opinion que pour être bienheureux il faut fuir tout corps?» (*ibid.*).

2. *Ibid.*

Au cœur de la doctrine chrétienne du salut :
pourquoi l'amour chrétien seul (*agapè*)
est-il plus fort que la mort ?

Que l'amour constitue dans le christianisme le principe salvateur par excellence, c'est l'évidence même. Chacun connaît la réponse apportée par le Christ au légiste pharisien qui tente de le mettre à l'épreuve : «Maître, quel commandement est le plus grand dans la loi ? Il lui déclara : *tu aimeras le Seigneur ton Dieu avec tout ton cœur, et avec toute ton âme et avec toute ta pensée. C'est là le plus grand et le premier commandement. Le second lui est semblable : tu aimeras ton prochain comme toi-même*[1].» Ce faisant, bien entendu, Jésus a conscience de s'inscrire dans la tradition qui est celle de son interlocuteur. En apparence tout au moins, il ne fait que reprendre deux passages de l'Ancien Testament que nul, dans l'assemblée à laquelle il s'adresse, ne saurait récuser : l'un du Deutéronome (6, 5 : «Tu aimeras Yahvé, ton Dieu, de tout ton cœur, de toute ton âme, et de tout ton pouvoir»), l'autre du Lévitique (19, 18 : «Tu ne te vengeras pas et tu ne garderas pas rancune aux fils de ton peuple, mais tu aimeras ton prochain comme toi-même»). L'idée que le judaïsme aurait ignoré la «loi d'amour» au profit de la seule «loi de crainte» est fausse. Il n'en demeure pas moins que le vocabulaire chrétien s'enrichit d'un terme nouveau pour désigner l'amour le plus authentique : *agapè*, tiré du verbe grec *agapan*, qui signifie simplement «chérir» et que l'on traduit habituellement par «charité». C'est le terme que le Christ utilise selon l'Evangile de Jean lorsqu'il déclare : «A ceci, tous vous reconnaîtront

---

1. Matthieu 22, 34-40.

pour mes disciples : à cet amour que vous aurez les uns pour les autres » (13, 35). C'est encore lui qui s'avère plus fort que la mort et qui préside à la résurrection de Lazare : il sous-tend la croyance que Jésus exige de ses fidèles lorsqu'il leur fait cette promesse : « Moi, je suis la résurrection et la vie : celui qui croit en moi, fût-il mort, vivra et quiconque vit et croit en moi ne mourra jamais » (Jean, 11, 25).

La spécificité d'*agapè* par rapport aux formes d'amour connues sous d'autres noms par les Grecs (*eros* et *philia* notamment) a été mille fois scrutée et commentée. On ne saurait y revenir ici[1]. Plus important, me semble être, dans le contexte d'une analyse des ruptures introduites par la doctrine chrétienne du salut par rapport aux grandes sagesses grecques, de percevoir en quoi le christianisme révolutionne encore, avec sa nouvelle conception d'un amour plus fort que la mort et, comme tel, salvateur, les sotériologies anciennes. Pour le dire d'une manière un peu abrupte mais qui va à l'essentiel : de problème qu'il était chez les stoïciens, il devient dans le christianisme une solution. C'était lui qui nous égarait et nous rendait malheureux, en nous portant de manière excessive à l'attachement aux biens de ce monde, c'est maintenant lui qui nous sauve et nous fait entrer dans la vie bienheureuse. L'affaire, bien sûr, est plus complexe que ne le laisse paraître la formule, car l'amour chrétien ne se confond pas avec cet amour-passion qui nous attache de façon pathologique aux créatures terrestres. Il n'empêche : venant du « cœur » et faisant place à la tendresse, il n'exclut pas tout à fait certaines formes d'attachement à des êtres singuliers que le stoïcisme, pour sa part, rejette de toutes ses forces. Il faut donc préciser : le jeu, comme

---

1. Voir *L'Homme-Dieu ou le sens de la vie*, Grasset, 1996, p. 158 *sq.*

on va voir, en vaut assurément la chandelle puisque c'est, au final, sur cette question que se joue toute la signification de la sotériologie chrétienne et, par là même, toute la puissance de séduction que sa nouvelle définition de la vie bonne pouvait exercer auprès de ceux qui s'y convertissaient après un séjour plus ou moins prolongé au sein des philosophies anciennes.

Revenons un instant sur ce point nodal. Le stoïcisme, en cela d'ailleurs proche du bouddhisme, tenait la peur de la mort pour la pire entrave à la vie bienheureuse. Or cette angoisse, à l'évidence, n'est pas sans lien avec l'amour. Pour le dire de façon très simple, il existe une contradiction apparemment insurmontable entre l'amour, qui porte de manière presque inéluctable à l'attachement, et la mort qui est séparation. Si la loi de ce monde est celle de la finitude et du changement, c'est pécher par manque de sagesse que de s'attacher aux choses ou aux êtres. Non pour sombrer dans l'indifférence bien sûr, ce que le sage stoïcien pas plus que le moine bouddhiste ne saurait recommander : la compassion, la bienveillance et la sollicitude à l'égard des autres, voire envers toutes les formes de vie, doivent demeurer la règle éthique la plus élevée de nos comportements. Mais la passion, à tout le moins, n'est pas de mise chez le sage et les liens familiaux eux-mêmes, lorsqu'ils deviennent trop «attachants», doivent être, si besoin, distendus. C'est en ce sens, on s'en souvient, qu'Epictète fait à son disciple cette recommandation qui peut sembler étrange aux yeux d'un Moderne, mais qui résume pour lui toute la sagesse du monde : «Désirer ton fils ou ton ami en un temps où ils ne t'ont pas été donnés, c'est, sache-le bien, désirer des figues en hiver. Comme l'hiver est à la figue, l'ensemble des circonstances provenant de l'univers l'est aux êtres qu'elles nous enlèvent. Au reste, même quand tu jouis de leur présence, mets-toi devant l'esprit les représentations contraires. Quel mal y a-t-il à murmurer entre ses dents, tout en embrassant ton enfant : "Demain, il mourra", ou de dire à ton ami : "Demain, toi ou moi nous quitterons le pays et nous ne nous verrons plus"[1].» S'il faut s'exercer à penser sans cesse à la mort, à la séparation, à l'*impermanence* de toutes choses, ce n'est pas par goût du morbide, mais au contraire par souci du bonheur : si la séparation est la loi de ce monde, il faut l'anticiper et s'y préparer pour que, le jour venu, nous ne soyons pas pris au dépourvu et, comme tels, plongés dans le malheur. La vraie liberté et la joie la plus authentique en dépendent.

C'est aussi pourquoi, comme le sage grec, le moine bouddhiste a tout intérêt à vivre, autant qu'il est possible, dans une certaine solitude. «Vous vous efforcerez, en vertu de votre pratique spirituelle, de vous détacher des objets de l'attachement[2]», idéal auquel il est à vrai dire bien difficile de parvenir dans la vie sociale et familiale ordinaire : «Parmi les humains, la vie profane est bourrée de turbulences et de problèmes, et les laïcs sont impliqués dans toutes sortes d'activités qui ne favorisent guère l'exercice du dharma (enseignement du Bouddha). La vie monastique est beaucoup plus favorable, dit-on, à la pratique en vue d'en finir avec ce cycle[3]», car elle nous expose infiniment moins que tout autre aux tentations de l'attachement. Or c'est bien de ces tentations qu'il nous faut nous affranchir si nous voulons parvenir à surmonter la crainte

---

1. *Entretiens*, III, 87, 88.
2. Sogyal Rinpoché, *Le livre tibétain de la vie et de la mort*, éditions de la Table Ronde, p. 63.
3. Dalaï-Lama, *La Voie de la liberté*, Calmann-Lévy, 1995, p. 68.

de la mort, car « la condition idéale pour mourir est d'avoir tout abandonné, intérieurement et extérieurement, afin qu'il y ait, à ce moment essentiel, le moins possible d'envie, de désir et d'attachement auquel l'esprit puisse se raccrocher. C'est pourquoi avant de mourir, nous devrions nous libérer de tous nos biens, amis et famille[1] », opération qui, bien entendu, ne peut se faire au dernier moment mais exige toute une vie de sagesse préalable.

On objectera peut-être que l'amour chrétien n'est pas si éloigné de cette sagesse hellénique ou orientale. A bien des égards, en effet, il semble lui aussi exclure toute idée d'attachement aux créatures de ce monde. Comme le soulignait André Comte-Sponville dans un débat qui nous opposait l'un et l'autre sur ce point : « La charité (*agapè*) culmine dans l'amour du prochain. Or précisément, on n'est pas *attaché* au prochain ! Le prochain, par définition, c'est n'importe qui... Si bien que la charité c'est exactement, l'expression est de Pascal, un amour *sans attache*. D'ailleurs, ce qui la caractérise et qui est la marque propre des Evangiles, ce n'est pas l'amour que nous avons pour nos enfants ou nos amis, à qui nous sommes attachés, mais celui que nous devrions avoir pour nos ennemis mêmes ! Quel plus grand détachement ? Bref, l'amour sans attache n'est pas seulement une notion bouddhiste ; c'est aussi une vertu chrétienne, qui a nom charité : aimer sans vouloir posséder ni garder[2]... » J'en conviens volontiers, dans un premier temps du moins. André Comte-Sponville a raison et l'on ne saurait trouver de meilleur guide, en effet, que Pascal qui confirme comme par avance son

---

1. Sogyal Rinpoché, *op. cit.*, p. 297.
2. *La Sagesse des Modernes, op. cit.*, p. 341.

propos, dans un fragment que Voltaire jugeait, à tort, d'un point de vue chrétien, déraisonnable : « S'il y a un Dieu, il ne faut aimer que lui et non les créatures passagères... Et c'est la conclusion des sages : il y a un Dieu, ne jouissons donc pas des créatures. Donc, tout ce qui nous incite à nous attacher aux créatures est mauvais puisque cela nous empêche, ou de servir Dieu, si nous le connaissons, ou de le chercher si nous l'ignorons. Or nous sommes pleins de concupiscence, donc nous sommes pleins de mal, donc nous devons nous haïr nous-mêmes, et tout ce qui nous excite à autre attache qu'à Dieu seul[1]. » Or qui pourrait nous « exciter mieux à autre attache qu'à Dieu seul » si ce n'est nos proches, non le prochain, en effet, mais ceux que nous aimons de façon *singulière* et personnelle, comme des êtres à part des autres ? Le Christ ne dit d'ailleurs pas autre chose, et de manière autrement plus radicale encore : « Ne croyez pas que je sois venu apporter la paix sur cette terre, mais le glaive. Car je suis venu séparer et dresser l'homme contre son père, et la fille contre sa mère, et la bru contre sa belle-mère ; et l'homme aura pour ennemis les gens de sa maison. Qui aime père et mère plus que moi n'est pas digne de moi, qui aime fils ou fille plus que moi n'est pas digne de moi[2]. » La phrase paraît contredire le premier commandement tant les termes qu'elle emploie pourraient sembler convenir davantage au démon qu'au saint : séparation, inimitié, haine. Il n'en est rien, bien sûr, et sa signification est assez claire : l'amour humain, simplement humain, est exclusif de Dieu et comme tel haïssable. Elle paraît à tout le moins confirmer de manière éclatante l'idée que l'amour

---

1. *Pensées*, éditions Brunschvicg, 479.
2. Matthieu X, 34-37.

chrétien authentique n'est ni un amour d'attachement, encore moins une passion et que, comme tel, il
n'est pas si éloigné que j'ai semblé le suggérer des
recommandations stoïciennes ou bouddhistes. Du
reste, entre la parole du Christ et la pensée de Pascal,
toute l'œuvre de saint Augustin viendrait encore, s'il
en était besoin, le confirmer, comme en témoigne,
parmi tant d'autres, ce passage du *De vera religione*[1] :
« Nul ne peut aimer parfaitement l'état auquel nous
sommes appelés sans haïr celui d'où nous sommes rap-
pelés. » Voilà pourquoi « l'homme ne doit pas aimer
son semblable comme on aime ses frères selon la chair,
son fils, sa femme ou ses parents, alliés ou concitoyens.
Cet amour-là est temporel... Et il n'y a là rien qui doive
paraître inhumain : il est bien plus inhumain d'aimer
un homme, non en tant qu'homme, mais en tant que
fils, car c'est aimer en lui non ce qui le rattache à
Dieu mais ce qui le rattache à vous ». Bref, l'amour du
prochain n'est non seulement pas l'amour des
proches, mais à vrai dire tout son contraire, et la
conclusion du raisonnement d'Augustin ne laisse
aucun doute sur ce point : puisque « nul ne peut servir deux maîtres » (Matthieu VI, 24), « haïssons donc
les liens temporels, si l'amour de l'éternité nous
presse... Ce qu'il faut aimer, c'est la nature humaine
parfaite ou tendant à le devenir, indépendamment de
sa condition charnelle[2] ».

Si nous prenons la peine, toutefois, d'aller un peu
plus loin et, sans nous arrêter à la surface des choses,
de réfléchir davantage encore à la nature exacte de la
condamnation chrétienne de l'amour d'attachement,
elle nous apparaîtra bientôt sous un jour très différent

---

1. *De la vraie religion*, p. 155.
2. *Ibid.*, p. 157.

de celui qui l'éclaire dans le stoïcisme et le bouddhisme. Là encore, Pascal peut nous mettre sur la voie.
Dans un fragment des *Pensées* (471), il expose de façon
lumineuse les raisons pour lesquelles il est indigne de
laisser quelqu'un s'attacher à soi (et par conséquent
absurde de se laisser aller soi-même à un amour
d'attachement pour un autre). Il faut, pour le bien
comprendre, lire l'intégralité de ce passage : «Il est
injuste qu'on s'attache à moi, quoiqu'on le fasse avec
plaisir et volontairement. Je tromperais ceux à qui j'en
ferais naître le désir, car je ne suis la fin de personne
et n'ai pas de quoi les satisfaire. Ne suis-je pas prêt à
mourir? Et ainsi l'objet de leur attachement mourra.
Donc, comme je serais coupable de faire croire une
fausseté, quoique je la persuadasse doucement et
qu'on la crût avec plaisir, et qu'en cela on me fît plaisir, de même, je suis coupable de me faire aimer. Et si
j'attire les gens à s'attacher à moi, je dois avertir ceux
qui seraient prêts à consentir au mensonge, qu'ils ne le
doivent pas croire, quelque avantage qui m'en revînt;
et, de même, qu'ils ne doivent pas s'attacher à moi, car
il faut qu'ils passent leur vie et leurs soins à plaire à
Dieu, ou à le chercher.»
Dans un premier temps, là encore, l'argumentation
rencontre celle des sagesses anciennes : pour Pascal
aussi, c'est bien parce que l'objet de l'attachement est
mortel que toute complaisance envers lui est indigne
ou absurde. Comme l'affirme l'Epître aux Galates
(VI, 8) : «Qui sème dans la chair, de la chair moissonnera la corruption; qui sème dans l'esprit, de l'esprit moissonnera la vie éternelle», ou, comme le dit
encore saint Augustin de ceux qui s'attachent par
amour à des créatures mortelles : «Vous cherchez une
vie heureuse dans la région de la mort : vous ne l'y
trouverez point. Car comment trouverait-on la vie heu-

reuse là où il n'y a même pas la vie[1] ?» Mais la réciproque se profile comme en creux dans le raisonnement lui-même : si l'objet de mon attachement n'était pas mortel, en quoi serait-il alors fautif ou déraisonnable ? Si mon amour portait sur l'éternité en l'autre, pourquoi devrait-il ne pas m'attacher ? C'est là ce que saint Augustin, avant Pascal, mais déjà dans le même sens, concède volontiers : «Gardons-nous donc de servir la créature de préférence au Créateur et de nous perdre en nos imaginations. Voilà la religion parfaite. En nous *attachant* à l'éternel Créateur, nous recevrons nécessairement, nous aussi, l'éternité[2].» Autrement dit : dès lors que l'amour se porte vers Dieu, l'*attachement* qu'il implique redevient légitime, mais tout autant : s'il se porte vers les créatures *en tant qu'elles sont divines* – et les misères de l'homme ont aussi pour revers sa grandeur – ne redevient-il pas licite, et même souhaitable ? C'est ici tout le thème de l'amour «en» Dieu qui se profile et, contrairement à la compassion universelle des stoïciens et des bouddhistes, il n'exclut nullement la prise en compte des singularités de chaque individu.

Deux ou trois amours? L'amour «en» Dieu comme réconciliation de l'amour de Dieu et de l'amour des hommes

Il ne faut donc pas se laisser abuser par une alternative trop simpliste, celle que suggère la formule d'Augustin, mille fois citée et commentée dans un sens réducteur, selon laquelle il n'y aurait que deux

---

1. *Confessions*, livre IV, chapitre XII.
2. *De la vraie religion*, p. 51.

amours : l'amour de Dieu jusqu'au mépris de soi, l'amour de soi jusqu'au mépris de Dieu. Il est évident, en effet, que la dichotomie n'épuise pas le sens d'*agapè*, ni d'ailleurs la pensée authentique d'Augustin lui-même : comment un chrétien pourrait-il recommander sans réserve le mépris de soi dès lors qu'il nous invite à aimer notre prochain « comme nous-même » ? Le moi ne saurait être haïssable, dans une perspective chrétienne, que pour autant qu'il tend à l'exclusivité de l'amour. On doit donc en conclure qu'il n'y a pas deux, mais bien trois formes d'amour possibles. L'amour de Dieu, bien entendu, qu'on ne saurait dépasser. L'amour de soi, qui lorsqu'il devient exclusif du premier confine à l'amour-propre et nous pousse à n'aimer les autres que par égoïsme, pour notre seul usage. Pour reprendre les catégories pascaliennes, le premier relève de la conversion, le second de la « diversion » ou du divertissement : c'est l'amour d'attachement dans ce qu'il a, en effet, de condamnable et même d'insensé – et sur ce point, nous l'avons vu, le christianisme rejoint le stoïcisme et le bouddhisme : il est au plus haut point déraisonnable de s'attacher à des créatures mortelles puisque la séparation se profile de manière inéluctable et, avec elle, le malheur. Voilà pourquoi, Pascal a raison, il est également indigne de laisser d'autres êtres s'attacher à nous de manière exclusive et possessive ou de nous attacher nous-mêmes à eux sur ce mode. C'est là d'ailleurs, à un moment ou à un autre, la crainte légitime de tous les parents qui, souvent, craignent davantage leur propre mort pour les autres que pour eux-mêmes. Ils savent bien, de manière plus ou moins consciente, que l'attachement qui est celui de leurs enfants constitue un risque majeur pour eux : que leur arriverait-il si nous disparaissions ? Et cette éventualité n'est-elle pas, un jour ou l'autre, réalité, puisque nous sommes mortels ? Mais une troisième forme d'amour vient réconcilier les deux premières et dépasser ainsi les sagesses anciennes dans leur refus des attachements singuliers : l'amour « en Dieu », qui inclut les créatures en tant qu'elles peuvent, par le salut, accéder elles aussi à l'immortalité.

C'est cette troisième forme d'amour que saint Augustin décrit de façon remarquable dans un passage des *Confessions* où il évoque la perte d'un ami d'enfance auquel il s'était attaché « plus que de raison ». Avec un réel talent de psychologue, Augustin dépeint les affres d'un deuil qui intervient dans sa vie avant sa conversion, à un moment où il ignore encore totalement la doctrine chrétienne du salut : « Je crois que d'autant plus que j'aimais alors passionnément mon ami, je haïssais la mort qui me l'avait enlevé et la regardais comme ma plus cruelle ennemie, m'imaginant que puisqu'elle avait bien pu me le ravir, elle ravirait bientôt le reste des hommes. Voilà l'état misérable où j'étais alors [1]. » Et Augustin insiste longuement sur la contradiction qui oppose, dans cet état, l'amour et la mort : « J'étais misérable ; il n'y a point de cœur qui, étant engagé dans l'amour des choses mortelles ne soit misérable, qui ne soit déchiré lorsqu'il les perd, et qui alors ne connaisse et ne sente la misère par laquelle il était déjà misérable avant même qu'il ne les eût perdues [2]. » Et à ce stade, dans une perspective pré-chrétienne donc, Augustin rejoint bien entendu la pensée stoïcienne et, plus généralement, toutes les sagesses hostiles à l'attachement aux êtres périssables : « Car d'où venait que cette affliction m'avait si aisément pénétré le cœur, sinon de ce

---

1. Livre IV, chapitre VI.
2. *Ibid.*

que j'avais répandu mon âme sur l'instabilité d'un sable mouvant, en aimant une personne mortelle comme si elle eût été immortelle [1] ? » Voilà le malheur auquel sont voués toutes les amours humaines lorsqu'elles sont trop humaines et qu'elles ne cherchent dans l'autre que des « témoignages d'affection » qui nous valorisent, nous rassurent et satisfont notre seul ego : « C'est ce qui change en amertume les douceurs dont nous jouissions auparavant. C'est ce qui noie notre cœur dans nos larmes, et fait que la perte de la vie de ceux qui meurent devient la mort de ceux qui restent en vie [2]. » C'est là l'indignité même dont parle Pascal lorsque celui qui se laisse aimer comme s'il était immortel sait bien, cependant, qu'il n'est qu'un mortel parmi d'autres. Il faut savoir résister aux attachements lorsqu'ils sont exclusifs, puisque « tout dépérit en ce monde, tout est sujet à la défaillance et à la mort » : dès qu'il s'agit de créatures mortelles, il faut que « mon âme ne s'y attache point par cet amour qui la tient captive lorsqu'elle s'abandonne aux plaisirs des sens. Car comme ces créatures périssables passent et courent à leur fin, elle est déchirée par ces différentes passions qu'elle a pour elles et qui la tourmentent sans cesse ; parce que l'âme, désirant naturellement se reposer dans ce qu'elle aime, il est impossible qu'elle se repose dans ces choses passagères puisqu'elles n'ont point de subsistance et qu'elles sont dans un flux et un mouvement perpétuel [3] ». On ne saurait mieux dire et le sage stoïcien, comme le bouddhiste, pourrait, il me semble, signer ces propos d'Augustin.

Mais qui a dit que l'homme était mortel ? Qu'on ne

---

1. *Ibid.*, chapitre VIII.
2. *Ibid.*, chapitre IX.
3. *Ibid.*, chapitre X.

doive pas s'attacher à ce qui passe, fort bien. Mais pourquoi le faudrait-il pour ce qui ne passe point ? Et n'est-ce pas, justement, toute l'originalité du message chrétien que de nous annoncer la bonne nouvelle de la résurrection, non seulement des âmes, mais des corps singuliers, des personnes en tant que telles ? Là où, pour le sage bouddhiste, l'individu n'est qu'une illusion, un agrégat provisoire voué à la dissolution et à l'impermanence, là où, pour le stoïcien, le moi est voué à se fondre dans la totalité du cosmos, *le christianisme promet au contraire l'immortalité de la personne singulière dès lors qu'elle est sauvée par la grâce de Dieu.* Mais justement, c'est par l'amour, non seulement de Dieu, non seulement du prochain, mais tout autant des proches que le salut se gagne ! En quoi l'on voit, en effet, *comment l'amour, de problème qu'il était, devient solution, pourvu du moins qu'il ne soit pas exclusif de Dieu mais que, portant sur des créatures singulières, sur des personnes, il soit néanmoins amour en Dieu.* Et c'est là, bien sûr, où Augustin veut en venir : « Seigneur, bienheureux celui qui vous aime et qui aime son ami en vous, et son ennemi pour l'amour de vous. Car celui-là seul ne perd aucun de ses amis qui n'en aime aucun que dans celui qui ne se peut jamais perdre. Et qui est celui-là, sinon notre Dieu... Nul ne vous perd, Seigneur, que celui qui vous abandonne[1] », et, pouvons-nous ajouter dans le droit-fil de ce propos, nul ne perd non plus les êtres singuliers qu'il aime, sinon celui qui cesse de les aimer en Dieu.

De même que Pascal n'exclut pas l'amour de concupiscence, dès lors qu'il porte, non sur les créatures en tant que telles, mais sur Dieu lui-même[2], de même,

---

1. *Ibid.*, chapitre IX.
2. Cf., sur ce point, le bel article d'André Comte-Sponville, « L'amour selon Pascal », *Revue internationale de philosophie*, n° 199, 1997.

Augustin n'exclut pas l'amour d'attachement lorsque son objet est le divin, Dieu lui-même, bien sûr, mais aussi les créatures en Dieu en tant qu'elles échappent elles aussi à la finitude pour entrer dans la sphère de l'éternité : « Que si les âmes te plaisent, aime-les en Dieu, parce qu'elles sont errantes et muables en elles-mêmes, et qu'elles sont fixes et immobiles en lui de qui elles tiennent toute la solidité de leur être et sans qui elles s'écrouleraient et périraient... *Attachez-vous fortement à lui*, et vous serez inébranlables [1]. » Rien n'est plus frappant, à cet égard, que la sérénité avec laquelle Augustin évoque les deuils qui l'ont touché, non plus cette fois avant sa conversion au christianisme, mais après elle, à commencer par la mort de sa mère, dont il était pourtant si proche : « Il se passa quelque chose de semblable dans mon cœur, où ce qu'il y avait de faible et qui tenait de l'enfance se laissant aller aux pleurs était réprimé par la force de la raison et se taisait. Car nous ne croyions pas qu'il fût juste d'accompagner ses funérailles de larmes, de plaintes et de soupirs, parce que l'on s'en sert d'ordinaire pour déplorer le malheur des morts, et comme leur entier anéantissement : *au lieu que la mort de ma mère n'avait rien de malheureux et qu'elle était encore vivante dans la principale partie d'elle-même* [2]. » Dans le même sens, Augustin n'hésite pas à évoquer « l'heureuse mort de deux de ses amis », pourtant très chers, mais qu'il avait eu le bonheur de voir eux aussi se convertir à temps, et qui, par conséquent, pourraient bénéficier à leur tour de « la résurrection des justes [3] ». Comme toujours, Augustin trouve le mot qui convient, car c'est bien la résurrection qui

---

1. *Confessions*, livre IV, chapitre XII.
2. Livre IX, chapitre XII.
3. *Ibid.*, chapitre III.

fonde en dernière instance cette troisième forme d'amour qu'est l'amour en Dieu. C'est ainsi en et par elle que la conception chrétienne de la vie bonne trouve son point d'achèvement suprême.

Le Christ est en effet celui qui, faisant «mourir notre mort» et «rendant immortelle cette chair mortelle[1]», est le seul à nous promettre que notre vie d'amour ne s'achèvera pas avec la mort terrestre. Du souterrain Chéol des Hébreux où séjournent les morts après leur vie terrestre, jusqu'à la réincarnation des âmes exposée par Platon dans le mythe d'Er, il va sans dire que l'idée d'une immortalité des êtres était déjà présente sous de multiples formes dans nombre de philosophies et de religions antérieures au christianisme. Mais la résurrection chrétienne offre la particularité d'associer étroitement trois thèmes fondamentaux pour sa doctrine de la vie bienheureuse : celui de l'immortalité personnelle de l'âme, celui d'une résurrection des corps – on pense par exemple à la singularité des visages aimés –, celui d'un salut par l'amour, même le plus singulier qui soit, pourvu du moins qu'il soit amour en Dieu. Et c'est en tant que telle qu'elle constitue le point nodal de toute la doctrine chrétienne du salut. Sans elle – que de manière significative les Actes des Apôtres nomment la «bonne nouvelle» –, c'est tout le message du Christ qui s'effondre, comme le souligne sans ambiguïté aucune la première Epître aux Corinthiens (15, 13-15) : «Or si l'on proclame que Christ a été relevé d'entre les morts, comment certains parmi vous peuvent-ils dire qu'il n'y a pas de résurrection des morts ? S'il n'y a pas de résurrection des morts, alors Christ non plus n'a pas été relevé, vide alors est notre proclamation, vide est notre foi.» La

---

1. *Ibid.*

résurrection est pour ainsi dire l'alpha et l'oméga de la sotériologie chrétienne, puisqu'on la trouve non seulement au terme de la vie terrestre, mais tout autant à son commencement, comment en témoigne la liturgie du baptême, considéré comme une première mort (symbolisée par l'immersion) et une première résurrection à la vie authentique, celle de la communauté des êtres voués à l'éternité et, comme tels, aimables d'un amour qui pourra, sans se perdre, être singulier.

On ne saurait trop y insister : ce n'est pas seulement l'âme qui est ressuscitée, mais bien le « composé âme-corps » tout entier, la personne singulière en tant que telle. Lorsque Jésus reparaît devant ses disciples, il leur propose, pour lever tous leurs doutes, de le toucher et, comme preuve de sa « matérialité », il demande un peu de nourriture qu'il mange devant eux : « Et si l'Esprit de Celui qui a relevé Jésus d'entre les morts habite en vous, Celui qui a relevé d'entre les morts Christ Jésus fera vivre aussi vos corps mortels par son Esprit qui habite en vous » (Epître aux Romains 8, 11). Que la chose soit difficile, voire impossible à imaginer (avec quel corps allons-nous renaître ? A quel âge ? Que veut-on dire lorsqu'on parle d'un corps « spirituel », « glorieux », etc. ?), qu'elle fasse assurément partie des mystères insondables d'une Révélation qui, sur ce point, dépasse de beaucoup notre raison, ne change rien à l'affaire. L'enseignement de la doctrine chrétienne ne fait aucun doute : « La chair est le pivot du salut. Nous croyons en Dieu qui est le créateur de la chair ; nous croyons au Verbe fait chair pour racheter la chair ; nous croyons en la résurrection de la chair, achèvement de la création et rédemption de la chair... Nous croyons en la vraie résurrection de cette chair que nous possédons maintenant[1]. » Où nous

---

1. *Catéchisme de l'Église catholique*, §§ 1015-1017.

voyons en quoi la question de l'incarnation du divin *Logos* dans un être humain, le Christ, et les réticences qu'elles soulevaient pour les Juifs comme pour les philosophes grecs, n'était nullement théorique : son enjeu n'était rien d'autre, au final, que l'affaire ultime de toute doctrine du salut ou, ce qui revient au fond au même, de la vie réussie, à savoir le dépassement de la finitude et de la mort.

A cet égard, la réponse chrétienne, si l'on y croit du moins, est assurément la plus «performante» d'entre toutes : si l'amour et même l'attachement ne sont pas exclus dès lors qu'ils portent sur le divin comme tel – et c'est là, nous l'avons vu, ce qu'admettent explicitement tant Pascal qu'Augustin – si les êtres singuliers, non le prochain mais les proches eux-mêmes, sont partie intégrante du divin en tant qu'ils sont sauvés par Dieu et appelés à une résurrection elle-même singulière, la sotériologie chrétienne apparaît comme la seule qui nous permette de dépasser non seulement la peur de la mort, mais bien la mort elle-même. Le faisant de façon singulière, et non point anonyme ou abstraite, elle seule apparaît comme proposant aux hommes la bonne nouvelle d'une victoire enfin réellement accomplie de l'immortalité personnelle sur notre condition de mortels : «Tel est donc l'entier rassasiement des esprits : connaître pieusement et parfaitement par qui l'on est conduit à la vérité, de quelle vérité l'on jouit complètement, par quoi l'on est rattaché à la mesure suprême», voici, selon Augustin, l'équation de la vie bienheureuse accomplie [1]. Le programme, on le voit, s'oppose en son principe même à celui de la philosophie. Sans doute en reprend-il les trois axes principaux : la theoria, qui identifie la «mesure suprême», la praxis qui tente en cette

---

1. *La Vie heureuse,* Rivages Poche, 2000, p. 103.

vie même de s'y ajointer autant qu'il est possible, et la doctrine du salut qui nous enseigne à quel prix nous sommes sauvés de la finitude qui est la nôtre. Mais, sous des catégories communes, c'est la différence, voire l'opposition qui prévaut : loin que la religion nous incite à nous sauver par nous-mêmes, elle recommande l'humilité du salut par un Autre dont nous dépendons du tout au tout. Bien plus, si l'essentiel, pour rejoindre la vie éternelle et s'affranchir d'ores et déjà de toutes nos angoisses, c'est, comme le dit Augustin, d'être « rattaché à la mesure suprême », la philosophie a quelque chose de diabolique en ce qu'elle nous invite à douter, donc à nous écarter, ne fût-ce qu'en pensées, de cette mesure qui nous reliait à la vie éternelle. Or le doute, tout lecteur attentif de la Genèse le sait[1], est l'œuvre du Diable par excellence, l'objectif ultime de celui qui, par les tentations qu'il exerce sur nous, s'évertue à nous séparer autant que faire se peut de l'Etre qui seul peut nous sauver d'une mort et d'une solitude aussi éternelles que la vie que nous aurions eue par la grâce du salut si nous étions demeurés « en » Lui. La force de ce message d'une humilité pourfendant l'orgueil d'une raison trop humaine allait puissamment contribuer à reléguer durant plusieurs siècles la philosophie au rang subalterne de simple servante de la théologie. Comment parvint-elle, à l'aube des temps modernes, à reprendre le dessus ? Comment la pensée laïque qui sortit du christianisme fut-elle à nouveau confrontée aux interroga-

---

1. « [Le serpent] dit à la femme : Dieu a-t-il réellement dit : vous ne mangerez pas de tous les arbres du jardin ? » Autrement dit : en es-tu bien sûre ? N'y a-t-il pas le moindre doute ? Le diable essaie toujours d'enfoncer un coin entre l'homme et Dieu, car c'est ainsi de la vie éternelle qu'il nous prive, et, pour ce faire, c'est de l'arme suprême du doute qu'il se sert. Cf., sur ce thème des tentations, Denis de Rougemont, *La Part du diable*, Gallimard, coll. « Idées », 1982, p. 35 *sq.*

tions sur la vie bonne ? C'est toute la question qu'il nous faut encore examiner pour mettre enfin convenablement en perspective notre situation si problématique de « Modernes ».

La renaissance de la philosophie laïque et l'humanisation de la vie bonne

Comment l'humanisme moderne est-il, dans tous les sens du terme, « sorti » de la religion ? Quels furent les effets de cette émergence sur les nouvelles définitions de la vie bonne qui forment aujourd'hui encore l'horizon de nos réflexions ? Pour le comprendre, il faut d'abord saisir ce qui s'est joué dans l'histoire de la pensée quand la philosophie, supplantée par la théologie, est entrée en servitude. Car c'est seulement sur fond de cet asservissement qu'on peut comprendre les motifs et les stratégies qui l'ont conduite à s'émanciper de cet état subalterne pour poser sur la destination de l'homme des questions inédites parce que inscrites dans une perspective intellectuelle nouvelle : celle de la sécularisation inhérente à l'espace démocratique.

Parmi toutes les explications qu'on a pu invoquer pour tenter de rendre raison du « désenchantement du monde », deux me semblent avoir été largement sous-estimées – du moins dans l'optique qui est ici la nôtre. La première tient aux rapports nouveaux qu'allait introduire entre théologie et philosophie la redécouverte du rationalisme aristotélicien au XIIIe siècle :

c'est toute la problématique des relations entre foi et raison qui allait prendre un tour jusqu'alors inconnu dans la tradition augustinienne et conduire, au moins pour une part, à l'autonomisation de la philosophie par rapport à la religion. La seconde est sans doute mieux établie : elle tient à la révolution scientifique du XVIᵉ siècle, ce fameux passage du monde clos des Grecs à l'univers infini des Modernes au cours duquel on assiste à la naissance d'un rationalisme d'un type nouveau. Toutefois, ce n'est pas du point de vue de l'histoire des sciences que j'aimerais l'aborder ici, mais plutôt dans une perspective, au sens large, éthique : en effet, il s'agit d'abord de percevoir en quoi les sagesses grecques allaient durement ressentir le contrecoup d'une révolution scientifique hostile à leurs assises cosmologiques ; mais il faut également comprendre comment le christianisme allait lui aussi vivre cet événement comme un véritable séisme en raison même de sa conversion à l'aristotélisme sous l'influence de saint Thomas.

De telles considérations pourraient sembler purement historiennes ou simplement factuelles. Elles sont en vérité indispensables à une mise en perspective proprement philosophique de ce que Hannah Arendt nommait la « condition de l'homme moderne », la situation de cet individu désormais largement privé du secours des évidences héritées des traditions cosmologiques et religieuses. Ou pour mieux dire : c'est à une archéologie du matérialisme radical qu'il nous faut encore nous livrer si nous voulons avoir quelque chance d'en mieux cerner la puissance, mais aussi les impasses aujourd'hui si manifestes.

L'héritage d'Augustin : la philosophie « servante » de la religion ou comment la raison fut mise au service de la Révélation

Si les voies du salut sont livrées par la Révélation, si c'est la foi qui sauve et la raison qui égare les penseurs païens sur les chemins de la vanité et de l'orgueil, à quoi bon philosopher ? N'est-il pas préférable, tout compte fait, de consacrer sa vie à l'exercice des vertus cardinales, la foi, l'espérance et la charité, plutôt que de prétendre construire des systèmes dont la sophistication même est douteuse, pour ne pas dire funeste ? C'est à peu près en ces termes que la question du statut de la philosophie fut posée dès lors que la religion apparut comme la seule authentique doctrine du salut. Et très tôt, les penseurs chrétiens y ont apporté une réponse dont l'essentiel tient dans une formule fameuse que saint Pierre Damien, un docteur de l'Eglise italien proche de Grégoire VII, a proposée au xie siècle à la méditation théologique : la philosophie est et doit rester la « servante de la théologie » (*philosophia ancilla theologiae*[1]). Saint Thomas lui-même, pourtant le plus « philosophe » d'entre les penseurs chrétiens, reprendra à plusieurs reprises l'expression à son compte. Seule la « doctrine sacrée » doit occuper la place suprême parmi les sciences possibles auxquelles l'esprit humain peut s'appliquer, car elle « est par excellence une sagesse, parmi toutes les sagesses humaines, et cela non seulement dans un genre d'objets, mais absolument... Que s'il s'agit de la vie humaine dans son ensemble, le sage y sera l'homme prudent, occupé à

---

1. Voir, sur le sens de cette expression et le contexte dans lequel elle fut élaborée, Etienne Gilson, *Etudes de philosophie médiévale, op. cit.*, p. 30 *sq.*

orienter tous les actes humains vers la fin qu'ils doivent atteindre... Ici la connaissance propre à notre science est obtenue par la Révélation et non par la raison naturelle... », de sorte que « tout ce qui se trouverait dans ces sciences contraire à la vérité exprimée par la science sacrée doit être condamné comme faux selon ce que dit l'apôtre : "Nous renversons les raisonnements et toute hauteur qui s'élève contre la science de Dieu"[1] ». Et, comme toujours dans un tel contexte, on sent affleurer le thème de l'orgueil, de la « superbe » d'une discipline philosophique qu'il s'agit de remettre à sa juste place : celle d'un instrument subalterne.

Cela dit, en quoi tous les auteurs chrétiens communient depuis longtemps déjà, la situation de servante réservée à la philosophie peut s'entendre en deux sens très différents.

Dans une première acception, héritée d'Augustin, la philosophie, pour être reléguée au second plan, n'en continue pas moins d'occuper une position éminente : celle d'une science qui doit donner autant qu'il est possible sa signification profonde au contenu de la Révélation. C'est dans cette perspective que saint Paul, déjà, nous invitait à exercer notre raison dans une double direction : d'une part pour comprendre en profondeur le sens des Ecritures, d'autre part pour apprécier à leur juste valeur les beautés naturelles de la création. La philosophie, en tant qu'usage de la raison humaine, se voit ainsi assigner une tâche comportant deux volets complémentaires : comme théorie de l'interprétation (« herméneutique »), elle doit nous permettre de passer du sens figuré ou symbolique, au sens réel des propos du Christ. Ce dernier s'est en effet adressé à nous comme à des petits enfants, afin d'être

---

1. *Somme théologique*, question I, article 6.

compris par tous : il parle par paraboles, proverbes, métaphores, symboles – toutes formes de discours qui demandent à être décryptées et pour ce faire, exigent le recours aux facultés intellectuelles qui sont en jeu dans la philosophie. Mais, par-delà la lecture des Ecritures, c'est aussi une pensée de la nature qu'il nous faut mettre en œuvre si nous voulons mesurer toute la perfection divine du monde créé et saisir l'univers naturel comme un ordre parfait, un langage de Dieu qui témoigne de sa grandeur en même temps que de son infinie bonté à notre égard.

Sur ces deux versants, donc, la philosophie s'avère précieuse, pourvu du moins qu'elle ne sorte pas du rôle qui est le sien et qu'elle demeure en tout point guidée par la foi. En effet, « la foi est un assentiment de la pensée à des réalités qu'elle ne perçoit pas. Cette réalité constitue donc pour nous une vérité cachée et actuellement inaccessible à notre pensée. Et cependant, la certitude même qu'une connaissance proprement dite de cet objet nous est refusée ne décourage pas complètement notre raison. La foi est au contraire comme un appel et une invitation continuelle à la philosophie[1] ». Cette dernière ne saurait donc posséder d'autres objets que ceux de la Révélation : elle se confond pour ainsi dire avec une théologie naturelle dont elle constitue le moment rationnel, et comme tel, subalterne. C'est dans un tel esprit que, d'Augustin à saint Bonaventure au XIIIe siècle, cette conception de la philosophie comme « servante de la théologie » restera une constante de la doctrine chrétienne. Chez la plupart des grands théologiens, en effet, il s'agit toujours d'aller de la *foi à la raison*, la première guidant étroitement la seconde dans toutes ses recherches en

---

1. Gilson, *Etudes de philosophie médiévale, op. cit.*, p. 22.

lui assignant les thèmes et les objectifs qu'elle doit se proposer. L'idée d'une philosophie chrétienne acquiert ainsi tout son sens et toute sa légitimité.

Pour des raisons évidentes, toutefois, une variante négative de ce mot d'ordre est également possible : on peut toujours craindre, en effet, que, l'orgueil reprenant le dessus, la raison philosophique ne soit tentée de s'émanciper des lisières au sein desquelles la Révélation prétend la maintenir, que l'esclave, en quelque sorte, se révolte, et qu'au lieu d'aller de la foi à la raison, la superbe humaine ne soit tentée d'emprunter le chemin inverse, celui qui irait de la simple raison vers la foi, ôtant ainsi à cette dernière tout le mérite que la religion lui accorde : quelle serait, en effet, la valeur de la croyance si elle ne devait porter que sur des éléments au préalable établis par la seule puissance de l'esprit humain ? Y aurait-il même encore place pour le contenu de la foi s'il faisait déjà l'objet d'une démonstration donnant lieu à un savoir ferme et certain ? A l'évidence non, car si je « sais » qu'une chose existe, je n'ai plus besoin d'y « croire ». Voilà pourquoi Damien lui-même, et bientôt la papauté avec lui, vont tendre à privilégier une interprétation beaucoup plus restrictive du rôle de la philosophie par rapport à la théologie, faisant d'elle plutôt une esclave dangereuse qu'une servante fiable et précieuse[1]. Il faudra reprendre les choses en main et c'est de ce point de

---

1. Dans cette seconde optique, résolument antiphilosophique, le rôle ancillaire évoqué par Damien « et les comparaisons qui l'illustrent ne signifient pas du tout que la théologie puisse et doive s'en remettre à la philosophie du soin de telles ou telles besognes même inférieures. Elles signifient au contraire que la théologie doit n'avoir aucune confiance dans la philosophie et la maintenir avec la prudence la plus soupçonneuse dans un état de stricte servitude... Dans la célèbre formule de saint Pierre Damien, c'est donc l'idée d'esclavage qui l'emporte, et de beaucoup, sur celle d'utilisation » (Gilson, *op. cit.*, p. 35).

vue que l'Eglise condamnera, par la voix du pape Grégoire IX, les libertés prises par les « artistes » parisiens [1], qui trop souvent prétendaient pouvoir aborder les questions théologiques à la lumière de la philosophie d'Aristote plutôt qu'à celle des Pères de l'Eglise. Comme on verra dans un instant, le rationalisme de saint Thomas lui-même n'échappera pas à la critique.

Toutefois, avant d'analyser cette nouvelle étape des rapports entre religion et philosophie – étape qui devait très largement dépendre de la redécouverte de l'aristotélisme par les auteurs arabes et juifs du XIIᵉ siècle et qui allait donner un essor inédit à l'autonomisation de la philosophie par rapport à la théologie –, il importe de prendre en compte une conséquence cruciale de son nouveau statut instrumental. Qu'on en donne, en effet, une version positive ou péjorative, qu'elle soit servante précieuse ou esclave rétive, c'est toute la finalité qui était encore la sienne aux yeux des Grecs qui va se trouver bouleversée de fond en comble. Pour eux, en effet, et ce quelles que soient les écoles auxquelles ils appartenaient, la philosophie était d'abord et avant tout un apprentissage de la sagesse, un mode de vie plutôt qu'un discours. C'est là, on s'en souvient, un aspect que Pierre Hadot a mis en lumière de façon particulièrement profonde [2]. A l'exception de ses plus grands représentants bien sûr, la philosophie moderne a trop souvent accepté comme inéluctable la forme du commentaire historique ou universitaire au sein duquel il est parfois bien difficile, voire impossible, de dégager un message pour l'exis-

---

1. L'expression désigne bien entendu les professeurs de la faculté des arts, enseignant les sept arts libéraux (musique, géométrie, arithmétique, astronomie, rhétorique, grammaire, dialectique).

2. Voir, notamment, *Qu'est-ce que la philosophie antique ?*, *op. cit.*, p. 355 *sq.*

tence concrète. Le plus souvent d'ailleurs, la vie des penseurs contemporains n'a guère de rapport avec leur pensée et, du reste, un tel accord ne leur paraît pas même un idéal enviable. L'homme est une chose, l'œuvre une autre, et qui veut confondre les deux ou même les mettre en relation s'expose aux critiques les plus vives. A de rares exceptions près, nos historiens des idées, même lorsqu'ils s'intéressent à l'Antiquité, n'hésitent plus à professer haut et fort leur conviction que la philosophie ne peut ni ne doit entretenir aucun rapport avec la notion de sagesse [1], de vie bonne ou réussie.

Cette révolution par rapport aux Anciens peut, à bien des égards encore, paraître mystérieuse, tant elle semble contraire non seulement à l'étymologie mais à l'esprit d'une discipline que rien ne vouait *a priori* à la spécialisation ni au jargon des techniciens. Or l'histoire de la théologie chrétienne nous en apporte la clef [2] : si la doctrine du salut n'est plus à chercher dans la philosophie mais dans la religion, si la philosophie

---

1. Le fait de vouloir s'émanciper, si peu que ce soit, de la perspective universitaire, suscite des réactions d'hostilité tout à fait significatives de cet esprit scolastique de sérieux. Cf, par exemple, Monique Canto-Sperber, *L'Inquiétude morale et la vie humaine, op. cit.*, p. 192-193 : « Les philosophes nous trompent-ils lorsqu'ils prétendent nous montrer en quoi consistent la vie bonne, le besoin de transcendance, les vertus des Modernes?... L'objet de cet essai est de montrer que les philosophes n'ont rien à nous dire sur la sagesse des Modernes ou sur les formes contemporaines de bonheur, du moins rien qui soit proprement philosophique... Dans l'Antiquité, la tâche de la philosophie n'était pas de dire aux hommes comment mieux vivre, plus facilement, plus heureusement. Ce n'est pas davantage le cas aujourd'hui. » Nul doute que, pour l'Antiquité à tout le moins, Monique Canto-Sperber s'égare – comme le montrent à l'envi les ouvrages de Pierre Hadot. Quant à la période contemporaine, si son diagnostic s'avérait, il constituerait la condamnation la plus radicale de l'exercice même d'une philosophie réduite, et encore dans le meilleur des cas, à une érudition « complétée » de temps à autre par un fort modeste supplément d'âme réflexif.
2. Là encore, les travaux de Gilson et, plus encore peut-être de Pierre Hadot, ont apporté un éclairage décisif auquel je rends hommage.

elle-même est réduite au statut d'instrument, plus ou moins utile ou dangereux, mais toujours subalterne puisque coupé des objectifs suprêmes, ceux du salut, elle tend fatalement à devenir une simple scolastique, une analyse conceptuelle elle-même au service, non plus d'une initiation à la vie bienheureuse, mais comme son nom l'indique, d'un enseignement scolaire, universitaire, réservé à une corporation. Et de cette réduction à l'inférieur par l'effet de la victoire du christianisme sur les sotériologies grecques, elle ne se remettra jamais tout à fait, même après son émancipation dans la période moderne. A de rares exceptions près, celles de Montaigne, par exemple, et, pour une part, de Kant et de Nietzsche, elle ne retrouvera guère le chemin de ces « exercices de sagesse » non techniciens qui faisaient tout son prix dans l'Antiquité. Pouvons-nous le comprendre aujourd'hui, en tirer les leçons ? C'est bien sûr l'une des interrogations auxquelles ce livre tente d'apporter quelques éléments de réponse.

Paradoxalement toutefois, c'est au sein même du christianisme que la philosophie allait puiser les germes de son émancipation future à l'égard de la religion. Mais cela, elle le dut d'abord aux deux autres grands monothéismes qui, bien avant la doctrine chrétienne, avaient redécouvert, à l'encontre du platonisme auquel en restait la pensée augustinienne, la tradition suprême du rationalisme grec : celle de l'aristotélisme. Grâce à lui, les trois grandes religions allaient se voir contraintes, à un siècle d'écart – pour l'essentiel, au XIIe siècle dans l'islam et le judaïsme, puis au XIIIe dans le christianisme – de reposer en termes neufs la question, décisive pour répondre aux interrogations portant sur la vie bonne, des rapports de la foi et la raison, de la Révélation et de la lumière

365

naturelle, bref, des relations que doivent entretenir la religion et la philosophie.

| Vérités de raison et vérités révélées :
| vers une « double vérité » ?

Dans une Andalousie dont l'héritage illumine encore le monde, puis bientôt dans le reste de l'Europe, les trois monothéismes allaient en effet, sous le coup de la redécouverte d'Aristote, entrer dans un dialogue sans aucun équivalent dans l'histoire passée et même présente [1]. Averroès pour l'islam et, à la même époque Maïmonide pour le judaïsme feront œuvre de pionniers [2], bientôt rejoints dans leurs réflexions sur les rapports de la philosophie et de la religion par Albert le Grand, puis par son principal élève, saint Thomas. C'est en grande partie grâce à eux que la doctrine chrétienne allait se « convertir » – le mot est à peine excessif – à l'aristotélisme. Pour mesurer pleinement les conséquences d'un tel dialogue sur les relations nouvelles qui allaient naître entre foi et raison, et par là sur notre question directrice (qui doit définir la vie bonne, la première ou

---

1. Sur ce dialogue, outre les travaux d'Alain de Libéra et de Gilson, cf. le beau livre de Roger Arnaldez, *A la croisée des trois monothéismes. Une communauté de pensée au Moyen Age*, Albin Michel, 1993. Comme l'écrit Cyrille Michon dans sa préface à la nouvelle édition de la *Somme contre les Gentils* : « Si les trois monothéismes ont jamais été en discussion, c'est bien au Moyen Age, et plus précisément au XIIIᵉ siècle, lorsque les trois plus grands lecteurs d'Aristote de chaque tradition ont trouvé, avec l'œuvre du dernier d'entre eux dans le temps, une mise en débats des arguments. Les religions ont débattu, discuté, grâce à la philosophie » (Garnier-Flammarion, 1999).
2. Bien que la redécouverte de l'aristotélisme dans le monde arabo-musulman, et même juif, fût elle-même évidemment bien antérieure à Averroès et Maïmonide.

la seconde, la religion ou la philosophie ?), il faut garder présentes à l'esprit deux considérations.

Pour ces quatre théologiens, Aristote n'est évidemment ni Moïse, ni Mahomet, ni le Christ. Mais il est à peine exagéré de dire qu'il s'en rapproche autant qu'il est possible à un être humain, ou pour mieux dire peut-être, qu'il entretient avec ces trois figures majeures, et notamment avec la dernière, une certaine analogie de statut : à sa façon, il est, comme Jésus, un « *logos* incarné », un « verbe fait chair », l'incarnation sur terre, sinon de la divinité, du moins de la raison. Certes, Augustin tenait déjà Platon et les néo-platoniciens pour des sommets en matière de lumière naturelle. Ils n'en faisaient pas moins de sa part l'objet de nombreuses critiques. Averroès, Maïmonide, mais aussi Albert le Grand et saint Thomas considèrent en revanche qu'Aristote est indépassable, qu'il est la vérité parfaite et absolue dans un genre, certes infériorisé d'ordinaire par la religion, mais néanmoins essentiel : celui de la philosophie. Pour Averroès, le véritable père fondateur de l'aristotélisme religieux, il ne fait aucun doute que « la doctrine d'Aristote est la souveraine vérité. Personne ne peut avoir de science qui égale ni même qui approche la sienne. C'est lui qui nous est donné de Dieu pour apprendre tout ce qui peut être connu ». C'est en ce sens encore que dans son *Commentaire de la physique d'Aristote*[1], il décrit cette découverte intellectuelle à nulle autre pareille : « Nous adressons des louanges sans fin à Celui qui a distingué cet homme par la perfection et qui l'a placé seul au plus haut degré de la supériorité humaine, auquel

---

1. Trad. Munk, p. 441. Voir, pour un commentaire plus détaillé de ce passage, Maurice-Ruben Hayoun et Alain de Libéra, *Averroès et l'averroïsme*, PUF, 1991.

aucun homme dans aucun siècle n'a pu arriver ; c'est à lui que Dieu a fait allusion en disant : "cette supériorité, Dieu l'accorde à qui Il veut". » Maïmonide est à peine moins élogieux lorsque, dans une lettre, il recommande à Samuel ibn Tibbon de lire Aristote accompagné des commentaires d'Averroès, mais sans se préoccuper nullement des autres philosophes de l'Antiquité : il n'est selon lui nécessaire, ni de lire Platon, qu'il tient pour inutilement obscur, ni « non plus de s'occuper des livres écrits par ses prédécesseurs, car son intellect est le degré suprême de l'intellect humain[1] ». Quant à Thomas, c'est bien simple, il ne l'appelle que « Le » philosophe, comme s'il allait de soi qu'il n'en existait aucun autre, ni avant ni après lui – se contentant dès lors de désigner Averroès comme « Le » commentateur.

La seconde considération touche au problème, dont on ne saurait surestimer l'importance dans l'avènement d'une pensée laïque autonome, que va poser à l'Occident chrétien le passage d'un modèle philosophique qui s'enracinait dans le platonisme, celui d'Augustin, à un modèle aristotélicien. En effet, si, comme l'admettent aussi bien Averroès que Maïmonide et saint Thomas, Aristote est bien l'incarnation sur terre de la philosophie, s'il est la raison à son degré le plus élevé, comment comprendre qu'à première vue au moins, un certain nombre de différences majeures apparaissent entre le contenu de sa philosophie et celui de la Révélation – que cette dernière soit d'ailleurs chrétienne, juive ou musulmane ? C'est en

---

1. Sur ces textes et quelques autres qui vont dans le même sens, et plus généralement sur la réception d'Aristote par les trois grandes traditions religieuses monothéistes, cf. Alain de Libéra, *La Philosophie médiévale*, notamment p. 164 et 214.

filigrane toute la question des rapports entre la foi et la raison qu'il va falloir reposer de manière inédite : comment les concilier dans les cas de figure, semble-t-il assez nombreux, où elles paraissent diverger de manière sensible ? Quelle part accorder à chacune d'entre elles dans l'expérience religieuse ? Car sur trois points fondamentaux au moins, on peut craindre qu'elles ne conduisent à des conclusions radicalement opposées.

Il est clair, tout d'abord, que dans une perspective aristotélicienne, Dieu étant défini comme «pensée de la pensée», il n'a pas d'autre objet imaginable que lui-même. Il ne saurait aucunement s'intéresser aux êtres singuliers, aux créatures, de sorte que c'est toute la notion d'une providence personnelle et bienveillante – celle-là même dont nous avions vu combien il importait aux yeux de Justin ou d'Augustin qu'elle fût *particulière, attentive à chacun d'entre nous* – qui se trouve fondamentalement remise en cause.

Ensuite, si le monde est éternel, ainsi qu'Aristote n'a cessé de l'affirmer comme une de ses thèses les plus constantes et les plus certaines, n'est-il pas quelque peu difficile de maintenir le point de vue de la Révélation selon lequel l'univers aurait été créé ? A la limite, c'est tout le chapitre de la Genèse, avec la question de la création du monde, de l'homme et des autres créatures qui devient hautement problématique.

Enfin, si l'homme est le composé indissociable d'une matière (son corps) et d'une forme (son âme), on voit mal comment l'âme pourrait, se détachant du corps au moment de la mort, continuer d'exister à titre individuel. On peut bien imaginer à la rigueur l'immortalité d'une intelligence universelle, commune à l'espèce, mais celle des êtres particuliers devient plus que problématique – de sorte que nous n'aurions, de ce point de vue, plus rien à espérer, ni du reste à craindre, de la vie après la mort : n'est-ce pas ainsi le cœur même de la doctrine chrétienne du salut qui est remis en question, en même temps que tout l'esprit d'une résurrection impliquant l'idée d'une vie personnelle après la mort? N'est-ce pas, plus profondément encore, le lien qu'elle entretenait avec la perspective morale qui est rompu puisque le destin semble reprendre ses droits sur la liberté et la responsabilité individuelles?

On comprend que les héritiers d'Augustin au sein de l'Eglise officielle n'aient pas vu d'un bon œil la possible aristotélisation du christianisme. On pouvait, bien entendu, comme le fera d'ailleurs Thomas lui-même, résoudre la plupart des contradictions apparentes entre la philosophie d'Aristote et la Révélation chrétienne – et dans le cas où certaines d'entre elles auraient subsisté, on pouvait toujours rappeler l'existence de mystères insondables et la supériorité du point de vue de la Révélation. Il n'en reste pas moins, comme le note justement Gilson, qu'aux yeux des héritiers d'Augustin, « un écart béant apparaissait entre la soi-disant révélation naturelle et la véritable Révélation. Découvrir Aristote, c'était découvrir d'abord que la raison humaine ne s'achemine pas spontanément vers la Révélation[1] ». On ne saurait mieux dire, et la tentation de prohiber purement et simplement l'enseignement de l'aristotélisme ne devait pas tarder à prendre corps. Ainsi Grégoire IX, par un décret du 1er avril 1272, interdira aux « artistes » parisiens de discuter philosophiquement de toute question intéressant simultanément la philosophie et la foi. Dès le 10 décembre 1270, l'évêque de Paris, Etienne Tem-

---

1. *Etudes de philosophie médiévale, op. cit.*, p. 54.

pier, avait déjà condamné treize propositions philosophiques d'inspiration aristotélicienne, condamnation
étendue en 1277 à 219 thèses à la demande du pape
Jean XXI, parmi lesquelles on trouvait, bien entendu,
les trois énoncés les plus fâcheux : « Le monde est éternel ; l'âme, qui est la forme de l'homme en tant
qu'homme, périt en même temps que son corps ; Dieu
ne connaît pas les singuliers ; Dieu ne connaît rien
d'autre que lui-même[1]... » L'hérésie, c'était bien l'inspiration aristotélicienne elle-même, mais avec elle,
toute philosophie, une fois identifiée par Averroès et
ses successeurs, y compris Albert et Thomas, à l'aristotélisme, devenait en tant que telle au plus haut point
problématique. Il fallait, contre les prétendues « vérités de raison », rappeler fermement que la Révélation
seule devait l'emporter en cas de conflit, qu'elle seule
devait dicter la vérité authentique à défaut de conciliation possible.

C'est ainsi la fameuse doctrine de la « double vérité »
qui faisait son entrée en scène. Malgré les difficultés
qui l'entourent, on pourrait la résumer de la façon suivante : si la raison, identifiée à l'aristotélisme, nous
conduit à penser certaines choses – sur une Providence
redevenue aveugle et générale, sur une immortalité
impersonnelle de l'âme, sur l'éternité d'un monde
incréé – qui contredisent ouvertement le contenu de
la Révélation, ne faut-il pas admettre que les deux types
de vérités, celles connues par raison et celles découvertes par Révélation, entrent désormais en contradiction entre elles ?

L'affaire mérite qu'on s'y arrête un instant, car elle

---

1. Sur ces condamnations, voir notamment l'excellente introduction
d'Alain de Libéra à son édition des écrits de saint Thomas *Contre Averroès. De l'unité de l'intellect*, Garnier-Flammarion, 1994, p. 22.

engage tout simplement la problématique de l'autonomisation de la philosophie par rapport à la théologie, et déjà par là la question des origines de la laïcisation de la pensée à l'époque moderne[1] : s'il s'avérait que la philosophie, dans son exercice purement autonome et rationnel, s'élève à des vérités qui ne sont plus celles de la Révélation, il faudrait bien entendu en déduire que cette dernière, et avec elle la théologie tout entière, ne dispose plus du monopole évident de la définition légitime de la vie bonne. C'est ainsi vers de nouvelles doctrines du salut qu'on pourrait désormais songer à s'orienter – par où l'on voit combien la redécouverte d'Aristote pouvait paraître problématique pour la religion chrétienne et, plus généralement, pour les trois grands monothéismes en même temps qu'elle commençait à leur ouvrir des horizons nouveaux.

Par un paradoxe qui mérite en lui-même réflexion, on peut dire que c'est saint Thomas qui ouvre la voie à la doctrine de la double vérité au moment même où il entend la condamner de toutes ses forces[2]. Dans sa polémique contre Averroès et ses disciples – en vérité contre un théologien belge, Siger de Brabant, qui s'était lui-même « converti » à l'aristotélisme sous l'influence indirecte d'Averroès – Thomas évoque avec réticence la possibilité de cette hérésie absurde qui

---

1. Sur cette question, on se reportera notamment aux travaux de Gilson (notamment aux *Etudes de philosophie médiévale* qui entendent montrer comment le thomisme est à l'origine de la philosophie moderne en tant qu'il a permis à la philosophie en général de s'émanciper de son statut de simple servante) ainsi qu'aux remarquables analyses d'Alain de Libéra (notamment, en dehors de sa belle introduction, déjà citée, aux écrits de saint Thomas contre Averroès, son ouvrage, *Penser au Moyen Age*, Seuil, 1991).
2. C'est là une thèse qui a été brillamment démontrée par Alain de Libéra, dans la foulée des analyses de Gilson.

consisterait, devant les nouveaux conflits de la raison et de la Révélation, à admettre l'hypothèse d'une «double vérité». La querelle, en l'occurrence, portait sur la question dite du «monopsychisme», c'est-à-dire de l'unité de l'intellect – une certaine compréhension d'Aristote pouvant, comme on l'a suggéré plus haut, laisser penser qu'il n'y avait pas d'âme individuelle après sa séparation d'avec le corps –, ce qui pouvait conduire à remettre en cause la notion d'immortalité personnelle. De là l'hypothèse de Siger selon laquelle la philosophie pouvait inciter à défendre l'idée d'un intellect unique et universel, là où la Révélation nous invitait au contraire à penser en termes d'âme et de pensée personnelles. De là aussi l'effroi de saint Thomas devant une lecture de son maître Aristote qui risquait d'introduire une contradiction insurmontable entre la philosophie et la Révélation, et de légitimer ainsi la notion de «double vérité» selon laquelle «par la raison, je conclus de nécessité que l'intellect est numériquement un, mais je tiens fermement le contraire par la foi» – hypothèse aberrante qui donnerait à penser que «la foi porte sur des affirmations dont on peut conclure le contraire en toute nécessité» par les voies de la simple raison, obligeant ainsi le croyant à faire un choix aussi impossible que tragique [1].

Peu importe ici, à la limite, le contenu de la querelle. Ce qui, en revanche, est essentiel, c'est de percevoir comment elle menaçait la philosophie et la religion de dissociation. Comme l'ont noté les meilleurs analystes, personne en réalité, du moins avant que Thomas n'invente l'idée d'une double vérité pour mettre son adversaire en difficulté en le confrontant

---

1. Cf. Thomas d'Aquin, *Contre Averroès. De l'unité de l'intellect*, *op. cit.*, p. 196-197.

à l'évidente absurdité d'une telle conclusion, n'a défendu cette doctrine. Ni Siger de Brabant, parce qu'en théologien fidèle, il n'hésitait nullement, en cas de conflit éventuel entre raison et Révélation, à accorder à cette dernière le primat sur la première, de sorte qu'au final, une seule et unique vérité restait bien en lice : celle de la foi et de la religion authentiques ; ni Averroès qui, dans la même situation, eût sans doute opté pour les vérités de raison ; ni bien sûr Thomas lui-même, qui ayant choisi la voie médiane d'une réconciliation parfaite des deux vérités, s'évertuait à démontrer que l'idée d'un intellect unique commun à l'humanité tout entière et excluant la pensée individuelle de chaque être humain, ne correspondait en rien à la vraie pensée d'Aristote et relevait seulement d'une mauvaise interprétation de ses œuvres.

Il n'en reste pas moins que le ver était dans le fruit : la Raison-Aristote pouvait paraître à bien des théologiens classiques, héritiers du platonisme d'Augustin, menacer la Révélation. Dans cette optique nouvelle, importée d'Andalousie par l'islam et le judaïsme philosophiques d'Averroès et de Maïmonide, c'est la philosophie en tant que telle qui redevenait menaçante pour la religion – au point que les argumentations de Thomas lui-même, bien qu'elles critiquassent l'averroïsme – ou du moins les hérésies qu'on lui attribuait en grande partie à tort –, bien qu'elles ramenassent la raison dans les justes limites de son accord avec la Révélation, pouvaient inquiéter tous ceux qui voyaient en elles un risque réel d'émancipation de la « servante » à l'égard de sa tutelle théologique. Et le danger, initié par les philosophes de Cordoue, devait bientôt devenir réalité. Aussi le thomisme lui-même, malgré toutes les distances prises par rapport à l'averroïsme réel ou supposé, ne fut pas épargné par ces condamnations. Dès 1277, au moment où l'évêque de Paris, Etienne Tempier dénonçait les erreurs des artistes parisiens, il fut lui aussi mis en cause par l'archevêque de Canterbury, Robert Kilwardby, puis par son successeur Jean Pecham, en 1284. Il fallut attendre l'année 1325 pour que, Thomas une fois canonisé par Jean XXII, les condamnations soient révoquées – de sorte que l'aristotélisme thomiste, qui apparaît aujourd'hui comme le fond le plus traditionnel de la doctrine officielle de l'Eglise, faisait au contraire à l'époque figure de pensée moderniste, sinon révolutionnaire.

Entre-temps, toutefois, la philosophie avait commencé de reconquérir son autonomie par rapport à la théologie. Elle s'était, sous l'effet de cette pensée thomiste, émancipée de la tutelle religieuse et du rôle de simple servante que cette dernière lui assignait. Ce processus fut si déterminant dans la naissance de la pensée moderne, laïque, qu'il faut, avant d'aller plus loin et de mesurer son impact sur la renaissance d'une problématique humaniste de la vie bonne, en retracer les moments les plus fondamentaux.

Les grands monothéismes face à la redécouverte d'Aristote. La naissance du rationalisme religieux ou la première émancipation de la philosophie face à la religion

Il faudrait pouvoir raconter ici les processus multiples qui rendirent possible la redécouverte d'Aristote – évoquer les filiations diverses, l'histoire des traductions. L'essentiel, sans doute, est de percevoir ce qu'Aristote pouvait apporter d'inouï à des penseurs religieux : non seulement une doctrine du raisonnement logique, une théorie impressionnante de la démonstration que ses disciples croyants allaient pouvoir réinvestir dans la perspective des preuves de l'existence de Dieu, mais plus encore, peut-être, une prise en compte incomparable de l'existence empirique concrète. Là où le platonisme nous invitait à passer rapidement du monde sensible au monde intelligible, Aristote proposait au contraire d'accorder au premier toute l'importance qu'il méritait. Au regard des sciences positives d'aujourd'hui, la physique, l'astronomie ou la biologie aristotéliciennes ont sans doute perdu leur crédibilité. Il n'empêche : elles avaient du moins le mérite insigne d'accorder une place réelle à l'observation des faits, d'associer étroitement ces derniers à l'élaboration d'une théorie et d'offrir du monde d'ici-bas une image assez positive et harmonieuse pour en faire la digne créature d'un artisan divin.

Ainsi, dès le XIIᵉ siècle, avec Averroès et Maïmonide, une nouvelle attitude rationaliste tendait à concurrencer les prérogatives de la théologie révélée. A partir du XIIIᵉ siècle, la question des rapports entre foi et raison allait se poser, pour les chrétiens eux-mêmes, Albert le Grand et saint Thomas en tête, en des termes encore inconnus par une tradition augustinienne déjà fort longue : comment envisager les rapports entre raison et Révélation, entre philosophie et théologie dans le contexte nouveau d'une quasi-divinisation d'Aristote ?

La position d'Averroès avait été clairement exposée dans plusieurs traités, et notamment dans un ouvrage majeur dont le titre complet trace parfaitement le programme : *Le livre du Discours décisif où l'on établit la connexion existant entre la Révélation et la philosophie*[1]. Phi-

1. Cf. *Discours décisif*, Garnier-Flammarion, 1996. La traduction nouvelle de Marc Geoffroy à laquelle nous renvoyons est précédée d'une

losophe et musulman, Averroès formulait dès les premières lignes de son traité l'objet d'une réflexion qui s'adressait non seulement au public cultivé, mais aussi au pouvoir politique : il s'agissait de « rechercher, dans la perspective de l'examen juridique, si l'étude de la philosophie et des sciences de la logique est permise par la Loi révélée ou bien condamnée par elle, ou bien encore prescrite, soit en tant que recommandation, soit en tant qu'obligation ». Malgré sa formulation quelque peu ésotérique, le sujet, comme on voit, conserve une part non négligeable d'actualité et la réponse d'Averroès – oui, la philosophie, c'est-à-dire la pensée rationaliste et païenne d'Aristote, est obligatoire – pourrait, aujourd'hui encore, paraître en plus d'un point du monde, d'une incroyable audace. Livre « décisif », donc, ou plutôt « décisoire », puisqu'il s'agit de trancher la question par un avis « légal », au sens religieux du terme, par une « fatwa ». Et même si l'objet du traité n'est pas au premier chef, comme le rappelle Alain de Libéra [1], de réconcilier la foi et la raison, mais de justifier l'interprétation philosophique du Coran, il va de soi que les deux questions ne vont pas l'une sans l'autre. L'argumentation d'Averroès est d'une grande subtilité. Je me bornerai ici à en dégager trois temps forts, qui touchent directement au statut de la philosophie par rapport à la religion, en l'occurrence, l'islam.

Le premier consiste à démontrer, tant en s'appuyant

---

riche et passionnante introduction d'Alain de Libéra. La traduction plus ancienne (Vrin, 1909) de Gauthier donnait de ce titre une version plus lourde, mais littérale : « Livre de la décision de la question et de l'établissement de qui est entre la loi religieuse et la philosophie en fait d'accord ».

1. Dans la préface, comme toujours précieuse, qu'il consacre à la nouvelle traduction.

sur le seul raisonnement que sur la lettre du Coran, le caractère indispensable de la philosophie : « Si l'acte de philosopher ne consiste en rien d'autre que dans l'examen rationnel des êtres, et dans le fait de réfléchir sur eux en tant qu'ils constituent la preuve de l'Artisan, c'est-à-dire en tant qu'ils sont des objets fabriqués [...] et si la Révélation recommande bien aux hommes de réfléchir sur les êtres et les y encourage, alors il est évident que l'activité désignée sous ce nom (de philosophie) est, en vertu de la loi révélée, soit obligatoire, soit recommandée. » Et Averroès de citer les nombreux passages du Coran qui invitent à « penser ce qui est » dans l'optique d'une compréhension de plus en plus poussée du créateur à partir de la considération des créatures. La conclusion s'impose, du point de vue de la Révélation elle-même : la philosophie est obligatoire pour tous ceux qui en ont les moyens (notamment intellectuels), et, puisque les textes l'attestent, il « est bien établi que la Révélation déclare obligatoire l'examen de ce qui est au moyen de la raison[1] ».

De là la seconde question, tout aussi cruciale, qui naît de ce que nous appellerions peut-être aujourd'hui le « multiculturalisme », voire le « choc des civilisations » : la philosophie – qui se résume pour Averroès à l'aristotélisme – vient des Grecs. Elle est non seulement un discours rationnel, profane, mais son origine même la situe tout entière dans le monde païen. Comment l'islam pourrait-il s'en servir et pourquoi le Coran aurait-il besoin, pour être compris, de grilles de lecture provenant d'une tout autre vision du monde que celle dont il est issu ? La réponse d'Averroès s'inscrit dans une logique que nous connaissons bien main-

---

1. *Op. cit.*, § 1.

tenant : *mutatis mutandis*, nous l'avons déjà vue à l'œuvre chez les premiers Pères de l'Eglise s'agissant de Platon. Pour obligatoire qu'elle soit, la philosophie n'est jamais, par rapport à la religion, qu'un instrument. Quelle que soit son importance, elle reste seconde au regard des vérités de la Révélation. On mesure ici toute l'habileté d'Averroès qui n'hésite pas, pour faire accepter l'obligation philosophique, à la présenter sous les dehors les moins inquiétants qui soient. Qu'elle vienne du monde païen ne constitue plus en rien un obstacle dès lors qu'on admet le statut instrumental qui est le sien : « On ne demande pas à l'instrument avec lequel on exécute l'immolation rituelle s'il a appartenu ou non à l'un de nos coreligionnaires pour juger de la conformité de l'immolation aux prescriptions légales. On lui demande seulement de répondre aux critères de conformité... Si d'autres que nous ont déjà procédé à quelque recherche en cette matière [la philosophie], il est évident que nous avons l'obligation, pour ce vers quoi nous nous acheminons, de recourir à ce qu'en ont dit ceux qui nous ont précédé... Puisqu'il en est ainsi, et que toute l'étude nécessaire des syllogismes rationnels a déjà été effectuée le plus parfaitement qui soit par les Anciens, alors certes, il nous faut puiser à pleines mains dans leurs livres afin de voir ce qu'ils ont dit. Si tout s'y avère juste, nous le recevrons de leur part. Et s'il s'y rencontre quelque chose qui ne le soit, sous le signalerons[1]. » Où l'on voit au passage que, comme toujours, le choix de la raison est aussi, quoi qu'en ait dit une certaine pensée contemporaine, celui de l'ouverture d'esprit, pour ne pas dire de l'universalisme...

Si la philosophie est instrument au service de la reli-

---

1. *Ibid.*.

gion, il est clair que son enseignement ne devra jamais contredire celui de la Révélation. Mais aux yeux d'Averroès, qui semble sur ce point comme par avance plus proche de saint Thomas qu'on ne le dit d'ordinaire, cela ne se peut concevoir, car si le Coran nous révèle la Vérité, il nous garantit aussi, en nous invitant à réfléchir par nos propres moyens sur le monde créé, que les voies de la démonstration, si elles sont empruntées avec soin et rigueur, ne peuvent contredire celles de la Révélation : « Puisque donc cette Révélation est la vérité, et qu'elle appelle à pratiquer l'examen rationnel qui assure la connaissance de la vérité, alors nous, musulmans, savons de science certaine que l'examen des êtres par la démonstration n'entraînera nulle contradiction avec les enseignements apportés par le texte révélé : car la vérité ne peut être contraire à la vérité mais s'accorde avec elle et témoigne en sa faveur. » L'hypothèse funeste d'une double vérité est ainsi, on le voit, très explicitement rejetée par Averroès.

Il n'en reste pas moins que, malgré les dehors d'une humilité qui convient à la foi et semble contenir la philosophie dans de justes limites, la part en réalité réservée à cette dernière est tout à fait considérable. En bien des passages de son livre, Averroès semble tout proche de penser – comme Lessing et Hegel quelques siècles plus tard – que le recours à la Révélation est précieux pour le peuple, sur un plan pédagogique, mais à peu près inutile pour un philosophe authentique qui peut, par les voies de la simple raison, parvenir au même résultat, voire à un résultat supérieur. De là son aversion pour la classe intermédiaire des théologiens : entre les vrais philosophes qui parviennent d'eux-mêmes à une juste compréhension du divin, et la masse inculte à laquelle les images pieuses suffisent amplement, entre les vérités de raison et celles de la Révélation, ils ne font qu'embrouiller les choses et égarer les autres en s'égarant eux-mêmes. Une conception iconoclaste que Maïmonide n'est pas loin, lui aussi et pour les mêmes raisons, de partager : à ses yeux comme à ceux d'Averroès, le philosophe n'a nullement besoin des miracles pour croire, mais ces derniers sont fort utiles au peuple inculte, incapable de s'élever par la seule pensée à la juste compréhension de l'existence de Dieu.

Toutefois, c'est au sein du christianisme que l'aristotélisation de la théologie, au fil de ce que l'on a pu désigner comme la «révolution albertino-thomiste», allait porter ouvertement le débat sur cette place publique que devient au XIIIe siècle l'université parisienne. Les ruptures avec la tradition platonico-augustinienne sont nombreuses. Elles furent si souvent analysées qu'on n'y insistera pas ici : l'âme, désormais inséparable du corps, a peu d'illumination. Enracinée au plus profond dans l'expérience d'un monde empirique dont elle ne peut s'affranchir, l'intelligence découvre une nature qui avait perdu presque toute épaisseur dans l'héritage chrétien du platonisme. Du coup, les preuves de l'existence de Dieu se doivent, elles aussi, de partir de l'expérience et de procéder en suivant les voies toutes rationnelles du raisonnement causal. Quant à la question de l'immortalité personnelle, qui ne posait aucun problème particulier dans une perspective platonico-chrétienne, elle tend à devenir plus ou moins problématique dans une optique aristotélicienne où l'âme s'avère difficilement pensable en dehors du corps... Il serait inutile, ici, de s'appesantir sur ces multiples ruptures. Il suffit de rappeler que, par-delà les difficultés qu'elles pouvaient susciter pour les théologiens héritiers de l'augustinisme, elles donnaient aussi au christianisme une puissance rationnelle jusqu'alors inconnue. Elles lui offraient la possibilité de se réconcilier avec l'intelligence de l'univers réel, de ce monde sensible, empirique, que le platonisme nous invitait plutôt à fuir vers le monde intelligible. Mais ce nouveau rationalisme allait aussi contraindre le christianisme à poser en termes neufs la question des rapports entre foi et raison.

D'un côté, il est tout à fait clair, pour Albert le Grand comme pour saint Thomas qui le reprend sur ce point mot pour mot, que le savoir et la croyance sont à certains égards antinomiques : je ne puis pas croire ce que je sais, puisque je le sais, ni savoir ce que je crois, puisque je le crois. Foi et connaissance sont à l'évidence exclusives l'une de l'autre : il faut de l'inexplicable à la première pour s'épanouir, là où la seconde tend à la certitude. Il va de soi, pour Thomas, et ce quelle que soit l'étendue de son rationalisme, que du mystère subsiste dans la Révélation et que certains éléments de la foi – tels que la trinité, l'incarnation, la rédemption, la résurrection des corps et tous les sacrements qui peuvent s'attacher à ces éléments fondamentaux de la théologie proprement dite – n'auraient jamais pu être connus par les voies de la seule raison. Il en résulte à ses yeux que la foi, non seulement ne saurait être abandonnée pour faire place au seul savoir, mais qu'elle conserve tout le mérite que le Christ lui-même y attachait : heureux ceux qui croient sans avoir vu, par confiance en la parole divine et nullement en vertu de quelque démonstration. Demander toujours des preuves, c'est déjà entrer dans la logique du diable, dans la logique du doute, comme en témoignent assez les tentations que Satan essaie vainement d'exercer sur Jésus. Et sur ce versant, Thomas est d'une fermeté, dans la pensée comme dans le propos, qui ne laisse aucune ambiguïté ni ne permet de douter le moins du monde, comme on a pu parfois le faire à propos d'Averroès, de sa sincérité : «Dans ce que nous professons sur Dieu, il y a des vérités de deux sortes. Certaines vérités sur Dieu dépassent toute la capacité de la raison humaine : par exemple que Dieu soit trine et un. D'autres, en revanche, peuvent être atteintes même par la raison naturelle : par exemple que Dieu est, qu'il est un, et d'autres du même ordre ; et celles-là, même les philosophes les ont prouvées démonstrativement, conduits par la lumière de la raison naturelle. Il paraît tout à fait évident qu'une partie des vérités intelligibles divines dépasse absolument la capacité de la raison humaine... Il y a donc en Dieu des vérités intelligibles qui sont accessibles à la raison humaine, mais il y en a d'autres qui dépassent absolument sa force[1].» Voilà pourquoi, contrairement peut-être à Averroès, Thomas peut écrire, et sans nul doute aussi penser en l'écrivant, qu'«aucun philosophe avant la venue du Christ, avec tous ses efforts, n'a pu en savoir autant sur Dieu ni autant qui soit nécessaire à la vie éternelle que n'en sait, par la foi, la petite vieille après la venue du Christ[2]».

D'un autre côté, cependant, il faut noter qu'au sein même de cette sphère au premier abord réservée à la Révélation et à la foi – celle qu'analyse notamment le livre IV de la *Somme contre les Gentils* – la raison continue aux yeux de saint Thomas de conserver toute son utilité pour l'interprétation des Ecritures. La philoso-

---

1. *Somme contre les Gentils*, livre I, chapitre III, §§ 2 et 3, trad. Cyrille Michon, Flammarion, 1999.
2. Sur ce thème, voir Cyrille Michon, introduction de la *Somme contre les Gentils*, *op. cit.*, p. 60 et 65.

phie, sans doute, reste ici servante de la théologie[1], mais elle l'est au sens le meilleur et le plus précieux du terme. Sans elle, les mots de la Révélation risqueraient de rester de simples « bruits », des sons dénués de sens[2]. Mais il y a beaucoup plus : c'est une part considérable de la théologie qui peut être atteinte par la simple raison (celle qu'analysent les livres I à III de la *Somme contre les Gentils*), et à la limite, comme le prouve Aristote, sans aucune aide de la Révélation. Bien plus, il est même, comme plus tard chez Hegel, rationnel qu'il y ait de l'irrationnel[3], de la Révélation, de sorte que la doctrine thomiste de la vérité culmine dans la conviction qu'une synthèse parfaite de la raison et de la Révélation est non seulement possible mais nécessaire. Pour être authentique, il faut même qu'une telle synthèse ne soit jamais forcée, ni par un côté ni par l'autre. Comme on sait, on retrouvera encore les traces d'une telle attitude philosophique dans la dernière encyclique de Jean-Paul II, *Fides et ratio* : dans la lignée de saint Thomas, elle réaffirme la nécessité de ne jamais contraindre le libre exercice d'une pensée qui, si elle est authentique et rigoureuse, ne saurait s'écarter bien longtemps des vérités révélées.

Les vérités de la Révélation (par exemple la trinité), par où la « doctrine sacrée » s'élève infiniment au-dessus de la philosophie païenne, ne contredisent donc nullement celles de la raison et, réciproquement, ces dernières complètent les premières. Nul hasard si, dans ce contexte, Thomas cite saint Paul, et son exhortation faite aux hommes de se livrer à un exercice de

---

1. *Somme contre les Gentils*, livre II, 4, §§ 1 et 4.
2. *Ibid.*, livre IV, 1, § 11.
3. Cf. *Somme contre les Gentils*, livre I, 1, chapitre V.

l'intelligence qui, même dans l'univers des païens, aurait pu suffire à les conduire vers Dieu quoique les vérités révélées fussent supérieures à celles que la philosophie peut découvrir par ses seules forces. Car « si la vérité de la foi chrétienne dépasse la capacité de la raison humaine, ce que la raison possède naturellement de manière innée ne peut cependant pas être contraire à cette vérité », et, réciproquement, « il est impossible que la vérité de la foi soit contraire aux principes que la raison connaît naturellement[1] ».

Il n'en reste pas moins que la marge de manœuvre accordée par Thomas aux nouveaux pouvoirs d'une raison livrée à elle-même lui ouvre une autonomie jusqu'alors inconnue dans la tradition chrétienne. A vrai dire, cette indépendance est si grande qu'il est impossible d'en déterminer tout à fait *a priori* les limites ni d'en contenir l'extension en toute certitude. Il suffit, pour s'en convaincre, de se souvenir en quels termes Thomas attribue à la raison seule la capacité de mettre fin aux angoisses existentielles de l'humanité : « De ces angoisses, nous serons libérés si nous soutenons, *d'accord avec les démonstrations précédentes,* que l'homme peut parvenir au vrai bonheur après cette vie, l'âme de l'homme existant dans l'immortalité, état dans lequel elle pensera à la manière dont pensent les substances séparées[2]. » C'est ici en rationaliste que parle Thomas, et c'est bien à la *démonstration philosophique* qu'il confie le soin de nous convaincre que les peurs liées à la finitude peuvent être surmontées dans l'optique d'une vie enfin réussie. Les pouvoirs de la seule raison tels que

---

1. *Ibid.*, I, 7.
2. *Ibid.*, III, 48, § 15.

les conçoit Thomas sont considérables : non seulement elle nous permet, sans aucune aide de la Révélation, de démontrer l'existence de Dieu, mais elle
parvient aussi à cerner une part importante de son
essence, à prouver la dépendance du monde à son
égard, l'immortalité de l'âme, les conditions de sa béatitude après la mort, etc. [1]. Certes, de nombreux mystères subsistent et la Révélation, comme la foi qui l'accompagne, demeure plus que légitime. Il n'en reste
pas moins que les craintes d'un Damien ne sont plus
infondées et la formule selon laquelle la philosophie
doit demeurer «servante» de la théologie pourrait
s'inverser trop aisément pour que le danger ne soit pas
perçu par les héritiers de la tradition augustinienne.
De là à penser, comme le suggérait parfois Averroès de
façon à peine voilée, et comme le diront plus tard,
mais cette fois-ci sans fard, Lessing et Hegel, que la
révélation religieuse n'est pas indispensable à l'atteinte
de la vérité, qu'elle n'est guère plus qu'une béquille,
un adjuvant de la raison utile pour l'éducation du
genre humain, mais superflu pour le philosophe, il n'y
a qu'un pas, sans doute gigantesque aux yeux d'un
croyant comme Thomas, mais très aisé cependant à
franchir pour un penseur laïc.

Mais une seconde raison viendra bientôt s'ajouter à
la première qui explique encore davantage si possible
la mise en route presque inéluctable de ce processus
de laïcisation de la pensée. C'est que, pour être
moderne en un sens, la position thomiste ne l'est
pas du tout en un autre : pour opérer une sorte de
«révolution» par rapport à la tradition platonico-
augustinienne qui la précède, elle n'en est pas moins

---

1. *Ibid.*, introduction de Cyrille Michon, qui montre comment cette
lecture rationaliste de Thomas n'est pas impossible.

considérée, non plus au regard de son passé mais de son avenir, beaucoup trop liée à la cosmologie aristotélicienne pour ne pas être fortement atteinte par la naissance de la science moderne. Après les motifs internes, expliquant au moins pour une part l'autonomisation de la pensée rationnelle par rapport à la théologie, il nous faut donc prendre en compte aussi les raisons externes : face à l'effondrement des cosmologies anciennes sous les coups de la science moderne, ce ne sont pas seulement les grandes éthiques grecques qui sont remises en question, mais bien aussi la théologie d'inspiration aristotélicienne.

La seconde émancipation : du monde clos à l'univers infini. La naissance de la science moderne et le désenchantement du monde

En moins d'un siècle et demi – disons : au cours de la période qui s'étend de la publication de l'ouvrage de Copernic *Sur les révolutions des orbites célestes* (1543) jusqu'à celle des *Principia mathematica* de Newton (1687) en passant par les *Principes de la philosophie* de Descartes (1644) et la publication des thèses de Galilée sur les rapports de la terre et du soleil (1632) – une révolution scientifique sans précédent dans l'histoire de l'humanité s'est accomplie. Une ère nouvelle est née, dans laquelle, à bien des égards, nous vivons encore. Ce n'est pas seulement l'homme, ainsi qu'on l'a dit parfois, qui a « perdu sa place dans le monde », mais bien le monde lui-même, du moins celui qui formait le cadre clos et harmonieux de son existence depuis l'Antiquité, qui s'est purement et simplement volatilisé. Sans doute la « sagesse des Anciens » continue-t-elle de nous parler par-delà la « catastrophe » qu'allait représenter pour elle le passage du monde clos à l'univers infini. Si elle conserve encore pour nous, aujourd'hui, des significations multiples et précieuses, du moins faut-il reconnaître que les fondements « scientifiques » sur lesquels elle prétendait s'enraciner se sont effondrés. La physique de Platon, d'Aristote ou des stoïciens n'est plus la nôtre et, dans la mesure où elle sous-tendait nombre de considérations éthiques, mais aussi religieuses, la question s'est posée – et se pose encore[1] – de savoir jusqu'à quel degré la philosophie antique dans son ensemble a été atteinte par la ruine de ses bases cosmologiques[2]. Mais, par-delà même l'univers des Grecs, il nous faut aussi mesurer les incidences que cette révolution a pu avoir sur les religions qui furent trop dépendantes de l'héritage grec, notamment après l'avènement du thomisme, pour ne pas être, au moins en partie, atteintes par la naissance de la science moderne.

---

1. Cf. les réflexions de Pierre Hadot sur ce thème crucial dans *Qu'est-ce que la philosophie antique ?*, *op. cit.*, chapitre XII. Pierre Hadot propose de distinguer entre les intuitions philosophiques fondamentales, par exemple les considérations sur la valorisation de l'instant présent opposé au poids du passé et de l'avenir, qui restent valables encore aujourd'hui, et les rationalisations théoriques, d'ailleurs différentes ici ou là (chez les épicuriens et les stoïciens par exemple), qui prétendaient leur servir de fondement et qui n'en étaient peut-être bien en vérité qu'un habillage contingent, lié à la culture du temps comme aurait dit Hegel, et, au final, inessentiel.

2. Les disciples d'Epicure souligneront sans doute, dans le sillage de Marx, que le Maître n'ayant jamais adhéré à une cosmologie, mais ayant au contraire consacré sa vie philosophique à en déconstruire jusqu'au principe, la tradition atomiste et matérialiste, dont il fut l'un des pères fondateurs les plus prestigieux, tire aujourd'hui mieux qu'aucun autre son épingle du jeu. Mais les choses ne sont pas si simples : la morale d'Epicure prenait elle aussi son élan dans des considérations d'ordre physique qui n'ont guère plus de légitimité aujourd'hui que celles de ses adversaires.

Une analyse approfondie et détaillée des raisons de cette rupture, qui met fin au règne de plusieurs siècles d'une cosmologie où pouvaient se fonder une éthique et même une spiritualité, est ici hors de portée. Pour une large part, elle a déjà été entreprise par d'autres, aux travaux desquels on peut utilement se reporter[1]. Les causes du passage du monde clos à l'univers infini sont d'une complexité et d'une diversité extrêmes : on a évoqué bien sûr les progrès techniques, l'apparition d'instruments astronomiques nouveaux (le télescope) qui ont permis des observations dont il était impossible de rendre raison au sein de la vision antique du monde (entre autres exemples nombreux, la découverte des *nova*, ou au contraire la disparition de certaines étoiles, ne cadraient ni l'une ni l'autre avec le dogme de l'immutabilité céleste). On a cité aussi la naissance ou la renaissance de la perspective dans les arts plastiques, l'amélioration considérable de la cartographie maritime qui, liée aux innovations de l'astronomie, obligeait aussi à réviser les principes de la cosmologie aristotélicienne. On s'est intéressé encore à la naissance de l'individualisme moderne, qui sous l'effet de certaines évolutions économiques et commerciales, pouvait également induire des ruptures avec le « holisme » des Anciens... Sans entrer dans une réflexion sur ces causalités multiples, on peut en faire ressortir brièvement trois aspects décisifs, qui permettent de comprendre en quoi, sinon pourquoi, nous nous situons

---

1. Je pense, entre autres, à l'admirable livre d'Alexandre Koyré, *Du monde clos à l'univers infini* (1957, trad. Gallimard, coll. «Idées»), mais aussi aux nombreux passages de l'œuvre de Heidegger qui contiennent de précieuses réflexions sur cette révolution cosmologique. Les travaux classiques de Cassirer et de Gilson – notamment ses *Études de philosophie médiévale, op. cit.* – restent aujourd'hui encore plus que précieux, bien que les excellents ouvrages d'Alain de Libéra aient heureusement renouvelé les études médiévales en France.

à bien des égards aux antipodes des cosmologies anciennes.

1. Du cosmos habité à l'univers désenchanté

Voici les termes dans lesquels Alexandre Koyré a décrit la révolution scientifique des XVIe et XVIIe siècles : elle n'a engendré rien de moins que « la destruction de l'idée de cosmos [...], la destruction du monde conçu comme un tout fini et bien ordonné, dans lequel la structure spatiale incarnait une hiérarchie des valeurs et de perfection [...] et la substitution à celui-ci d'un Univers indéfini, et même infini, ne comportant plus aucune hiérarchie naturelle et uni seulement par l'identité des lois qui le régissent dans toutes ses parties ainsi que par celle de ses composants ultimes placés, tous, au même niveau ontologique[1] ». La chose, maintenant, est oubliée, mais les esprits de l'époque furent littéralement bouleversés par l'émergence de cette nouvelle vision du monde, comme l'expriment ces vers célèbres que John Donne écrivit en 1611, après avoir eu connaissance des principes de la « révolution copernicienne » :

> *La philosophie nouvelle rend tout incertain*
> *L'élément du feu est tout à fait éteint*
> *Le soleil est perdu et la terre; et personne aujourd'hui*
> *Ne peut plus nous dire où chercher celle-ci [...]*
> *Tout est en morceaux, toute cohérence disparue.*
> *Plus de rapport juste, rien ne s'accorde plus[2].*

---

1. *Op. cit.*, p. 11.
2. *Ibid.*, p. 47.

C'est la même angoisse qu'exprime le libertin de Pascal face au silence éternel de ces nouveaux espaces infinis. Le monde n'est plus un cocon ni une maison, il n'est plus habitable. Simple réservoir d'objets formés de matière brute, inanimée et inorganisée, la nature n'a plus aucune signification particulière, plus rien de respectable en soi. Elle n'est plus un modèle auquel s'accorder, un guide pour la vie des hommes. On peut donc s'en servir à volonté, l'instrumentaliser pour s'en rendre comme «maître et possesseur». L'idée selon laquelle la vie bonne résiderait dans un accord avec elle s'est volatilisée, de sorte que c'est le cœur le plus intime des représentations anciennes, le sens le plus profond qu'elles permettaient de donner à l'existence humaine qui d'un seul coup s'effondre avec l'émergence de cette «philosophie nouvelle» dont parle Donne et qui n'est rien d'autre, bien sûr, que la science moderne. Si le monde n'est plus harmonieux et clos, si le haut et le bas, la droite et la gauche n'indiquent plus des «lieux naturels», des niches où les êtres sont appelés à se loger en fonction de leur nature et de leur finalité les plus essentielles, il ne dessine plus non plus en tant que tel aucune orientation pour la vie humaine. Au sens propre désorientés, les humains devront trouver en eux-mêmes de nouveaux repères.

Si l'on voulait une image, rien ne caractérise peut-être mieux l'absurdité d'une telle situation que l'invention des «coordonnées cartésiennes». Elles en sont, à bien des égards, le parfait symbole. Alors que dans le monde clos, tous les lieux possèdent par définition une localisation unique et absolue par rapport au Tout, dès lors que l'espace devient infini et que l'univers cesse d'être comparable à un organisme vivant pour devenir un simple réservoir de matériaux bruts, il faut bien, pour situer un point dans cette nouvelle infinité, tracer d'abord des cadres arbitraires : l'abscisse et l'ordonnée. Mais du coup, toute localisation, d'absolue, devient relative à ces nouveaux repères et, au sens propre comme au figuré, tous les lieux désormais se valent. L'univers ne saurait donc plus incarner spatialement cette « hiérarchie des valeurs » dont parle Koyré. L'espace devient radicalement neutre sur le plan moral, de sorte que la « nouvelle philosophie » signe tout simplement la fin du « cosmologico-éthique » et, avec lui, des sagesses anciennes, du moins pour autant qu'elles s'enracinaient en lui. S'il nous reste de ces sagesses une pluralité de messages dont l'actualité et l'intérêt ne font aucun doute, force est donc bien de comprendre et admettre que leurs fondements philosophiques ont été sapés à la racine par la révolution scientifique moderne [1].

2. DU COSMOS HARMONIEUX ET BON
À L'UNIVERS INDIFFÉRENT OU MAUVAIS

Ce qui légitimait la confiance stoïcienne dans le destin, ce qui justifiait son appel constant à l'acceptation du sort, c'était, nous l'avons vu, la conviction intime que la providence était bonne, que le cosmos était juste et que la part qu'il nous revenait d'avoir en son

---

1. C'est là aussi le diagnostic que fait Pierre Hadot dans un entretien accordé au *Point* (17 août 2001) : « Je pense qu'il est tout à fait possible de séparer l'éthique stoïcienne de la cosmologie qui la soutient. Les attitudes stoïciennes ou épicuriennes sont toujours valables aujourd'hui, ce sont des modes de vie possibles, mais il est bien évident que les théories qui ont été imaginées pour les justifier sont périmées. Ce n'est pas le choix de vie qui dépend des théories abstraites, ce sont les théories abstraites qui sont inspirées par le mode de vie. »

sein était, comme celle des organes ou des membres d'un être vivant, nécessairement convenable et appropriée. Comprendre et aimer le monde ne faisaient qu'un. Sans doute certains êtres de nature pouvaient-ils, alors comme aujourd'hui, sembler à première vue nuisibles ou répugnants. Toutefois, les stoïciens nous invitaient, comme le fait le savant authentique, à prendre la peine de les comprendre plus en profondeur, pour percevoir qu'ils sont, eux aussi, admirablement faits dans leur genre : «La crinière du lion, l'écume qui coule de la gueule du sanglier, et bien d'autres choses, si on les observe en détail, sont sans doute loin d'être belles et pourtant, parce qu'elles dérivent d'êtres engendrés par la nature, elles sont un ornement et possèdent leurs charmes ; et si l'on se passionnait pour les êtres de l'univers, si l'on avait une intelligence plus profonde, il n'est sans nul doute aucun d'entre eux [...] qui ne paraîtrait une agréable créature... Même chez les vieux et les vieilles, on pourra voir une certaine perfection, une beauté, comme on verra la grâce enfantine, si on a les yeux d'un sage[1].» Le stoïcisme culminait dans une «cosmodicée». Un peu d'intelligence nous éloigne du cosmos, beaucoup nous y ramène et le sage, contrairement à l'ignorant, comprend que ce qui peut sembler mauvais du point de vue des parties s'avère bon lorsqu'on se situe au niveau du tout : les «malheurs» qui en apparence s'abattent parfois sur la vie humaine peuvent être justifiés d'un point de vue plus global, par exemple parce qu'ils s'avéreront plus tard être la condition d'un bien supérieur.

C'est à ce type de raisonnement que la révolution moderne va progressivement mettre fin, du moins sur

---

1. Marc Aurèle, *Pensées*, III, 2.

le plan scientifique, sinon métaphysique ou théologique. Dès lors qu'il n'est plus animé, organisé et finalisé, le monde devient indifférent. Plus rien ne peut laisser penser que les événements naturels soient le fruit de quelque providence que ce soit. Ils relèvent désormais du hasard et de la nécessité, de mécanismes aveugles, radicalement dénués de sens. Comme le dit Goethe, après la chute des grandes cosmologies anciennes, « la nature est insensible, le soleil luit sur les méchants comme sur les bons [1] ». Bien plus, dès lors que le monde apparaît comme un espace neutre où les mouvements des corps sont régis par de purs rapports de forces qu'analysent des « théories du choc », le prendre pour modèle serait à la limite contraire à toutes les représentations morales, chrétiennes ou même anciennes, qui nous invitent à la solidarité et à la charité. La conception de la nature ayant radicalement changé, conserver un impératif tel que celui qui nous invitait à l'imiter reviendrait désormais à ériger la loi du plus fort en principe éthique, de sorte qu'agir moralement, ce n'est plus suivre l'enseignement de la nature, mais plutôt s'opposer à elle sous tous ses aspects : hors de nous, pour en combattre les effets maléfiques sur l'existence humaine (par exemple les catastrophes naturelles), et en nous, où elle apparaît maintenant sous la forme du règne des intérêts particuliers, des penchants inéluctables à l'égocentrisme, voire à l'égoïsme. Si toute morale est en quelque façon altruiste, tournée vers le souci des autres, ce n'est donc plus sur la nature qu'elle peut se fonder, mais sur Dieu ou sur l'homme, en tant qu'ils apparaissent désormais,

---

1. Voir sur ce poème, et plus généralement sur ce passage du cosmologico-éthique à l'univers neutre des modernes, Rémi Brague, *La Sagesse du monde, op. cit.*, chapitres XII, XIII et XIV.

non plus de part en part intégrés dans la nature, mais au contraire, comme des êtres d'anti-nature. L'être humain est désormais perçu comme le seul vivant qui puisse et doive lutter contre elle pour la transformer et lui imposer sa loi. De là la rupture radicale qui va marquer l'émergence des nouveaux rapports, induits par l'effondrement des grandes cosmologies, entre nature et vertu.

3. DE LA VERTU COMME IMITATION D'UNE NATURE DIVINE À LA VERTU COMME LUTTE CONTRE UNE NATURE MALÉFIQUE

Sans revenir ici aux fondements philosophiques de ce renversement[1], on peut se contenter de le caractériser simplement de la façon suivante : pour les Anciens, du moins pour ceux qui s'inscrivent dans la grande tradition cosmologique ouverte par le *Timée* de Platon, la vertu, entendue comme excellence dans son genre, n'est pas à l'opposé de la nature. Elle apparaît, tout au contraire, comme une actualisation réussie des dispositions naturelles d'un être, un passage, comme dit Aristote, «de la puissance à l'acte». A l'exact inverse, elle va tendre chez les Modernes à se définir comme une lutte de la liberté contre la naturalité en nous. Dominé par des puissances aveugles, l'univers naturel est, du point de vue moral auquel seul on se situe ici (en esthétique, il peut sans doute en aller autrement), un univers où règnent la loi du plus fort

---

1. C'est là un thème que j'ai développé dans *Le Nouvel Ordre écologique*, Grasset, 1992 mais aussi dans *Qu'est-ce que l'homme ?*, Odile Jacob, 2000 en le mettant notamment en relation avec l'émergence d'une nouvelle anthropologie chez Rousseau.

et le principe de l'égoïsme généralisé. L'une des convictions qui vont dominer le monde moderne, c'est que la civilité, la paix, l'altruisme, la solidarité, la démocratie elle-même, ne sont pas des données naturelles, innées, qu'il suffirait de développer chez l'enfant. Il s'agit au contraire de conquêtes laborieuses, fragiles, qui demandent aux êtres humains un effort, un travail sur eux-mêmes. Elles sont si peu naturelles qu'elles s'imposent à eux sous la forme pénible du devoir et de l'impératif. Tous les courants de pensée modernes ne communieront sans doute pas dans cette attitude, et certains d'entre eux tenteront, comme le romantisme par exemple, de réhabiliter l'idée d'une nature harmonieuse. Mais il suffit de considérer nos systèmes juridiques occidentaux pour mesurer à quel point la conviction s'y est ancrée que le monde moral est un monde construit contre une nature égoïste et rebelle, plutôt qu'en accord avec elle. Et même les libéraux, qui sur le plan économique tenteront de rechercher une articulation « naturelle » entre les intérêts particuliers, égoïstes, et l'intérêt général, le sentiment s'est imposé que, sur le plan de la morale personnelle à tout le moins, il nous faut bien combattre l'égoisme lié à notre nature par notre volonté libre, si nous voulons faire droit aux intérêts et à la liberté des autres. Telle est aussi la raison pour laquelle la notion de « travail », dévalorisée dans tout le monde ancien, va recevoir une signification nouvelle, et positive, dans l'univers moderne.

Dans la vision aristocratique d'une nature organisée, où chaque être doit trouver la place qui lui revient en fonction de sa nature propre au sein d'une hiérarchie intangible, le travail apparaît comme une activité, au sens propre, servile, réservée aux esclaves ou, comme chez Platon, à la classe inférieure. L'aristocrate est par excellence celui qui ne travaille pas, il n'est pas un «laborieux», mais, comme dit Nietzsche, il commande, impose, décrète avec autorité. Il fait la guerre, s'exerce dans les arts et les sports et, surtout, il contemple, au sens de la theoria grecque : il saisit l'ordre naturel, cosmique, au sein duquel sa place est, par nature, celle des meilleurs. Là où règne cette représentation du monde, le travail ne vaut rien. Mais lorsque la vertu change de définition, lorsqu'elle n'est plus actualisation d'une nature bien née, mais lutte de la liberté contre la naturalité en nous, le travail, lui aussi, change de sens et de statut : il acquiert une valeur jusqu'alors inconnue. Chez les Modernes, celui qui ne travaille pas risque fort de n'être pas seulement un homme pauvre, mais aussi un pauvre homme. Car le travail s'identifie désormais à l'une des manifestations essentielles du propre de l'homme, de la liberté comme faculté de transformer le monde et, le transformant, de se transformer et de s'éduquer soi-même. Le primat de la theoria a fait place à celui de la praxis. La vertu, désormais, ne s'exprime plus par des mots ou des idées, mais par des engagements et par des actes qui sont censés modifier le réel et nous changer nous-mêmes. Contrairement au cosmos ancien, l'ordre que l'humanité doit désormais construire et mettre en place ne lui préexiste pas, il ne possède plus la transcendance de l'antériorité. Il doit être non seulement inventé mais engendré par elle. Nous sommes entrés dans le règne de l'humanisme où les valeurs ne sont plus du domaine de l'être, ne sont plus domiciliées dans la nature, mais relèvent du devoir-être, d'un idéal à venir, et non d'un réel *a priori* harmonieux et bon, toujours déjà donné aux hommes et prêt à les accueillir avec bienveillance.

L'attitude du christianisme face à la révolution scientifique anti-aristotélicienne

La relation du christianisme avec la cosmologie grecque est ambiguë : son attitude fut tout à la fois celle d'une prise de distance (notamment avec Justin et Augustin), puis d'un réinvestissement (avec Thomas), de sorte que le choc de la révolution scientifique devait l'ébranler sans pour autant porter atteinte à ses principes les plus fondamentaux.

En puisant aux sources de l'Ancien Testament, c'est bien le christianisme qui introduit explicitement au cœur de la problématique du salut, contre le « cosmologisme » grec, l'idée d'une double transcendance de Dieu et de l'Homme par rapport au monde. C'est cette nouvelle aspiration au salut que les Epîtres aux Romains expriment dans les termes impératifs du devoir-être et de l'exhortation qui rompent avec la prescription ancienne d'un accord avec le cosmos : « Ne vous conformez pas à ce monde-ci, mais transformez-vous par le renouvellement de votre intelligence pour discerner quelle est la volonté de Dieu, ce qui est bon et agréable à Dieu, parfait[1]. » On ne saurait manifester plus clairement la distance qui sépare ici le christianisme de l'univers grec. Non seulement le monde n'est plus un modèle ni l'accord avec lui une finalité ultime pour l'homme, mais c'est en tant que ce dernier se situe lui aussi hors du monde qu'il a la possibilité, la liberté, de s'élever au-dessus de lui pour correspondre aux exigences divines. Le salut réside sans doute encore dans un accord, mais ce dernier doit

---

1. Epître aux Romains, 12, 2.

désormais s'effectuer entre deux êtres, l'homme et Dieu, qui tous deux sont transcendants par rapport au cosmos. Dans ses études sur la philosophie au Moyen Age, Gilson a saisi avec beaucoup de profondeur les liens qui allaient unir les philosophies modernes de la liberté au christianisme, comme les philosophies de la nécessité, à commencer par le stoïcisme, avaient hérité des principes cosmologiques de la religion grecque : « Le christianisme s'adresse à l'homme, pour le soulager de sa misère, en lui montrant quelle en est la cause et lui en offrant le remède. Il est une doctrine du salut, et c'est pourquoi il est une religion. La philosophie est un savoir qui s'adresse à l'intelligence et qui lui dit ce que sont les choses, la religion s'adresse à l'homme et lui parle de son destin, soit pour s'y soumettre, comme la religion grecque, soit pour qu'il le fasse, comme la religion chrétienne. C'est pourquoi d'ailleurs, influencées par la religion grecque, les philosophies grecques sont des philosophies de la nécessité, au lieu que les philosophies influencées par la religion chrétienne seront des philosophies de la liberté[1]. »

On pourrait sans doute reprocher à Gilson de céder ici à l'usage qui fut très tôt celui des Pères de l'Eglise, et qui consiste à considérer d'emblée la philosophie davantage comme un discours intellectuel que comme un mode de vie – réservant ainsi la problématique du salut à la seule religion alors que, nous l'avons vu, elle était en vérité, bien que sous une forme non religieuse, déjà au cœur de la problématique des éthiques grecques. Il n'empêche : le lien qu'il introduit entre philosophie et religion ne manque pas d'arguments, et l'idée que le christianisme ouvre de manière inédite,

---

1. *La Philosophie au Moyen Age, op. cit.*, p. 9-10.

en rupture avec le monde, à la question du libre arbitre est féconde. Il est même assez clair que c'est cette représentation nouvelle de la liberté humaine qui va constituer, au sein du christianisme, un problème théologique majeur et promis à un bel avenir : celui des conditions de l'accord de notre libre arbitre avec l'idée d'une providence et d'une grâce divines. Depuis les polémiques d'Augustin avec Pélage et ses disciples, il ne cessera même de hanter la tradition chrétienne. Mais quelles que soient les solutions auxquelles il pourra donner lieu, nul doute, à tout le moins, qu'il puise son origine dans une doctrine du salut qui vise à concilier la double transcendance de l'homme et de Dieu par rapport au monde.

Telle est aussi la raison pour laquelle la connaissance de soi comme être libre devient, dans le christianisme, prioritaire. On dira bien sûr qu'elle l'était déjà dans le platonisme, comme en témoigne la fameuse invitation socratique : « connais-toi toi-même ». Mais pour Platon, comme dans toute la tradition des grandes cosmologies, la connaissance de soi passe par celle du monde : se connaître, c'est d'abord se situer au sein du cosmos, connaître son lieu naturel, sa place dans l'univers en fonction de sa nature la plus intime. Ainsi la cité décrite dans la *République* est-elle juste lorsque chacun est à sa place : les philosophes en haut, les guerriers au centre, les ouvriers et artisans en bas, comme dans les parties du corps, il convient que l'esprit, qui est dans la tête, le courage dans le cœur et le désir dans le ventre, soient chacun à leur juste place. Bien se connaître, c'est ne pas se tromper de lieu, c'est savoir la part qui nous revient dans l'ordre cosmique en raison de notre fonction propre. Pour saint Augustin, tout au contraire, lors même qu'il avait, selon l'heureuse formule de saint Thomas, « suivi les platoniciens aussi loin que la doctrine catholique pouvait le faire », la connaissance du monde, même dans ses régions les plus célestes, n'apporte plus rien à celle du moi : « Les hommes admirent la hauteur des montagnes, l'agitation des flots de la mer, la vaste étendue de l'océan, le cours des fleuves et le mouvement des astres : et ils ne pensent point à eux-mêmes[1]... » C'est qu'il y a désormais « deux ciels », l'un corporel, l'autre spirituel, et que le second, dont l'homme n'est pas encore sur cette terre partie prenante, mais auquel il doit aspirer, est infiniment supérieur au premier. Augustin va puiser dans les Psaumes une image sublime, celle d'un « ciel du ciel », qui dit peut-être mieux qu'aucune autre la distance qui sépare désormais le christianisme de la philosophie profane. Il faut ici prêter attention à chacune de ses formulations : « Mais mon Dieu, où est ce ciel du ciel dont le Prophète nous parle, lorsqu'il nous dit dans le Psaume : "Le Seigneur s'est réservé le ciel du ciel, et a donné la terre en partage aux enfants des hommes" ? Où est, dis-je, ce ciel qui ne se voit point et en comparaison duquel tout ce qui se voit n'est que de la terre ? Car toute cette masse corporelle que nous voyons, n'a pas une égale beauté dans toutes ses parties, et principalement dans les plus basses comme est notre terre. Mais le ciel même qui couvre cette terre que nous habitons, ne peut passer que pour une terre au regard de ce ciel du ciel : et l'on peut dire avec vérité que ces deux grands corps de la nature, le ciel et la terre, ne sont que terre si on les compare à cet autre ciel[2]... » Telle est la « Jérusalem céleste », séjour des saints, qui n'appartient pas aux hommes mais à laquelle tout

---

1. *Confessions*, X, VIII.
2. *Ibid.*, XII, II.

homme peut prétendre : infiniment au-dessus des astres auxquels s'arrêtent les philosophes, elle relativise le cosmos grec, elle écrase pour ainsi dire toutes les hiérarchies terrestres qui, au regard de sa supériorité, paraissent comme aplanies.

On pense à Pascal, bien sûr : « Tous les corps, le firmament, les étoiles, la terre et ses royaumes ne valent pas le moindre des esprits ; car il connaît tout cela et soi ; et les corps, rien [1]. » Et à cette autre pensée, si connue qu'on en oublie parfois qu'elle signe, tout simplement, la fin du tragique grec comme mise en scène d'un univers qui reprend toujours ses droits contre l'orgueil, l'*ubris,* de l'homme révolté : « L'homme n'est qu'un roseau, le plus faible de la nature ; mais c'est un roseau pensant. Il ne faut pas que l'univers entier s'arme pour l'écraser : une vapeur, une goutte d'eau suffit pour le tuer. Mais quand l'univers l'écraserait, l'homme serait encore plus noble que ce qui le tue, puisqu'il sait qu'il meurt, et l'avantage que l'univers a sur lui, l'univers n'en sait rien [2]. »

Fin du monde grec, donc, et pourtant, comment oublier tout ce qu'Augustin devait à Platon et saint Thomas à Aristote ? La double transcendance de Dieu et de l'homme, l'idée d'un univers créé et subalterne à l'égard de l'un comme de l'autre, sans doute est étrangère aux Grecs. L'une et l'autre pourront ainsi résister à la catastrophe incarnée par la naissance de la science moderne, subsister après la « fin du monde ». Le rôle de la pensée grecque n'en fut pas moins si décisif pour les Pères et docteurs de l'Eglise que l'effondrement de la cosmologie grecque ne pouvait pas les laisser insensibles. Une formule de Gilson, qui tout

---

1. Edition Brunschvicg, 793.
2. *Ibid.,* 347.

entière souscrit à la perspective chrétienne sur la philosophie profane, nous aidera, là encore, à mieux mesurer ce que le christianisme pouvait perdre dans l'affaire et en quoi, en revanche, il lui était possible de tirer son épingle du jeu là où les éthiques grecques allaient pour une large part s'éclipser : « Platon s'était approché de l'idée de création d'aussi près qu'il se peut faire sans l'atteindre, et pourtant, l'univers platonicien, avec l'homme qu'il contient, ne sont que des images à peine réelles de ce qui mérite seul le titre d'être. Aristote s'était détourné de cette même idée de création ; pourtant, le monde éternel qu'il avait décrit jouissait d'une réalité substantielle et, si l'on peut dire, d'une densité ontologique dignes de l'œuvre d'un créateur. Pour faire du monde d'Aristote une créature, et du Dieu de Platon un vrai créateur, il fallait dépasser l'un et l'autre[1]... » Commentons librement : Platon a presque pensé la création (avec sa théorie des idées), mais le monde réel, qu'il compare aux images de la caverne, n'a pas assez de réalité pour être digne de l'œuvre d'un créateur divin. Aristote, de son côté, s'est opposé à l'idée d'un Dieu créateur, dans le temps, du ciel et de la terre. En revanche, sa description du monde en dresse un tableau si varié et profond qu'il sied à l'ouvrage d'un Être suprême. Grâce à saint Augustin, le christianisme a su prendre dans Platon tout ce qu'il y avait de bon à ses yeux avant de pousser plus loin la logique platonicienne pour l'accomplir, grâce à la révélation du Christ, dans une doctrine de la création. Grâce à Thomas, le christianisme prend tout ce qui est bon dans Aristote, à savoir la description du cosmos, mais il fait malgré tout de ce dernier, suivant en cela l'enseignement de Platon revisité par

---

1. *Op. cit.*, p. 137.

Augustin, une authentique créature (ce qu'Aristote, bien sûr, eût refusé de faire). Tel serait, brièvement résumé, le lien de continuité et de rupture de la vraie religion avec la vraie philosophie : un Dieu créateur hérité d'un Platon amélioré, un univers cosmique emprunté à Aristote mais transformé, à l'encontre du Philosophe, en créature de Dieu.

Nous pouvons maintenant formuler les choses de la façon suivante : d'un côté, le christianisme, notamment après le gigantesque effort entrepris par saint Thomas pour réinterpréter la cosmologie grecque dans une perspective chrétienne et intégrer ainsi au sein d'une théologie ce que la philosophie païenne pouvait avoir de meilleur, ne pouvait rester indifférent devant la «fin du monde» introduite par la révolution scientifique moderne. Il est clair que si la sentence de saint Paul sur l'analogie entre la créature et son créateur devait garder un sens – et comment aurait-il pu en aller autrement? –, la destruction de l'ordre inhérent à la sphère des créatures risquait d'atteindre, fût-ce indirectement, comme par ricochet, le créateur. Le passage d'un monde ordonné, harmonieux et bon à un univers infini et chaotique présenté de manière désormais indubitable comme un vaste champ de forces insensées ne pouvait s'opérer sans douleur. De là la tentation qui s'emparera longtemps des autorités ecclésiastiques : celle de la condamnation et de l'interdit qui frapperont si souvent, de Galilée à Darwin, les découvertes scientifiques les plus menaçantes au regard des exigences chrétiennes d'une création digne de son créateur. Mais d'un autre côté, si l'on compare la situation du christianisme avec celle des éthiques grecques fondées sur le cosmos, il ne s'agissait, tout bien pesé, que d'un moindre mal : la révolution scientifique moderne ne touchait après tout qu'à l'ordre des créatures terrestres, et le « ciel du ciel », qui est infiniment au-dessus d'elles, pouvait demeurer à bien des égards intact. D'autant qu'à suivre saint Thomas lui-même, du moins quant aux principes sinon quant à leur application aristotélicienne *stricto sensu*, on pouvait même espérer qu'en laissant la raison naturelle des hommes à son libre cours, elle allait finalement rejoindre d'elle-même, fût-ce sur un mode non aristotélicien, les vérités de la Révélation. Un mauvais moment à passer, somme toute, et que l'Eglise a en effet surmonté, comme en témoignent à l'évidence ses positions actuelles sur les rapports de la foi et de la raison, ou si l'on veut, de Dieu et de la science.

C'est cette attitude, en effet, que traduit parfaitement, si nous acceptons de sauter quelques siècles, la dernière encyclique de Jean-Paul II, *Fides et ratio*. Quitte à surprendre tous ceux, parmi ses fidèles mêmes, qui pensent encore que leur croyance commence là où s'arrêtent les pouvoirs de l'entendement, et qu'elle repose davantage sur le cœur que sur l'esprit, le pape s'est livré, dans la perspective d'un thomisme enfin émancipé d'une orthodoxie aristotélicienne devenue trop encombrante, à une apologie de la Raison. Dans ce petit texte dense et profond, il réhabilite avec force les usages philosophiques et scientifiques du rationalisme. Le thème principal, inspiré d'un thomisme émancipé de l'orthodoxie aristotélicienne, en est clairement posé : il n'y a pas, il ne doit ni ne peut y avoir de contradiction entre la « vérité que Dieu nous révèle en Jésus-Christ » et « les vérités que l'on atteint en philosophant », pas d'opposition, donc, entre Révélation et Raison, entre Foi et Pensée, mais au contraire une indispensable complémentarité.

Dans la période actuelle, si fortement marquée par l'essor de spiritualités mystiques et sentimentales – le succès mondial de certains ouvrages prétendument inspirés des sagesses de l'Orient en témoigne assez –, le message du pape devrait encore donner à réfléchir. Il faudrait bien sûr préciser le sens de son « rationalisme », comprendre comment il s'inscrit dans une tradition théologique bien attestée, celle qui s'attache encore à l'esprit, sinon à la lettre des œuvres de Thomas et qui passe par une critique des formes « dévoyées » de la raison « positiviste » ou « instrumentale » caractérisant parfois la technique moderne. Les résultats de la science moderne – de la théorie du Big-Bang à celle de l'évolution – sont aujourd'hui acceptées par l'Eglise, et ce de manière tout à fait explicite. La référence à une tradition thomiste qui n'a ni négligé l'observation expérimentale de la réalité, ni méprisé le travail de la raison, n'en continue pas moins d'animer son message : en comprenant bien la nature et ses lois, en pratiquant la science, on percevra d'autant mieux la grandeur du Créateur. Car la nature, même revue et corrigée par les sciences de la nature, continue à bien des égards d'être une merveille de beauté et d'ordonnance dont on peut être tenté d'attribuer la création à un être suprême. L'Eglise d'aujourd'hui peut donc, sans hypocrisie, s'appuyer sur cette tradition bien attestée dans sa propre histoire pour inviter les croyants à se réconcilier, s'il en est besoin, avec la science et la philosophie en suivant la fameuse maxime de Pasteur selon laquelle un peu de science nous éloigne de Dieu, mais beaucoup nous y ramène.

Il n'en reste pas moins que la rupture avec la physique aristotélicienne est consommée. Impossible, par exemple, de maintenir intacte sa théorie de l'espace et du lieu, du mouvement, de la causalité... Non seulement la raison s'est autonomisée par rapport à la Révélation, mais la science moderne a porté un coup décisif, sinon fatal, à l'héritage aristotélico-thomiste dont la forme et les principes, sans doute, continuent d'être perçus comme valides, mais dont le contenu doctrinal, en revanche, doit être, sur le plan scientifique à tout le moins, abandonné sur bien des points. Nul doute que cette autonomie nouvelle de la pensée rationnelle allait puissamment contribuer à précipiter l'émergence de nouvelles visions du monde qui, bien qu'encore religieuses dans leur forme, se sont pour une large part émancipées des dimensions de la théologie traditionnelle. C'est ici toute la question de la naissance des utopies modernes, des « religions de salut terrestre » qui est posée. Elle mérite qu'on s'y arrête car ces dernières forment pour ainsi dire le trait d'union, le point de passage entre les religions proprement dites et la pensée matérialiste dont nous avons vu au début de cet essai comment la philosophie de Nietzsche en avait formé le point culminant.

La sécularisation de la religion ou la naissance de la pensée laïque : des religions révélées aux religions de salut terrestre

La notion de religion peut s'entendre au moins en trois sens bien différents.

Pour les croyants, elle désigne d'abord une doctrine du salut, une réflexion sur ce qui peut nous sauver des vicissitudes inhérentes au statut d'humbles mortels qui est le nôtre. Ce que les religions promettent à ceux qui en acceptent les dogmes, c'est le salut éternel, la victoire sur les peurs et les souffrances qu'engendre l'inévitable perspective de la mort. Comme toutes les grandes philosophies auxquelles elles s'apparentent, les religions tentent de donner un sens à l'existence humaine, mais elles le font en référence à une altérité radicale, celle du divin. A l'écart de l'orgueil philosophique, il ne s'agit pas tant pour elles de permettre aux hommes de se sauver eux-mêmes, par la seule force de leur propre pensée, que d'accepter avec humilité d'être sauvés *par un Autre*. Et c'est en quoi, en effet, elles introduisent une rupture avec le discours de la raison.

Pour les non-croyants, c'est cette rupture, bien sûr, qui fait problème, c'est elle qui paraît contestable, voire illusoire. De là une autre perspective sur le religieux, qui s'est largement développée depuis le xviiie siècle en Europe : loin d'être la vérité suprême de la vie humaine, la foi serait le comble de l'illusion. On connaît le mot de Voltaire : « Dieu a créé l'homme à son image, l'homme le lui a bien rendu. » Que voulons-nous, en effet? Être aimés, ne pas être seuls, ne pas être séparés de ceux que nous aimons, les retrouver après la mort, et si possible ne pas mourir « vraiment ». C'est là, justement, ce dont la religion nous fait promesse et, selon le point de vue de ses critiques, le contenu de cette espérance est tout simplement trop beau pour être vrai. De là la longue suite des « déconstructions » de la croyance qui vont en dénoncer les fantasmes comme « superstition » (Diderot), « aliénation » (Feuerbach), « opium du peuple » (Marx), « nihilisme » (Nietzsche), « névrose obsessionnelle de l'humanité » (Freud), etc.

Mais une troisième option est possible, qui ne prend pas parti entre croyants et non-croyants, mais se contente de décrire l'effet du religieux sur l'organisation sociale et politique des sociétés historiques. Que la foi soit légitime ou non importe peu ici : il s'agit plutôt de faire observer le fait que les organisations humaines fondées sur la religion, les «sociétés traditionnelles» comme les appellent les ethnologues, s'opposent terme à terme aux sociétés laïques. Or tout porte à croire que les secondes, celles dans lesquelles nous vivons aujourd'hui en Europe, sont en quelque façon «sorties» des premières et que cette naissance, longue et douloureuse, qui s'achève seulement au XXᵉ siècle, laisse tant de traces qu'il est rigoureusement impossible de comprendre notre univers – ses idéologies, ses passions, sa vie intellectuelle, morale, artistique, politique – sans prendre en compte l'ensemble de ce processus complexe. Voilà, au fond, la conviction que Marcel Gauchet nous a invités à partager et à méditer dans son ouvrage sur *Le Désenchantement du monde*[1]. Pour la comprendre, le plus simple est d'accepter, ne fût-ce que par hypothèse, de le suivre un instant en s'efforçant de percevoir ce qui distingue et oppose point par point nos sociétés modernes aux sociétés religieuses. Non que le religieux ait disparu de notre univers laïc, loin de là. Près de 70 % des Français sont, aujourd'hui encore, des chrétiens. Mais leur croyance, quelle que soit son importance, possède désormais le statut d'une opinion individuelle, qui ne structure plus l'espace public, qui n'est plus la source officielle de la loi ni du pouvoir politique. Elle n'est plus même au fondement de la morale ou des arts, *a fortiori* des représentations scientifiques que nous nous forgeons peu à peu du monde. Et ce sont les effets en profondeur de cette révolution par rapport à des mil-

1. Gallimard, 1985.

lénaires de civilisation religieuse qu'il s'agit de penser enfin.

Pour en mesurer l'impact, il faut repérer d'abord les traits caractéristiques des sociétés religieuses traditionnelles, ceux-là mêmes que la démocratie va récuser un à un, pour le meilleur mais aussi, parfois, pour le pire. En suivant l'analyse de Gauchet, on en retiendra seulement quatre, en se bornant aux plus fondamentaux, pour la clarté du propos.

Le religieux, les croyants eux-mêmes ne sauraient récuser tout à fait cette description, c'est d'abord l'hétéronomie – étymologiquement, le fait que la loi nous soit donnée d'ailleurs que de nous-mêmes, par un Autre *extérieur et supérieur à l'humanité*. Et de fait, c'est là le premier trait des sociétés traditionnelles : les êtres humains n'y fabriquent pas eux-mêmes la loi, comme nous prétendons à tout le moins le faire dans nos parlements modernes. Dans les tribus amérindiennes que décrivait Pierre Clastres en ethnologue, la coutume apparaît comme donnée aux hommes du dehors, elle est vécue comme un héritage remontant lui-même à un passé immémorial : celui des ancêtres qui, de génération en génération, se confondent à l'origine avec les dieux. De là la seconde caractéristique majeure de ces sociétés : la dimension de l'avenir, de l'innovation, de la réforme, pour ne rien dire de la révolution, n'y est pas valorisée. A vrai dire, elle est même violemment prohibée : le chef indien, à la différence de nos hommes politiques d'aujourd'hui, n'est pas celui qui promet d'améliorer la société, de la transformer au nom d'un idéal, mais tout au contraire, il s'engage à garantir la pérennité de la coutume. Là où nos yeux de Modernes s'orientent à l'avenir, les siens sont rivés au passé : c'est en son nom que le lien social se perpétue tant bien que mal, en quoi le respect des traditions fonde une temporalité conservatrice qui n'est plus de mise aujourd'hui. Un troisième trait s'en déduit tout naturellement : là où nous affirmons, du moins en principe, l'égale dignité des hommes entre eux, les sociétés traditionnelles n'hésitent pas à répercuter en leur sein le principe hiérarchique de la dépendance de l'inférieur au supérieur : comme les hommes dépendent des dieux, les jeunes dépendent des anciens, les femmes des hommes, les esclaves des citoyens, etc. Les sociétés religieuses sont, fondamentalement, des sociétés de castes avant même d'être des sociétés de classes. La différence pourrait paraître mineure au regard de nos exigences modernes d'égalité réelle. Elle est pourtant décisive, car c'est ici dans la nature même des êtres que les différences hiérarchiques sont en principe inscrites. Sans doute les inégalités subsistent-elles dans nos démocraties. A tout le moins ne sont-elles pas perçues comme intangibles : depuis la date symbolique du 4 août 1789, nuit de l'abolition des privilèges, la mobilité sociale, si difficile et limitée soit-elle encore, n'est du moins pas interdite en son principe. Elle est même sans cesse davantage valorisée. Reliés sous la tutelle d'une loi vécue par eux comme radicalement transcendante, inscrits dans un tissu de relations hiérarchiques supposées naturelles, les hommes des sociétés religieuses éprouvent, dernière caractéristique de leur monde, le sentiment fort d'appartenir à une *communauté*. Ou pour mieux dire peut-être : l'individu, au sens où nous l'entendons, c'est-à-dire l'être supposé libre de choisir comme il l'entend sa vie privée, ses opinions et ses croyances, n'existe pas encore. L'être humain n'a d'existence réelle que comme membre d'une totalité qui l'englobe et le dépasse à tous égards – en quoi les sociétés traditionnelles sont bien sûr des sociétés «holistes».

La naissance du monde moderne – dont le repère le plus commode est pour nous symbolisé par la Révolution française – se fera dans la rupture avec les visions anciennes du monde : contre l'hétéronomie religieuse, la prétention à fabriquer soi-même sa loi, prétention qui s'inscrira dans les faits avec la naissance de notre Assemblée nationale en 1789 (la source des normes, désormais, n'est plus le divin, mais l'humain qui, avec sa raison et sa volonté, prétendra s'élever enfin jusqu'à l'autonomie) ; contre le respect d'un passé sacralisé, l'espoir d'un avenir meilleur qui conduira peu à peu à dévaloriser la vieillesse au profit de jeunes générations censées désormais incarner la marche du progrès ; contre la naturalisation des inégalités, l'affirmation de l'égalité en droit des êtres humains ; contre la supériorité du tout sur les individus (communautarisme, holisme), la prééminence de l'individuel sur le collectif : un désordre, désormais, vaudra mieux qu'une injustice ! Evitons un malentendu : hétéronomie et autonomie s'entendent ici comme des catégories purement descriptives des valeurs vécues par les individus dans les deux sociétés. Elles ne prétendent pas à la vérité en soi, ou, pour être tout à fait clair : rien ne prouve sérieusement que la loi des sociétés traditionnelles vienne vraiment du dehors des hommes (tout indique au contraire qu'elle est en vérité produite par eux), de même que rien ne donne non plus à penser que l'individu moderne soit vraiment autonome (l'aliénation, à l'évidence, ne cesse de l'investir ou de le menacer).

De tous ces bouleversements, inséparables entre eux, le deuxième, sans doute, est le plus visible. C'est ce basculement vers l'avenir qui permet aussi de comprendre comment nos sociétés vont, sortant du monde de l'Ancien Régime et de la tradition, passer des religions révélées à ces religions séculières que furent les utopies modernes : d'un côté le nationalisme fasciste, comme tentation paradoxale de transformer en avenir le retour au passé sous la bannière de la « révolution nationale » ; de l'autre le communisme, qui prétend rétablir la communauté perdue dans un avenir meilleur. Dans les deux cas, la forme religieuse subsiste en ce sens que la politique s'apparente à une doctrine du salut : prétendant au monopole de la définition authentique de la vie réussie (« tout est politique »), donnant un sens ultime à la vie humaine, elle entend sauver l'humanité des périls qui la menacent et, à ce titre, comme toute religion digne de ce nom, l'utopie réactionnaire ou progressiste pose des valeurs supérieures à la vie individuelle, valeurs au nom desquelles elle ne manquera pas d'exiger son tribut de sacrifices humains. En outre, l'avenir étant tout aussi mystérieux que le passé, l'action militante suppose inévitablement une part d'espérance, et même de foi. Ce que nous vivons aujourd'hui, selon Gauchet, c'est la fin de ce processus de désenchantement : nos croyances religieuses ont enfin cessé d'être politiques, reléguées qu'elles sont désormais dans la seule sphère privée. Mais, d'un autre côté, la croyance politique a rompu avec la religion.

Nos démocraties n'ont-elles donc plus ni principes transcendants ni ennemis intérieurs ? L'immanentisme radical annoncé par Nietzsche est-il désormais la seule règle de nos existences ? Je n'en crois rien et c'est pourquoi, me semble-t-il, nous n'en avons nullement fini avec les interrogations portant sur la vie bonne. Il faut au contraire, du moins pour qui n'est pas croyant, apprendre à les penser en marge des religions traditionnelles comme hors des cadres d'un matérialisme dont rien ne prouve encore à mes yeux qu'il soit l'horizon unique et ultime de l'humanisme moderne.

Cinquième partie

UN HUMANISME DE L'HOMME-DIEU
LA VIE BONNE COMME VIE
EN HARMONIE
AVEC LA CONDITION HUMAINE

CHAPITRE I

Matérialisme, religion et humanisme

Nous voici donc reconduits au point d'où nous étions partis : le primat d'une pensée « terrestre », d'une vision du monde qui se veut débarrassée des « illusions » de la transcendance. Si l'on exclut les « retours à » et les multiples restaurations dont le monde contemporain est si friand, trois voies, au moins, semblent désormais s'ouvrir à une exploration prometteuse : on peut d'abord, dans le sillage de Spinoza ou de Nietzsche, approfondir le matérialisme afin d'en poursuivre la logique « déconstructrice » jusqu'à son terme ; on peut, à l'opposé, tenter de réaménager le religieux aux conditions de son accord avec l'idéologie démocratique, afin de prendre davantage en compte les exigences d'autonomie qu'elle adresse à l'individu ; on peut enfin chercher à repenser le rapport de l'humanisme moderne à des figures inédites de la transcendance. J'aimerais brièvement suggérer en quoi, dans une perspective laïque, la troisième voie me semble seule à même d'ouvrir les chemins permettant de dépasser l'actuel « désenchantement du monde ».

I. | Radicaliser le matérialisme :
une spiritualité paradoxalement métaphysique

Le matérialisme possède assurément divers visages au fil de l'histoire. Il n'en tient pas moins à deux traits fondamentaux qui constituent son noyau essentiel : la conviction que l'être humain n'est pas libre de choisir son destin, mais qu'il est de part en part déterminé par des forces qui lui échappent ; le rejet résolu des figures classiques de la transcendance, à commencer bien sûr par celle du divin. Pour le dire de façon plus simple encore : aux yeux d'un matérialiste cohérent, nous *n'avons* pas un corps et une histoire, que nous pourrions surplomber et orienter à notre guise, mais nous *sommes* ce corps et cette histoire, la résultante de deux déterminismes implacables et rien de plus.

Après avoir connu, à travers l'échec du communisme, la crise que l'on sait sur le plan philosophique et politique, le matérialisme a retrouvé un nouvel élan en se déplaçant vers le domaine des sciences de la nature. C'est là ce dont témoigne, depuis une trentaine d'années, le renouveau du débat sur les rapports de l'homme avec la nature qui l'entoure, et en particulier avec son plus proche cousin : l'animal. Sans prétendre ici traiter de manière exhaustive ce dossier difficile, on peut en dégager aisément la portée philosophique.

Des avancées majeures ont incité les biologistes à réinvestir la problématique de la différence entre humanité et animalité. A commencer par celle-ci, maintenant bien connue : l'être humain partage plus de 98 % de ses gènes avec le chimpanzé. C'est beaucoup, beaucoup trop en tout cas pour que la question de nos ressemblances et de nos différences ne soit pas reposée à nouveaux frais, non plus à partir de principes *a priori*, mais sur la base des connaissances concrètes que nous offre la génétique contemporaine. D'autant que les nombreux enrichissements, mais aussi les confirmations que les dernières décennies sont venues apporter à la théorie synthétique de l'évolution confèrent un singulier relief à ce constat : si l'on remonte de génération en génération dans la généalogie de nos aïeux, force est de reconnaître, aussi déplaisant cela soit-il, que nous rencontrons assez vite (quelques centaines de milliers d'années, ce qui n'est qu'un éclair au regard de l'histoire universelle !) des êtres au faciès simiesque et au corps velu, peu présentables dans un salon parisien. Si nous poursuivons encore, au-delà de sept millions d'années aucun doute n'est plus permis : c'est bien à des « singes » que nous avons affaire. Globalement, Darwin avait raison. De là l'obligation, jusqu'au sein de l'Eglise catholique, d'abandonner la vieille idée créationniste selon laquelle les espèces vivantes seraient sorties des mains du créateur pour ainsi dire toutes faites, dès l'origine semblables à elles-mêmes. A l'exception de quelques sectes qui sévissent encore dans certaines universités américaines, tout le monde s'est rendu à l'évidence : les espèces, à commencer par l'espèce humaine, ont *évolué* au cours du temps et dérivent par conséquent les unes des autres.

De là aussi les questions abyssales que posent aujourd'hui toute une pléiade de travaux consacrés aux conséquences de la théorie de l'évolution sur la définition même de l'humanité : si l'homme a été d'abord un animal, si son espèce est en quelque sorte peu à peu « sortie » de celle des grands singes, en quoi n'est-il pas lui-même une bête comme les autres, un « troisième chimpanzé » selon la provocante formule du biologiste américain Jared Diamond[1], simplement un peu plus évolué que le chimpanzé nain (le fameux bonobo), ou que le chimpanzé commun? Autrement dit : quels sont les signes vraiment *distinctifs* qui le séparent, le cas échéant, de ses «frères d'en bas» – étant entendu que, dans cette perspective, les caractéristiques non matérialistes ou, au sens propre du terme, «sur-naturelles» dont le paraient volontiers certaines traditions religieuses ou philosophiques, semblent singulièrement fragilisées? A cette première interrogation, qui ranime sur des bases inédites un des plus anciens débats de la métaphysique classique, s'en superpose une seconde qui n'est pas moins vertigineuse : comment cette évolution s'est-elle opérée? Quels en furent les étapes ou les moments principaux, mais aussi et peut-être même surtout : cette histoire de la naissance de l'humain dans l'animal est-elle le fruit de la contingence pure ou bien obéit-elle, comme continuent de le penser nombre de chrétiens depuis Teilhard de Chardin, à une certaine logique, voire à une finalité cachée dans un «principe anthropique»?

Sur le premier versant, les recherches ne cessent de progresser, touchant notamment à la fameuse notion de «culture animale». Où situer la ligne de démarcation entre l'homme et la bête? Dans le langage, la morale, l'art, les rites funéraires – dont on commence à observer les premiers signes chez les éléphants ou chez les grands singes –, la fabrication d'outils ou de vêtements, mais pourquoi pas dans l'usage des drogues ou dans la pratique de l'assassinat, de la torture, de la guerre? Sans pouvoir entrer ici dans les détails, l'essentiel est de saisir le fil conducteur qui guide ces

---

1. Cf. *Le Troisième Chimpanzé. Essai sur l'évolution et l'avenir de l'animal humain,* traduction Gallimard, 2000.

recherches : si l'humain fut autrefois animal, s'il est un être, au moins au départ, tout à fait « naturel », on doit trouver chez d'autres animaux, continuité oblige, les prémices de tous ses comportements. D'où la tentative de traquer chez ces derniers les origines du langage ou de la fabrication d'outils, mais aussi de la morale, de l'art, voire de la métaphysique ou de toute autre caractéristique généralement tenue pour absolument et spécifiquement humaine. Ce qui anime ici l'esprit scientifique, c'est le souci de jeter des ponts, de rétablir des continuités trop longtemps déniées à ses yeux par les anciens « spiritualismes ».

Le projet, compréhensible et légitime au départ, est-il toujours convaincant dans sa réalisation ? Rien n'est moins sûr. Sans doute les travaux des zoologistes sont-ils passionnants en ce qu'ils montrent, de façon en effet lumineuse, comment ces animaux qu'on croyait « bêtes », au point que Descartes avait pu les tenir pour de simples machines, possèdent une intelligence et une affectivité en vérité fort développées. Et de fait, nombre de comportements observables aujourd'hui, parce qu'on leur prête enfin l'attention qu'ils méritent, le confirment. Il n'empêche : d'une manière générale, on éprouve le sentiment que l'humain ne se laisse pas réduire à l'animal aussi aisément que le voudraient nos biologistes. De cette discontinuité on peut d'ailleurs donner deux indices significatifs. Le premier se situe dans la sphère de l'éthique : lors même qu'ils plaident pour une continuité parfaite sur le plan théorique, nos matérialistes n'en persistent pas moins à procéder dans leurs laboratoires comme si une rupture radicale subsistait sur le plan moral : disséquer des souris ou des lapins, voire des singes, des chats ou des chiens, ne leur pose guère de problème mais nul ne songe, pour l'instant, à les remplacer par des petits

421

enfants. On pourrait sans doute objecter qu'une telle attitude relève encore chez eux de préjugés anciens, que la praxis est en décalage avec la théorie. Il n'est pas certain, cependant, qu'une telle objection aurait raison de nos convictions intimes et qu'il ne faille pas tenter de les penser, plutôt que de les dénier, pour comprendre enfin ce qu'elles peuvent avoir le cas échéant de juste. Le contraste, en tout état de cause, reste frappant, entre la continuité scientifique et la rupture éthique. Sans doute tient-il au fait que nous avons tous plus ou moins conscience qu'avec l'être humain, la nature a engendré le seul être capable de s'arracher à la réalité pour la juger, de prendre avec elle des distances qui lui permettent à certains égards d'être « anti-naturel », de construire les lois ou des œuvres qui combattent la nature plus qu'elles ne la prolongent, bref, d'être l'unique vivant susceptible de lui résister, la seule forme de vie capable de se révolter contre la vie elle-même et, par là même, c'est tout un, d'accéder à la sphère de la morale, de la culture et de la politique.

Il faudrait d'ailleurs – et c'est là le second indice auquel je songeais – lier indissolublement l'hypothèse de cette liberté d'arrachement avec l'entrée dans l'historicité, qui semble bien être encore aujourd'hui le véritable critère du propre de l'homme : en nous émancipant des règles immuables de la nature tant sur le plan individuel (éducation) que collectif (culture et politique), non seulement la faculté de ne pas rester englués dans le réel naturel nous permet d'entrer dans une histoire à laquelle les animaux n'accèdent pas, rivés qu'ils sont à des règles intangibles depuis des millénaires, mais elle nous offre la possibilité d'entrer dans un monde commun grâce à une faculté spécifiquement humaine : celle du récit. On dit souvent des animaux qu'il ne leur « manque que la parole ». C'est pécher soi-même par manque de réflexion : car l'auraient-ils qu'ils n'auraient peut-être rien à nous dire – tandis qu'un homme qui, par accident, l'a perdue, conservera cependant toujours cette dimension de l'humanité qui tient à la capacité de former une histoire pour la communiquer à autrui. Pourquoi ? Tout simplement parce qu'un être de part en part naturel, un être qui est privé de cette liberté qui lui permettrait d'échapper, ne fût-ce qu'un instant, aux règles naturelles, donc anhistoriques (sauf, peut-être, à l'échelle de centaines de milliers, voire de millions d'années), qui guident son existence, n'ayant pas accès à l'historicité se voit privé d'histoires à raconter. Impossible, pour lui, d'entrer dans la sphère du « sens commun », de forger, en communication avec d'autres, un monde de la culture et de l'esprit. On peut toujours discuter à perte de vue de la question de savoir si le pinson possède ou non une culture parce qu'il chante ici ou là un peu différemment, si le chimpanzé est « cultivé » parce qu'il casse, dans telle contrée d'Afrique et non dans telle autre, des noix à l'aide d'une pierre, si l'éléphant possède une disposition naturelle à la métaphysique parce qu'il réagit face à la mort d'un des siens… La belle affaire ! Faut-il que nous ayons perdu le sens des mots pour en faire de telles valises. La vérité est que l'animal, non seulement est pauvre en monde, comme dit Heidegger, mais surtout pauvre en histoire. Si les lions pouvaient parler, il est fort à craindre qu'il n'auraient pas grand-chose à nous raconter. La preuve ? Le fameux langage des grands singes, de Kanzi par exemple, qui nous donne en première approximation une idée de ce qu'aurait pu être un discours animal. Hélas, pour le peu que Kanzi maîtrise, son expression ne dépasse jamais le stade du performatif : Kanzi comprend les ordres qu'on lui intime, émet à son tour des demandes, mais jamais ne s'élève jusqu'au récit, à la différence du tout petit enfant qui, dès deux ou trois ans, s'émerveille de sa découverte du monde au point d'éprouver très tôt le besoin pressant de partager ses sentiments et ses expériences avec ses proches.

A cet égard, la possibilité du récit est beaucoup plus fondamentale que celle du langage lui-même, avec laquelle on la confond pourtant si souvent et si platement. Car avec le récit, il en va de l'existence même d'un monde commun en tant que propre de l'homme. Et dans ce monde, le langage, l'art, l'éducation, la religion, l'amour et la haine ne doivent pas être identifiés, comme les penchants contemporains au scientisme nous y invitent de façon indigente, avec leurs analogues animaux : éducation n'est pas apprentissage, culture n'est pas mœurs, brutalité n'est pas méchanceté, attachement n'est pas amour, gène égoïste n'est pas sacrifice – où l'on voit, au travers de ces confusions ordinaires du discours de la biologie contemporaine, comment la notion de monde commun, dont la possibilité du récit est le signe même, est à chaque fois manquée.

Mais laissons là les termes de ce débat. Ce qui importe ici, c'est d'en cerner la logique de fond : je voudrais montrer comment la force, mais aussi la faiblesse du matérialisme, tient au fait qu'il ne cesse de se mouvoir au sein d'un double paradoxe.

Le premier ne surprendra pas les lecteurs familiers de la tradition philosophique : contrairement à ce que l'on pourrait imaginer *a priori*, le matérialisme culmine dans une éthique, une invitation à la sagesse, voire, le mot n'est pas trop fort, une spiritualité qui confine même au mysticisme. Loin de sombrer dans l'immoralisme, sa critique des morales traditionnelles fait signe vers une approche de la vie bonne, vers une sotériologie qui, pour se concevoir en l'absence d'un dieu, n'en prétend pas moins à plus de légitimité que celle des religions ou des philosophies idéalistes. A la doctrine du salut, dont il assume souvent le projet dans le sillage de Spinoza, il entend ajouter une exigence de lucidité qu'aucune autre doctrine à ses yeux ne parviendrait à assumer. Et, de fait, il faut bien reconnaître que, prise à son meilleur niveau, la spiritualité matérialiste offre une authentique et puissante vision de la vie bienheureuse. Il n'est pas certain cependant qu'elle soit aussi aisément tenable que ne le laisserait supposer sa volonté de se parer des prestiges conférés d'ordinaire par les sciences exactes.

Second paradoxe : alors qu'elle prétend radicalement rompre, au nom de cette même exigence de lucidité qui la pousse à déconstruire les « idoles », avec les religions et les métaphysiques classiques, la sagesse matérialiste ne parvient jamais à s'accomplir pleinement sans retomber lourdement dans les ornières de la métaphysique auxquelles elle se faisait pourtant un devoir absolu d'échapper.

Reprenons brièvement.

Que le matérialisme s'épanouisse dans les termes d'une éthique, voire d'une « spiritualité laïque » qui prétend offrir aux êtres humains une définition de la vie bonne, une doctrine du salut émancipée des oripeaux de la métaphysique et de la religion, c'est là ce que tout lecteur de Spinoza, et même nous l'avons vu, de Nietzsche, doit bien finir par admettre. Dans l'espace de la philosophie contemporaine, André Comte-Sponville a montré comment cette sagesse d'un troisième type – ni religieuse ni idéaliste – culminait dans une critique de l'espérance et, corrélativement, dans un appel à se réconcilier avec le monde tel qu'il est : « espérer un peu moins, aimer un peu plus », telle est à ses yeux la clef d'une vie réussie, car l'espérance, à l'encontre de ce que laissent vainement entendre la religion chrétienne, mais après elle encore, les utopies politiques, loin de nous aider à vivre mieux, nous fait plutôt manquer l'essentiel de la vie même qui est à prendre ici et maintenant. Dans cette optique, en effet, et sur ce point le matérialisme occidental rejoint une longue tradition de pensée orientale, l'espoir est bien davantage un malheur qu'une bienfaisante vertu, s'il est vrai, comme le dit encore André Comte-Sponville, qu'« espérer, c'est désirer sans jouir, sans savoir et sans pouvoir ». Sans jouir, puisqu'il est clair, par définition même, que nous ne possédons pas les objets de nos espérances : espérer être riche, être jeune, être en bonne santé, etc., c'est bien sûr ne pas l'être déjà, donc se situer dans le manque de ce que nous voudrions être ou posséder. Mais c'est aussi désirer sans savoir : si nous savions quand et comment les objets de nos espoirs allaient nous advenir, nous nous contenterions sans nul doute de les *attendre,* ce qui, si les mots ont un sens, est tout différent. Enfin, c'est désirer sans pouvoir puisque, d'évidence là encore, si nous avions la capacité ou la puissance d'actualiser nos souhaits, nous nous bornerions tout simplement à le faire, sans passer par le détour de l'espoir.

Frustration, ignorance, impuissance, voici donc bien les caractéristiques majeures de l'espérance – par où la critique qu'en fait le matérialisme rejoint une spiritualité qui, sur deux points essentiels, trouve à s'alimenter, tant dans les sagesses anciennes que, paradoxalement, dans une certaine lecture du christianisme lui-même. Des sagesses anciennes, en effet, le matérialisme reprend volontiers l'idée du *carpe diem,* la conviction que la seule vie qui vaille la peine d'être vécue se situe dans l'ici et le maintenant, dans la réconciliation avec le présent. Pour lui comme pour elles, les deux maux qui nous gâtent l'existence sont la nostalgie d'un passé qui n'existe plus et l'attente d'un futur qui n'est pas encore, en quoi, au nom de ces deux néants, nous manquons absurdement la vie telle qu'elle est, la seule réalité qui vaille parce que seule vraiment réelle : celle d'un instant qu'il nous faudrait enfin apprendre à aimer tel qu'il est. Du christianisme, à l'instar déjà de Spinoza, le matérialisme accepte le message d'amour. On se souvient que la doctrine chrétienne retient trois vertus fondamentales, «théologales», comme dit le vocabulaire consacré : la foi, l'espérance et la charité (l'amour). Mais dans le Royaume, lorsque nous serons enfin mis en présence de Dieu, il va de soi, saint Paul l'avait déjà souligné, que seule subsistera la dernière : la foi n'aura plus lieu d'être puisque nous connaîtrons Dieu et que sa seule présence la rendra vaine ; l'espérance disparaîtra tout autant, et pour les mêmes raisons, puisque nous serons comblés. Restera alors l'amour. La conviction du matérialisme est qu'il faut agir comme si le Royaume était déjà là, comme s'il était déjà de ce monde ou, pour mieux dire, comme s'il était le monde lui-même, ce réel qu'il nous faut, comme dans le message stoïcien ou spinoziste, aimer comme il est (sinon nous ne l'aimons pas), ici et maintenant. *Amor fati*, voici donc bien le fin mot de la spiritualité matérialiste.

Cette invitation à l'amour ne saurait laisser insensible. Elle a même, j'en suis convaincu, sa part de vérité qui correspond à une expérience que nous avons tous faite : celle de ces instants de « grâce » où, par bonheur, le monde tel qu'il va ne nous paraît pas hostile, malade ou laid, mais, au contraire, bienveillant et harmonieux.

Ce peut être à l'occasion d'une promenade au bord d'un fleuve, à la vue d'un paysage dont la beauté naturelle nous charme, ou même, au sein du monde humain, lorsqu'une conversation, une fête, une rencontre nous comblent – toutes situations que j'emprunte pour l'occasion à Rousseau. Peu importe au fond : chacun pourra à son gré retrouver le souvenir d'un de ces moments bienheureux de légèreté où nous éprouvons le sentiment que le réel n'est pas à transformer, à améliorer laborieusement, par l'effort et le travail, mais à goûter dans l'instant tel qu'il est, sans souci du passé ni de l'avenir, dans la contemplation et la jouissance plus que dans la lutte portée par l'espoir de jours meilleurs...

En ce sens, le matérialisme est bien une philosophie du bonheur et, lorsque tout va bien, qui ne serait volontiers porté à céder à ses charmes ? Une philosophie pour beau temps, en somme. Oui, mais voilà, quand la tempête se lève, pouvons-nous encore le suivre ? C'est pourtant là qu'il nous serait de quelque secours, mais d'un coup, il se dérobe sous nos pieds – ce que, d'Epictète à Spinoza, les plus grands furent bien contraints de concéder : le sage authentique n'est pas de ce monde et la « connaissance du troisième genre » nous reste, hélas, inaccessible. En clair : face à l'imminence de la catastrophe – la maladie d'un enfant, la victoire possible du fascisme, l'urgence d'un choix politique ou militaire, etc. –, je ne connais aucun sage matérialiste, aucun spinoziste qui ne redevienne aussitôt un vulgaire kantien soupesant les possibles, tout à coup convaincu que le cours des événements pourrait bien en quelque façon *dépendre de ses libres choix.* Qu'il faille se préparer au malheur, l'anticiper, comme on l'a dit, sur le mode du futur antérieur (« quand il adviendra, je m'y serai du moins préparé »), j'en conviens volontiers. Mais qu'il faille aimer en toute circonstance le réel me paraît tout simplement impossible, pour ne pas dire absurde, voire obscène. Quel sens peut bien avoir l'impératif de *l'amor fati* à Auschwitz? Et que valent nos révoltes ou nos résistances si elles sont inscrites de toute éternité dans le réel au même titre que ce à quoi elles s'opposent? Je sais que l'argument est trivial. Pour autant je n'ai jamais vu qu'aucun spinoziste, ancien ou moderne, avait trouvé les moyens d'y répondre.

Ce n'est pas faute, pourtant, d'avoir essayé. Mais c'est pour ce faire, justement, qu'en un second paradoxe renforçant le premier, le matérialisme retombe lourdement dans les ornières de la métaphysique la plus traditionnelle. Comme dans le stoïcisme, en effet, toute philosophie de l'immanence radicale, de la réconciliation avec le réel suppose une conviction dogmatique : celle selon laquelle le libre arbitre est une illusion, voire l'illusion par excellence, puisque seul le réel existe, à l'exclusion de tous les possibles que notre imagination délirante nous représente comme accessibles à nos choix. Pour mieux faire ressortir cette exigence, on peut la comprendre en partant de sa réciproque : si je réintroduis des possibles et admets par hypothèse le libre arbitre, si j'accepte l'idée que le cours du monde dépend, fût-ce pour une part infime, des choix que je puis opérer librement entre eux, alors, inévitablement, le doute, l'hésitation voire l'angoisse se réintroduisent, et avec elle, l'éventualité d'une culpabilité : ai-je bien agi, ai-je choisi la bonne option? Et si quelques conséquences lourdes en dépendent, comment échapper à sa responsabilité et, par là même, au tragique d'une existence avec laquelle il m'est désormais refusé de me réconcilier dans la plus parfaite sérénité? Bref : comment échapper au très banal «point de vue de la morale»?

Commentant le livre I de l'*Ethique* de Spinoza, André Comte-Sponville choisit – si l'on peut dire – pour cette raison le déterminisme absolu : «L'homme n'est pas un empire dans un empire : il n'est qu'une partie de la nature dont il suit l'ordre, ou à nos yeux le désordre. Qui condamnerait moralement une éclipse ou un tremblement de terre? Et pourquoi faudrait-il condamner davantage un meurtre ou une guerre? Parce que les hommes en sont responsables? Disons qu'ils en sont causes, qui le sont à leur tour par d'autres, et ainsi à l'infini (*Ethique*, I, 28). Il n'y a rien de contingent dans la nature (*Ethique* I, 29), ni donc rien de libre dans la volonté (*Ethique*, I, 32 et II, 48) : les hommes ne se croient libres de vouloir que parce qu'ils ignorent les causes de leur volition... La croyance au libre arbitre n'est donc qu'une illusion et c'est pourquoi toute morale (si l'on entend par là ce qui autorise à blâmer ou à louer absolument un être humain) est illusoire aussi [1]». Ou, comme l'écrit lui-même Spinoza : «Tout ce qu'on pense être insupportable et mauvais et tout ce qui paraît en outre immoral, digne d'horreur, injuste et vilain, cela provient de ce qu'on conçoit les choses d'une façon troublée, mutilée et confuse. [2]» Si l'on se place du point de vue adéquat, c'est-à-dire du point de vue qui serait celui de Dieu sur le cours du monde, il nous apparaîtra que tout est nécessaire et déterminé, que rien n'appartient au libre arbitre de l'homme, et, alors, enfin débarrassés du poids d'une fausse responsabilité, et

---

1. Voir son article, au demeurant excellent, sur Spinoza, dans le *Dictionnaire de philosophie morale* dirigé par Monique Canto-Sperber aux Presses universitaires de France (p. 1440 *sq.*).

2. *Ethique*, IV, 73, sc.

avec elle, d'une vaine culpabilité, archétype de toutes les « passions tristes », nous accepterons joyeusement le monde tel qu'il va.

Où l'on retrouve la possibilité d'une sagesse de l'amour. Mais à quel prix ? Qui nous garantit, en effet, que cette mise entre parenthèses du point de vue fini de l'homme et ce saut mystique dans l'Absolu ne soient pas eux-mêmes la pire des illusions, celle, classique au demeurant, de toute la métaphysique traditionnelle ? « Toute notre félicité et toute notre misère, écrit Spinoza, ne résident qu'en un seul point : à quelle sorte d'objets sommes-nous attachés par l'amour ? Pour un objet qui n'est pas aimé, il ne naîtra pas de querelle ; nous serons sans tristesse s'il vient à périr, sans envie s'il tombe dans la possession d'un autre : sans crainte, sans haine et, pour le dire d'un mot, sans trouble de l'âme. Toutes ces passions sont au contraire notre partage quand nous aimons des choses périssables comme toutes celles dont nous venons de parler. Mais l'amour allant à une chose éternelle et infinie repaît l'âme d'une joie pure, d'une joie exempte de toute tristesse : bien grandement désirable et méritant qu'on le cherche de toutes ses forces[1] ». Drôle de matérialisme à vrai dire : on croirait, et presque mot pour mot, entendre Pascal ou Augustin. Comme eux, il nous invite à faire porter l'amour exclusivement sur l'Eternel, faute de quoi il nous promet la déception. Spinoza en convient d'ailleurs, puisqu'il avoue n'avoir d'autre but que de retrouver « l'esprit du Christ ». Pourquoi pas, du reste ? Ce n'est pas ici l'objectif qui paraît contestable, mais la cohérence du propos. On précisera, cela ne m'a pas échappé, que le Dieu de Spinoza n'est pas tout à fait celui des chrétiens,

---

1. *Traité de la réforme de l'entendement*, III, 9-10.

qu'il n'est pas transcendant par rapport au monde, mais qu'il se confond au contraire avec lui. L'invitation à l'amour porte donc sur le réel, ici et maintenant, non sur l'au-delà.

Soit. Mais à qui fera-t-on croire que c'est pur hasard si ce réel-là porte justement, chez Spinoza, le nom de Dieu ? On voudrait que tous les instants de la vie soient comme les moments de grâce – à quoi bon d'ailleurs philosopher s'il ne s'agissait que d'aimer ce qui est aimable. Mais, comme déjà chez les stoïciens, il faut pour y parvenir sortir de la conscience finie, donc du matérialisme, pour se situer à un point de vue, celui de Dieu, à partir duquel seul le déterminisme, qui permet de justifier l'*amor fati* et de faire de chaque instant un instant de grâce, est concevable. Le déterminisme absolu est la condition de possibilité de l'*amor fati*. Sans lui, la réconciliation avec le réel, l'amour de ce qui est n'a plus aucun sens, car les possibles reprenant leurs droits, le doute, la responsabilité, la culpabilité reprennent aussi leurs droits contre la sérénité. L'attitude matérialiste semble donc tout à la fois contradictoire (exigeant la fusion avec le point de vue de Dieu, elle tourne inévitablement au mysticisme) et inopérante : dans la vie courante, le matérialiste continue à être aussi angoissé que les autres et à se comporter comme s'il croyait au libre arbitre autant qu'à l'illusion des possibles.

Par où le matérialisme s'avère être non une «déconstruction», un apogée de l'esprit critique, mais une onto-théologie traditionnelle, une métaphysique dogmatique qui dépasse de manière illégitime les limites de l'expérience, de la finitude humaine, pour se mouvoir dans une sphère où nul être humain ne peut à vrai dire séjourner. La généalogie se retourne contre elle-même et apparaît le soupçon selon lequel on le choisit peut-être moins pour la lucidité qu'il est censé procurer [1], que pour la paix qu'il nous promet, pour en finir autant que faire se peut avec les interrogations que l'idée même des possibles suscite en nous. Comme nulle autre philosophie, en effet, il prétend nous soustraire au tragique de la vie. Je doute non seulement qu'il y réussisse, mais qu'il soit même souhaitable d'y

---

1. Un raisonnement analogue vaudrait pour les doctrines matérialistes dont on a vu comment, depuis l'Antiquité, elles pouvaient s'alimenter, non à la nécessité, mais au hasard. Comme celles de la nécessité, en effet, les philosophies de la contingence radicale disqualifient l'idée de responsabilité, car l'indéterminisme ne se confond nullement avec le libre arbitre. Comme les premières, elles ont pour ultime objectif de nous libérer du temps, de nous arrimer au présent pour nous faire ainsi entrer dans une forme humaine d'éternité. Plus personne aujourd'hui ne croit davantage en la théorie du *clinamen* qu'en l'argument ontologique qui, chez Spinoza, fonde toute la critique du libre arbitre, et donc de la morale (en montrant qu'il ne peut pas y avoir de possibles non actualisés). Mais cela n'a guère d'importance : si la finalité du propos n'est pas la vérité, la lucidité, mais le réconfort, le matérialisme s'accommode aussi bien d'une physique du hasard que de la nécessité, ainsi que le remarque justement Pierre Hadot (*Qu'est-ce que la philosophie antique ? op. cit.*, p. 184) : « Comme le montre Lucrèce avec beaucoup de force, c'est la crainte de la mort qui est finalement à la base de toutes les passions qui rendent les hommes malheureux. C'est pour guérir l'homme de ces terreurs qu'Epicure propose son discours théorique touchant la physique. Il ne faut surtout pas se représenter la physique épicurienne comme une théorie scientifique, destinée à répondre à des interrogations objectives et désintéressées... Bien au contraire, la théorie philosophique n'est ici que l'expression et la conséquence du choix de vie originel, un moyen d'atteindre la paix de l'âme et le plaisir pur... Les recherches ne sont menées que pour assurer la paix de l'âme, soit grâce aux dogmes fondamentaux qui élimineront la crainte des dieux et de la mort, soit, dans le cas de problèmes secondaires, grâce à une ou plusieurs explications qui, en montrant que ces phénomènes sont purement physiques, supprimeront le trouble de l'esprit. Il s'agit donc de supprimer la crainte des dieux et de la mort » ou, selon l'aveu d'Epicure lui-même dans ses *Maximes capitales* (XI et XII) : « Il n'y a pas d'autre fruit à tirer de la connaissance des phénomènes célestes que la paix de l'âme et une ferme assurance, comme c'est le but également de toutes les autres recherches. » Et, au fond, qu'on y parvienne par le déterminisme des stoïciens ou par l'indéterminisme des épicuriens importe peu.

parvenir : pour être un spinoziste accompli, il faudrait être un dieu ou une pierre lâchée de la fronde qui lui donnait son mouvement et, comme dit l'adage, *ultra posse nemo obligatur...*

Par où le matérialisme nous reconduit à la religion dont il voulait nous déprendre : même passion de l'hétéronomie, même souci des fondations ultimes, même volonté d'enraciner la sagesse humaine dans une altérité radicale qu'elle ne saurait atteindre ni même se représenter : celle d'un réel éternel, absolu et tout-puissant.

II. « Moderniser » le religieux : vers une théologie plus « humaniste » ?

On a déjà suggéré en quoi, selon une certaine acception, l'organisation religieuse de la société pouvait apparaître comme l'élément dont la modernité démocratique est progressivement sortie au cours des deux derniers siècles. En première approximation, on pourrait dire que cette dernière fait volontiers valoir contre l'hétéronomie, l'autonomie ; contre la tradition, l'innovation ; et contre le communautarisme, l'individualisme. Arrêtons-nous un instant à ce diagnostic, pour en préciser encore quelque peu les termes : s'il se révélait juste, en effet, on mesure aussitôt qu'il rendrait *a priori* fort problématique le projet de « moderniser » le religieux, de le rendre enfin compatible avec les exigences de l'univers laïc puisque c'est pour ainsi dire par nature même qu'il serait hostile aux principales valeurs qui semblent le nourrir.

Que veut-on dire, d'abord, quand on parle d'hétéronomie ? Dans un premier temps du moins, la

réponse peut paraître aisée : le terme désigne tout simplement le fait que les grandes religions s'accordent
pour faire dépendre l'humanité – son organisation, sa
vie, son salut – d'un principe radicalement extérieur
et supérieur à elle. Dans l'existence temporelle, cette
transcendance du divin se manifeste par un certain
rapport à la loi, dans la conviction que son principe
même échappe aux individus qui la reçoivent et en
dépendent jusque dans leur vie quotidienne. C'est
dans cette perspective que Marcel Gauchet a pu avancer la thèse selon laquelle le religieux «le plus religieux» était à l'origine de l'histoire, qu'il se rencontrait pour ainsi dire à l'état chimiquement pur dans les
«sociétés sauvages» où l'extériorité des sources fon-
datrices de l'organisation sociale est la plus grande.
Mais il y a plus : entendu en ce sens, le religieux n'implique pas simplement l'*hétéronomie*, la conviction que
la loi vient d'ailleurs que de l'humanité elle-même,
mais la *dénégation de l'autonomie*, c'est-à-dire le fait que
les êtres humains refusent de s'attribuer à eux-mêmes
l'organisation sociale, l'histoire, la fabrication des lois,
et que, à travers ce déni de l'humanité comme origine
véritable du politique, ils extra-posent les principes
fondateurs du lien politique dans une transcendance
et une dépendance radicales.

Dans cette optique, on comprend aussi que le religieux puisse apparaître comme appartenant, et là
encore presque par essence, au passé, à un temps
révolu. Il ne s'agit pas ici de suggérer, à la manière
d'un Auguste Comte, que le monde moderne, enfin
parvenu à l'âge de la science et de la démocratie, serait
sorti des *naïvetés* religieuses, mais plutôt de montrer
qu'il appartient par nature à des formes d'organisations politiques *traditionnelles* dans lesquelles la loi est
pensée comme un héritage immémorial et intangible.

Dans l'univers moderne, un homme politique qui se présenterait aux élections avec pour seul et unique programme la promesse solennelle que, surtout, il ne changerait jamais rien, aurait, on en conviendra, peu de chances d'être élu. L'appartenance du religieux au passé n'est pas à cet égard une appartenance superficielle, mais c'est *structurellement,* que l'idée religieuse – parce qu'elle tient à la notion de dépendance radicale envers une origine supra-humaine précédant l'histoire elle-même – est liée à la sacralisation du concept de transmission.

Enfin, et quelle que soit l'étymologie exacte du mot religion, il est clair que les différents principes transcendant l'humanité ont eu pour effet de l'organiser en communautés de croyances où la notion d'individu était secondaire par rapport à celle d'héritage ou de tradition : la partie est toujours, dans cette perspective, inférieure au tout, l'organe vaut moins que l'organisme, le membre moins que le corps, et moins surtout que le créateur tout-puissant de l'ensemble au sein duquel les créatures sont comme soudées entre elles au sein d'une hiérarchie des êtres qui se veut intangible. De là, d'ailleurs, l'atrocité des guerres de religion qui continuent aujourd'hui encore d'ensanglanter le monde : visant la communauté adverse en tant que telle, elles sont peu portées à faire la différence entre l'individu et la nation, encore moins entre l'homme et le soldat, de sorte qu'elles sont toujours plus ou moins saisies par la tentation exterminatrice ou génocidaire.

Et de fait, il faut reconnaître, au moins dans un premier temps (on nuancera plus loin le propos), que cette structure d'hétéronomie traditionnelle constitue bien à certains égards l'un des traits dominants du religieux – lequel continue pour cette raison à s'imposer en quelque façon sous les dehors de l'argument d'autorité. Plutôt que de dénier cette réalité, parce qu'elle pourrait paraître «dogmatique» et heurter la sensibilité démocratique où nous baignons en permanence, le *Catéchisme de l'Eglise catholique* a le mérite, pour ne pas dire le courage, de l'assumer pleinement : «Le motif de croire n'est pas le fait que les vérités révélées apparaissent comme vraies et intelligibles à notre raison naturelle. Nous croyons "à cause de l'autorité de Dieu même qui révèle et qui ne peut ni se tromper ni nous tromper"... La foi est certaine, plus certaine même que toute connaissance humaine, parce qu'elle se fonde sur la Parole même de Dieu, qui ne peut pas mentir. Certes, les vérités révélées peuvent paraître obscures à la raison et à l'expérience humaines, mais "la certitude que donne la lumière divine est plus grande que celle que donne la lumière de la raison naturelle"» (§§ 156-157). On dira peut-être que le catéchisme n'est pas une référence, qu'il appartient à un genre littéraire peu porté sur la nuance et que la discussion philosophique ne lui est guère permise. Sans doute, mais Pascal, qui n'était pourtant pas du genre bigot ni enclin à la niaiserie, ne cesse de dire la même chose : si le moi est haïssable, c'est parce que, prétendant toujours avoir le dessus, il fait oublier l'essentiel aux humains, à savoir que «ce n'est point en vous-même que vous trouverez ni la vérité, ni le bien[1]». Toute vérité et toute justice viennent de Dieu, non des hommes, et leur principale vertu, à cet égard, réside dans l'humilité.

A cette première autorité, qui vient directement de l'Etre suprême, s'ajoute en outre celle, indirecte, de

---

1. *Pensées*, 430.

l'Eglise dont les fidèles sont priés d'admettre qu'elle détient le monopole de la légitimité dans l'interprétation du contenu de la Révélation, y compris bien entendu sur le plan moral, comme le précise le même passage du *Catéchisme* : « Le Magistère de l'Eglise engage pleinement l'autorité reçue du Christ quand il définit des dogmes, c'est-à-dire quand il propose, sous une forme obligeant le peuple chrétien à une adhésion irrévocable de foi, des vérités contenues dans la Révélation divine ou bien quand il propose de manière définitive des vérités ayant avec celles-là un lien nécessaire » (ce dernier ajout visant bien sûr les recommandations morales absentes des Evangiles mais adaptées par l'Eglise au monde d'aujourd'hui). On ne saurait être plus clair : le Magistère ne nie pas la liberté personnelle, ni le rôle de la conscience dans le « choix » de la foi. Mais cette dernière n'est jamais qu'une « réponse » face à un don, une réaction seconde par rapport à une Révélation qui la précède.

Or c'est bien sûr ce rapport à une « autorité révélée », et qui plus est interprétée par d'autres jusque dans ses conséquences parfois les plus lointaines, qui est spontanément rejeté par l'idéologie démocratique. Depuis le xviie siècle, un conflit tantôt ouvert, tantôt larvé s'est ainsi instauré entre les religions révélées et l'exigence moderne, issue du cartésianisme notamment, selon laquelle il conviendrait de mettre en doute les préjugés hérités du passé, de rejeter radicalement toute espèce d'arguments d'autorité. « Penser par soi-même » : telle fut l'exigence ultime, l'impératif fondamental, non négociable qui conduisit progressivement tout un chacun à vouloir soumettre à l'examen critique les vérités les mieux établies par la tradition, à commencer par celles de la Révélation.

Cela signifie-t-il, comme certains ont feint de le croire[1], que la religion, vouée tout entière à l'hétéronomie et à la tradition, appartiendrait désormais au monde ancien, à l'univers où l'homme n'a pas encore pour ainsi dire accédé à lui-même, tandis que les Modernes, épris d'autonomie démocratique, seraient enfin libres, conscients, lucides et autonomes? Evidemment non. Une telle lecture déforme – sans nul doute volontairement – le sens de l'analyse qu'on vient d'évoquer. En caricaturant pour les besoins de sa cause, elle s'égare et cherche à égarer tant sur la notion d'hétéronomie que sur celle d'autonomie. Nul ne songe en effet à nier que la foi, précisément parce qu'elle se veut réponse à un appel, puisse être vécue par le croyant comme un «choix libre», comme un acte d'autonomie – ce qui n'exclut en rien qu'elle continue de renvoyer à l'idée d'une dépendance radicale, donc d'une hétéronomie originaire (en l'occurrence, une «théo-nomie» : une fondation de la loi en Dieu). La réciproque vaut bien entendu du côté des Modernes : la prétention cartésienne à «penser par soi-même», loin d'annuler toute forme d'hétéronomie, n'a fait que mettre davantage en relief l'existence des nombreux déterminismes, psychiques, historiques ou biologiques, qui continuent de peser tout autant qu'auparavant sur des individus qui ne maîtrisent ni leur naissance, ni leur mort, ni même sans doute l'essentiel du cours de leur vie. Comment comprendre ce double paradoxe d'une hétéronomie radicale qui

---

1. Cf. par exemple, Paul Valadier, *Un christianisme d'avenir*, Seuil, p. 130 *sq.* Les critiques que m'adresse Valadier sont si désobligeantes dans la forme et si indigentes quant au fond qu'elles découragent quelque peu la discussion – d'autant que l'indigeste brouet laborieusement concocté par l'auteur à partir des travaux d'Arendt et Charles Taylor ne donne guère envie d'aller plus loin...

n'exclut pas l'autonomie du choix religieux, et d'un idéal d'autonomie qui ne met nullement fin à la réalité multiforme de l'hétéronomie ?

A la vérité, on peut fort bien concéder que la religion *tend d'elle-même* (et non selon un mauvais procès d'intention qu'on lui ferait de l'extérieur) à affirmer que la foi est une grâce, c'est-à-dire un don gratuit d'un être réel dont nous dépendons radicalement et auquel nous devons obéissance. L'hétéronomie ne signifie pas que la foi a été *extorquée de force, par des arguments d'autorité imposés du dehors.* Le christianisme est au contraire par excellence la religion qui laisse l'homme libre de son conseil, qui lui reconnaît la légitimité de son forum intérieur et qui n'attribue de mérite à la foi que parce qu'elle relève, du moins pour une part, d'un libre choix. Voilà d'ailleurs pourquoi le pape, tout en reconnaissant l'hétéronomie radicale de la vérité, n'en tente pas moins de l'accorder à la liberté de conscience. Selon son encyclique consacrée à la *Splendeur de la vérité,* la conscience et la vérité doivent être réconciliées. Comme le disait déjà Vatican II, « Dieu a voulu laisser l'homme à son conseil ». Il ne lui a pas ôté la liberté, bien au contraire. Simplement, comme il a aussi créé l'homme à son image, c'est en suivant dans ses actions les principes de la vérité divine que l'être humain accède pleinement à lui-même. Dans le langage de la théologie, on parlera de « théonomie participée » (§ 41). En clair : la loi morale, certes, vient de Dieu et non des hommes (théo-nomie), mais cela n'exclut pas leur autonomie, puisque l'être humain, participant en quelque façon du divin, n'accède à la pleine liberté que par l'obéissance à la loi qui lui est prescrite : « L'autonomie morale authentique de l'homme ne signifie nullement qu'il refuse, mais bien qu'il accueille la loi morale, le commandement de Dieu [...]. En réalité, si l'hétéronomie de la morale signifiait la négation de l'autodétermination de l'homme ou l'imposition de normes extérieures à son bien, elle serait en contradiction avec la révélation de l'Alliance et de l'Incarnation rédemptrice ». Ainsi donc, la liberté de conscience n'exclut pas l'hétéronomie radicale de la Vérité, la transcendance absolue, mais il n'empêche, le pape a raison de son point de vue, la foi est un don, il y a une vérité révélée et splendide, et elle a bien pour origine un Etre suprême, un fondement réel.

Qu'à l'inverse, l'idéologie démocratique possède une tendance à magnifier l'idéal d'autonomie n'est pas douteux. Mais c'est là, justement, un travers que je n'ai cessé de dénoncer comme relevant à la limite *d'une logique qui est davantage celle du matérialisme que de l'humanisme*, c'est-à-dire d'une pensée qui, à l'instar de la sociobiologie contemporaine, professe l'immanence radicale des valeurs à la réalité matérielle de l'être humain. Pour le matérialiste, l'homme ne découvre pas les valeurs, il les invente, il en est le créateur, le fondement ultime, même s'il ne s'en rend pas compte et croit, de façon fétichiste, que ce qu'il a posé ne vient pas de lui. La critique du fétichisme est le moment clé de l'attitude moderne du soupçon, de la déconstruction, et ce moment a toujours pour résultat un immanentisme radical : les valeurs sont relatives à l'humain parce que c'est lui qui les produit.

A l'encontre du matérialisme, qui peut apparaître à cet égard comme une radicalisation extrême de l'idéologie démocratique, l'humanisme authentique me semble depuis toujours reposer sur le constat d'une extériorité ou d'une transcendance radicales des valeurs : je n'invente pas la vérité, la justice, la beauté ou l'amour, je les découvre, certes en moi-même, mais comme quelque chose qui m'est pour ainsi dire donné du dehors – sans que je puisse pour autant identifier le fondement ultime de cette donation : il subsiste en effet un mystère de la transcendance, un mystère que le matérialisme et la théologie ne peuvent pas supporter. L'un comme l'autre, en effet, ils entendent en finir avec cet insoutenable flottement de la transcendance, en l'arrimant de manière enfin solide et ferme à une fondation ultime : matérielle pour les uns, divine pour les autres, mais, dans les deux cas, certaine et définitive. Pour un humaniste authentique, en revanche, le mystère de la transcendance n'a rien que de tout à fait rationnel – si du moins on accepte l'idée qu'il est rationnel qu'il y ait de l'irrationnel, et ce pour une raison fort évidente : aucune explication causale ne saurait jamais s'achever par la découverte d'une causalité ultime, d'une « cause première » qui serait « cause de soi ». C'est même pour cette raison que toutes les sciences positives ont aujourd'hui assumé la conviction qu'aucune d'entre elles ne saurait jamais se clore définitivement dans un quelconque « savoir absolu » mais que le progrès scientifique est sans fin, infini ou indéfini, non seulement en fait mais bien en droit – ce qui signifie, si les mots ont un sens, que du mystère subsistera toujours dans notre connaissance du monde. Or voilà ce avec quoi les deux onto-théologies, la matérialiste et la religieuse, veulent en finir, soucieuses qu'elles sont chacune à leur manière d'identifier enfin le fondement naturel ou spirituel de la connaissance et de l'éthique – l'économie, Dieu, les gènes, la libido, ou tout autre principe explicatif que l'on voudra ajouter encore à ceux-là.

L'idée qu'il pourrait exister une transcendance dans l'immanence à la conscience humaine, une transcendance qui ne serait pas un être ou un fondement, mais un horizon de sens, a donc choqué certains amis chrétiens, qui m'ont accusé d'incohérence : ayant du moins compris, à la différence de mes premiers critiques, que je n'identifiais nullement modernité, autonomie, et immanence des valeurs à l'être humain, mais qu'au contraire, l'humanisme auquel je me référais acceptait l'hypothèse d'une transcendance, voire d'un mystère, donc d'une extériorité de ces valeurs par rapport à l'individu, certains ont estimé qu'une telle attitude était doublement contradictoire : pourquoi, d'abord, reprocher au christianisme sa doctrine de l'hétéronomie si c'est pour la faire aussitôt sienne au sein de l'humanisme en y réaménageant une place pour la transcendance ? Comment, ensuite, répondre à la question de l'origine des valeurs communes aux êtres humains, si l'on n'admet pas l'idée d'un fondement réel, en l'occurrence divin ? Ainsi, dans un article au demeurant intéressant et témoignant d'une réelle honnêteté intellectuelle[1], Damien Le Guay m'adresse l'objection suivante : « Quel est donc le statut de cette extériorité acceptée par Ferry ? Car qui dit une "morale extérieure à la nature et à l'histoire" dit une morale qui vient avant la conscience humaine. Or cette antériorité est rejetée avec le théologico-éthique. Dès lors, par un tour de passe-passe théorique, il y aurait une extériorité compatible avec l'homme quand elle est humaniste et une extériorité incompatible quand elle est religieuse ? » Eh oui, cher Damien Le Guay, vous ne pouviez mieux dire : il y a, en effet, plusieurs conceptions de la transcendance, et selon que vous en faites un fondement réel, un étant suprême, ou au contraire un simple horizon de sens dont on ne saurait rendre raison en termes de fondation ultime, vous sortez ou non du cadre d'un humanisme qui se veut non métaphysique.

---

1. « Un nouveau théologien, Luc Ferry ? », *Communio*, janvier-février 2001.

Au-delà commence la foi, celle du chrétien comme celle du matérialiste, et c'est en quoi, naturellement, ils adressent l'un et l'autre à l'humanisme de l'homme-dieu deux critiques parfaitement symétriques : le premier lui concède volontiers son affirmation, contre le matérialisme, d'une transcendance, mais il déplore que l'humaniste n'aille pas tout à fait jusqu'au terme d'une logique pourtant si prometteuse. Pourquoi, en effet, s'arrêter en si bon chemin, pourquoi ne pas fonder la transcendance des valeurs en un Dieu qui viendrait enfin la garantir et l'expliquer de façon satisfaisante ? Le matérialiste loue au contraire l'humaniste de n'en avoir rien fait, il communie avec lui, si l'on ose dire, dans l'athéisme, mais regrette à son tour que, là encore, mais pour des raisons inverses, la logique du raisonnement ne soit pas accomplie et reste comme en suspens : si Dieu n'existe pas, pourquoi ne pas supprimer tout à fait l'absurde notion de transcendance, pourquoi ne pas en finir une bonne fois avec elle en posant que toutes les valeurs sont immanentes à la matérialité du réel ? Réponse : parce que, dans un cas comme dans l'autre, on retombe lourdement dans les illusions des fondations métaphysiques ultimes, dans une onto-théologie dont on a vu comment elle dépassait les limites de la finitude humaine. La foi, sans doute, n'a rien d'illégitime, mais elle est et doit rester ce qu'elle est : un pari, un postulat, une décision de croire qui n'engage jamais que soi-même. Rien n'interdit bien sûr un tel pari : chacun est pleinement libre de croire, avec le matérialiste, que le réel est éternel, qu'il exclut les possibles en même temps que le libre arbitre, ou de penser, avec le chrétien, qu'un Dieu nous a donné les valeurs auxquelles nous adhérons. Mais ce « saut hors de soi » ne peut engager autrui et, à la limite, il n'appartient plus à la philosophie...

Reste donc, pour conclure, à définir de façon rigoureuse les contours de cette autre perspective que représente l'humanisme de l'homme-dieu afin de montrer aussi ce qui rend réellement incontournables les horizons de sens de nos expériences les plus intimes et, cependant, les plus communes.

III. | Les nouveaux visages de la transcendance.

N'aurions-nous désormais le choix qu'entre les transcendances de jadis, qui, même réaménagées aux conditions d'un meilleur accord avec le monde démocratique, continuent de comporter leur inévitable moment « d'autorité », et, de l'autre, l'immanence absolue, la platitude radicale de l'univers démocratique, laïc et désenchanté lorsqu'il se veut tout entier voué à l'idéologie matérialiste ? C'est parce que je n'ai pu m'en persuader que j'ai très tôt voulu faire porter la réflexion philosophique sur la possibilité d'un humanisme « non métaphysique » qui, à l'écart des « restaurations » et des « retours à », viendrait au contraire après les déconstructions de la métaphysique et en tenant compte de leurs apports, ouvrir la problématique du réenchantement du monde. S'il fallait le résumer à son tour, le réduire à l'essentiel comme j'ai tenté de le faire pour les autres positions en présence, je dirais qu'il s'appuie sur un constat, la « divinisation de l'humain », sur trois principes philosophiques post-métaphysiques portant sur la double transcendance de la liberté en l'homme et des valeurs hors de lui, ainsi que sur l'ouverture d'une interrogation nouvelle touchant à la question du bonheur.

I. Le constat : la « divinisation de l'humain »

Depuis plus d'un siècle maintenant, les penseurs les plus puissants, de Nietzsche à Heidegger en passant par Freud, Marx ou Weber, n'ont cessé d'annoncer la « mort de Dieu », d'analyser la sécularisation du monde et les processus qui conduisaient inexorablement, dans l'univers moderne, à l'érosion, puis au retrait des dispositifs religieux. Et, pour une part au moins, ce livre lui-même s'est inscrit dans cette perspective en montrant comment les réponses apportées à la question de la vie bonne n'avaient, au fil du temps, cessé de s'humaniser jusqu'à culminer dans un matérialisme radical. Pourtant, comme j'ai déjà eu l'occasion de le montrer, une histoire du sacrifice – des motifs pour lesquels les êtres humains ont accepté de risquer, voire de donner leur vie pour ce qui leur paraissait *sacré* – suggère encore aujourd'hui une conclusion inverse : à l'encontre de ce qu'auraient dû être les conséquences logiques d'un univers enfin réellement désenchanté, nous continuons, matérialistes ou non, d'estimer que certaines valeurs pourraient, le cas échéant, nous amener à prendre le risque de la mort. Le fameux slogan des pacifistes allemands : « *Lieber rot als tot*[1] », n'a pas, finalement, convaincu tous nos contemporains et, d'évidence, nombre d'entre eux, pas forcément « croyants » pour autant, pensent encore que la préservation de sa propre vie n'est pas nécessairement la valeur suprême entre toutes. J'ai

_____

1. « Mieux vaut rouge que mort. »

même la conviction que, s'il le fallait, nos concitoyens seraient encore capables de prendre les armes pour défendre leurs proches, voire pour entrer en résistance contre l'oppression ou qu'à tout le moins, une telle attitude, lors même qu'ils n'auraient pas le courage de la mener à son terme, ne leur paraîtrait ni indigne ni absurde. Or, et sur ce point Nietzsche a raison, le sacrifice, qui par là renvoie au sacré, possède toujours, même chez un matérialiste convaincu, une dimension religieuse : il implique en effet que l'on admette, fût-ce de manière subreptice, qu'il existe des valeurs *transcendantes*, puisque supérieures à la vie matérielle ou biologique. Simplement, les entités sacrificielles de jadis ont, il est vrai, fait long feu : il n'est pas certain, en effet, que dans nos démocraties occidentales du moins, nombreux soient les individus disposés au sacrifice de leur vie pour la gloire de Dieu, de la patrie ou de la révolution prolétarienne. En revanche, leur liberté et, plus encore sans doute, la vie de ceux qu'ils aiment pourraient bien leur paraître, dans certaines circonstances extrêmes, mériter qu'ils assument encore des combats. En d'autres termes, aux transcendances de jadis – celles de Dieu, de la patrie ou de la Révolution – nous n'avons nullement substitué l'immanence radicale, le renoncement au sacré en même temps qu'au sacrifice, mais bien plutôt des formes nouvelles de transcendance, des transcendances « horizontales » et non plus verticales, si l'on veut : enracinées dans l'humain et non plus dans des entités extérieures et supérieures à lui.

Or c'est très exactement cela qu'il s'agit de penser si l'on veut cesser de vivre, comme le matérialiste doit bien se résoudre à le faire, dans cette intenable *dénégation* qui consiste à reconnaître dans son expérience intime l'existence d'un « absolu pratique », de valeurs qui engagent absolument, tout en s'attachant sur le

447

plan théorique à défendre une morale purement rela-
tiviste qui conduit à réduire cet absolu au statut d'une
simple illusion à surmonter.

II. Trois principes philosophiques post-métaphysiques :
L'excès de la liberté,
L'irréductibilité des valeurs,
La transcendance dans l'immanence

Si le déterminisme n'est lui-même qu'un «choix»
métaphysique, voire, comme chez Spinoza, une forme
de mysticisme, de fusion avec le point de vue d'un Dieu
dont rien, sinon la reprise du vieil argument ontologique, ne nous garantit qu'il se confond avec le réel
ou la nature, force est de reconnaître que l'hypothèse
du libre arbitre demeure elle aussi un choix philosophique possible. C'est celui de Descartes, de Rousseau
et de Kant, bien sûr, mais aussi de Husserl, de Sartre
et même, sous un autre vocable («ek-sistence», ou
«transcendance»), du premier Heidegger. On se sou-
viendra à cet égard de la façon dont Rousseau propose
de différencier l'homme de l'animal par sa capacité,
proprement «sur-naturelle», d'écart par rapport à
l'instinct : là où la bête se montre tout entière régie
par la nature et même plus sûrement guidée par elle
que l'être humain, ce dernier dévoile sans cesse une
étrange et incernable capacité d'excès. En lui, comme
le dit joliment Rousseau, la «volonté parle encore
quand la nature se tait», tandis qu'en l'animal, pourrait-on ajouter, la nature ne cesse de s'exprimer de
manière rigoureuse et impérative. Ce qui vaut à l'humain trois caractéristiques qu'on ne rencontre guère,
quoi qu'en aient nos biologistes, en l'animal : la haine,
tout d'abord, qui prend la forme du démoniaque lors-

qu'elle conduit les hommes, hors de toute rationalité naturelle, à prendre le mal pour projet ; l'amour, quand dépassant la logique utilitariste de la possession et de l'attachement, ils en viennent à se réjouir simplement de l'existence d'autrui – ce que les Grecs nommaient *philia* ; l'éducation enfin, qu'on ne saurait sans réductionnisme confondre avec l'apprentissage animal, dans la mesure où elle nous éloigne davantage de la naturalité en nous qu'elle ne vise à l'accomplir.

La transcendance se dévoile ainsi au cœur de l'être humain. Mais elle réside aussi hors de lui. Si le matérialisme avait raison, s'il était, tout simplement vrai, nous devrions bien, depuis le temps qu'il se déploie sans rencontrer d'obstacle ni se heurter à un quelconque interdit, aboutir à la conclusion que les valeurs auxquelles nous ne cessons de nous référer ne possèdent aucune transcendance, qu'elles ne sont rien d'autre que les produits naturels de nos désirs. Autrement dit, nous devrions nous rendre à la conviction claire et limpide que le relativisme est la seule « morale » qui vaille et qu'il est désormais établi, comme le voulait déjà Spinoza, « que nous ne nous efforçons à rien, ne voulons, n'apprécions, ni ne désirons aucune chose parce que nous la jugeons bonne », mais qu'au contraire, « nous jugeons qu'une chose est bonne parce que nous nous efforçons vers elle, la voulons, appétons, et désirons[1] ». Relatives à notre libido, les valeurs, quelles qu'elles soient, devraient ainsi nous apparaître pour ce qu'elles devraient être dans cette perspective : des entités immanentes à notre nature et rien de plus. Il me semble pourtant que l'expérience esthétique ou morale, même la plus banale, nous persuade aussitôt du contraire : non seulement cer-

---

1. *Ethique*, III, 9, sc.

taines valeurs continuent de m'apparaître comme indépendantes de ma volonté, comme « données du dehors », mais elles semblent s'imposer à moi jusque sous la forme d'un impératif qui peut parfois me conduire à mettre ma vie en danger. La vérité, c'est qu'à l'âge de l'individualisme démocratique, à l'ère de l'autonomie, les valeurs continuent de nous sembler supérieures et extérieures à nous, comme au temps des religions, lors même que nous refusons les dispositifs métaphysiques qui nous permettaient jadis de les enraciner dans un quelconque fondement ultime. Non seulement la moindre vérité scientifique résiste à mon ego et s'impose à lui comme une donnée qu'il doit bien faire prévaloir contre sa subjectivité, mais dans la sphère même de l'esthétique, qu'on dit pourtant volontiers subjective, l'expérience de la transcendance du beau continue de prévaloir : je n'invente pas la beauté d'une suite de Bach, ni celle d'un paysage, je me contente humblement de les découvrir comme si, malgré les sentiments en effet subjectifs qu'elles suscitent en moi, elles n'étaient pas pour autant créées par ma subjectivité. *A fortiori* dans l'ordre de l'éthique, c'est bien parfois contre ma nature intime, contre mes penchants, contre mes inclinations naturelles à l'égoïsme ou aux particularismes communautaires que je dois admettre la transcendance de la loi ou le primat de la justice. De là la persistance, jusqu'au cœur même des sociétés individualistes, d'un idéal républicain, d'une référence à l'universel, à la *res publica* dont on voit mal quelle signification devrait encore y être attachée si la seule et unique vérité se situait dans la nature propre à chaque individualité particulière.

Plutôt que de procéder, là encore, au nom de l'immanence matérialiste, aux dénégations que la métaphysique dogmatique impose, il s'agit plutôt, pour penser la persistance d'une telle transcendance, de forger les concepts nouveaux qu'elle requiert. Pour ce faire, on peut distinguer trois grandes conceptions de la transcendance. Celle, d'abord, que mobilisaient les Anciens pour répondre à la question de la vie bonne en termes de cosmologie. Comme nous l'avons vu, l'ordre harmonieux du cosmos est tout à la fois transcendant et immanent : transcendant par rapport aux êtres humains, qui ne l'ont ni créé ni inventé mais qui le découvrent comme une donnée extérieure et supérieure à eux, et néanmoins immanent au réel, parce que de part en part incarné dans le monde. C'est ensuite la transcendance du Dieu des grands monothéismes que nous avons rencontrée, une transcendance qui ne se situe pas seulement par rapport à l'humanité mais aussi par rapport au monde, lui-même conçu tout entier comme une créature dont l'existence dépend d'un Etre hors de lui. Mais une troisième forme de transcendance, différente des deux premières, peut encore être pensée à partir de la philosophie transcendantale (et de la phénoménologie qui, sur ce point, n'en est à bien des égards que le prolongement direct). Comme celle des Grecs, elle est «transcendance dans l'immanence» à ceci près que son incarnation ne se situe plus dans le monde naturel, dans le cosmos, mais dans le monde humain, dans l'humanité en tant qu'elle n'est pas réductible à la seule logique naturelle de l'animalité mais constitue, à partir de sa liberté, ce que Dilthey nommait un «monde de l'esprit». A la différence de la transcendance théologique, la transcendance phénoménologique ne renvoie pas à l'idée d'un fondement ultime mais plutôt, pour reprendre là encore le vocabulaire de Husserl, à la notion d'horizon : lorsque j'ouvre les yeux sur le monde, les objets me sont toujours donnés sur un fond, et ce fond lui-même, au fur et à mesure que je pénètre l'univers qui m'entoure, ne cesse de se déplacer comme le fait l'horizon pour un navigateur, sans jamais se clore pour constituer un fondement ultime et indépassable. Ainsi, de fond en fond, d'horizon en horizon, je ne parviens jamais à saisir quoi que ce soit que je puisse tenir comme une entité dernière, un Etre suprême ou une cause première qui viendrait garantir l'existence du réel qui m'entoure. En quoi la notion d'horizon, par sa mobilité infinie même, renferme en quelque façon celle de mystère : comme celle du cube, dont je ne perçois jamais toutes les faces en même temps, la réalité du monde ne m'est jamais donnée dans la transparence et la maîtrise parfaites ou, pour le dire autrement : si l'on s'en tient au point de vue de la finitude humaine, si l'on refuse le saut mystique auquel matérialisme et théologie nous invitent chacun à leur façon, il faut admettre que la connaissance humaine ne saurait jamais accéder à l'omniscience, qu'elle ne peut jamais coïncider avec le point de vue de Dieu ou de la nature, ni par une « intuition intellectuelle », ni par une quelconque « connaissance du troisième genre ».

C'est aussi par ce refus de la clôture, par ce rejet de toutes les formes de « Savoir Absolu », que cette transcendance d'un troisième type apparaît bien comme une « transcendance dans l'immanence » seule susceptible de conférer une signification rigoureuse à l'expérience humaine que tente de décrire et de prendre en compte l'humanisme de l'homme-dieu : c'est bien « en moi », dans ma pensée ou dans ma sensibilité, que se dévoilent les valeurs, hors de toute référence à un argument d'autorité ou à une hétéronomie dont l'origine coïnciderait avec un fondement réel (Dieu ou la nature). Et cependant, je n'invente ni les vérités mathématiques, ni la beauté d'une œuvre, ni les impératifs éthiques et, comme on dit si bien, on « tombe amoureux » plus qu'on ne le décide par choix délibéré. L'altérité ou la transcendance des valeurs est en ce sens bien réelle, nous pouvons en faire une phénoménologie, une description qui part du sentiment irrépressible d'une nécessité, de la conscience d'une impossibilité à penser ou à sentir autrement : je n'y puis rien, 2 + 2 font bien quatre et cela n'est pas affaire de goût ni de choix subjectif. Mais pour autant, cette vérité, si simple soit-elle, échappe à toute fondation ultime. Je puis sans doute la déduire de certains axiomes initiaux, en l'occurrence ceux de l'arithmétique classique, mais au-delà de ces axiomes, qui par définition sont et restent des propositions non démontrées, aucun fondement réel ne m'est jamais dévoilé. C'est cette ouverture que l'humanisme non métaphysique veut assumer, non par impuissance, mais parce qu'il lui faut par principe et, pour tout dire, par lucidité, accepter, sous peine de retomber dans le discours de la métaphysique classique, de renoncer à chercher dans les gènes ou dans la divinité, dans la nature ou dans l'Etre suprême l'explication dernière de notre rapport à des valeurs communes, voire universelles... C'est pourquoi il lui faut aussi penser en d'autres termes, volontairement plus fragiles, plus humains, mais par là même moins illusoires, la problématique de la vie bonne et, avec elle, la question du bonheur.

CHAPITRE II

Une nouvelle approche
de la question du bonheur

Etes-vous pour ou contre le bonheur? La question semble absurde et, pourtant, depuis plus de deux siècles, la philosophie moderne n'a cessé de se déchirer à son propos. Une première tradition, qui va de Kant à Nietzsche et Freud, a estimé non seulement que le bonheur était une idée floue et naïve, voire illusoire étant donné le caractère tragique ou contradictoire de l'existence, mais que les exigences de la liberté et de la lucidité devaient parfois, en admettant même qu'on puisse la définir avec un tant soit peu de cohérence, l'emporter sur elle. Chacun à leur façon, ils ont ainsi élaboré de puissantes « critiques » de la notion même de bonheur. Une autre lignée, de Hobbes à Marx en passant par l'utilitarisme anglais, tient au contraire que le bien-être matériel et moral, en quelque sens qu'on l'entende, est la finalité ultime de toute existence humaine et que rien ne peut ni ne doit passer avant lui.

Sans entrer ici dans le détail de ces débats, il faut pour comprendre ce qui a pu conduire certains penseurs, et non des moindres on le voit, à critiquer l'idée de bonheur, percevoir en quoi l'utilitarisme moderne en a donné, par rapport à la philosophie grecque, une version si réductrice qu'elle ne pouvait manquer de susciter l'hostilité. Par-delà l'infinité apparente des définitions possibles du bonheur, deux grandes conceptions morales « eudémonistes », deux philosophies du « Souverain Bien », l'une essentiellement ancienne, l'autre typiquement moderne, se sont opposées pour former l'arrière-fond de nos discussions contemporaines. Il faut en rappeler, très brièvement, la logique pour en saisir le sens et en situer les enjeux.

La première – nous l'avons déjà rencontrée – s'est élaborée dans le cadre des cosmologies grecques. Elle repose fondamentalement sur deux convictions, que le xviie siècle viendra battre en brèche. Celle, d'abord, selon laquelle il existerait un « bien commun », identifié à l'harmonie cosmique elle-même, tout à fait indépendant de la volonté ou des intérêts particuliers propres à chaque individu. Que je le veuille ou non, il existe un ordre « objectif » du monde, une organisation que je n'ai pas inventée moi-même et au sein de laquelle je puis et dois trouver ma place : c'est à ce prix, et à ce prix seulement, que je pourrai réunir les conditions me permettant d'être heureux. Dans cette perspective « holiste », donc, le Tout (le cosmos) précède les parties (les individus) et détermine pour ainsi dire *a priori* les conditions dans lesquelles leur accès à la vie bienheureuse est possible. La seconde conviction est tout aussi essentielle et découle directement de la première : elle tient que le bonheur authentique ne se réduit pas au « bien-être » matériel et psychologique, mais inclut la problématique du salut. Pour être pleinement heureux, il faut avoir vaincu la crainte de la mort et, pour y parvenir, le seul mode de vie possible est la vie philosophique – en quoi la problématique du bonheur va bien au-delà de la simple satisfaction des désirs matériels et comprend en elle la dimension sotériologique.

De ces deux aspects si caractéristiques du cosmologico-éthique, l'utilitarisme moderne va prendre radicalement le contre-pied. Il s'agit d'abord pour lui d'opérer un renversement complet de perspective, de partir de l'individu, et non du Tout, pour tenter de construire sur et à partir du premier une nouvelle conception du bonheur. Cette dernière trouvera son apogée dans la conviction que la vie bienheureuse réside tout simplement dans la satisfaction aussi complète et durable que possible de tous les « intérêts » individuels – terme générique désignant globalement : volontés, désirs, besoins, souhaits, appétits, envies, etc., de quelque nature qu'ils puissent être. Cela ne signifie bien sûr pas que l'utilitarisme moderne ne prenne pas lui aussi en compte la problématique du « bien commun ». Simplement, cette dernière subit deux modifications : d'une part, elle cesse de précéder les intérêts particuliers et se présente comme une tentative de les accorder *a posteriori* autant qu'il est possible ; corrélativement, elle substitue à la conception cosmologique du bien commun perçu comme un ordre objectivement harmonieux, la problématique individualiste de l'« intérêt général » conçu comme la réconciliation, voire comme la résultante des intérêts particuliers (selon le modèle des théories libérales du marché). D'où la seconde rupture introduite par les modernes théories du bonheur par rapport aux anciennes : si ce dernier n'est rien d'autre que la satisfaction d'intérêts particuliers (qui, dans certains cas, peuvent inclure la prise en compte de l'intérêt général), il tend évidemment à se réduire purement et simplement au bien-être matériel et psychologique, à l'exclusion de toute perspective métaphysique. Non que la question de la crainte de la mort ne soit plus, le cas échéant, prise en charge par l'utilitarisme, mais elle ne le sera plus que comme un « intérêt » parmi d'autres, sur un plan psychologique donc, en tant qu'elle peut troubler la sérénité psychique d'un individu, mais non plus sotériologique. La vie philosophique cesse de constituer l'idéal humain. Ce dernier, désormais, se situe davantage dans le commerce, voire dans la quête des richesses, que dans la sagesse telle que les Anciens l'avaient pensée... Du bien commun des Grecs, nous sommes passés à la notion d'intérêt général, et de celle de bonheur à celle de bien-être.

C'est bien sûr en raison de ce glissement réductionniste qu'apparaîtront, en même temps que l'utilitarisme, les premières grandes critiques philosophiques de l'idée de bonheur : c'est parce qu'il a été réduit à ce second visage, matérialiste et psychologisant, parce qu'il a été identifié de manière réductrice au seul bien-être matériel et psychique, qu'il suscitera les réactions hostiles, notamment de Kant et de Nietzsche[1]. Non qu'ils contestent le fait, au demeurant trivial, que le bonheur, en admettant que ce concept possède un sens assignable, constitue en quelque façon un hori-

---

1. Cf. par exemple, *Par-delà le bien et le mal*, § 225 : « Hédonisme, pessimisme, utilitarisme, eudémonisme – tous ces systèmes qui mesurent la valeur des choses d'après le *plaisir* ou la *douleur* qui les accompagnent, c'est-à-dire d'après des états et des faits accessoires, sont des vues sans profondeur et des naïvetés... Vous voulez, si possible, *abolir la souffrance*, et il n'y a pas de plus fol possible. Il nous semble justement, quant à nous, que nous préférerions rendre la vie plus haute et plus difficile qu'elle ne l'a jamais été. Le bien-être tel que vous l'entendez n'est pas une fin pour nous... La discipline de la souffrance, de la *grande* souffrance, savez-vous ce que c'est que cette discipline qui a mené l'homme jusqu'à la cime de son être ? » – évocation du grand style où l'on voit à nouveau, soit dit au passage, combien l'interprétation soixante-huitarde de Nietzsche comme jouisseur hédoniste est aussi superficielle qu'illégitime.

zon de la vie humaine. Simplement, chacun à leur manière, ils nous invitent à le situer à nouveau, comme l'avaient fait les Anciens, dans une perspective plus vaste, dans une vision du monde qui englobe, comme nous l'avons vu jusque chez Nietzsche lui-même, les trois moments fondamentaux de la theoria, de la praxis et de la sotériologie.

C'est donc aussi dans cette triple perspective que je voudrais, pour conclure, inscrire à mon tour le message de l'humanisme de l'homme-dieu. Si la problématique du bonheur ne peut plus aujourd'hui, après l'effondrement des modèles cosmologiques, se confondre avec celle des Anciens, mais si l'on refuse pourtant, comme ils nous y invitaient par avance, de la réduire à la seule logique des intérêts et du bien-être, comment et sur quelles bases nous est-il possible de la réinvestir ? Pour répondre à cette interrogation, il faut d'abord, comme dans toute perspective philosophique d'ensemble, indiquer ce qui peut, à l'époque contemporaine, caractériser de manière spécifique, dans une perspective humaniste, la theoria, la praxis et la sotériologie.

| Theoria : l'âge de l'autoréflexion

On peut distinguer trois âges de la science :

Le premier correspond à la theoria grecque. Contemplation de l'ordre du monde, compréhension de la structure du cosmos, elle n'est pas, nous l'avons vu, une science indifférente aux valeurs ou, pour parler le langage de Max Weber, « axiologiquement neutre » : connaissance et valeurs sont pour elle intrinsèquement liées en ce sens que la découverte de la nature intime de l'univers implique d'elle-même la mise en évidence de certaines finalités pratiques pour l'existence humaine.

Le second apparaît avec la révolution scientifique moderne qui voit émerger, à l'encontre du monde grec, l'idée d'une connaissance radicalement indifférente à la question des valeurs : la science décrit *ce qui est*, elle ne saurait indiquer *ce qui doit être* et ne possède, en tant que telle, aucune portée normative. Dans cette optique, qu'on pourrait dire, au sens large, « positiviste », la science s'interroge moins sur elle-même qu'elle ne vise à connaître le monde tel qu'il est.

Une troisième perspective vient tout à la fois remettre en question mais aussi compléter la seconde : c'est celle de l'autocritique ou de l'autoréflexion qui caractérise au plus haut point l'époque contemporaine.

Dans son livre *La Société du risque*[1], Ulrich Beck a proposé une précieuse description de la différence qui sépare, mais aussi des liens qui unissent le second et le troisième âge de la science. Sans reprendre ici le détail de ses analyses, ni le suivre dans toutes ses conclusions, on peut avec lui accepter l'idée qu'après une « première modernité », qui prit son essor au XVIIIe siècle, domina le XIXe et s'achève aujourd'hui, nos sociétés occidentales sont entrées dans une deuxième phase, marquée par une prise de conscience des risques engendrés en leur propre sein par le développement, puis la mondialisation des sciences et des techniques. C'est tout à la fois l'opposition frontale, mais aussi les liens secrets qu'entretiennent ces « deux modernités », qu'il faut d'abord comprendre pour saisir la situation

---

1. Aux éditions Calmann-Lévy, Paris, 2001.

radicalement nouvelle dans laquelle est plongé l'Occident le plus avancé. Arrêtons-nous un instant à ce diagnostic. Il en vaut la peine.

La première modernité, encore « tronquée » et « dogmatique », se caractérisait par quatre traits fondamentaux, indissociables les uns des autres.

D'abord une conception encore autoritaire et dogmatique de la science : sûre d'elle-même et dominatrice à l'égard de son principal objet, la nature, elle prétendait, sans le moindre doute ni esprit d'autocritique, rimer avec émancipation et bonheur des hommes. Elle leur faisait promesse de les affranchir de l'obscurantisme religieux des siècles passés, et de leur assurer d'un même mouvement les moyens de se rendre, selon la fameuse formule cartésienne, « comme maîtres et possesseurs » d'un univers utilisable et corvéable à merci pour réaliser leur bien-être matériel.

Solidement ancrée dans cet optimisme de la science, l'idée de progrès, définie en termes de liberté et de bonheur, s'inscrivait très logiquement dans le cadre de la démocratie parlementaire et de l'Etat-nation. Science et démocraties « nationales » allaient de pair : ne va-t-il pas de soi, d'ailleurs, que les vérités dévoilées par la première sont, à l'image des principes qui fondent la seconde, par essence également destinés à tous ? Comme les droits de l'homme, les lois scientifiques possèdent une prétention à l'universalité : elles doivent, du moins en principe, être valables pour tous les êtres humains, sans distinction de race, de classe ni de sexe.

Dès lors, l'affaire majeure des nouveaux Etats-nations scientifico-démocratiques était la production et le partage des richesses. En quoi leur dynamique était bien, comme l'avait dit Tocqueville, celle de l'égalité ou, si l'on préfère les formulations marxiennes, de la lutte contre les inégalités. Et dans ce combat difficile mais résolu, la confiance en l'avenir était de rigueur, de sorte que la question des risques s'y trouvait très largement reléguée au second plan.

Enfin, les rôles sociaux et familiaux étaient encore figés, voire naturalisés : les distinctions de classe et de sexe, pour ne rien dire des différences ethniques, bien que fragilisées en droit et problématiques en principe, n'en demeuraient pas moins *de facto* perçues comme intangibles. On parlait alors de *La* civilisation au singulier, comme s'il allait de soi qu'elle était d'abord européenne, blanche et masculine.

Sur ces quatre points, la seconde modernité, la theoria telle que nous commençons de la vivre aujourd'hui, va entrer en rupture avec la première. Mais elle va le faire, non par l'effet d'une critique externe, ni même en s'appuyant sur un modèle social et politique radicalement nouveau, mais au contraire par l'approfondissement de ses propres principes.

Du côté de la science tout d'abord, et de ses rapports avec la nature, le XXᵉ siècle finissant est le lieu d'une véritable révolution : ce n'est plus aujourd'hui la nature qui engendre les risques majeurs, mais la recherche scientifique, ce n'est donc plus la première qu'il faut dominer, mais bien la seconde, car pour la première fois dans son histoire, elle fournit à l'espèce humaine les moyens de sa propre destruction. Et cela, bien entendu, ne vaut pas seulement pour les risques engendrés, à l'intérieur des sociétés modernes, par l'usage industriel des nouvelles technologies, mais tout autant pour ceux qui tiennent à la possibilité qu'elles soient employées, sur le plan politique, par d'autres que nous. Si le terrorisme inquiète davantage aujour-d'hui qu'hier, c'est aussi, sinon exclusivement, parce que nous avons pris conscience du fait qu'il peut désormais – ou pourra bientôt – se doter d'armes chimiques, voire nucléaires redoutables. Le contrôle des usages et des effets de la science moderne nous échappe et sa puissance débridée inquiète.

Du coup, face à ce « procès sans sujet » d'une mondialisation – d'un « monde de la technique » – qu'aucune « gouvernance mondiale » ne parvient encore à maîtriser, le cadre de l'Etat-nation, et, avec lui, des formes traditionnelles de la démocratie parlementaire, paraît étrangement étriqué. Le nuage de Tchernobyl ne s'arrête pas, par quelque miracle républicain, aux frontières de la France. De leur côté, les processus qui commandent la croissance économique ou les marchés financiers n'obéissent plus au diktat de représentants du peuple qui peinent désormais à tenir les promesses qu'ils voudraient lui faire. De là, bien sûr, le succès résiduel de ceux qui entendent nous convaincre, à l'image de nos néo-républicains, qu'un retour en arrière est possible, que la vieille alliance de la science, de la nation et du progrès n'est qu'affaire de civisme et de « volonté politique » : on aimerait tant y croire qu'un coefficient non négligeable de sympathie s'attache inévitablement à leurs propos nostalgiques...

Face à cette évolution des pays les plus développés, la question du partage des richesses tend à passer au second plan. Non qu'elle disparaisse, bien sûr, mais elle s'estompe devant les nécessités nouvelles d'une *solidarité devant des risques* d'autant plus menaçants qu'étant mondialisés, ils échappent pour une large part aux compétences des Etats-nations comme à l'emprise réelle des procédures démocratiques ordinaires.

Enfin, sous les effets d'une autocritique désormais généralisée, les anciens rôles sociaux sont remis en question. Déstabilisés, ils cessent d'apparaître comme inscrits dans une éternelle nature, ainsi qu'en témoignent de manière exemplaire les multiples facettes du mouvement de libération des femmes.

On pourrait bien sûr compléter et discuter longuement ce tableau. Il mériterait sans nul doute plus de détails et de couleurs. Son intérêt n'en est pas moins considérable si l'on veut bien admettre qu'il tend à montrer de façon convaincante comment la « seconde modernité », malgré les contrastes et les oppositions qu'on vient d'évoquer, n'est rien d'autre en vérité que l'inéluctable prolongement de la première sous les espèces de l'*autoréflexion* : si les visages traditionnels de la science et de la démocratie républicaines sont aujourd'hui fragilisés, ce n'est pas simplement par « irrationalisme », ni seulement par manque de civisme, mais paradoxalement, par fidélité aux principes des Lumières. Rien ne le montre mieux que l'évolution actuelle des mouvements écologistes dans les pays qui, contrairement au nôtre, possèdent déjà une longue tradition en la matière – au Canada et en Europe du Nord par exemple : les débats sur le principe de précaution ou le développement durable y recourent sans cesse davantage à des arguments scientifiques ainsi qu'à une volonté démocratique affichée. Dès lors qu'on distingue deux modernités, il nous faut aussi apprendre à ne plus confondre deux figures bien différentes de l'anti-modernisme : la première, apparue avec le romantisme en réaction aux Lumières, s'appuyait sur la nostalgie des paradis perdus pour dénoncer les artifices de l'univers démocratique, elle soulignait la richesse des sentiments et des passions de l'âme, contre la sécheresse de la science. Un bonne part de l'écologie contemporaine y puise sans doute encore ses racines. Mais une autre s'en est émancipée : si elle remet en question la science et la démocratie d'Etat-nation, c'est au nom d'une scientificité et d'un idéal démocratique élargis aux dimensions du monde et soucieux de pratiquer l'introspection. Autrement dit, c'est désormais à l'hypermodernisme et non à l'esprit de réaction, que les principales critiques du monde moderne s'alimentent. Ce constat, s'il est juste, comporte une conséquence décisive : l'esprit exigeant et corrosif de la theoria fondée sur l'autoréflexion n'est pas derrière nous, mais bel et bien devant, elle n'est pas un archaïsme, une survivance des anciennes figures de la résistance au progrès, mais son dernier avatar.

De là aussi le formidable essor, tout au long du XXᵉ siècle, des sciences historiques. Sur le modèle de la « théorie critique », voire de la psychanalyse, elles nous promettent, en maîtrisant sans cesse davantage notre passé, de mieux nous connaître nous-mêmes au présent. Elles s'enracinent, de façon plus ou moins consciente, dans la conviction que l'histoire, en pesant sur nos vies lorsque nous l'ignorons, est par excellence le lieu de l'hétéronomie la plus grande et que, dans cette mesure, l'idéal démocratique de la liberté, du penser par soi-même et de l'autonomie ne peut faire l'économie d'un détour par la connaissance historique, ne fût-ce que pour mieux s'en libérer et approcher le temps présent avec moins de préjugés. C'est en ce sens, aussi, que la theoria a pris l'allure d'une réflexion sur soi sans laquelle aucune émancipation réelle ne semble désormais possible. En quoi, bien que toujours liée à l'idée de neutralité axiologique, la science contemporaine renoue, mais sur un tout autre mode bien sûr, avec l'idée ancienne d'une vocation éthique de la theoria.

Dans une certaine mesure, on peut observer, par-delà les distances infranchissables avec le monde grec, une continuité analogue dans le domaine de la praxis.

| Praxis : du cosmos naturel au cosmos humain

Depuis le Nouveau Testament[1], la notion de monde a pris une double signification, presque contradictoire en apparence : avec le quatrième Evangile, en effet, le terme grec *kosmos* commence à désigner, non plus seulement l'univers naturel en tant qu'il est harmonieux et ordonné, mais les hommes qui le peuplent. Se « retirer du monde », par exemple, ne désigne pas le fait, au demeurant improbable, de quitter la terre où nous séjournons, mais de s'abstraire de la société des humains ou, comme on dit, des « mondanités ».

Or à ces deux concepts de monde (naturel et humain) correspondent aussi deux visions morales différentes. L'une, bien sûr, a dominé le monde antique et tient que l'éthique, pour l'essentiel, doit résider dans des comportements conformes à la nature cosmique. L'autre trouve au contraire son apogée après la rupture avec l'Antiquité, dans la naissance du droit et de la morale modernes. Elle s'illustre, notamment au travers de la notion kantienne de « Règne des fins », dans la conviction que l'humanité peut, si elle est régie convenablement par des lois morales et juridiques communes, voire universelles, forger quelque chose

---

1. Cf. Rémi Brague, *La Sagesse du monde, op. cit.*, p. 67 et 251*sq.*

comme une «seconde nature» et constituer à son tour, mais cette fois-ci dans l'ordre de l'esprit, l'analogue d'un «cosmos» : un univers qui, pour être de part en part humain et même fondé sur la liberté des hommes et «fabriqué» par eux, n'en représente pas moins un tout harmonieux et ordonné. Si nous poursuivons l'analogie, la vie morale réussie se définira donc formellement dans les mêmes termes que chez les Anciens, comme vie en harmonie avec le cosmos, à ceci près que le terme ayant changé de sens, c'est désormais à l'humanité en tant qu'elle est capable de construire un univers artificiel, qu'il renvoie. C'est dans ce contexte aussi qu'il faut comprendre les fameuses formules kantiennes de l'impératif catégorique qui nous invitent à vivre en appliquant des maximes morales susceptibles de se transformer en lois universelles «de la nature». Ce dernier terme ne possède ici qu'une signification analogique : il désigne la capacité que nous prête cette philosophie, et au-delà d'elle, la politique moderne tout entière, d'inventer par et pour nous-mêmes un univers moral, une société des hommes pacifiée par l'édiction de lois «antinaturelles», telles, par exemple, que celle selon laquelle ma liberté doit s'arrêter là où commence celle d'autrui... C'est aussi en ce sens, et en se remémorant l'idée ancienne de cosmos, que Kant oppose le concept «scolastique» de la philosophie à son concept «cosmique» : selon le premier, cette discipline se résumerait à l'apprentissage seulement scolaire de connaissances et le philosophe ne serait qu'un savant parmi autres ; avec le second, au contraire, il apparaît comme un sage authentique, voire, dit Kant, comme un «législateur» capable de saisir et de transformer en lois valables pour sa propre vie les fins essentielles de la raison humaine – la première et plus importante d'entre elles, sur le plan pratique, étant le respect de l'intérêt général (de l'universel) et, par là même, de la personnalité d'autrui.

Mais, il y a plus (et c'est en ce point que l'éthique formelle commence à se dépasser elle-même vers une sotériologie) : avec cette nouvelle conception, humaniste et non plus naturaliste, d'un cosmos pour ainsi dire supranaturel, avec la définition inédite de la vie bonne qu'elle implique, apparaît progressivement, par-delà même l'idéal moral du « Règne des fins », par-delà donc l'invitation au respect, simplement légal, des autres hommes – une nouvelle représentation de la vie réussie, l'exigence d'une « existence avec les autres », d'un « monde commun », comme dit Arendt, qui serait enfin conforme aux principes de la « pensée élargie », c'est-à-dire d'un certain type de compréhension d'autrui. Cette notion, que Kant introduit comme en passant dans la *Critique de la faculté de juger*, est en vérité cruciale [1]. Elle doit être explicitée si l'on veut percevoir les raisons de l'extraordinaire avenir dont elle n'est, encore à l'époque, que potentiellement investie. Par opposition à l'esprit « borné », la pensée élargie est en effet celle qui parvient à se « mettre à la place d'autrui », non seulement pour mieux le comprendre, mais pour tenter, en un mouvement de retour à soi comme de l'extérieur, de regarder ses propres jugements et valeurs du point de vue qui pourrait être celui des autres. En ce sens, l'idée de « pensée élargie » trouvera une postérité, non seulement dans les théories contemporaines de l'argumentation (par exemple chez Habermas ou encore dans la notion de « voile d'ignorance » telle que l'a formulée John Rawls), mais,

---

1. Comme Arendt l'a bien vu dans ses conférences sur la *Critique de la faculté de juger*.

bien au-delà de la philosophie universitaire, dans la conviction proprement humaniste et démocratique selon laquelle il faut, pour respecter les différences et les identités culturelles éloignées des nôtres, être capable d'instaurer une distance avec soi-même (celle de l'« esprit critique »), mais tout autant, pour se comprendre soi, d'instituer la possibilité d'avoir sur ses propres traditions un regard en quelque façon extérieur. C'est là ce qu'exige l'« autoréflexion » : pour prendre conscience de soi, il faut bien être, en effet, à distance de soi-même et c'est cela, entre autres, que nous permet la prise en compte des points de vue étrangers aux nôtres. Là où l'esprit borné reste englué dans sa communauté d'origine au point de juger qu'elle est la seule possible ou, à tout le moins, la seule bonne et légitime, l'esprit élargi parvient, en se situant du point de vue d'autrui, à contempler le monde en spectateur intéressé et bienveillant. Acceptant de décentrer sa perspective initiale, de s'arracher au cercle limité de l'égocentrisme, il peut pénétrer les coutumes et les valeurs éloignées des siennes, puis, en revenant à lui-même, prendre conscience de lui d'une manière distanciée, moins dogmatique, et enrichir ainsi considérablement ses propres vues.

Dans un discours prononcé à l'occasion de la remise de son prix Nobel de littérature, en décembre 2001, l'écrivain anglo-indien V.S. Naipaul a parfaitement décrit, sans penser semble-t-il une seconde à la tradition kantienne, cette expérience de la pensée élargie et les bienfaits qu'elle peut apporter non seulement dans l'écriture d'un livre, mais plus profondément dans la conduite d'une vie humaine. Racontant son enfance dans la petite île de Trinidad, Naipaul évoque les limitations inhérentes à toute vie communautaire, enfermée dans les particularismes, en des termes qui méritent d'être restitués dans toute leur précision : « Nous autres Indiens, immigrés de l'Inde [...] nous menions pour l'essentiel des vies ritualisées et n'étions pas encore capables de l'auto-évaluation nécessaire pour commencer à apprendre... A Trinidad, où, nouveaux arrivants, nous formions une communauté désavantagée, cette idée d'exclusion était une sorte de protection qui nous permettait, pour un moment seulement, de vivre à notre manière et selon nos propres règles, de vivre dans notre propre Inde en train de s'effacer. D'où un extraordinaire égocentrisme. Nous regardions vers l'intérieur ; nous accomplissions nos journées ; le monde extérieur existait dans une sorte d'obscurité ; nous ne nous interrogions sur rien... » Et Naipaul d'expliquer comment, une fois devenu écrivain, « les zones de ténèbres » qui l'environnaient enfant – les aborigènes, le Nouveau Monde, l'Inde, l'univers musulman, l'Afrique, l'Angleterre – sont devenus les sujets de prédilection qui lui permirent, prenant quelque distance, d'écrire un livre sur son île natale. Puis il ajoute ceci, qui est peut-être l'essentiel : « Mais quand ce livre a été terminé, j'ai eu le sentiment que j'avais tiré tout ce que je pouvais de mon île. J'avais beau réfléchir, aucune autre histoire ne me venait. Le hasard est alors venu à mon secours. Je suis devenu voyageur. J'ai voyagé aux Antilles et j'ai bien mieux compris le mécanisme colonial dont j'avais fait partie. Je suis allé en Inde, la patrie de mes ancêtres, pendant un an ; ce voyage a brisé ma vie en deux. Les livres que j'ai écrits sur ces deux voyages m'ont hissé vers de nouveaux domaines d'émotion, m'ont donné une vision du monde que je n'avais jamais eue, m'ont élargi techniquement. » Point de reniement, ici, ni de renonciation aux particularités d'origine. Seulement une distanciation, un élargissement de la vue qui permet de les saisir d'une autre perspective, moins immergée, plus générale, et, par là même, de les transfigurer dans l'espace de l'art pour en extraire les moments proprement singuliers, tout à la fois irremplaçables et signifiants pour les autres – par où l'œuvre de Naipaul, loin de tout folklorisme, a pu s'élever jusqu'au rang de la «littérature mondiale».

Au plus profond, l'idéal littéraire mais aussi existentiel que dessine ici Naipaul signifie qu'il nous faut aller non seulement au-delà de l'égocentrisme, mais aussi du respect simplement formel ou légal des différences pour entrer dans une vie commune réussie. Nous avons besoin des autres pour nous comprendre nous-mêmes, besoin de leur liberté et, si possible de leur bonheur, pour accomplir notre propre vie. En quoi la considération de la morale fait signe, pour ainsi dire d'elle-même, vers une problématique plus haute : celle qui prend en compte les éléments susceptibles de donner de *manière substantielle* du sens ou de la valeur à nos existences et qu'il nous faut cultiver si nous voulons parvenir en quelque façon, à nous «sauver par nos propres forces».

Sotériologie ou spiritualité laïque : la singularité, l'intensité et l'amour

Une doctrine humaniste du salut – entendu ici en un sens philosophique et non pas religieux, comme une invitation à vaincre les peurs pour se réconcilier avec la vie et se «sauver par soi-même» – devrait prendre en compte quatre éléments fondamentaux, quatre piliers, si l'on veut, susceptibles de constituer le socle d'une « spiritualité laïque ».

Le premier, directement issu de l'idéal de la pensée élargie tel qu'on vient brièvement de l'évoquer, réside dans une invitation à la « singularisation » de nos expériences, pour ne pas dire de nos vies. La grande tradition romantique nous a, à cet égard, légué une définition géniale de la singularité dont on va pouvoir mesurer toute la pertinence pour notre propos. Elle part d'une analyse très simple de ce qui caractérise toute grande œuvre d'art : dans quelque domaine que ce soit, cette dernière est toujours, au départ, caractérisée par la *particularité* de son contexte culturel d'origine. Elle est, pour être clair, marquée *historiquement et géographiquement* par l'époque et l'« esprit du peuple » dont elle est issue. C'est là, justement, son côté « folklorique ». On voit immédiatement, même sans être un grand spécialiste, qu'une toile de Vermeer n'appartient ni au monde asiatique, ni à l'univers arabo-musulman, qu'elle n'est manifestement pas non plus localisable dans l'espace de l'art contemporain, mais qu'elle a sûrement plus à voir avec l'Europe du Nord du XVIIe siècle. De même, à peine quelques mesures suffisent parfois pour déterminer qu'une musique vient d'Orient ou d'Occident, qu'elle est plus ou moins ancienne ou récente, destinée à une cérémonie religieuse ou plutôt dédiée à une danse, etc. Mais le propre de la grande œuvre, à la différence du folklore, c'est qu'elle s'élève à l'universel ou pour mieux dire, si le mot fait peur, *qu'elle s'adresse potentiellement à l'humanité tout entière.* C'est ce que Goethe appelait la « littérature mondiale » (*Weltliteratur*), l'idée de mondialisation n'étant nullement liée ici à celle d'uniformité : l'accès de l'œuvre au niveau mondial ne s'obtient pas en bafouant les particularités d'origine, mais tout au contraire, puisqu'elle en part et qu'elle s'en nourrit, en les respectant. Simplement, ces particularités, au lieu de demeurer intactes, voire d'être sacralisées et comme telles vouées à ne trouver sens que dans leur communauté d'origine, sont prises dans un projet qui, traduisant une grande expérience potentiellement commune à l'humanité, parle le cas échéant à tous les êtres humains, quels que soient le lieu et le temps où ils vivent.

Si, comme le veut depuis Aristote la logique classique, on entend par le terme de «singularité» ou d'«individualité» une particularité qui n'en reste pas au particulier mais se réconcilie pour ainsi dire avec l'universel, alors on mesure en quoi la grande œuvre d'art nous en offre le modèle le plus parfait. C'est parce qu'ils sont, en ce sens bien précis, des auteurs «singuliers», tout à la fois enracinés dans leur culture d'origine et dans leur époque, mais cependant destinés à parler à tous les hommes de toutes les époques en raison de l'universalité de leur message, que nous lisons encore Platon ou Homère, Molière ou Shakespeare, ou que nous écoutons encore les œuvres de Bach ou de Rameau. Il en va ainsi de toutes les grandes œuvres, de tous les grands monuments : on peut être français, catholique, et cependant profondément ébloui par le temple d'Angkor, par la mosquée de Kairouan, par un livre de García Márquez ou une calligraphie chinoise... Cette conception des grandes œuvres comme «singularités», c'est-à-dire comme transfiguration des particularités locales d'origine dans un rapport à l'universalité du monde, peut s'appliquer tout autant aux découvertes scientifiques majeures (par exemple : l'algèbre, comme son nom l'indique, est d'origine arabe, mais tout un chacun l'utilise aujourd'hui) qu'aux cultures prises comme entités globales (c'est ainsi que l'on parle de l'«art grec», du «classicisme français», du «romantisme allemand», etc.). C'est également dans ce sens que l'on peut défendre une conception non dogmatique, non tribale, non nationaliste des identités culturelles qui, bien que particulières, ou plutôt, parce qu'elles sont particulières aussi, enrichissent le monde auquel elles s'adressent et dont elles sont ainsi réellement partie prenante dès lors qu'elles acceptent de parler aussi le langage de l'universel : «culture partagée» ou «partage des cultures» qui, du point de vue de la pensée élargie, s'enrichissent les unes les autres, non sous la forme plate et démagogique du seul respect des «folklores» et des «artisanats locaux», mais dans l'optique plus profonde de la construction d'un monde tout à la fois divers et commun. Par où l'on voit encore à quel titre la notion de singularité peut et doit être rattachée directement à l'idéal de la pensée élargie : en m'arrachant à moi-même pour comprendre autrui, en élargissant le champ de mes expériences, je me singularise puisque je dépasse tout à la fois le particulier de ma condition individuelle d'origine pour accéder, sinon à l'universalité, du moins à une prise en compte chaque fois plus large et plus riche des possibilités qui sont celles de l'humanité tout entière.

C'est aussi ce qui nous permet de penser enfin autrement, par-delà le scepticisme et le dogmatisme, le fait énigmatique de la pluralité des réponses philosophiques apportées à la question de la vie réussie. On sait comment elle fut généralement traitée. Par le scepticisme, d'abord, que ce seul constat a pu parfois sembler justifier. Son discours est à peu près le suivant : depuis l'aube des temps, les philosophies différentes se combattent entre elles sans parvenir jamais à l'unité. Or cette pluralité même, par son caractère irréductible, prouve bien l'incapacité de cette tradition de pensée à s'élever jusqu'à une vérité qui, par définition même, devrait être une. Dès lors qu'il existe plusieurs visions du monde et qu'elles ne parviennent pas à s'accorder, il faut admettre aussi qu'aucune ne saurait prétendre sérieusement plus que les autres à détenir la vraie réponse, de sorte que toute philosophie est vaine. Le dogmatisme se définit bien entendu comme un langage inverse : certes, il y a plusieurs visions du monde, mais la mienne est à l'évidence supérieure et plus vraie que les autres. L'histoire de la philosophie pourrait nous montrer aisément l'exemple de vastes tentatives de synthèse, les unes du côté du scepticisme (l'éclectisme en fournit le modèle), les autres du côté du dogmatisme (la prétention hégélienne à réconcilier toutes les positions en un système unique en offre la perspective la plus grandiose). Lassé par ces vieux débats, traversé par le relativisme, culpabilisé aussi par le souvenir de son propre impérialisme, l'esprit démocratique contemporain semble souvent se ranger à des positions de compromis qui, au nom du louable souci de « respecter les différences », se réfugient volontiers dans des concepts vagues : « tolérance », « dialogue », « souci de l'autre », etc., auxquelles il est parfois difficile de conférer un sens assignable.

La notion de pensée élargie suggère une autre voie qui, dans le contexte de la mondialisation et des débats qu'elle suscite sur les identités culturelles, pourrait s'avérer d'une extraordinaire fécondité : elle vise, sans démagogie ni renoncement à ses propres convictions, à dégager chaque fois ce qu'une grande vision du monde qui n'est pas la sienne peut avoir de juste, ce par quoi on peut la comprendre, voire la reprendre pour une part à son compte. Elle tient au fond que toute grande philosophie résume en pensées une expérience fondamentale de l'humanité, comme toute grande œuvre d'art ou de littérature traduit les possibles des attitudes humaines dans des formes plus sensibles. Le respect d'autrui n'exclut pas ici le choix personnel. Tout au contraire, ce dernier en est la condition première. Tout ce livre a été conçu dans cette perspective : offrir au lecteur la possibilité de s'approprier les grandes réponses à la question de la vie réussie en les présentant comme des *singularités* afin de lui permettre de faire ses choix de façon éclairée. A bien des égards, le débat amical qu'il entretient avec le matérialisme comme avec les religions, avec les sagesses anciennes comme avec les déconstructions contemporaines en est l'indice. Mais il part aussi de la conviction que pour comprendre l'autre, pour mesurer ce qui nous en sépare, mais également ce qu'il nous permet de penser à propos de nous-mêmes, il ne faut pas renoncer à soi. Accepter la diversité, ce n'est pas la révérer comme telle et le respect d'autrui n'est pas le relativisme.

C'est également en quoi – second trait d'une spiritualité contemporaine – il faut assumer le critère nietzschéen de l'intensité. S'il y a une vérité de ce que Nietzsche désigne comme le « grand style », c'est bien en effet celle-ci : la vie la plus élargie est aussi la plus singulière, la plus riche et la plus intense, celle qui fait, selon le vœu de Nietzsche, coïncider harmonieusement en elle la plus grande diversité possible d'expériences agrandissant notre point de vue sur l'humanité. En quoi le bonheur authentique, ou plus modestement, les plus grandes joies qui puissent se rencontrer dans l'existence ne sauraient se situer seulement dans l'absence de trouble ou de passion. Si tel était le cas, nous pourrions nous contenter de peu, et, à la limite, l'huître, pourvu qu'elle échappe au citron ou au vinaigre qui la menacent, devrait constituer le modèle d'une vie réussie. Comme le dit à peu près Kant dans un passage célèbre des *Fondements de la métaphysique des mœurs,* si la Providence avait voulu que nous fussions heureux en ce sens, elle ne nous aurait donné ni la liberté ni l'intelligence qui viennent toujours peu ou prou gâcher toute possibilité pour l'homme de s'en tenir seulement au repos de l'âme. S'il lui faut découvrir le monde humain, enrichir son expérience, élargir ses vues, donc se heurter sans cesse à la diversité des cultures et des êtres, c'est parce qu'il possède, contrairement sans doute à l'huître, cette étrange faculté d'arrachement aux particularités d'origine. C'est elle, malgré l'inquiétude et le trouble qu'elle ne manque pas de susciter, qui nous amène sans cesse à nous perfectionner, à enrichir nos vies, à voyager, par exemple, pour reprendre l'image de Naipaul, au lieu de rester rivés à notre rocher originel. Et la pensée nietzschéenne du grand style s'avère géniale en ce qu'elle nous présente l'idéal du calme repos, de la sérénité harmonieuse, non comme un point de départ, comme une donnée originaire, mais comme un point d'arrivée, une conquête qui suppose tout à la fois la connaissance des autres (diversité) et la maîtrise de soi (harmonie).

Mais, si nous suivons encore le fil de la singularité, auquel l'idéal de la pensée élargie nous a conduits, il faut ajouter à l'intensité harmonieuse à laquelle Nietzsche nous convie, l'exigence de l'amour : seul il donne sa valeur et son sens ultimes à tout ce processus d'«élargissement» qui peut et doit guider l'expérience humaine. Quel rapport, demandera-t-on peut-être, avec la notion de singularité telle qu'on vient de l'évoquer? Un fragment, sublime, des *Pensées* de Pascal (323), nous aidera à le mieux comprendre. Il s'interroge, en effet, sur la nature exacte des objets de nos affections en même temps que sur l'identité du moi. Il faut, ici, le citer tout entier :

« Qu'est-ce que le *moi*?

Un homme qui se met à la fenêtre pour voir les passants ; si je passe par là, puis-je dire qu'il s'est mis là pour me voir ? Non : car il ne pense pas à moi en particulier. Mais celui qui aime quelqu'un à cause de sa beauté l'aime-t-il ? Non : car la petite vérole, qui tuera la beauté sans tuer la personne, fera qu'il ne l'aimera plus.

Et si on m'aime pour mon jugement, pour ma mémoire, m'aime-t-on *moi* ? Non, car je puis perdre ces qualités sans me perdre moi-même. Où est donc ce *moi* s'il n'est ni dans le corps ni dans l'âme ? et comment aimer le corps ou l'âme sinon pour ces qualités, qui ne sont point ce qui fait le moi, puisqu'elles sont périssables ? car aimerait-on la substance de l'âme d'une personne abstraitement, et quelques qualités qui y fussent ? Cela ne se peut, et serait injuste. On n'aime donc jamais personne, mais seulement des qualités.

Qu'on ne se moque donc plus de ceux qui se font honorer pour des charges et des offices, car on n'aime personne que pour des qualités empruntées. »

D'où la conclusion que l'on tire généralement de ce texte, à savoir que le moi, dont on sait déjà par ailleurs qu'il est haïssable, n'est pas plausible comme objet d'amour. En effet, il semble, dans un premier temps du moins, que je m'attache avant tout aux particularités, aux qualités intimes de l'être que je prétends aimer : sa beauté, son intelligence, etc. mais comme de tels attributs sont éminemment périssables, je dois m'attendre à cesser un jour ou l'autre de l'aimer – ce que, comme Pascal le note dans un autre fragment (123), l'expérience la plus banale suffit à confirmer :

«Il n'aime plus cette personne qu'il aimait il y a dix ans. Je crois bien : elle n'est plus la même, ni lui non plus. Il était jeune et elle aussi ; elle est tout autre. Il l'aimerait peut-être encore, telle qu'elle était alors» ; par où l'on découvre que, loin d'avoir aimé en l'autre ce qu'on prenait pour sa «particularité» la plus essentielle, on ne s'est attaché qu'à des qualités abstraites, pouvant se trouver aussi en toute autre personne : la beauté, l'intelligence, le courage, la force ne sont pas propres à tel ou tel, elles ne sont nullement liées de manière intime et particulière à la «substance» d'un être, mais elles sont, pour ainsi dire, interchangeables. Sans doute l'ancien amant du fragment 123, s'il pense ainsi, va-t-il divorcer et chercher une femme plus jeune et plus belle, et en cela très semblable à celle qu'il avait épousée dix ans plus tôt... Où Pascal découvre, bien avant Hegel, que le particulier et l'universel abstrait, loin de s'opposer, «passent l'un dans l'autre» et ne font qu'un en vérité : je crois saisir le cœur d'un être, son intimité la plus intime, en l'aimant pour ses qualités, mais la réalité est tout autre : je n'ai saisi de lui que des attributs aussi anonymes qu'une charge ou une décoration, et rien de plus. En d'autres termes : le particulier n'était pas le *singulier*. Seule, en effet, la singularité, qui dépasse à la fois le particulier et l'universel, peut être objet d'amour. Si l'on s'en tient aux seules qualités particulières/générales, on n'aime jamais personne et, dans cette optique, Pascal a raison, il faut cessé de moquer les vaniteux qui prisent les honneurs. Ce qui fait qu'un être est aimable, ce qui donne le sentiment de pouvoir le choisir entre tous et de continuer à l'aimer quand bien même la maladie l'aurait défiguré, c'est bien sûr ce qui le rend irremplaçable, tel et non autre. Ce que l'on aime en lui (et qu'il aime en nous le cas échéant) et que par conséquent nous devons chercher à développer pour autrui comme en soi, ce n'est ni la particularité pure, ni les qualités abstraites (l'universel), mais la singularité qui le distingue et le fait à nul autre pareil. A celui ou celle qu'on aime, on peut dire affectueusement, «merci d'exister», mais aussi bien, avec Montaigne : «Parce que c'était lui, parce que c'était moi», et nullement, «parce qu'il était beau, fort, intelligent ou courageux»...

En quoi l'on peut aussi, toujours en suivant le fil rouge de la pensée élargie et de la singularité ainsi entendue, réinvestir l'idéal grec de cet «instant éternel», ce présent qui, par sa singularité, justement, parce qu'on le tient pour irremplaçable et qu'on en mesure l'épaisseur au lieu de l'annuler au nom de ce qui le précède ou le suit, s'émancipe des nostalgies comme des espérances, du passé comme de l'avenir. C'est lui, nous l'avons vu, qui constitue le véritable objet de l'amour spinoziste, ou de l'*amor fati* nietzschéen. Dans les termes qui sont ceux de l'humanisme non métaphysique ou, si l'on veut, de la pensée élargie, on formulera la même idée dans des termes inédits : si l'arrachement au particulier et l'ouverture à l'universel forment une expérience singulière, si ce double processus tout à la fois singularise nos propres vies et nous donne accès à la singularité des autres, il nous offre en même temps que le moyen d'élargir la pensée, celui de la mettre en contact avec des moments uniques, des moments de grâce, irremplaçables parce que eux-mêmes singuliers. C'est en ce point que la spiritualité laïque rejoint la sotériologie, la doctrine du salut dont l'idéal est de nous permettre de vaincre nos peurs, à commencer bien entendu par celle de la mort que seul un contact avec ce qui échappe au temps ou du moins semble l'abolir, avec l'Irremplaçable, donc, parvient, sinon à supprimer, du moins pour ainsi dire à mettre entre parenthèses.

A quoi sert de vieillir ? A cela et rien d'autre. A élargir la vue, aimer le singulier et vivre parfois l'abolissement du temps que nous donne sa présence. Hugo l'avait compris, l'un des rares à avoir répondu, dans l'un de ses plus beaux poèmes, à cette question ultime entre toutes :

Booz était bon maître et fidèle parent ;
Il était généreux quoiqu'il fût économe ;
Les femmes regardaient Booz plus qu'un jeune homme,
Car le jeune homme est beau, mais le vieillard est grand

Le vieillard qui revient vers la source première,
Entre aux jours éternels et sort des jours changeants ;
Et l'on voit de la flamme aux yeux des jeunes gens,
Mais dans l'œil du vieillard on voit de la lumière.

Qu'est-ce qu'une vie réussie ? Peut-être, tout simplement, une vie qui accroche aux yeux des hommes quelque chose de cette grandeur et de cette lumière dont parle Hugo. Frêle bonheur ? Sans doute. Il apparaîtra peu en comparaison des promesses de la religion, mais beaucoup, il me semble, au regard des exigences de l'humanisme.

TABLE

AVANT-PROPOS : Nos rêves éveillés. La réussite, l'ennui et l'envie 7

  « *Vie bonne* » *ou* « *vie réussie* » ? *L'éclipse des transcendances ou la condition de l'homme moderne*, 15. — *Le culte de la performance, le* « *monde de la technique* » *et la liquidation de la question du sens*, 19. — *L'ennui et l'envie*, 24.

I. RÉUSSIR SA VIE : LES MÉTAMORPHOSES DE L'IDÉAL 31

Chap. I. Au-delà de la morale, après la religion : le nouvel âge de la question ... 33

  • Situation contemporaine de la question : par-delà la morale et la religion 39

Chap. II. Le sens de la question et l'humanisation progressive des réponses 53

  I. Le moment « cosmologique » ou la transcendance objectivée ... 55
    • *Theoria : commencer par la* « *contemplation des choses divines* » 57
    • *Praxis : les* « *exercices de sagesse* » 58
    • *La sotériologie ou la première sécularisation de l'idée de salut* 60
  II. Le moment théologique ou la transcendance personnifiée 62
  III. Le moment utopique ou la transcendance contestée 65
  IV. Le moment matérialiste ou la transcendance abolie 67

  • L'époque présente ou les deux visages possibles de l'humanisme contemporain : humanisme matérialiste ou humanisme de l'homme-dieu ? 69

*

Sur le plan de ce livre, 74. *La question de l'origine de la pluralité des réponses*, 78. *La question du statut de la pluralité des réponses dans un monde qui se veut démocratique*, 79.

II. LE MOMENT NIETZSCHÉEN OU LA VIE RÉUSSIE COMME VIE LA PLUS « INTENSE » 81

Chap. I. De la transcendance comme illusion suprême. Le « crépuscule des idoles » ou la « philosophie au marteau » : la « fin du monde », la « mort de Dieu » et la « mort de l'homme » 83

Chap. II. Fondements et arguments du matérialisme nietzschéen 101

  • Que le réel est Vie : forces « actives » et forces « réactives » 103
  • Une pensée de l'immanence « absolue » 110

- Que tout jugement sur la vie n'est qu'un symptôme de nos états vitaux 113
- La découverte de l'inconscient ou la fin des illusions du sujet libre et supérieur aux forces de la nature 115
- La fin de l'objet en soi : «il n'y a pas de fait, seulement des interprétations» 120
- La généalogie infinie ou la «philosophie au marteau» 122

Chap. III. La sagesse de Nietzsche ou les trois critères de la vie bonne : la vérité dans l'art, l'intensité dans le «grand style», l'éternité dans l'instant 131

    I. Theoria. Les avatars de la volonté de vérité : l'art comme condition de la connaissance la plus haute 132
    II. Praxis. Le grand style ou la «spiritualisation» des pulsions : de l'intensité comme critère de la vie bonne 141
    III. Sotériologie : l'*amor fati*, l'éternel retour ou le salut par les instants d'éternité 157

Chap. IV. Postérités de Nietzsche. Quatre versions de la vie après la mort de Dieu : «vie quotidienne», «vie de bohème», «vie d'entreprise» ou «vie désaliénée»? 173

    I. L'humanisation de l'art ou l'éloge de la «vie quotidienne» : le cas de la peinture hollandaise 177
    II. «La vraie vie est ailleurs» : bohèmes contre philistins 188
    III. Artistes et entrepreneurs : capitalisme, monde de la technique et volonté de puissance 197
    IV. De la vie réussie comme vie «désaliénée» : le message philosophique de la psychanalyse ou l'éloge de la lucidité 205

III. LA SAGESSE DES ANCIENS OU LA VIE EN HARMONIE AVEC L'ORDRE COSMIQUE 225

Chap. I. La sagesse grecque ou le premier visage d'une «spiritualité laïque». La sécularisation de la problématique du salut 227

- Liminaire : pourquoi s'intéresser à la sagesse des Anciens si elle n'est plus d'aujourd'hui? 227
- De la philosophie comme sécularisation de la religion 231
- De la philosophie grecque comme sécularisation de la religion grecque 236
- De la religion à la philosophie : trois ruptures dans la continuité .. 240
- Le désir d'éternité ou la première sécularisation de la problématique du salut 246

Chap. II. Le «cosmologico-éthique» : la puissance et les charmes des morales inscrites dans le cosmos 257

Chap. III. Un type-idéal de la sagesse ancienne : le cas du stoïcisme 277

- Savoir distinguer entre ce qui dépend de nous et ce qui n'en dépend point... 279
    I. Une cosmologie résolument déterministe 283
    II. Sur la nature de la liberté : qu'est-ce qui, au juste, dépend de nous et en quoi est-ce important d'en prendre conscience? 286
    III. Sur l'équation : «intelligence = vertu = liberté = bonheur» 291
- Une sagesse de l'instant présent : par-delà la nostalgie et l'espérance, c'est ici et maintenant qu'il faut accéder à la vie bonne ... 296
- De la sagesse du moi à la sagesse du monde : une version occidentale du bouddhisme? 303

IV. L'ICI-BAS ENCHANTÉ PAR L'AU-DELÀ 309

Chap. I. La mort enfin vaincue par l'immortalité, la philosophie supplantée par la religion 311

- Jean, Paul et Justin : «logos divin» contre «logos cosmique». La naissance d'une nouvelle doctrine du salut en rupture avec les philosophes grecs 313
- Saint Augustin : grandeur et misère du platonisme ou comment l'humilité de la religion triomphe de l'orgueil philosophique 330
- Au cœur de la doctrine chrétienne du salut : pourquoi l'amour chrétien seul (*agapè*) est-il plus fort que la mort? 338
- Deux ou trois amours? L'amour «en» Dieu comme réconciliation de l'amour de Dieu et de l'amour des hommes 346

Chap. II. La renaissance de la philosophie laïque et l'humanisation de la vie bonne 357

- L'héritage d'Augustin : la philosophie servante de la religion ou comment la raison fut mise au service de la Révélation 359
- Vérités de raison et vérités révélées : vers une «double vérité»? 366
- Les grands monothéismes face à la redécouverte d'Aristote. La naissance du rationalisme religieux ou la première émancipation de la philosophie face à la religion 375
- La seconde émancipation : du monde clos à l'univers infini. La naissance de la science moderne et le désenchantement du monde .. 387
  - *Du cosmos habité à l'univers désenchanté* 390
  - *Du cosmos harmonieux et bon à l'univers indifférent ou mauvais* .. 392
  - *De la vertu comme imitation d'une nature divine à la vertu comme lutte contre une nature maléfique* 395
- L'attitude du christianisme face à la révolution scientifique anti-aristotélicienne 398
- La sécularisation de la religion ou la naissance de la pensée laïque : des religions révélées aux religions de salut terrestre 407

V. UN HUMANISME DE L'HOMME-DIEU. LA VIE BONNE COMME VIE EN HARMONIE AVEC LA CONDITION HUMAINE 415

Chap. I. Matérialisme, religion et humanisme 417
- I. Radicaliser le matérialisme : une spiritualité paradoxalement métaphysique 418
- II. «Moderniser» le religieux : vers une théologie plus «humaniste»? 434
- III. Les nouveaux visages de la transcendance 445
  - *I. Le constat : la «divinisation de l'humain»* 446
  - *II. Trois principes philosophiques post-métaphysiques : l'excès de la liberté, l'irréductibilité des valeurs, la transcendance dans l'immanence* 448

Chap. II. Une nouvelle approche de la question du bonheur 455
- Theoria : l'âge de l'autoréflexion 459
- Praxis : du cosmos naturel au cosmos humain 466
- Sotériologie ou spiritualité laïque : la singularité, l'intensité et l'amour 471

Impression réalisée sur CAMERON par

BUSSIÈRE CAMEDAN IMPRIMERIES
GROUPE CPI
à Saint-Amand-Montrond (Cher)
pour le compte des Éditions Grasset
en octobre 2002

N° d'Édition : 12527. — N° d'Impression : 23976-023294/4.

Dépôt légal : octobre 2002.

Imprimé en France

ISBN 2-246-53551-4